올림포스 고난도

수학 Ⅱ

| 교재
내용
문의 | 교재 및 강의 내용 문의는 EBS*i* 사이트
(www.ebs*i*.co.kr)의 학습 Q&A 서비스를
이용하시기 바랍니다. | 교 재
정오표
공 지 | 발행 이후 발견된 정오 사항을 EBS*i* 사이트
정오표 코너에서 알려 드립니다.
교재 ▶ 교재 자료실 ▶ 교재 정오표 | 교 재
정 정
신 청 | 공지된 정오 내용 외에 발견된 정오 사항이
있다면 EBS*i* 사이트를 통해 알려 주세요.
교재 ▶ 교재 정정 신청 |

고교 내신 대비 EBS Line Up

고등학교 0학년 필수 교재
고등예비과정

국어, 영어, 수학, 한국사, 사회, 과학 6책

모든 교과서를 한 권으로,
교육과정 필수 내용을 빠르고 쉽게!

국어 · 영어 · 수학 내신 + 수능 기본서
올림포스

국어, 영어, 수학 16책

내신과 수능의 기초를 다지는 기본서
학교 수업과 보충 수업용 선택 No.1

국어 · 영어 · 수학 개념+기출 기본서
올림포스 전국연합학력평가 기출문제집

국어, 영어, 수학 10책

개념과 기출을 동시에 잡는 신개념 기본서
최신 학력평가 기출문제 완벽 분석

한국사 · 사회 · 과학 개념 학습 기본서
개념완성

한국사, 사회, 과학 19책

한 권으로 완성하는 한국사, 탐구영역의 개념
부가 자료와 수행평가 학습자료 제공

수준에 따라 선택하는 영어 특화 기본서
영어 POWER 시리즈

Grammar POWER 3책
Reading POWER 4책
Listening POWER 2책
Voca POWER 2책

원리로 익히는 국어 특화 기본서
국어 독해의 원리

현대시, 현대 소설, 고전 시가, 고전 산문,
독서 5책

국어 문법의 원리

수능 국어 문법, 수능 국어 문법 180제 2책

유형별 문항 연습부터 고난도 문항까지
올림포스 유형편

수학(상), 수학(하), 수학 Ⅰ, 수학 Ⅱ,
확률과 통계, 미적분 6책

올림포스 고난도

수학(상), 수학(하), 수학 Ⅰ, 수학 Ⅱ,
확률과 통계, 미적분 6책

최다 문항 수록 수학 특화 기본서
수학의 왕도

수학(상), 수학(하), 수학 Ⅰ, 수학 Ⅱ,
확률과 통계, 미적분 6책

개념의 시각화 + 세분화된 문항 수록
기초에서 고난도 문항까지 계단식 학습

단기간에 끝내는 내신
단기 특강

국어, 영어, 수학 8책

얇지만 확실하게, 빠르지만 강하게!
내신을 완성시키는 문항 연습

올림포스

진짜 상위권 도약을 위한

고난도

수학 II

개념 정리

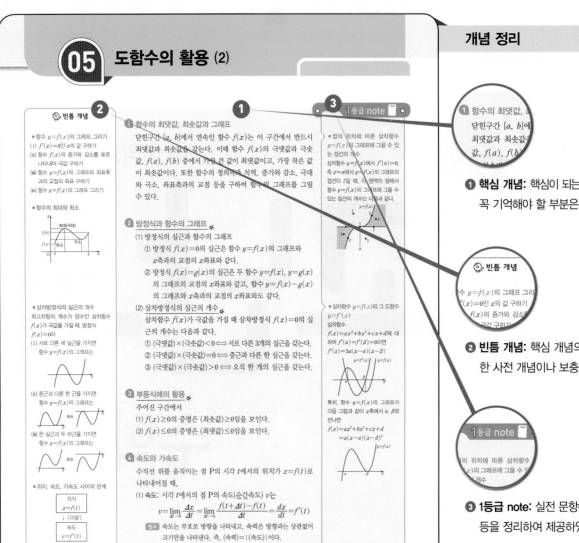

05 도함수의 활용 (2)

② 빈틈 개념

■ 함수 $y=f(x)$의 그래프 그리기
(i) $f'(x)=0$인 x의 값 구하기
(ii) 함수 $f(x)$의 증가와 감소를 표로 나타내어 극값 구하기
(iii) 함수 $y=f(x)$의 그래프와 좌표축과의 교점의 좌표 구하기
(iv) 함수 $y=f(x)$의 그래프 그리기

■ 함수의 최대와 최소

■ 삼차방정식의 실근의 개수
최고차항의 계수가 양수인 삼차함수 $f(x)$가 극값을 가질 때, 방정식 $f(x)=0$이
(i) 서로 다른 세 실근을 가지면 함수 $y=f(x)$의 그래프는

(ii) 중근과 다른 한 근을 가지면 함수 $y=f(x)$의 그래프는

(iii) 한 실근과 두 허근을 가지면 함수 $y=f(x)$의 그래프는

■ 위치, 속도, 가속도 사이의 관계

위치 $x=f(t)$
↓ (미분)
속도 $v=f'(t)$
↓ (미분)
가속도 $a=v'(t)$

❶ 함수의 최댓값, 최솟값과 그래프

닫힌구간 $[a, b]$에서 연속인 함수 $f(x)$는 이 구간에서 반드시 최댓값과 최솟값을 갖는다. 이때 함수 $f(x)$의 극댓값과 극솟값, $f(a)$, $f(b)$ 중에서 가장 큰 값이 최댓값이고, 가장 작은 값이 최솟값이다. 또한 함수의 정의역과 치역, 증가와 감소, 극대와 극소, 좌표축과의 교점 등을 구하여 함수의 그래프를 그릴 수 있다.

❷ 방정식과 함수의 그래프
(1) 방정식의 실근과 함수의 그래프
① 방정식 $f(x)=0$의 실근은 함수 $y=f(x)$의 그래프와 x축과의 교점의 x좌표와 같다.
② 방정식 $f(x)=g(x)$의 실근은 두 함수 $y=f(x)$, $y=g(x)$의 그래프의 교점의 x좌표와 같고, 함수 $y=f(x)-g(x)$의 그래프와 x축과의 교점의 x좌표와도 같다.
(2) 삼차방정식의 실근의 개수
삼차함수 $f(x)$가 극값을 가질 때 삼차방정식 $f(x)=0$의 실근의 개수는 다음과 같다.
① (극댓값)×(극솟값)<0 ⟺ 서로 다른 3개의 실근을 갖는다.
② (극댓값)×(극솟값)=0 ⟺ 중근과 다른 한 실근을 갖는다.
③ (극댓값)×(극솟값)>0 ⟺ 오직 한 개의 실근을 갖는다.

❸ 부등식에의 활용
주어진 구간에서
(1) $f(x)≥0$의 증명은 (최솟값)≥0임을 보인다.
(2) $f(x)≤0$의 증명은 (최댓값)≤0임을 보인다.

❹ 속도와 가속도
수직선 위를 움직이는 점 P의 시각 t에서의 위치를 $x=f(t)$로 나타내어질 때,
(1) 속도: 시각 t에서의 점 P의 속도(순간속도) v는
$$v=\lim_{\Delta t\to 0}\frac{\Delta x}{\Delta t}=\lim_{\Delta t\to 0}\frac{f(t+\Delta t)-f(t)}{\Delta t}=\frac{dx}{dt}=f'(t)$$
참고 속도는 부호로 방향을 나타내고, 속력은 방향과는 상관없이 크기만을 나타낸다. 즉, (속력)=|(속도)|이다.
(2) 가속도: 시각 t에서의 점 P의 속도를 v라 할 때, 가속도 a는
$$a=\lim_{\Delta t\to 0}\frac{\Delta v}{\Delta t}=\lim_{\Delta t\to 0}\frac{v(t+\Delta t)-v(t)}{\Delta t}=\frac{dv}{dt}=v'(t)$$

1등급 note

■ 점의 위치에 따른 삼차함수 $y=f(x)$의 그래프에 그을 수 있는 접선의 개수
삼차함수 $y=f(x)$에서 $f'(a)=0$, 즉 $x=a$에서 $y=f(x)$의 그래프의 접선이 1일 때, 각 영역의 점에서 함수 $y=f(x)$의 그래프에 그을 수 있는 접선의 개수는 다음과 같다.

■ 삼차함수 $y=f(x)$와 그 도함수 $y=f'(x)$
삼차함수 $f(x)=ax^3+bx^2+cx+d$에 대하여 $f'(a)=f'(\beta)=0$이면 $f'(x)=3a(x-\alpha)(x-\beta)$

특히, 함수 $y=f(x)$의 그래프가 다음 그림과 같이 x축에서 α, β와 만나면
$f(x)=ax^3+bx^2+cx+d=a(x-\alpha)(x-\beta)^2$

❶ 핵심 개념: 핵심이 되는 중요 개념을 정리하였고, 꼭 기억해야 할 부분은 중요 표시를 하였다.

❷ 빈틈 개념: 핵심 개념의 이해를 돕기 위해 필요한 사전 개념이나 보충 개념을 정리하였다.

❸ 1등급 note: 실전 문항에 적용되는 비법이나 팁 등을 정리하여 제공하였다.

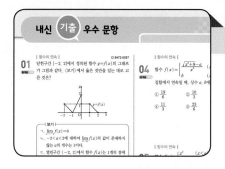

내신 기출 우수 문항

학교 시험에서 출제 가능성이 높은 예상 문항들로 구성하여 실전에 대비할 수 있도록 하였다.

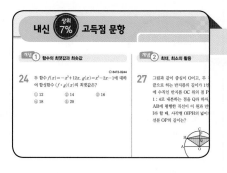

내신 상위 7% 고득점 문항

상위 7% 수준의 문항을 개념별로 수록하여 내신 고득점을 대비할 수 있도록 하였다.

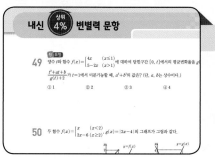

내신 상위 4% 변별력 문항

상위 4% 수준의 문항을 통해 내신 1등급으로 실력을 높일 수 있도록 하였고, 신 유형 문항을 수록하였다.

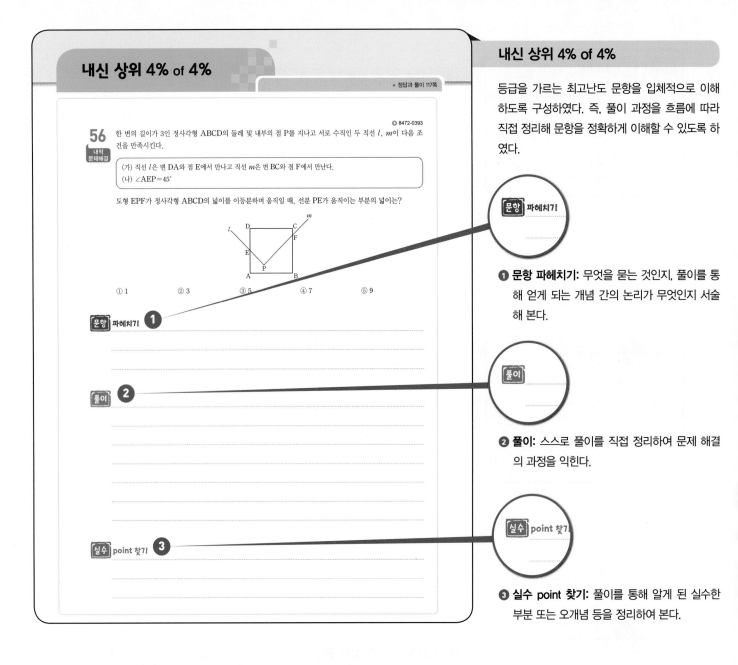

56
내적
문제해결

● 8472-0393

한 변의 길이가 3인 정사각형 ABCD의 둘레 및 내부의 점 P를 지나고 서로 수직인 두 직선 l, m이 다음 조건을 만족시킨다.

(가) 직선 l은 변 DA와 점 E에서 만나고 직선 m은 변 BC와 점 F에서 만난다.
(나) $\angle AEP=45°$

도형 EPF가 정사각형 ABCD의 넓이를 이등분하며 움직일 때, 선분 PE가 움직이는 부분의 넓이는?

① 1　　　　② 3　　　　③ 5　　　　④ 7　　　　⑤ 9

문항 파헤치기 ❶

풀이 ❷

실수 point 찾기 ❸

내신 상위 4% of 4%

등급을 가르는 최고난도 문항을 입체적으로 이해하도록 구성하였다. 즉, 풀이 과정을 흐름에 따라 직접 정리해 문항을 정확하게 이해할 수 있도록 하였다.

❶ **문항 파헤치기**: 무엇을 묻는 것인지, 풀이를 통해 얻게 되는 개념 간의 논리가 무엇인지 서술해 본다.

❷ **풀이**: 스스로 풀이를 직접 정리하여 문제 해결의 과정을 익힌다.

❸ **실수 point 찾기**: 풀이를 통해 알게 된 실수한 부분 또는 오개념 등을 정리하여 본다.

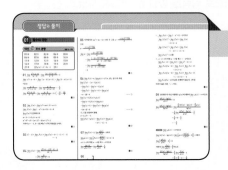

정답과 풀이

모든 문항에 정확한 이해를 돕는 자세한 풀이를 서술하였으며 특히 [내신 상위 4% 변별력 문항]과 [내신 상위 4% of 4%]는 풀이에 문항을 함께 실어 자세하고 친절한 풀이를 제공하였다.

EBS 스마트북 활용 안내

EBS 스마트북은 스마트폰으로 바로 찍어 해설 영상을 수강할 수 있고, 교재 문제를 파일(한글, 이미지)로 다운로드하여 쉽게 활용할 수 있습니다.

학생 모르는 문제, 찍어서 해설 강의 수강

[8472-0001]
1. 윗글에 대해 이해한 내용으로 가장 적절한 것은?

[8472-0001]
1. 윗글에 대해

\# 스마트폰 문제 촬영
\# 인공지능 단추 푸리봇 연결
\# 해설 강의 수강

※ EBSi 고교강의 앱 설치 후 이용하실 수 있습니다.
※ EBSi 홈페이지 및 앱 검색창에서 문항코드 입력으로도 확인이 가능합니다.

교사 교재 문항을 한글(HWP)문서로 저장

[8472-0001]
1. 윗글에 대해 이해한 내용으로 가장 적절한 것은

EBS 교재 문항을 한글(HWP)파일로 다운로드하여 이용할 수 있습니다

다운로드

※ 교사지원센터(http://teacher.ebsi.co.kr) 접속 후 '교사 인증'을 통해 이용 가능

I
함수의 극한과 연속

01. 함수의 극한

02. 함수의 연속

빈틈 개념

■x의 값이 한없이 커질 때와 음수이면서 그 절댓값이 한없이 커질 때 기호로 각각 $x \longrightarrow \infty$, $x \longrightarrow -\infty$와 같이 나타내며 극한은 같은 방법으로 정의된다.

■함숫값이 존재하지 않더라도 극한값은 존재할 수 있다.

■좌, 우극한을 확인해야 할 함수
유리함수, 절댓값 기호를 포함한 함수, 정의역에 의해 구분되는 함수 등

■$\lim\limits_{x \to a} c = c$(단, c는 상수)

■c가 상수일 때
$\lim\limits_{x \to \infty} \dfrac{c}{x} = 0$, $\lim\limits_{x \to -\infty} \dfrac{c}{x} = 0$

■$f(x)$가 다항함수일 때
$\lim\limits_{x \to a} f(x) = f(a)$

■함수의 극한에 대한 성질은
$x \to \infty$, $x \to -\infty$, $x \to a-$,
$x \to a+$일 때에도 성립하고 두 함수 $f(x)$, $g(x)$ 중에서 적어도 하나가 극한값이 존재하지 않을 때는 성립하지 않을 수도 있다.

■두 함수 $f(x)$, $g(x)$에 대하여
$\lim\limits_{x \to a} f(x) = \alpha$, $\lim\limits_{x \to a} g(x) = \beta$
(α, β는 실수)일 때, a에 가까운 모든 x에 대하여
(1) $f(x) \le g(x)$이면 $\alpha \le \beta$이다.
(2) 함수 $h(x)$에 대하여
   $f(x) \le h(x) \le g(x)$이고
   $\alpha = \beta$이면 $\lim\limits_{x \to a} h(x) = \alpha$이다.
참고 $f(x) < g(x)$와
$f(x) < h(x) < g(x)$일 때도 위의 성질이 성립한다. 즉, 등호가 없는 경우에도 위의 결론은 성립한다.

1 함수의 극한

함수 $f(x)$에서 x가 a와 다른 값을 가지면서 a에 한없이 가까워질 때,

(1) $f(x)$의 값이 일정한 값 α에 한없이 가까워지면 함수 $f(x)$는 α에 수렴한다고 하며,

$$\lim\limits_{x \to a} f(x) = \alpha \text{ 또는 } x \longrightarrow a \text{일 때 } f(x) \longrightarrow \alpha$$

이때 α를 $x \longrightarrow a$일 때 함수 $f(x)$의 극한 또는 극한값이라고 한다.

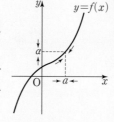

(2) $f(x)$의 값이 한없이 커지면 $f(x)$는 양의 무한대로 발산한다고 하며,

$$\lim\limits_{x \to a} f(x) = \infty \text{ 또는 } x \longrightarrow a \text{일 때 } f(x) \longrightarrow \infty$$

(3) $f(x)$의 값이 음수이면서 그 절댓값이 한없이 커지면 $f(x)$는 음의 무한대로 발산한다고 하며,

$$\lim\limits_{x \to a} f(x) = -\infty \text{ 또는 } x \longrightarrow a \text{일 때 } f(x) \longrightarrow -\infty$$

와 같이 나타낸다.

2 함수의 좌극한과 우극한

(1) 함수 $f(x)$에서 x가 a보다 작은 값을 가지면서 a에 한없이 가까워질 때, $f(x)$의 값이 일정한 값 α에 한없이 가까워지면 α를 $x = a$에서의 함수 $f(x)$의 좌극한이라 하며,

$$\lim\limits_{x \to a-} f(x) = \alpha \text{ 또는 } x \longrightarrow a- \text{일 때 } f(x) \longrightarrow \alpha$$

(2) 함수 $f(x)$에서 x가 a보다 큰 값을 가지면서 a에 한없이 가까워질 때, $f(x)$의 값이 일정한 값 α에 한없이 가까워지면 α를 $x = a$에서의 함수 $f(x)$의 우극한이라 하며,

$$\lim\limits_{x \to a+} f(x) = \alpha \text{ 또는 } x \longrightarrow a+ \text{일 때 } f(x) \longrightarrow \alpha$$

(3) $\lim\limits_{x \to a-} f(x) = \lim\limits_{x \to a+} f(x) = \alpha \Longleftrightarrow \lim\limits_{x \to a} f(x) = \alpha$

(단, a는 실수)

3 함수의 극한에 대한 성질

두 함수 $f(x)$, $g(x)$에 대하여
$\lim\limits_{x \to a} f(x) = \alpha$, $\lim\limits_{x \to a} g(x) = \beta$ (α, β는 실수)일 때

(1) $\lim\limits_{x \to a} kf(x) = k\alpha$ (단, k는 상수)

(2) $\lim\limits_{x \to a} \{f(x) \pm g(x)\} = \alpha \pm \beta$ (복부호 동순)

(3) $\lim\limits_{x \to a} \{f(x)g(x)\} = \alpha\beta$

(4) $\lim\limits_{x \to a} \dfrac{f(x)}{g(x)} = \dfrac{\alpha}{\beta}$ (단, $g(x) \ne 0$, $\beta \ne 0$)

| 함수의 좌극한과 우극한 | ◐ 8472-0001

01 $\lim\limits_{x \to 2+} \dfrac{x^2+x-6}{|x-2|} + \lim\limits_{x \to 2-} \dfrac{x-2}{|x^2+x-6|}$ 의 값은?

출제율 95%

① $\dfrac{12}{5}$ ② 3   ③ $\dfrac{18}{5}$

④ $\dfrac{21}{5}$ ⑤ $\dfrac{24}{5}$

| 함수의 좌극한과 우극한 | ◐ 8472-0002

02 함수 $f(x)=\begin{cases} x^2+ax+2 & (x>1) \\ 0 & (x=1) \\ -x^2+2x+b & (x<1) \end{cases}$ 에 대하여

출제율 88%

$\lim\limits_{x \to 1} f(x)$ 가 존재할 때, a^2+b^2의 최솟값은?

(단, a, b는 실수이다.)

① 2   ② 4   ③ 6

④ 8   ⑤ 10

| 함수의 좌극한과 우극한 | ◐ 8472-0003

03 정의역이 $\{x|-2 \le x \le 2\}$인 함수 $y=f(x)$의 그래프가 그림과 같다.

출제율 96%

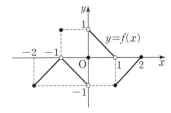

$f(-1)+\lim\limits_{x \to 0-} f(x)+\lim\limits_{x \to 1+} f(x)$의 값은?

① -3 ② -1 ③ 0

④ 1   ⑤ 3

| 함수의 좌극한과 우극한 | ◐ 8472-0004

04 함수 $f(x)=\dfrac{\sqrt{x}+1-|\sqrt{x}-1|-2}{\sqrt{x}-1}$에 대하여

출제율 92%

$\lim\limits_{x \to 1+} f(x)+\lim\limits_{x \to 1-} f(x)$의 값은?

① -2 ② -1 ③ 0

④ 1   ⑤ 2

| 함수의 좌극한과 우극한 | ◐ 8472-0005

05 양수 a에 대하여 이차방정식 $ax^2+4x-12=0$의 서로 다른 두 실근 중 큰 근을 α라 할 때, $\lim\limits_{a \to 0+} \alpha$의 값은?

출제율 93%

① -3 ② -1 ③ 0

④ 1   ⑤ 3

| 함수의 극한에 대한 성질 | ◐ 8472-0006

06 두 다항함수 $f(x)$, $g(x)$에 대하여

출제율 95%

$$\lim\limits_{x \to 1} \{f(x)-(x+1)g(x)\}=4$$
$$\lim\limits_{x \to 1} \{(x+1)f(x)+g(x)\}=3$$

이 성립할 때, $\lim\limits_{x \to 1} \{f(x)+g(x)\}$의 값은?

① -1 ② $-\dfrac{1}{2}$ ③ 0

④ $\dfrac{1}{2}$ ⑤ 1

07 | 함수의 극한에 대한 성질 | ▶ 8472-0007

출제율 96%

두 함수 $f(x)$, $g(x)$에 대하여

$$\lim_{x \to 1} f(x) = 2, \quad \lim_{x \to 1} \frac{g(x)}{f(x)} = 3$$

일 때, $\lim_{x \to 0} \frac{2x+1}{g(x+1)}$의 값은?

① $\dfrac{5}{6}$　　　　② $\dfrac{2}{3}$　　　　③ $\dfrac{1}{2}$

④ $\dfrac{1}{3}$　　　　⑤ $\dfrac{1}{6}$

08 | 함수의 극한에 대한 성질 | ▶ 8472-0008

출제율 91%

함수 $f(x) = \begin{cases} -x^2 + 2 & (x \geq 0) \\ x^2 - 2 & (x < 0) \end{cases}$에 대하여 〈보기〉에서

옳은 것만을 있는 대로 고른 것은?

┤ 보기 ├

ㄱ. $\lim\limits_{x \to 0-} f(x) = -2$

ㄴ. $\lim\limits_{x \to 0} \{f(x)\}^2 = 4$

ㄷ. $\lim\limits_{x \to 0} f(x)f(x-2) = 4$

① ㄱ　　　　② ㄴ　　　　③ ㄱ, ㄴ

④ ㄴ, ㄷ　　　　⑤ ㄱ, ㄴ, ㄷ

09 | 함수의 극한에 대한 성질 | ▶ 8472-0009

출제율 97%

상수함수가 아닌 두 다항함수 $f(x)$, $g(x)$가

$\lim\limits_{x \to \infty} \{4f(x) - 3g(x)\} = 2$를 만족시킬 때,

$\lim\limits_{x \to \infty} \dfrac{2f(x) - 3g(x)}{3g(x)}$의 값은?

① $-\dfrac{3}{2}$　　　　② $-\dfrac{1}{2}$　　　　③ $\dfrac{1}{2}$

④ $\dfrac{3}{2}$　　　　⑤ $\dfrac{5}{2}$

10 | 함수의 극한에 대한 성질 | ▶ 8472-0010

출제율 93%

다항식 $f(x)$가 모든 실수 x에 대하여

$x^2 + 4x + 7 < f(x) < x^2 + 4x + 8$이 성립할 때,

$\lim\limits_{x \to \infty} \{\sqrt{f(x)} - x + 1\}$의 값은?

① 1　　　　② 2　　　　③ 3

④ 4　　　　⑤ 5

11 | $\dfrac{0}{0}$ 꼴의 극한값의 계산 | ▶ 8472-0011

출제율 88%

$\lim\limits_{x \to 2} \dfrac{\sqrt{x^2 - 2} - \sqrt{x}}{x^2 - 2x}$의 값은?

① $\dfrac{\sqrt{2}}{8}$　　　　② $\dfrac{\sqrt{2}}{4}$　　　　③ $\dfrac{3\sqrt{2}}{8}$

④ $\dfrac{\sqrt{2}}{2}$　　　　⑤ $\dfrac{5\sqrt{2}}{8}$

12 | $\dfrac{0}{0}$ 꼴의 극한값의 계산 | ▶ 8472-0012

출제율 86%

실수 a에 대하여 $\lim\limits_{x \to a}(x-1)(x-3) = -1$일 때,

$\lim\limits_{x \to a} \dfrac{x^3 - 4x}{x^2 - x - 2}$의 값은?

① $\dfrac{3}{2}$　　　　② $\dfrac{8}{3}$　　　　③ $\dfrac{15}{4}$

④ $\dfrac{24}{5}$　　　　⑤ $\dfrac{35}{6}$

| $\frac{0}{0}$ 꼴의 극한값의 계산 | ▶ 8472-0013

13 삼차식 $f(x)$에 대하여 $\lim_{x \to a} \dfrac{f(x)}{x-a}=2$,

출제율 91%

$\lim_{x \to 3a} \dfrac{f(x)}{x-3a}=2$일 때 $\lim_{x \to 2a} \dfrac{f(x)}{x-2a}$의 값은?

(단, $a \neq 0$)

① -1 ② 0 ③ 1

④ 2 ⑤ 3

| $0 \times \infty$ 꼴의 극한값의 계산 | ▶ 8472-0014

14 $\lim_{x \to \infty}(3x-1)\left\{\left(\dfrac{3}{x}\right)^{10}+\left(\dfrac{3}{x}\right)^{9}+\cdots+\left(\dfrac{3}{x}\right)^{2}+\left(\dfrac{3}{x}\right)\right\}$의

출제율 90%

값은?

① 3 ② 6 ③ 9

④ 12 ⑤ 15

| $\frac{\infty}{\infty}$ 꼴의 극한값의 계산 | ▶ 8472-0015

15 $\lim_{x \to \infty} \dfrac{4x-3}{\sqrt{4x^2+x+1}+\sqrt{x^2-2x-3}}$의 값은?

출제율 93%

① $\dfrac{3}{2}$ ② $\dfrac{4}{3}$ ③ $\dfrac{5}{4}$

④ $\dfrac{6}{5}$ ⑤ $\dfrac{7}{6}$

| $\infty - \infty$ 꼴의 극한값의 계산 | ▶ 8472-0016

16 $\lim_{x \to -\infty} \dfrac{1}{\sqrt{x^2-2x+2}+(x+1)}$의 값은?

출제율 90%

① $-\dfrac{1}{3}$ ② $-\dfrac{1}{2}$ ③ 0

④ $\dfrac{1}{2}$ ⑤ $\dfrac{1}{3}$

| 미정계수의 결정 | ▶ 8472-0017

17 $\lim_{x \to 1} \dfrac{x^3-ax^2-b}{x^2-1}=-\dfrac{5}{2}$가 성립하도록 상수 a, b의 값

출제율 95%

을 정할 때, a^2+b^2의 값은?

① 13 ② 20 ③ 25

④ 29 ⑤ 32

| 미정계수의 결정 | ▶ 8472-0018

18 $\lim_{x \to -1} \dfrac{\sqrt{x^2-x+2}-ax}{x+1}=b$가 성립하도록 상수 a, b의

출제율 96%

값을 정할 때, $a+b$의 값은?

① $\dfrac{3}{4}$ ② $\dfrac{1}{4}$ ③ 0

④ $-\dfrac{1}{4}$ ⑤ $-\dfrac{3}{4}$

19 | 미정계수의 결정 |

출제율 93%

8472-0019

다항함수 $f(x)$가 다음 조건을 만족시킬 때, $f(2)$의 값은?

(가) $\lim_{x \to \infty} \dfrac{f(x) - x^3}{2x^2} = 0$

(나) $\lim_{x \to 1} \dfrac{f(x)}{x - 1} = 5$

① 3   ② 5   ③ 7

④ 9   ⑤ 11

20 | 함수의 극한의 활용 |

출제율 89%

8472-0020

실수 a에 대하여 직선 $y = 2x + a$와
원 $(x - 1)^2 + (y - 2)^2 = 5$가 만나는 서로 다른 점의 개수를 $f(a)$라 할 때, $\lim_{a \to 5^-} f(a) + \lim_{a \to -5^+} f(a)$의 값은?

① 0   ② 1   ③ 2

④ 3   ⑤ 4

21 | 함수의 극한의 활용 |

출제율 92%

8472-0021

곡선 $y = \dfrac{1}{x}$ $(x > 0)$과 직선 $y = x$가 만나는 점을 A, 점 A가 아닌 곡선 위의 점 $\mathrm{P}\left(t, \dfrac{1}{t}\right)$에서 직선 $y = x$에 내린 수선의 발을 B라 할 때, $\lim_{t \to \infty} (\overline{\mathrm{PA}} - \sqrt{2}\,\overline{\mathrm{PB}})$의 값은?

① $-\sqrt{2}$ ② -1 ③ 0

④ 1   ⑤ $\sqrt{2}$

서술형 문제

22

출제율 94%

8472-0022

삼차함수 $f(x) = x^3 + ax^2 + bx + 1$과 이차항의 계수가 1인 이차함수 $g(x)$가 다음 조건을 만족시킬 때, $g(x)$를 구하시오. (단, a, b는 상수이다.)

(가) $g(1) = 0$

(나) $\lim_{x \to 1} \dfrac{f(x)}{g(x)} = 0$, $\lim_{x \to 2} \dfrac{g(x)}{f(x)} = 2$

23

출제율 96%

8472-0023

양수 a에 대하여 함수 $f(x) = \sqrt{\dfrac{x}{a}} + 1$의 역함수를 $g(x)$라 하자. 두 곡선 $y = f(x)$, $y = g(x)$의 교점을 $\mathrm{P}(t, f(t))$라 할 때, $\lim_{a \to \infty} \{t + f(t)\}$의 값을 구하시오.

개념 ① 함수의 좌극한과 우극한

▶ 8472-0024

24 두 함수 $f(x)$, $g(x)$의 그래프가 그림과 같을 때, 〈보기〉에서 옳은 것만을 있는 대로 고른 것은?

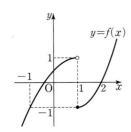 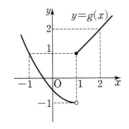

┤ 보기 ├
ㄱ. $\lim\limits_{x \to 1+} f(x)g(x) = -1$
ㄴ. $\lim\limits_{x \to 1-} \{f(x) + g(-x)\} = 1$
ㄷ. $\lim\limits_{x \to 0} f(x+1)g(1-x) = -1$

① ㄱ   ② ㄴ   ③ ㄱ, ㄷ
④ ㄴ, ㄷ   ⑤ ㄱ, ㄴ, ㄷ

▶ 8472-0025

25 정의역이 $\{x \mid -6 < x < 6\}$인 함수 $y = f(x)$의 그래프가 그림과 같다.

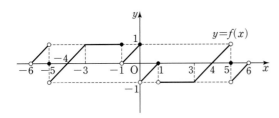

$-6 < n < 6$인 정수 n에 대하여 $\lim\limits_{x \to n} |f(x)|$의 값이 존재하는 모든 n의 개수는?

① 6   ② 7   ③ 8
④ 9   ⑤ 10

▶ 8472-0026

26 실수 전체의 집합에서 정의된 함수 $f(x)$에 대하여 닫힌 구간 $[-2, 2]$에서 함수 $y = f(x)$의 그래프가 그림과 같다. 함수 $f(x)$가 모든 실수 x에 대하여 $f(x+4) = f(x)$를 만족시킬 때,
$$\lim_{x \to -3-} f(x) + \lim_{x \to 4-} f(x)$$의 값은?

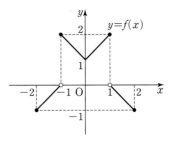

① -3   ② -1   ③ 0
④ 1   ⑤ 3

개념 ② 함수의 극한에 대한 성질

▶ 8472-0027

27 그림은 함수 $y = f(x)$의 그래프를 나타낸 것이다. 최고차항의 계수가 1인 이차함수 $g(x)$에 대하여 $\lim\limits_{x \to 1} f(x)g(x)$의 값과 $\lim\limits_{x \to 2} f(x)g(x)$의 값이 모두 존재할 때, $g(3)$의 값은?

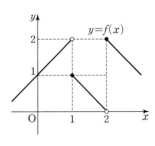

① -1   ② 0   ③ 1
④ 2   ⑤ 3

28 8472-0028

두 다항함수 $f(x)$, $g(x)$에 대하여

$$\lim_{x \to 0} \frac{f(x)}{x} = 4, \quad \lim_{x \to 1} \frac{g(x)}{x-1} = 2$$

일 때, $\lim_{x \to 1} \dfrac{f(x-1) + g(2-x)}{x^2 - 1}$의 값은?

① -1 ② $-\dfrac{1}{2}$ ③ 0

④ $\dfrac{1}{2}$ ⑤ 1

29 8472-0029

두 함수 $f(x)$, $g(x)$가 $\lim\limits_{x \to 2} \dfrac{f(x) - 3}{x - 2} = 3$,

$\lim\limits_{x \to 2} \dfrac{f(x)g(x) - 2f(x) - 3g(x) + 6}{(x-2)^2} = 12$를 만족시킬

때, $\lim\limits_{x \to 2} \dfrac{g(x) - 2}{x - 2} = \alpha$이다. 상수 α의 값은?

① 1 ② 2 ③ 3

④ 4 ⑤ 5

30 8472-0030

다항함수 $f(x)$에 대하여

$$\lim_{x \to 0+} \frac{(x^3 - 2x^2)f\left(\dfrac{1}{x}\right) - 2}{3x^2 - x} = 5$$

일 때, $\lim\limits_{x \to 0} \dfrac{f(x) - 3}{x} = \alpha$이다. 상수 α의 값은?

① $-\dfrac{7}{2}$ ② -2 ③ $-\dfrac{1}{2}$

④ 2 ⑤ $\dfrac{7}{2}$

31 8472-0031

함수 $f(x)$가 모든 실수 x에 대하여 $-1 \le f(x) \le 1$일 때,

$\lim\limits_{x \to 0} \left\{ x^2 f(x) + \dfrac{x^2 + 4x}{2x^3 + x} \right\}$의 값은?

① 1 ② 2 ③ 3

④ 4 ⑤ 5

32 8472-0032

x에 대한 다항식 $f(x)$를 $x - 1$로 나누었을 때의 몫을

$g(x)$라 하자. $\lim\limits_{x \to 1} \dfrac{f(x) - 3x}{x - 1} = 2$일 때,

$\lim\limits_{x \to 1} \dfrac{\{f(x) - 3\} g(x)}{x^2 - 1}$의 값은?

① $\dfrac{19}{2}$ ② $\dfrac{21}{2}$ ③ $\dfrac{23}{2}$

④ $\dfrac{25}{2}$ ⑤ $\dfrac{27}{2}$

33 8472-0033

다항함수 $f(x)$에 대하여 $\lim\limits_{x \to \infty} \{x - f(x)\} = 3$일 때,

$\lim\limits_{x \to \infty} \dfrac{\sqrt{x+1} - \sqrt{f(x)}}{\sqrt{x} - \sqrt{f(x)}}$의 값은?

① 0 ② $\dfrac{1}{3}$ ③ $\dfrac{2}{3}$

④ 1 ⑤ $\dfrac{4}{3}$

34 ▶ 8472-0034

두 함수 $f(x)$, $g(x)$에 대하여

$$\lim_{x \to \infty} f(x) = \infty, \quad \lim_{x \to \infty} \frac{f(x) + g(x)}{f(x) - g(x)} = 3$$

이다. $\lim_{x \to \infty} \dfrac{2f(x) - g(x)}{f(x) + 2g(x)} = \dfrac{q}{p}$일 때, $p + q$의 값은?

(단, $f(x) \ne g(x)$이고, p와 q는 서로소인 자연수이다.)

① 3   ② 5   ③ 7
④ 9   ⑤ 11

35 ▶ 8472-0035

모든 실수 x, y에 대하여

$$f(x+y) = f(x) + f(y) + xy + 2$$

를 만족시키는 함수 $f(x)$가 $\lim_{x \to 0} f(x) = f(1) = -2$를 만족시킬 때, $\lim_{x \to 2} f(x)$의 값은?

① -1 ② -2 ③ -3
④ -4 ⑤ -5

36 ▶ 8472-0036

공역이 양의 실수 전체의 집합인 두 함수 $f(x)$, $g(x)$에 대하여 $\lim_{x \to a} f(x) = 9$, $\lim_{x \to a} \dfrac{\{g(x)\}^2}{\{f(x)\}^3} = 64$이다.

$\lim_{x \to a} \dfrac{g(x)}{f(x)} = k$일 때, 상수 k의 값은?

(단, a는 양수이다.)

① 20   ② 22   ③ 24
④ 26   ⑤ 28

37 ▶ 8472-0037

두 함수 $f(x)$, $g(x)$에 대하여 $g(x) > 0$이고 $\lim_{x \to a} \dfrac{\sqrt{g(x)}}{f(x)} = \dfrac{1}{2}$일 때, $\lim_{x \to a} \dfrac{\{f(x)\}^2 - 2g(x)}{g(x)}$의 값은? (단, $f(x) \ne 0$, a는 실수이다.)

① 1   ② 2   ③ 3
④ 4   ⑤ 5

개념 ③ $\dfrac{0}{0}$ 꼴과 $0 \times \infty$ 꼴의 극한값의 계산

38 ▶ 8472-0038

$\lim\limits_{x \to -\infty} x\left(\sqrt{\dfrac{x+1}{x-1}} - 1\right)$의 값은?

① $-\dfrac{1}{2}$ ② 0   ③ $\dfrac{1}{2}$
④ 1   ⑤ $\dfrac{3}{2}$

39 ▶ 8472-0039

함수 $f(x) = x^2 - 2x - 1$에 대하여 방정식 $f(x) = 0$의 서로 다른 두 실근을 α, β라 할 때,

$$\lim_{x \to \alpha} \frac{f(x)f(-x)}{x - \alpha} + \lim_{x \to \beta} \frac{f(x)f(-x)}{x - \beta}$$의 값은?

① 32   ② 34   ③ 36
④ 38   ⑤ 40

40 ▶ 8472-0040

자연수 n에 대하여 $\displaystyle\lim_{x \to \infty} \dfrac{x^n(\sqrt{x^4+1}-x^2)}{\sqrt{x^2+x}-x} = a$일 때, $n+a$의 값은? (단, a는 0이 아닌 실수이다.)

① 1   ② 3   ③ 5
④ 7   ⑤ 9

41 ▶ 8472-0041

함수 $f(x) = \dfrac{|x^3|-3x-4}{2x^3+|x|+1}$에 대하여 〈보기〉에서 옳은 것만을 있는 대로 고른 것은?

┤ 보기 ├

ㄱ. $\displaystyle\lim_{x \to -\infty} f(x) = -\dfrac{1}{2}$

ㄴ. $\displaystyle\lim_{x \to 1} f(x) = -\dfrac{3}{2}$

ㄷ. $\displaystyle\lim_{x \to -1} f(x) = \dfrac{6}{5}$

① ㄱ   ② ㄱ, ㄴ   ③ ㄱ, ㄷ
④ ㄴ, ㄷ   ⑤ ㄱ, ㄴ, ㄷ

42 ▶ 8472-0042

이차방정식 $x^2-4x-3=0$의 두 실근을 α, β라 할 때, $\displaystyle\lim_{x \to \infty} \sqrt{x}(\sqrt{x+\alpha}-\sqrt{x+\beta})$의 값은? (단, $\alpha > \beta$)

① $\sqrt{7}$ ② $2\sqrt{2}$ ③ 3
④ $\sqrt{10}$ ⑤ $\sqrt{11}$

43 ▶ 8472-0043

두 양수 a, b와 자연수 n에 대하여 $\displaystyle\lim_{x \to 0} \dfrac{\sqrt{a^2+2x^2+x^3}-b}{x^n}=1$일 때, $a+b+n$의 값은?

① 3   ② 4   ③ 5
④ 6   ⑤ 7

44 ▶ 8472-0044

다항함수 $f(x)$가 다음 조건을 만족시킨다.

> (가) $\displaystyle\lim_{x \to \infty} \dfrac{f(x)}{x^3} = 2$
>
> (나) $\displaystyle\lim_{x \to 1} \dfrac{f(x-1)}{x-1} = 4$

방정식 $f(x)=0$의 서로 다른 모든 실근의 합이 -3일 때, $f(1)$의 값은?

① 11   ② 12   ③ 13
④ 14   ⑤ 15

45 ▶ 8472-0045

최고차항의 계수가 4인 삼차함수 $f(x)$가 다음 조건을 만족시킬 때, $f(2)$의 값은?

> (가) $\displaystyle\lim_{x \to 1} \dfrac{f(x)}{x-1} \times \lim_{x \to -1} \dfrac{f(x)}{x+1} = 28$
>
> (나) $\displaystyle\lim_{x \to \infty} \left\{ f\left(\dfrac{1}{x}\right) - 3 \right\} = 0$

① 15   ② 16   ③ 17
④ 18   ⑤ 19

개념 **6** 함수의 극한의 활용

46 ▶ 8472-0046

그림과 같이 기울기가 양수인 직선 l이 두 포물선 $y=\frac{1}{2}x^2+4$, $y=ax^2+\frac{1}{a^2}$과 동시에 접하고 있다. 이때 직선 l과 포물선 $y=\frac{1}{2}x^2+4$가 만나는 접점 $\mathrm{P}\left(t,\ \frac{1}{2}t^2+4\right)$에 대하여 $\lim\limits_{a\to\frac{1}{2}+}(t^2+2t+8)$의 값을 구하시오. $\left(\text{단, } a>0,\ a\neq\frac{1}{2}\right)$

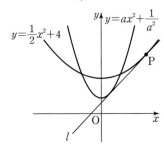

47 ▶ 8472-0047

원점 O가 중심이고 직선 $y=x+1$에 접하는 원을 C_1이라 하고, 직선 $y=x+1$ 위의 점 $(t,\ t+1)$을 중심으로 하고 반지름의 길이가 $\sqrt{2t}$인 원을 C_2라 하자. 원 C_1 위의 점 P와 원 C_2 위의 점 Q에 대하여 선분 PQ의 길이의 최솟값을 $f(t)$, 최댓값을 $g(t)$라 할 때, $\lim\limits_{t\to\infty}\dfrac{g(t)+\sqrt{2t}}{f(t)+\sqrt{2t}}$의 값은? (단, $t>0$)

① 1   ② $\sqrt{3}$ ③ 2
④ $2\sqrt{2}$ ⑤ 3

48 ▶ 8472-0048

이차항의 계수가 1인 이차함수 $f(x)$가
$$\lim_{x\to1}\frac{f(x)}{x-1}=a,\quad \lim_{x\to\infty}\{\sqrt{f(x)}-\sqrt{f(-x)}\}=4$$
를 만족시킨다. 상수 a에 대하여 $f(3)+a$의 값을 구하시오.

49 ▶ 8472-0049

최고차항의 계수가 각각 1인 이차식 $f(x)$와 삼차식 $g(x)$가 다음 조건을 만족시킨다.

> (가) 방정식 $f(x)=0$은 서로 다른 두 양의 실근 α, β를 갖는다.
>
> (나) $\lim\limits_{x\to\alpha}\dfrac{f(x)}{g(x)}=\dfrac{1}{\beta}$, $\lim\limits_{x\to\beta}\dfrac{g(x)}{f(x)}=\alpha-2$
>
> (다) $\lim\limits_{x\to1}\dfrac{g(x)}{x-1}=20$

$\alpha^2+\beta^2$의 값을 구하시오.

50 그림은 닫힌구간 $[-2, 2]$에서 정의된 함수 $y=f(x)$의 그래프를 나타낸 것이다. 〈보기〉에서 옳은 것만을 있는 대로 고른 것은?

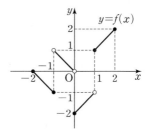

┤ 보기 ├

ㄱ. $\lim\limits_{x \to -1-} f(x) = \lim\limits_{x \to 1-} f(x)$

ㄴ. $\lim\limits_{x \to \infty} f\left(\dfrac{x-1}{x}\right) f\left(-\dfrac{x}{x+1}\right) = 2$

ㄷ. $-2 < a < 2$일 때, $\lim\limits_{x \to a+} f^{-1}(x) \neq f^{-1}(a)$를 만족시키는 실수 a의 개수는 1이다.

① ㄴ
② ㄷ
③ ㄱ, ㄴ
④ ㄱ, ㄷ
⑤ ㄱ, ㄴ, ㄷ

51 구간 $[1, \infty)$에서 정의된 함수 $f(x)$는 모든 자연수 k에 대하여

$$f(x) = 2k \ (k^2 \leq x < (k+1)^2)$$

를 만족시킨다. $\lim\limits_{x \to \infty} \dfrac{f(x)}{\sqrt{x}}$의 값은?

① $\dfrac{1}{2}$
② 1
③ $\dfrac{3}{2}$
④ 2
⑤ $\dfrac{5}{2}$

신유형

52 두 양수 a, b와 음수 c에 대하여 이차방정식 $ax^2 + bx + c = 0$의 0이 아닌 서로 다른 두 실근을 α, β라 하자. 〈보기〉에서 옳은 것만을 있는 대로 고른 것은? (단, $\alpha > \beta$)

┤ 보기 ├

ㄱ. $\lim\limits_{a \to 0+} \alpha = -\dfrac{c}{b}$

ㄴ. $\lim\limits_{a \to 0+} \beta = \dfrac{b}{c}$

ㄷ. $\lim\limits_{a \to \infty} \sqrt{a}\,\alpha = \sqrt{-c}$

① ㄱ
② ㄱ, ㄴ
③ ㄱ, ㄷ
④ ㄴ, ㄷ
⑤ ㄱ, ㄴ, ㄷ

● 8472-0053

53 최고차항의 계수가 1인 삼차함수 $f(x)$가 $f(0)=f(1)=a$, $\lim_{x \to 2} \dfrac{f(x)-a}{x-2}=b$를 만족시킬 때, 〈보기〉에서 옳은 것만을 있는 대로 고른 것은? (단, a, b, c는 실수이다.)

신 유형

> ㄱ. $f(b)=a$
>
> ㄴ. $\lim_{x \to b} \dfrac{f(x)-a}{x^2-b^2}=\dfrac{1}{b}$ (단, $b \neq 0$)
>
> ㄷ. $\lim_{x \to c} \dfrac{f(x-b)-a}{x-c}=2$를 만족시키는 모든 c의 값의 합은 6이다.

① ㄱ   ② ㄱ, ㄴ   ③ ㄱ, ㄷ   ④ ㄴ, ㄷ   ⑤ ㄱ, ㄴ, ㄷ

● 8472-0054

54 그림과 같이 직선 $x+y=2$ 위의 점 $P(t, 2-t)$에서 원 $x^2+y^2=2$에 그은 두 접선이 두 원과 만나는 점을 각각 A, B라 하자. 선분 AB의 중점을 M이라 할 때, $\lim_{t \to 1+} \dfrac{\overline{AM} \times \overline{OP}}{t-1}$ 의 값은?

(단, $t>1$이고, 점 A의 y좌표는 점 B의 y좌표보다 크다.)

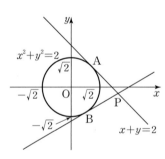

① 2   ② 4   ③ 6   ④ 8   ⑤ 10

● 8472-0055

55 그림과 같이 선분 AB를 지름으로 하는 원에 내접하는 사각형 ABCD가 있다. $\overline{AB}=2$, $\overline{AD}=\overline{CD}=x$일 때, $\lim_{x \to \sqrt{2}-} \dfrac{\overline{BC}}{\sqrt{2}-x}$의 값을 구하시오.

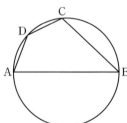

▶ 8472-0056

56

내적
문제해결

최고차항의 계수가 1인 두 삼차식 $f(x)$, $g(x)$가 다음 조건을 만족시킬 때, $f(2)+g(2)$의 값을 구하시오.

> (가) $f(0)=g(0)=1$
> (나) 다항식 $f(x)g(x)$를 $(x-1)^2$으로 나누었을 때의 나머지는 $7x-6$이다.
> (다) $\lim\limits_{x \to \infty} \dfrac{f(x)-g(x)}{x^2}=1$, $\lim\limits_{x \to 1} \dfrac{f(x)+g(x)-2}{x-1}=7$

문항 파헤치기

풀이

실수 point 찾기

I

함수의 극한과 연속

02 함수의 연속

🔍 빈틈 개념

■ 함수 $f(x)$가
① $x=a$에서 정의되어 있지 않거나,
② $\lim\limits_{x\to a} f(x)$가 존재하지 않거나,
③ $x=a$에서 정의되고, $\lim\limits_{x\to a} f(x)$가 존재하지만 $\lim\limits_{x\to a} f(x)\neq f(a)$일 때 $x=a$에서 불연속이다.

■ 함수 $f(x)$가 $x=a$에서 불연속이면 $y=f(x)$의 그래프는 $x=a$에서 끊어져 있다.

■ 닫힌구간 $[a, b]$에서 정의된 함수 $f(x)$가 다음 두 조건을 만족시킬 때, 함수 $f(x)$는 닫힌구간 $[a, b]$에서 연속이라고 한다.
(i) 열린구간 (a, b)에서 연속이다.
(ii) $\lim\limits_{x\to a+} f(x)=f(a)$,
  $\lim\limits_{x\to b-} f(x)=f(b)$
  (단, $f(a)$, $f(b)$는 실수)

■ **여러 가지 함수의 연속성**
(1) 다항함수: $(-\infty, \infty)$에서 연속
(2) 유리함수: 분모가 0이 아닌 곳에서 연속
(3) 무리함수: 근호 안의 값이 0 또는 양수인 곳에서 연속

■ 함수 $f(x)$가 연속이 아니면 닫힌구간에서도 최댓값과 최솟값을 갖지 않을 수 있다.

1 함수의 연속 ✦

(1) 함수 $f(x)$가 실수 a에 대하여 다음 세 조건을 만족시킬 때, 함수 $f(x)$는 $x=a$에서 연속이라고 한다.
  (i) 함수 $f(x)$가 $x=a$에 정의되어 있다. 즉, 함숫값 $f(a)$가 존재한다.
  (ii) 극한값 $\lim\limits_{x\to a} f(x)$가 존재한다.
  (iii) $\lim\limits_{x\to a} f(x)=f(a)$

(2) 함수 $f(x)$가 $x=a$에서 연속이 아닐 때, 함수 $f(x)$는 $x=a$에서 불연속이라고 한다.

(3) 함수 $f(x)$가 어떤 열린구간에 속하는 모든 실수에서 연속일 때, 함수 $f(x)$는 그 구간에서 연속 또는 그 구간에서 연속함수라고 한다.

2 연속함수의 성질

두 함수 $f(x)$, $g(x)$가 어떤 구간에서 연속이면 다음 함수도 그 구간에서 연속이다.
(1) $kf(x)$ (단, k는 상수) (2) $f(x)+g(x)$, $f(x)-g(x)$
(3) $f(x)g(x)$ (4) $\dfrac{f(x)}{g(x)}$ (단, $g(x)\neq 0$)

3 최대 · 최소 정리

함수 $f(x)$가 닫힌구간 $[a, b]$에서 연속이면 함수 $f(x)$는 이 구간에서 반드시 최댓값과 최솟값을 갖는다.

4 사잇값의 정리 ✦

(1) 함수 $f(x)$가 닫힌구간 $[a, b]$에서 연속이고 $f(a)\neq f(b)$이면 $f(a)$와 $f(b)$ 사이에 있는 임의의 실수 k에 대하여 $f(c)=k$인 c가 열린구간 (a, b)에 적어도 하나 존재한다. [그림 1]

(2) 함수 $f(x)$가 닫힌구간 $[a, b]$에서 연속이고 $f(a)f(b)<0$이면 $f(c)=0$인 c가 열린구간 (a, b)에 적어도 하나 존재한다. 따라서 방정식 $f(x)=0$의 실근이 열린구간 (a, b)에 적어도 하나 존재한다. [그림 2]

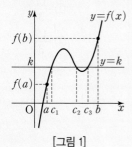

[그림 1]

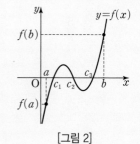

[그림 2]

■ **연속일 조건**
(1) $y=\begin{cases} g(x) & (x\leq a) \\ h(x) & (x>a) \end{cases}$가 $x=a$에서 연속이면
  $g(a)=h(a)$

(2) $y=\begin{cases} g(x) & (x\neq a) \\ k & (x=a) \end{cases}$가 $x=a$에서 연속이면
  $\lim\limits_{x\to a} g(x)=k$ (단, k는 상수)

(3) $(x-a)f(x)=g(x)$인 $f(x)$가 $x=a$에서 연속이면
  $\lim\limits_{x\to a} \dfrac{g(x)}{x-a}=f(a)$

01 | 함수의 연속 | ▶ 8472-0057
출제율 91%

닫힌구간 $[-2, 2]$에서 정의된 함수 $y=f(x)$의 그래프가 그림과 같다. 〈보기〉에서 옳은 것만을 있는 대로 고른 것은?

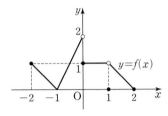

┤ 보기 ├

ㄱ. $\lim\limits_{x \to -1} f(x)=0$

ㄴ. $-2<a<2$에 대하여 $\lim\limits_{x \to a} f(x)$의 값이 존재하지 않는 a의 개수는 1이다.

ㄷ. 열린구간 $(-2, 2)$에서 함수 $f(x)$는 1개의 점에서 불연속이다.

① ㄱ ② ㄴ ③ ㄱ, ㄴ
④ ㄱ, ㄷ ⑤ ㄱ, ㄴ, ㄷ

02 | 함수의 연속 | ▶ 8472-0058
출제율 88%

함수 $f(x)=\dfrac{x^2+x+1}{x^2+ax+2}$이 실수 전체의 집합에서 연속이 되도록 하는 정수 a의 개수는?

① 3 ② 4 ③ 5
④ 6 ⑤ 7

03 | 함수의 연속 | ▶ 8472-0059
출제율 93%

함수 $f(x)=\begin{cases} x^2-2x+a & (x \geq a) \\ -x^2+2x+4 & (x<a) \end{cases}$가 실수 전체의 집합에서 연속일 때, 모든 실수 a의 값의 합은?

① $\dfrac{3}{2}$ ② 2 ③ $\dfrac{5}{2}$
④ 3 ⑤ $\dfrac{7}{2}$

04 | 함수의 연속 | ▶ 8472-0060
출제율 89%

함수 $f(x)=\begin{cases} \dfrac{\sqrt{x^2+9}-a}{x^2} & (x \neq 0) \\ b & (x=0) \end{cases}$가 실수 전체의 집합에서 연속일 때, 상수 a, b에 대하여 $a+b$의 값은?

① $\dfrac{19}{6}$ ② $\dfrac{10}{3}$ ③ $\dfrac{7}{2}$
④ $\dfrac{11}{3}$ ⑤ $\dfrac{23}{6}$

05 | 함수의 연속 | ▶ 8472-0061
출제율 92%

함수 $f(x)=\begin{cases} x^2 & (x<a) \\ 5x+k & (x \geq a) \end{cases}$가 실수 전체의 집합에서 연속이 되도록 하는 실수 a의 값이 존재할 때, 음의 정수 k의 개수는?

① 3 ② 4 ③ 5
④ 6 ⑤ 7

06 | 함수의 연속 | ▶ 8472-0062
출제율 95%

양의 실수 전체의 집합에서 정의된 연속인 함수 $f(x)$가 다음 조건을 만족시킨다.

(가) $\lim\limits_{x \to 1} f(x)=\dfrac{9}{2}$

(나) 모든 양의 실수 x에 대하여
$(x^2-1)f(x)=x^3+ax^2+b$

$f(2)$의 값은? (단, a, b는 상수이다.)

① $\dfrac{14}{3}$ ② 5 ③ $\dfrac{16}{3}$
④ $\dfrac{17}{3}$ ⑤ 6

07
출제율 91%

| 연속함수의 성질 |

◉ 8472-0063

두 함수
$$f(x)=\begin{cases} x-2 & (x<1) \\ -x+2 & (x\geq1) \end{cases}, \ g(x)=3x+k$$
에 대하여 함수 $f(x)g(x)$가 실수 전체의 집합에서 연속이 되도록 하는 상수 k의 값은?

① -3 ② -1 ③ 0

④ 1 ⑤ 3

08
출제율 93%

| 연속함수의 성질 |

◉ 8472-0064

함수 $f(x)=\begin{cases} a+2 & (x<0) \\ 3 & (x\geq0) \end{cases}$ 에 대하여 함수 $\{f(x)\}^2$이 $x=0$에서 연속이 되도록 하는 모든 실수 a의 값의 곱은?

① -7 ② -5 ③ -3

④ -1 ⑤ 1

09
출제율 95%

| 연속함수의 성질 |

◉ 8472-0065

함수 $f(x)=\begin{cases} x^2 & (x<2) \\ x+1 & (2\leq x<3) \\ x^2-4x+6 & (x\geq3) \end{cases}$ 에 대하여

$g(x)=(x^2+ax+b)f(x)$가 실수 전체의 집합에서 연속이다. 상수 a, b에 대하여 $a+b$의 값은?

① 1 ② 2 ③ 3

④ 4 ⑤ 5

10
출제율 96%

| 연속함수의 성질 |

◉ 8472-0066

함수 $y=f(x)$의 그래프가 그림과 같다.

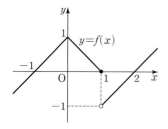

함수 $f(x)g(x)$가 실수 전체의 집합에서 연속이 되도록 하는 함수 $g(x)$만을 〈보기〉에서 있는 대로 고른 것은?

┤ 보기 ├

ㄱ. $g(x)=x^2+2x-3$

ㄴ. $g(x)=\sqrt{x^2+3}-2$

ㄷ. $g(x)=\dfrac{1}{x^2+1}-1$

① ㄱ   ② ㄷ   ③ ㄱ, ㄴ

④ ㄴ, ㄷ   ⑤ ㄱ, ㄴ, ㄷ

11
출제율 97%

| 연속함수의 성질 |

◉ 8472-0067

함수 $f(x)=\begin{cases} 2x-1 & (x\leq1) \\ -x & (x>1) \end{cases}$ 에 대하여 함수

$f(x)g(x)$가 $x=1$에서 연속이 되도록 하는 함수 $g(x)$만을 〈보기〉에서 있는 대로 고른 것은?

┤ 보기 ├

ㄱ. $g(x)=x^2$

ㄴ. $g(x)=\begin{cases} -1 & (x\leq1) \\ 1 & (x>1) \end{cases}$

ㄷ. $g(x)=\begin{cases} x & (x\leq1) \\ -x & (x>1) \end{cases}$

① ㄱ   ② ㄴ   ③ ㄱ, ㄷ

④ ㄴ, ㄷ   ⑤ ㄱ, ㄴ, ㄷ

| 함수의 연속 | ▶ 8472-0068

12 함수 $f(x)=\begin{cases} x^2-2 & (|x|\geq 1) \\ x & (|x|<1) \end{cases}$ 에 대하여 〈보기〉에서
출제율 95%
옳은 것만을 있는 대로 고른 것은?

┤ 보기 ├
ㄱ. 집합 $A=\{a \mid f(x)$는 $x=a$에서 불연속이다.}의
   원소의 개수는 2이다. (단, a는 실수이다.)
ㄴ. 함수 $\{f(x)\}^2$은 실수 전체의 집합에서 연속이다.
ㄷ. 함수 $(x+a)^2 f(x)$가 실수 전체의 집합에서 연속
   이 되도록 하는 실수 a의 개수는 2이다.

① ㄱ   ② ㄴ   ③ ㄷ
④ ㄴ, ㄷ   ⑤ ㄱ, ㄴ, ㄷ

| 함수의 연속 | ▶ 8472-0069

13 함수 $f(x)=\begin{cases} x^2+2x-3 & (x<0) \\ a & (x=0) \\ -2x+4 & (x>0) \end{cases}$ 에 대하여 함수
출제율 93%
$f(x)\{f(x)+b\}$가 실수 전체의 집합에서 연속일 때,
실수 a, b의 모든 순서쌍 (a, b)의 개수는?

① 1   ② 2   ③ 3
④ 4   ⑤ 5

| 함수의 연속 | ▶ 8472-0070

14 함수 $f(x)=\begin{cases} x^2+x+3 & (x\leq 0) \\ -x+k & (x>0) \end{cases}$ 가 $x=0$에서 불연
출제율 95%
속이고 함수 $f(x)f(1-x)$는 $x=1$에서 연속일 때, 상
수 k의 값은?

① -2 ② -1 ③ 0
④ 1   ⑤ 2

| 함수의 연속 | ▶ 8472-0071

15 삼차식 $g(x)$가 다음 조건을 만족시킨다.
출제율 95%

(가) $f(x)=\dfrac{g(x)}{x^2-1}$ 는 실수 전체의 집합에서 연속이
     다.
(나) $\lim\limits_{x\to -1}f(x)=2$, $\lim\limits_{x\to 1}f(x)=4$

$f(2)+g(2)$의 값은?

① 19   ② 20   ③ 21
④ 22   ⑤ 23

| 최대·최소 정리 | ▶ 8472-0072

16 함수 $f(x)=\begin{cases} x^2-1 & (x\leq 1) \\ 4x+a & (x>1) \end{cases}$ 가 $x=1$에서 연속이
출제율 91%
다. 닫힌구간 $[-2, 2]$에서 함수 $f(x)$의 최댓값을 M,
최솟값을 m이라 할 때, $M+m$의 값은?
(단, a는 상수이다.)

① 3   ② 5   ③ 7
④ 9   ⑤ 11

| 사잇값의 정리 | ▶ 8472-0073

17 연속함수 $f(x)$가
출제율 89%
$$f(0)=1, f(1)=2, f(2)=2,$$
$$f(3)=4, f(4)=-1, f(5)=3$$
을 만족시킬 때, 열린구간 $(0, 5)$에서 방정식 $f(x)=x$
의 실근은 2개이다. 다음 중 방정식 $f(x)=x$의 실근이
반드시 존재하는 구간은?

① $(0, 1)$ ② $(1, 2)$ ③ $(2, 3)$
④ $(3, 4)$ ⑤ $(4, 5)$

18 | 사잇값의 정리 |
출제율 93%

▶ 8472-0074

연속함수 $f(x)$가
$$f(1)f(2)<0,\ f(2)f(3)>0,\ f(3)f(4)>0$$
을 만족시킬 때, 다음 중 방정식
$f(2x-1)f(2x+1)=0$의 실근이 반드시 존재하는 구간은?

① $\left(\dfrac{1}{2},\ 1\right)$　　② $\left(1,\ \dfrac{3}{2}\right)$　　③ $\left(\dfrac{3}{2},\ 2\right)$

④ $\left(2,\ \dfrac{5}{2}\right)$　　⑤ $\left(\dfrac{5}{2},\ 3\right)$

19 | 사잇값의 정리 |
출제율 95%

▶ 8472-0075

다항식 $f(x)$에 대하여
$$\lim_{x\to1}\frac{f(x)}{x-1}=1,\ \lim_{x\to2}\frac{f(x)}{x-2}=2$$
일 때, 방정식 $f(x)=0$은 닫힌구간 $[1,\ 2]$에서 적어도 n개의 실근을 갖는다. 자연수 n의 값은?

① 3　　② 4　　③ 5
④ 6　　⑤ 7

20 | 사잇값의 정리 |
출제율 91%

▶ 8472-0076

삼차방정식
$$(x-1)(x-2)(x-3)+(x-1)(x-2)$$
$$+(x-2)(x-3)+(x-3)(x-1)=0$$
에 대한 설명으로 〈보기〉에서 옳은 것만을 있는 대로 고른 것은?

┤ 보기 ├
ㄱ. 열린구간 $(1,\ 2)$에서 적어도 하나의 실근을 가진다.
ㄴ. 열린구간 $(2,\ 3)$에서 적어도 하나의 실근을 가진다.
ㄷ. 3보다 큰 실근이 존재한다.

① ㄱ　　② ㄱ, ㄴ　　③ ㄱ, ㄷ
④ ㄴ, ㄷ　　⑤ ㄱ, ㄴ, ㄷ

서술형 문제

21 출제율 95%

▶ 8472-0077

함수 $f(x)=x^3+ax^2+bx+2$에 대하여 함수 $g(x)$가 다음과 같다.
$$g(x)=\begin{cases}\dfrac{f(x)}{x-1} & (x\neq1)\\ 1 & (x=1)\end{cases}$$
함수 $g(x)$가 실수 전체의 집합에서 연속일 때, $f(2)$의 값을 구하시오. (단, $a,\ b$는 상수이다.)

22 출제율 96%

▶ 8472-0078

두 원 $x^2+y^2=1,\ (x-3)^2+y^2=r^2\ (r>0)$에 동시에 접하는 직선의 개수를 $f(r)$라 하자. 함수 $(r^2+ar+b)f(r)$가 양의 실수 전체의 집합에서 연속일 때, 상수 $a,\ b$에 대하여 $a+b$의 값을 구하시오.

개념 ① 함수의 연속

23 ▶ 8472-0079

함수

$$f(x) = \begin{cases} \dfrac{\sqrt{x^2+2x+4}-(ax+2)}{x^2} & (x \neq 0) \\ b & (x=0) \end{cases}$$

가 실수 전체의 집합에서 연속일 때, 상수 a, b에 대하여 $a+b$의 값은?

① $\dfrac{11}{16}$ ② $\dfrac{3}{4}$ ③ $\dfrac{13}{16}$

④ $\dfrac{7}{8}$ ⑤ $\dfrac{15}{16}$

24 ▶ 8472-0080

함수

$$f(x) = \begin{cases} \dfrac{|x^2-a|+|2x-b|}{x-1} & (x>1) \\ -x+c & (x \leq 1) \end{cases}$$

가 $x=1$에서 연속일 때, 상수 a, b, c에 대하여 $a+b+c$의 값은?

① 5   ② 6   ③ 7

④ 8   ⑤ 9

25 ▶ 8472-0081

실수 a에 대하여 함수

$$f(x) = \begin{cases} x^2+kx+k & (x<a \text{ 또는 } x>a+1) \\ 10x-1 & (a \leq x \leq a+1) \end{cases}$$

이 실수 전체의 집합에서 연속일 때, 모든 상수 k의 값의 합은?

① 20   ② 22   ③ 24

④ 26   ⑤ 28

26 ▶ 8472-0082

두 함수 $f(x)=\sqrt{x}$, $g(x)=x+1$에 대하여

$$h(x) = \begin{cases} \dfrac{(f \circ g)(x^2)-(g \circ f)(x^2)}{x} & (x>0) \\ k & (x \leq 0) \end{cases}$$

라 하자. 함수 $h(x)$가 실수 전체의 집합에서 연속일 때, 상수 k의 값은?

① -2 ② -1 ③ 0

④ 1   ⑤ 2

27 ▶ 8472-0083

함수 $f(x)$가 다음 조건을 만족시킨다.

> (가) 모든 실수 x에 대하여 $f(x+2)=f(x)$이다.
> (나) $f(x) = \begin{cases} x+1 & (0 \leq x < 1) \\ x^2+ax+b & (1 \leq x \leq 2) \end{cases}$

함수 $f(x)$가 실수 전체의 집합에서 연속일 때, 상수 a, b에 대하여 $a+2b$의 값은?

① 6   ② 7   ③ 8

④ 9   ⑤ 10

28 ▶ 8472-0084

최고차항의 계수가 1인 삼차함수 $f(x)$와 이차함수 $g(x)=x^2-4x+3$에 대하여 함수

$$h(x) = \begin{cases} \dfrac{f(x)}{g(x)} & (x \neq 1, \ x \neq 3) \\ 4 & (x=1) \\ a & (x=3) \end{cases}$$

가 실수 전체의 집합에서 연속일 때, $\lim\limits_{x \to a} h(x)$의 값은? (단, a는 상수이다.)

① 5   ② 7   ③ 9

④ 11   ⑤ 13

29 실수 전체의 집합에서 정의된 함수 $y=f(x)$의 그래프가 그림과 같을 때, 〈보기〉에서 옳은 것만을 있는 대로 고른 것은?

◆ 8472-0085

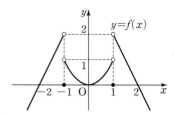

┤ 보기 ├

ㄱ. $\lim\limits_{t \to \infty} f\left(1-\dfrac{1}{t}\right)=1$

ㄴ. 함수 $f(x)f(x+1)$은 $x=1$에서 연속이다.

ㄷ. 함수 $\dfrac{f(x)}{f(x-1)+1}$는 $x=2$에서 연속이다.

① ㄱ   ② ㄷ   ③ ㄱ, ㄴ
④ ㄴ, ㄷ   ⑤ ㄱ, ㄴ, ㄷ

30 다항함수 $f(x)$에 대하여 양의 실수 전체의 집합에서 정의된 연속인 함수 $g(x)$를

◆ 8472-0086

$$g(x)=\begin{cases} \dfrac{xf(x)+1}{x^2-1} & (0<x<1,\ x>1) \\ k & (x=1) \end{cases}$$

라 하자. $\lim\limits_{x \to \infty} g(x)=2$일 때, 상수 k의 값은?

① $\dfrac{1}{2}$ ② 1 ③ $\dfrac{3}{2}$
④ 2 ⑤ $\dfrac{5}{2}$

31 함수 $f(x)$가 다음 조건을 만족시킨다.

◆ 8472-0087

(가) $\lim\limits_{x \to 1} \dfrac{f(x-1)+3}{x-1}=2$

(나) 모든 실수 x, y에 대하여
$f(x+y)=f(x)+f(y)+a$

함수 $f(x)$가 $x=0$에서 연속일 때, 상수 a의 값은?

① 1   ② 3   ③ 5
④ 7   ⑤ 9

개념 ② 연속함수의 성질

32 실수 a에 대하여 x에 대한 이차방정식 $x^2+2ax+a=0$의 서로 다른 실근의 개수를 $f(a)$라 하자. 이차항의 계수가 1인 이차함수 $g(a)$에 대하여 함수 $f(a)g(a)$가 실수 전체의 집합에서 연속일 때, $g(3)$의 값은?

◆ 8472-0088

① 2   ② 4   ③ 6
④ 8   ⑤ 10

33 함수 $f(x)=\begin{cases} -x+5 & (x \le -1) \\ ax(x-2) & (-1<x \le 1) \\ x+b & (x>1) \end{cases}$에 대하여 함수 $g(x)=\dfrac{f(x)+|f(x)|}{2}$가 실수 전체의 집합에서 연속이 되도록 하는 실수 a, b에 대하여 $a+b$의 최댓값은?

◆ 8472-0089

① -2 ② -1 ③ 0
④ 1 ⑤ 2

34 🔵 8472-0090

이차함수 $f(x)$가 다음 조건을 만족시킨다.

(가) 모든 실수 a에 대하여
$$\lim_{x \to a+2} f(x) = \lim_{x \to -a+2} f(x) = a^2 - 16$$

(나) 함수 $y=f(x)$의 그래프는 직선 $x=b$에 대하여 대칭이다.

$\displaystyle\lim_{x \to -b} \dfrac{f(x)}{x+b}$의 값은? (단, b는 상수이다.)

① -5 ② -6 ③ -7

④ -8 ⑤ -9

35 🔵 8472-0091

두 함수 $y=f(x)$, $y=g(x)$의 그래프가 그림과 같다.

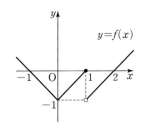 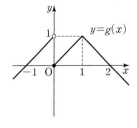

〈보기〉에서 옳은 것만을 있는 대로 고른 것은?

┤ 보기 ├

ㄱ. $\displaystyle\lim_{x \to 1-} f(x)g(x) = 0$

ㄴ. 함수 $f(x+1)$은 $x=0$에서 연속이다.

ㄷ. 함수 $|f(x)|g(x-1)$은 $x=1$에서 연속이다.

① ㄱ   ② ㄴ   ③ ㄷ

④ ㄱ, ㄷ   ⑤ ㄱ, ㄴ, ㄷ

36 🔵 8472-0092

함수 $f(x)$는 모든 실수 x에 대하여 $f(x)=f(x+2)$를 만족시키고
$$f(x) = \begin{cases} x+1 & (-1<x\le 0) \\ -1 & (0<x\le 1) \end{cases}$$
이다. 〈보기〉에서 옳은 것만을 있는 대로 고른 것은?

┤ 보기 ├

ㄱ. $\displaystyle\lim_{x \to -1-} f(x) = -1$

ㄴ. 함수 $(x-2)f(x)$는 $x=2$에서 연속이다.

ㄷ. 함수 $f(x)f(x+a)$가 $x=0$에서 연속이 되도록 하는 실수 a는 무수히 많다.

① ㄱ   ② ㄱ, ㄴ   ③ ㄱ, ㄷ

④ ㄴ, ㄷ   ⑤ ㄱ, ㄴ, ㄷ

37 🔵 8472-0093

함수 $f(x)$가 다음 조건을 만족시킨다.

(가) $\displaystyle\lim_{x \to 1} f(x) = 2$

(나) $\displaystyle\lim_{x \to 0-} f(x) = 4$, $\displaystyle\lim_{x \to 0+} f(x) = 6$

함수 $f(x)+f(-x)$가 $x=0$에서 연속이고,
함수 $f(x-1)\{f(x)-2\}$가 $x=1$에서 연속일 때,
$f(0)+f(1)$의 값은?

① 1 ② 3 ③ 5

④ 7 ⑤ 9

38 열린구간 $(-2, 2)$에서 정의된 함수 $y=f(x)$의 그래프가 그림과 같다.

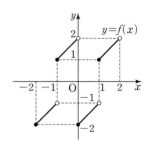

〈보기〉에서 옳은 것만을 있는 대로 고른 것은?

┤보기├

ㄱ. 함수 $|f(x)|$는 $x=0$에서 연속이다.

ㄴ. 함수 $f(x)+f(-x)$는 $x=0$에서 연속이다.

ㄷ. 함수 $f(x-1)f(x+1)$은 $x=0$에서 연속이다.

① ㄱ   ② ㄷ   ③ ㄱ, ㄴ

④ ㄱ, ㄷ   ⑤ ㄴ. ㄷ

○ 8472-0094

39 그림과 같이 실수 t에 대하여 곡선 $y=\sqrt{x}$와 직선 $y=\dfrac{1}{2}x+t$가 만나는 점의 개수를 $f(t)$라 하자. 함수 $(2t^2+at+b)f(t)$가 실수 전체의 집합에서 연속일 때, $a+b$의 값은? (단, a, b는 상수이다.)

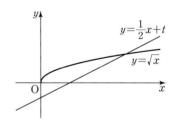

① -1 ② $-\dfrac{1}{2}$ ③ $-\dfrac{1}{3}$

④ $-\dfrac{1}{4}$ ⑤ $-\dfrac{1}{5}$

○ 8472-0095

40 두 함수

$$f(x)=\begin{cases} x+2 & (x<0) \\ -x+3 & (0\le x\le 1) \\ x-3 & (x>1) \end{cases}$$

$$g(x)=\begin{cases} x^2+1 & (x\le 0) \\ x^2-1 & (x>0) \end{cases}$$

에 대하여 함수 $f(x+k)g(x)$가 $x=0$에서 연속이 되도록 하는 모든 실수 k의 값의 합은?

① 1   ② 2   ③ 3

④ 4   ⑤ 5

○ 8472-0096

개념 **3** **최대·최소 정리와 사잇값의 정리**

41 연속함수 $f(x)$가 닫힌구간 $[0, 1]$에서 최댓값 1, 최솟값 0을 가질 때, 열린구간 $(0, 1)$에서 적어도 하나의 실근을 항상 갖는 방정식만을 〈보기〉에서 있는 대로 고른 것은?

┤보기├

ㄱ. $f(x)-\dfrac{1}{2}=0$

ㄴ. $f(x)-\dfrac{1}{2}x-\dfrac{1}{4}=0$

ㄷ. $f(x)-x^2=0$

① ㄱ   ② ㄴ   ③ ㄱ, ㄴ

④ ㄴ, ㄷ   ⑤ ㄱ, ㄴ, ㄷ

○ 8472-0097

▶ 8472-0098

42 함수 $f(x)=\begin{cases} x-1 & (x\leq -1) \\ 3 & (-1<x\leq 1) \\ x+2 & (x>1) \end{cases}$ 에 대하여 〈보기〉에서 옳은 것만을 있는 대로 고른 것은?

┤ 보기 ├
ㄱ. $\lim\limits_{x\to 1+}\{f(x)+f(-x)\}=1$
ㄴ. 함수 $(-x+a)f(x)$가 $x=-1$에서 연속이 되도록 하는 실수 a의 값이 존재한다.
ㄷ. 방정식 $(x+1)f(x)-4=0$은 열린구간 $\left(-\dfrac{1}{2},\ 2\right)$에서 적어도 하나의 실근을 갖는다.

① ㄱ   ② ㄷ   ③ ㄱ, ㄴ
④ ㄴ, ㄷ   ⑤ ㄱ, ㄴ, ㄷ

▶ 8472-0099

43 이차식 $f(x)$에 대하여 삼차방정식 $(x+1)f(x)=0$이 세 개의 열린구간 $(-2,\ 0)$, $(0,\ 2)$, $(2,\ 4)$에서 각각 한 개의 실근을 가질 때, 〈보기〉에서 옳은 것만을 있는 대로 고른 것은?

┤ 보기 ├
ㄱ. $f(-2)f(2)<0$ ㄴ. $f(0)f(4)>0$
ㄷ. $f(0)f(2)f(4)<0$

① ㄱ   ② ㄱ, ㄴ   ③ ㄱ, ㄷ
④ ㄴ, ㄷ   ⑤ ㄱ, ㄴ, ㄷ

▶ 8472-0100

44 사차함수 $f(x)$가 다음 조건을 만족시킨다.

(가) $\lim\limits_{x\to -2+}f(x)=\lim\limits_{x\to 1-}f(x)$
$\lim\limits_{x\to 0+}f(x)=\lim\limits_{x\to 2-}f(x)$
(나) $f(0)f(1)<0$
(다) $\lim\limits_{x\to 3}\dfrac{f(x)}{x-3}=2$

$-2<x<1$에서 방정식 $f(x)=0$은 n개의 실근을 가질 때, 음이 아닌 정수 n의 값은?

① 0   ② 1   ③ 2
④ 3   ⑤ 4

서술형 문제

▶ 8472-0101

45 좌표평면 위의 세 점 O$(0,\ 0)$, A$(4,\ 0)$, B$(0,\ 3)$을 꼭짓점으로 하는 삼각형의 변과 원 $x^2+y^2=r^2$ $(r>0)$이 만나는 서로 다른 점의 개수를 $f(r)$이라 하자. 최고차항의 계수가 1인 삼차함수 $g(r)$에 대하여 함수 $f(r)g(r)$가 양의 실수 전체의 집합에서 연속일 때, $g(8)$의 값을 구하시오.

▶ 8472-0102

46 실수 전체의 집합에서 함수 $f(x)$를
$$f(x)=\begin{cases} -x^2-x+12 & (x\text{가 정수가 아닐 때}) \\ ax+b & (x\text{가 정수일 때}) \end{cases}$$
로 정의하자. 열린구간 $(-4,\ 3)$에서 함수 $f(x)$가 불연속인 x의 값의 개수가 4가 되도록 하는 실수 a, b에 대하여 $a+b$의 최댓값을 구하시오.

○ 8472-0103

47 함수

$$f(x)=\begin{cases} -1 & (x<-1) \\ -x^2+1 & (-1\leq x\leq 1) \\ x-2 & (x>1) \end{cases}$$

의 그래프가 그림과 같을 때, 〈보기〉에서 옳은 것만을 있는 대로 고른 것은?

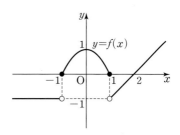

| 보기 |

ㄱ. $\displaystyle\lim_{x\to 0-} f(x+1)f(x-1)=0$

ㄴ. 함수 $f(x+1)f(x-1)$은 $x=0$에서 연속이다.

ㄷ. 함수 $f(x+1)f(x-a)$가 $x=-2$에서 연속이 되도록 하는 실수 a가 존재한다.

① ㄱ   ② ㄴ   ③ ㄱ, ㄴ   ④ ㄱ, ㄷ   ⑤ ㄱ, ㄴ, ㄷ

신 유형

○ 8472-0104

48 함수 $f(x)$가 다음 조건을 만족시킨다.

(가) 모든 실수 x에 대하여 $f(2x-1)=2f(x)-3$이다.

(나) $\displaystyle\lim_{x\to 1} f(x)=3$

(다) 함수 $f(x)$는 $x=2$에서 연속이다.

〈보기〉에서 옳은 것만을 있는 대로 고른 것은?

| 보기 |

ㄱ. 함수 $f(x)$는 $x=1$에서 연속이다.

ㄴ. $\displaystyle\lim_{x\to 3} f(x)=2f(2)-3$

ㄷ. 함수 $f(x)f(4x-3)$은 $x=3$에서 연속이다.

① ㄱ   ② ㄷ   ③ ㄱ, ㄴ   ④ ㄴ, ㄷ   ⑤ ㄱ, ㄴ, ㄷ

● 8472-0105

49 세 집합

$$A=\{(x,\,y)\,|\,y=x\}$$
$$B=\{(x,\,y)\,|\,y=ax+2a\}$$
$$C=\{(x,\,y)\,|\,x+y=t,\ t\text{는 실수}\}$$

에 대하여 집합 $(A\cup B)\cap C$의 원소의 개수를 $f(t)$라 하자. 함수 $f(t)$가 $t=6$에서만 불연속이 되도록 하는 상수 a의 값은? (단, $a\neq-1$)

① $\dfrac{1}{5}$ ② $\dfrac{2}{5}$ ③ $\dfrac{3}{5}$ ④ $\dfrac{4}{5}$ ⑤ 1

신 유형

● 8472-0106

50 $a>-2$인 실수 a에 대하여 x에 대한 이차부등식 $x^2+(2-a)x-2a<0$을 만족시키는 자연수 x의 개수를 $f(a)$라 하자. 구간 $(1,\,\infty)$에서 함수 $g(a)=f(a)f(a-1)$이 불연속이 되는 a의 값을 작은 값부터 순서대로 a_1, a_2, a_3, $\cdots$이라 할 때, $\dfrac{1}{g(a_2)}+\dfrac{1}{g(a_3)}+\cdots+\dfrac{1}{g(a_{10})}$의 값은?

① $\dfrac{7}{8}$ ② $\dfrac{8}{9}$ ③ $\dfrac{9}{10}$ ④ $\dfrac{10}{11}$ ⑤ $\dfrac{11}{12}$

● 8472-0107

51 실수 전체의 집합에서 연속인 함수 $f(x)$가 다음 조건을 만족시킨다.

> (가) 모든 실수 x에 대하여 $f(-x)=1-f(x)$이다.
> (나) $\displaystyle\lim_{x\to-1}\dfrac{f(x)-2}{x+1}$와 $\displaystyle\lim_{x\to2}\dfrac{f(x)-3}{x-2}$의 값이 모두 존재한다.

〈보기〉에서 옳은 것만을 있는 대로 고른 것은?

| 보기 |

ㄱ. 방정식 $f(x)=0$은 열린구간 $(1,\,2)$에서 적어도 1개의 실근을 갖는다.

ㄴ. 방정식 $\{f(x)\}^2=f(x)$ $(f(x)>0)$는 열린구간 $(-1,\,2)$에서 적어도 2개의 실근을 갖는다.

ㄷ. 방정식 $3\{f(x)\}^2=2-f(x)$는 열린구간 $(-2,\,0)$에서 적어도 3개의 실근을 갖는다.

① ㄱ   ② ㄱ, ㄴ   ③ ㄱ, ㄷ   ④ ㄴ, ㄷ   ⑤ ㄱ, ㄴ, ㄷ

● 8472-0108

52
내적
문제해결

양수 k와 함수 $f(x) = \begin{cases} 2x & (x < 2) \\ -2x+8 & (2 \le x < 4) \\ x-4 & (4 \le x < 6) \\ -x+8 & (x \ge 6) \end{cases}$ 에 대하여 $g(x) = \begin{cases} f(x-k) & (x < a) \\ f(x) & (x \ge a) \end{cases}$ 가 실수 전체의 집합

에서 연속이 되도록 하는 실수 a의 개수를 $h(k)$라 하자. 함수 $(k-p)h(k)$가 양의 실수 전체의 집합에서 연속일 때, 상수 p의 값을 구하시오.

문항 **파헤치기**

풀이

실수 **point 찾기**

II 미분

03 미분계수와 도함수

빈틈 개념

■ 함수 $f(x)$의 평균변화율은 곡선 $y=f(x)$ 위의 두 점 $P(a, f(a))$, $Q(b, f(b))$를 잇는 직선의 기울기이다.

■ $\dfrac{f(a)}{a}$: $[0, a]$에서의 평균변화율

(직선의 기울기)

■ 함수 $y=f(x)$의 $x=a$에서의 미분계수 $f'(a)$는 곡선 $y=f(x)$ 위의 점 $(a, f(a))$에서의 접선의 기울기를 나타낸다.

■ 미분가능하지 않은 점
(1) 불연속인 점
(2) 뾰족한 점

■ 함수 $f(x)$가 $x=a$에서 미분가능하면 함수 $f(x)$는 $x=a$에서 연속이다. 그러나 그 역은 성립하지 않는다.

■ 도함수의 기호로는 $f'(x)$, y', $\dfrac{dy}{dx}$, $\dfrac{d}{dx}f(x)$ 등이 사용된다.

■ 상수함수와 함수 $f(x)=x^n$ (n은 양의 정수)의 도함수
(1) $f(x)=c$ (c는 상수)이면 $f'(x)=0$
(2) $f(x)=x$이면 $f'(x)=1$
(3) $f(x)=x^n$ (n은 2 이상의 정수)이면 $f'(x)=nx^{n-1}$

■ $y=\{f(x)\}^2$일 때 $y'=2f(x)f'(x)$

■ $\{xf(x)\}'=f(x)+xf'(x)$

■ $\{x^2f(x)\}'=x\{2f(x)+xf'(x)\}$

1 평균변화율

함수 $y=f(x)$에서 x의 값이 a에서 b까지 변할 때, 함수 $f(x)$의 평균변화율은

$$\frac{\Delta y}{\Delta x}=\frac{f(b)-f(a)}{b-a}$$
$$=\frac{f(a+\Delta x)-f(a)}{\Delta x}$$

(단, $\Delta x=b-a$)

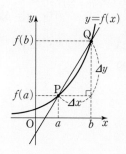

2 미분계수

함수 $y=f(x)$의 $x=a$에서의 미분계수 $f'(a)$는

$$f'(a)=\lim_{\Delta x \to 0}\frac{\Delta y}{\Delta x}$$
$$=\lim_{\Delta x \to 0}\frac{f(a+\Delta x)-f(a)}{\Delta x}$$
$$=\lim_{h \to 0}\frac{f(a+h)-f(a)}{h}$$
$$=\lim_{x \to a}\frac{f(x)-f(a)}{x-a}$$

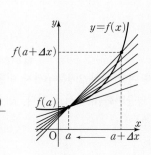

3 미분가능과 연속

함수 $f(x)$에 대하여 $x=a$에서의 미분계수 $f'(a)$가 존재할 때, 함수 $f(x)$는 $x=a$에서 미분가능하다고 한다.

4 도함수

(1) 미분가능한 함수 $y=f(x)$의 정의역에 속하는 모든 x의 값에 대하여 미분계수 $f'(x)$를 대응시키는 함수
$$f' : x \longrightarrow f'(x)$$
를 $f(x)$의 도함수라고 한다. 즉,
$$f'(x)=\lim_{\Delta x \to 0}\frac{f(x+\Delta x)-f(x)}{\Delta x}=\lim_{h \to 0}\frac{f(x+h)-f(x)}{h}$$
(2) 함수 $f(x)$의 도함수 $f'(x)$를 구하는 것을 함수 $f(x)$를 x에 대하여 미분한다고 한다.

5 미분법의 공식

두 함수 $f(x)$, $g(x)$가 미분가능할 때
(1) $y=cf(x)$ (c는 상수)이면 $y'=cf'(x)$
(2) $y=f(x)+g(x)$이면 $y'=f'(x)+g'(x)$
(3) $y=f(x)-g(x)$이면 $y'=f'(x)-g'(x)$
(4) $y=f(x)g(x)$이면 $y'=f'(x)g(x)+f(x)g'(x)$

1등급 note

■ 함수 $f(x)$에 대하여
$$f'(a)=\lim_{h \to 0}\frac{f(a+h)-f(a)}{h}$$
$$=k$$
라 하면
$$\lim_{h \to 0}\frac{f(a+h)-f(a-h)}{2h}$$
$$=f'(a)$$
$$=k$$
이다.

■ 두 다항함수 $f(x)$, $g(x)$에 대하여 함수 $h(x)$가
$$h(x)=\begin{cases} f(x) & (x \geq a) \\ g(x) & (x < a) \end{cases}$$
일 때,
$$h'(x)=\begin{cases} f'(x) & (x > a) \\ g'(x) & (x < a) \end{cases}$$
이다.

이때 함수 $h(x)$가 $x=a$에서 미분가능하면
$$h'(a)=\lim_{x \to a+}f'(x)$$
$$=\lim_{x \to a-}g'(x)$$

■ 미분과 나머지정리
이차 이상의 다항식 $f(x)$가 $(x-\alpha)^2$으로 나누어떨어질 필요충분조건은
$$f(a)=0, f'(a)=0$$

■ 두 함수 $f(x)$, $g(x)$가 $x=a$를 포함하는 구간에서 미분가능하고 $f(a)=0$, $g(a)=0$, $g'(x) \neq 0$이다.
$x \to a$일 때, $\dfrac{f'(x)}{g'(x)}$의 극한값이 존재하면
$$\lim_{x \to a}\frac{f(x)}{g(x)}=\lim_{x \to a}\frac{f'(x)}{g'(x)}$$
인 관계가 성립한다.

01 | 평균변화율 | ▶ 8472-0109
출제율 87%

함수 $f(x)=x^3+ax$에서 x의 값이 0에서 2까지 변할 때의 평균변화율이 2이다. $f(3)$의 값은?
(단, a는 상수이다.)

① 21　　　② 23　　　③ 25
④ 27　　　⑤ 29

02 | 평균변화율 | ▶ 8472-0110
출제율 88%

x의 값이 0에서 a까지 변할 때와 2에서 b까지 변할 때의 함수 $f(x)=x^2$의 평균변화율이 서로 같다. $a-b$의 값은? (단, $a\neq0$, $b\neq2$)

① -2　　　② -1　　　③ 0
④ 1　　　⑤ 2

03 | 미분계수 | ▶ 8472-0111
출제율 90%

다항함수 $f(x)$가 $\lim\limits_{h\to0}\dfrac{f(1+2h)-2}{h}=8$을 만족시킬 때, $f'(1)f(1)$의 값은?

① 2　　　② 4　　　③ 6
④ 8　　　⑤ 16

04 | 미분계수 | ▶ 8472-0112
출제율 92%

다항함수 $f(x)$에 대하여 $f(3)=3$, $f'(3)=-1$일 때, $\lim\limits_{x\to3}\dfrac{x^2f(3)-9f(x)}{x-3}$의 값은?

① 19　　　② 21　　　③ 23
④ 25　　　⑤ 27

05 | 미분계수 | ▶ 8472-0113
출제율 95%

다항함수 $f(x)$에 대하여 $f'(a)$와 항상 같은 것만을 〈보기〉에서 있는 대로 고른 것은? (단, a는 상수이다.)

┤ 보기 ├

ㄱ. $\lim\limits_{h\to0}\dfrac{f(a)-f(a-h)}{h}$

ㄴ. $\lim\limits_{x\to\frac{a}{3}}\dfrac{f(3x)-f(a)}{3x-a}$

ㄷ. $\lim\limits_{x\to a}\dfrac{f(x^2)-f(a^2)}{x^2-a^2}$

① ㄱ　　　② ㄱ, ㄴ　　　③ ㄱ, ㄷ
④ ㄴ, ㄷ　　　⑤ ㄱ, ㄴ, ㄷ

06 | 미분계수 | ▶ 8472-0114
출제율 93%

함수 $f(x)=(x-2)^3(x-1)+(2x+1)^2(x-1)$에 대하여 $x=1$에서의 미분계수 $f'(1)$의 값은?

① 6　　　② 7　　　③ 8
④ 9　　　⑤ 10

07 | 미분계수 | ▶ 8472-0115
출제율 94%

두 다항함수 $f(x)$, $g(x)$에 대하여

$$\lim_{h \to 0} \frac{f(h)-f(0)}{h}=4, \quad \lim_{h \to 0} \frac{g(h)}{h}=-4$$

이다. $\lim_{h \to 0} \frac{f(h)-g(h)}{h}=a$일 때, 상수 a의 값은?

① 2 ② 4 ③ 6
④ 8 ⑤ 16

08 | 미분계수 | ▶ 8472-0116
출제율 96%

다항함수 $f(x)$가 모든 실수 x, y에 대하여

$$f(x+y)=f(x)+f(y)+4xy$$

를 만족시킨다. $f'(0)=-1$일 때, $f'(2)$의 값은?

① 3 ② 4 ③ 5
④ 6 ⑤ 7

09 | 미분계수 | ▶ 8472-0117
출제율 95%

다항함수 $f(x)$에 대하여 $f(2)=3$, $f'(2)=k$일 때,

$$\lim_{x \to 2} \frac{\{f(x)\}^2-2f(x)-3}{x-2}=12$$를 만족시키는 상수 k의 값은?

① 1 ② 2 ③ 3
④ 4 ⑤ 5

10 | 미분계수 | ▶ 8472-0118
출제율 96%

함수 $f(x)$가 다음 조건을 만족시킬 때, $f'(1)$의 값은?

> (가) 함수 $f(x)$의 도함수 $f'(x)$는 실수 전체의 집합
>   에서 연속이다.
> (나) 모든 실수 x에 대하여
> $(x-1)f'(x)=2f(x)+x^2+3x$

① -1 ② -2 ③ -3
④ -4 ⑤ -5

11 | 미분가능과 연속 | ▶ 8472-0119
출제율 97%

함수 $f(x)=\begin{cases} ax+2 & (x \geq 1) \\ bx^2-3x & (x<1) \end{cases}$가 실수 전체의 집합에서 미분가능할 때, 상수 a, b에 대하여 $a+b$의 값은?

① -8 ② -9 ③ -10
④ -11 ⑤ -12

12 | 미분가능과 연속 | ▶ 8472-0120
출제율 93%

다항함수 $f(x)$에 대하여 〈보기〉에서 옳은 것만을 있는 대로 고른 것은?

> ┤ 보기 ├
> ㄱ. $|f(x)|$는 $x=0$에서 미분가능하다.
> ㄴ. $\lim_{h \to 0} \frac{f(h)}{h}=1$이면 $f'(0)=1$이다.
> ㄷ. $\lim_{x \to 0} f'(x)=f'(0)$

① ㄱ ② ㄴ ③ ㄱ, ㄷ
④ ㄴ, ㄷ ⑤ ㄱ, ㄴ, ㄷ

| 미분가능과 연속 | ▶ 8472-0121

13
출제율 95%

함수 $f(x)=\begin{cases} x+1 \ (x\geq 0) \\ x-1 \ (x<0) \end{cases}$ 에 대하여 $x=0$에서 미분

가능한 함수만을 〈보기〉에서 있는 대로 고른 것은?

┤ 보기 ├

ㄱ. $f(x)$　　　ㄴ. $xf(x)$　　　ㄷ. $x^2f(x)$

① ㄱ　　　　② ㄷ　　　　③ ㄱ, ㄴ

④ ㄴ, ㄷ　　　⑤ ㄱ, ㄴ, ㄷ

| 미분계수와 도함수 | ▶ 8472-0122

14
출제율 93%

다항함수 $f(x)=x^3+ax^2+bx+4$에 대하여

$\lim\limits_{x\to 2}\dfrac{f(x-1)-6}{x-2}=7$일 때, $f(2)$의 값은?

(단, a, b는 상수이다.)

① 14　　　　② 16　　　　③ 18

④ 20　　　　⑤ 22

| 도함수와 미분법 공식 | ▶ 8472-0123

15
출제율 94%

함수 $f(x)=x^3-3x^2-2x+1$에 대하여

$f'(\alpha)=f'(\beta)=0$일 때, $f\left(\dfrac{\alpha+\beta}{2}\right)$의 값은?

① -3　　　② -5　　　③ -7

④ -9　　　⑤ -11

| 도함수와 미분법 공식 | ▶ 8472-0124

16
출제율 92%

최고차항의 계수가 1인 사차함수 $f(x)$가 다음 조건을

만족시킬 때, $f(1)$의 값은?

(가) 모든 실수 x에 대하여 $f(x)=f(-x)$이다.
(나) $f(2)=-12$, $f'(2)=0$

① -3　　　② -4　　　③ -5

④ -6　　　⑤ -7

| 도함수와 미분법 공식 | ▶ 8472-0125

17
출제율 95%

미분가능한 함수 $f(x)$가 다음 조건을 만족시킨다.

(가) $\lim\limits_{h\to 0}\dfrac{f(2h)}{h}=2$
(나) 모든 실수 x, y에 대하여
　　 $f(x+y)=f(x)+f(y)+2xy(x+y)$

함수 $g(x)=2f(x)+3x$라 할 때, $g'(1)$의 값은?

① 1　　　　② 3　　　　③ 5

④ 7　　　　⑤ 9

| 곱의 미분법 | ▶ 8472-0126

18
출제율 92%

다항함수 $f(x)$에 대하여 $f(x)=x^3+2xf'(2)$일 때,

$f'(1)$의 값은?

① -17　　　② -19　　　③ -21

④ -23　　　⑤ -25

| 곱의 미분법 | ● 8472-0127

19
출제율 93%

함수 $f(x)=\dfrac{1}{2}(x^3-2)(x^2-2)$에 대하여

$\displaystyle\lim_{x \to 1}\dfrac{2f(x)-1}{x^2+2x-3}$의 값은?

① $-\dfrac{3}{2}$ ② $-\dfrac{5}{4}$ ③ -1

④ $-\dfrac{3}{4}$ ⑤ $-\dfrac{1}{2}$

| 곱의 미분법 | ● 8472-0128

20
출제율 95%

다항함수 $f(x)$는 $f(x)=(x^2+x+2)(2x-3)$이고 다항함수 $g(x)$가 $\displaystyle\lim_{x \to 1}\dfrac{g(x)-3}{x^2-1}=4$를 만족시킨다.
함수 $h(x)=f(x)g(x)$일 때, $h'(1)$의 값은?

① -15 ② -17 ③ -19

④ -21 ⑤ -23

| 곱의 미분법 | ● 8472-0129

21
출제율 96%

두 함수

$$f(x)=2x^3+3x-4,\ g(x)=-2x^2+x-1$$

에 대하여 $\displaystyle\lim_{h \to 0}\dfrac{f(2h)g(2h)-4}{h}$의 값은?

① -26 ② -22 ③ -18

④ -14 ⑤ -10

서술형 문제

● 8472-0130

22
출제율 96%

최고차항의 계수가 1인 다항함수 $f(x)$가 모든 실수 x에 대하여 $f(x)f'(x)-f(x)-xf'(x)=2x^3+3x$ 를 만족시킬 때, $f(3)$의 값을 구하시오.

● 8472-0131

23
출제율 95%

함수 $f(x)=x^2+ax+b$에 대하여 함수 $g(x)$를

$$g(x)=\begin{cases} f(x) & (x \geq 2) \\ -f(x) & (x < 2) \end{cases}$$

라 하자. 함수 $g(x)$가 $x=2$에서 미분가능할 때, $g(-1)$의 값을 구하시오. (단, a, b는 상수이다.)

개념 1 평균변화율과 미분계수

24 ► 8472-0132

이차함수 $f(x)=x^2-2x+3$에 대하여 x의 값이 a에서 b까지 변할 때의 평균변화율을 m이라 할 때, 〈보기〉에서 옳은 것만을 있는 대로 고른 것은? (단, $a<b$)

┤ 보기 ├

ㄱ. $a=-1$, $b=2$이면 $m=-1$

ㄴ. $a+b=3$이면 $m=1$

ㄷ. $a+b=2c$를 만족시키는 상수 c에 대하여 $f'(c)=m$이다.

① ㄱ   ② ㄱ, ㄴ   ③ ㄱ, ㄷ

④ ㄴ, ㄷ   ⑤ ㄱ, ㄴ, ㄷ

25 ► 8472-0133

다항함수 $f(x)$에서 모든 실수 a, b $(a<b)$에 대하여 x의 값이 a에서 b까지 변할 때의 $f(x)$의 평균변화율보다 $f'(a)$의 값이 더 클 때, 함수 $y=f(x)$의 그래프로 가장 적당한 것은?

①   ②   ③

④   ⑤

26 ► 8472-0134

삼차함수 $f(x)=x^3-2x^2-3x+6$에 대하여 $\lim\limits_{h\to 0}\dfrac{|f(2+h^2)|-|f(2-h^2)|}{h^2}$의 값은?

① -1 ② $-\dfrac{1}{2}$ ③ 0

④ $\dfrac{1}{2}$ ⑤ 1

27 ► 8472-0135

미분가능한 두 함수 $f(x)$, $g(x)$가 모든 실수 x에 대하여 $2x+1-f(x)\leq g(x)\leq 2x+1+f(x)$를 만족시킨다. $f(0)=0$일 때, $g'(0)$의 값은?

① 0 ② $\dfrac{1}{2}$ ③ 1

④ $\dfrac{3}{2}$ ⑤ 2

28 ► 8472-0136

다항함수 $f(x)$가 다음 조건을 만족시킨다.

(가) $f(-x)=-f(x)$

(나) $\lim\limits_{h\to 0}\dfrac{f(-1+3h)+f(1)}{2h}=18$

$\lim\limits_{x\to -1}\dfrac{f(x)+f(1)}{x^3+1}$의 값은?

① -4 ② -2 ③ 0

④ 2 ⑤ 4

개념 2 미분가능과 연속

29 ► 8472-0137

함수 $f(x)=\begin{cases} 1 & (x\geq 1) \\ x^4+ax^3+bx^2+cx & (0<x<1) \\ 0 & (x\leq 0) \end{cases}$이 실수 전체의 집합에서 미분가능하도록 상수 a, b, c의 값을 정할 때, $a^2+b^2+c^2$의 값은?

① 30 ② 32 ③ 34

④ 36 ⑤ 38

30 ▶ 8472-0138

최고차항의 계수가 1인 삼차함수 $f(x)$에 대하여 함수 $g(x)$를

$$g(x)=\begin{cases} f(x-2) & (x\geq 1) \\ f(x+2) & (x<1) \end{cases}$$

라 하자. 함수 $g(x)$가 실수 전체의 집합에서 미분가능할 때, $f'(2)$의 값은?

① -2 ② -1 ③ 0

④ 1 ⑤ 2

31 ▶ 8472-0139

두 함수

$$f(x)=\begin{cases} x+2 & (x\geq 0) \\ -x-2 & (x<0) \end{cases},\ g(x)=x^2+ax+b+2$$

에 대하여 함수 $h(x)$를 $h(x)=f(x)g(x)$라 하자. 함수 $h(x)$가 $x=0$에서 미분가능할 때, 상수 a, b에 대하여 a^2+b^2의 값은?

① 3 ② 4 ③ 5

④ 6 ⑤ 7

32 ▶ 8472-0140

함수 $f(x)=\begin{cases} x^2+1 & (x<0) \\ x+2 & (x\geq 0) \end{cases}$ 에 대하여

함수 $(x^n+k)f(x)$가 $x=0$에서 미분가능하도록 하는 자연수 n의 최솟값은? (단, k는 상수이다.)

① 1 ② 2 ③ 3

④ 4 ⑤ 5

33 ▶ 8472-0141

함수 $y=f(x)$의 그래프가 그림과 같다.

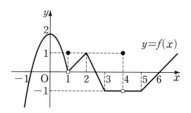

정수 전체의 집합의 두 부분집합 A, B를

$$A=\left\{a\ \middle|\ \lim_{x\to a}\{f(x)-f(a)\}=0,\ -1<a<6\right\}$$

$$B=\left\{b\ \middle|\ \lim_{x\to b}\frac{f(x)-f(b)}{x-b}\text{의 값이 존재하고,}\ -1<b<6\right\}$$

이라 할 때, 집합 $A-B$의 모든 원소의 합은?

① 6 ② 8 ③ 10

④ 12 ⑤ 14

34 ▶ 8472-0142

실수 전체의 집합에서 정의된 두 함수 $f(x)$, $g(x)$가 있다. $f(0)=0$이고 $\lim_{x\to 0}\dfrac{f(x)}{x}=1$일 때, 〈보기〉에서 옳은 것만을 있는 대로 고른 것은?

┤ 보기 ├

ㄱ. $\lim_{x\to 0}\{f(x)+g(x)\}=f(0)+g(0)$이면 $g(x)$는 $x=0$에서 연속이다.

ㄴ. $\lim_{x\to 0}f(x)g(x)=f(0)g(0)$이면 $g(x)$는 $x=0$에서 연속이다.

ㄷ. $f(x)g(x)$가 $x=0$에서 미분가능하면 $\lim_{x\to 0}g(x)$의 값이 존재한다.

① ㄱ   ② ㄴ   ③ ㄱ, ㄷ

④ ㄴ, ㄷ   ⑤ ㄱ, ㄴ, ㄷ

35 ▶ 8472-0143

최고차항의 계수가 1인 삼차함수 $f(x)$와 자연수 k에 대하여 함수

$$g(x) = \begin{cases} \dfrac{f(x)}{(x-1)^k} & (x \neq 1) \\ a & (x=1) \end{cases}$$

가 $x=1$에서 미분가능할 때, 〈보기〉에서 옳은 것만을 있는 대로 고른 것은? (단, a는 실수이다.)

┤ 보기 ├
ㄱ. $f(1)=0$
ㄴ. $g'(1)=a$
ㄷ. $k=2$이면 $f(2)=a+1$

① ㄱ ② ㄴ ③ ㄱ, ㄷ
④ ㄴ, ㄷ ⑤ ㄱ, ㄴ, ㄷ

36 ▶ 8472-0144

실수 t에 대하여 함수

$$f(x) = (x-t)|x(x-3)|$$

이 $x=a$에서 미분가능하지 않은 모든 실수 a의 개수를 $g(t)$라 하자. 〈보기〉에서 옳은 것만을 있는 대로 고른 것은?

┤ 보기 ├
ㄱ. $g(0)=1$
ㄴ. $\lim\limits_{t \to 3} g(t) = 2$
ㄷ. 함수 $g(t)$가 불연속인 점은 2개이다.

① ㄱ ② ㄷ ③ ㄱ, ㄴ
④ ㄴ, ㄷ ⑤ ㄱ, ㄴ, ㄷ

개념 ③ **도함수와 미분법의 공식**

37 ▶ 8472-0145

최고차항의 계수가 1인 두 다항함수 $f(x)$, $g(x)$가 다음 조건을 만족시킨다.

(가) $f(x) + g(x) = x^3 + 4x^2 - 3$
(나) $\lim\limits_{x \to \infty} \dfrac{f(x) + 2g(x)}{x^3 + 1} = 2$

$f'(1)=6$일 때, $g'(2)$의 값은?

① 14 ② 16 ③ 18
④ 20 ⑤ 22

38 ▶ 8472-0146

이차함수 $f(x) = ax^2 + bx - 2$가 있다. 모든 실수 x에 대하여 등식 $f(f'(x)) = f'(f(x))$가 성립하도록 상수 a, b의 값을 정할 때, $a+b$의 값은?

① $\dfrac{1}{2}$ ② 1 ③ $\dfrac{3}{2}$
④ 2 ⑤ $\dfrac{5}{2}$

39 ▶ 8472-0147

두 이차함수 $f(x)$, $g(x)$가 다음 조건을 만족시킨다.

(가) $f(x)$, $g(x)$의 이차항의 계수는 각각 -1, 1이다.
(나) 두 함수 $y=f(x)$, $y=g(x)$의 그래프의 꼭짓점의 좌표는 각각 $(a, 1)$, $(1, b)$이다.

함수 $h(x) = \begin{cases} f(x) & (x \geq 2) \\ g(x) & (x < 2) \end{cases}$ 가 실수 전체의 집합에서 미분가능할 때, 상수 a, b에 대하여 $a^2 + b^2$의 값은?

① 4 ② 6 ③ 8
④ 10 ⑤ 12

40 두 다항함수 $f(x)$, $g(x)$가 다음 조건을 만족시킨다.

> (가) 다항식 $f(x)$를 $(x-1)^2$으로 나누었을 때의 몫은 $g(x)$이다.
>
> (나) 다항식 $g(x)$를 $x-2$로 나누었을 때의 나머지는 4이다.
>
> (다) $\displaystyle\lim_{x\to 2}\frac{f(x)-g(x)}{x-2}=12$

$f(1)$의 값은?

① -4 ② -2 ③ 0

④ 2   ⑤ 4

41 최고차항의 계수가 4인 다항함수 $f(x)$가 다음 조건을 만족시킨다.

> (가) $\displaystyle\lim_{x\to\infty}\frac{x^2 f(x)}{f(x^2)+\{f'(x)\}^2}=1$
>
> (나) $\displaystyle\lim_{x\to -3}\frac{f(x)+f'(x)}{x+3}=-11$

$f(1)$의 값은?

① 3   ② 4   ③ 5

④ 6   ⑤ 7

42 두 다항함수 $f(x)$, $g(x)$가

$$\lim_{h\to 0}\frac{f(3h)g(0)-f(0)g(-3h)}{h}=12$$

를 만족시킬 때, 함수 $y=f(x)g(x)$의 $x=0$에서의 미분계수는?

① -4 ② -2 ③ 0

④ 2   ⑤ 4

43 그림과 같이 다항함수 $y=f(x)$의 그래프는 점 $(2, 4)$에서 원점을 지나는 직선에 접한다.

$g(x)=(x^3-2x+1)f(x)$일 때, $g'(2)$의 값은?

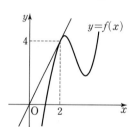

① 48   ② 50   ③ 52

④ 54   ⑤ 56

44 두 다항함수 $f(x)$, $g(x)$가 모든 양수 x에 대하여 다음 조건을 만족시킨다.

> (가) $f'(x)g(x)-f(x)g'(x)=-8x^3$
>
> (나) $g(x)=x^2 f(x)$

$f'(1)g(1)+f(1)g'(1)$의 값은?

① 14   ② 16   ③ 18

④ 20   ⑤ 22

45 삼차함수 $f(x)$가 다음 조건을 만족시킬 때, $f'(0)$의 값은? ▶ 8472-0153

(가) $\lim\limits_{x \to 1} \dfrac{f(x)}{(x-1)^2}$의 값이 존재한다.

(나) $\lim\limits_{x \to 2} \dfrac{f(x)-5}{x-2} = 11$

① 1   ② -1 ③ -3

④ -5 ⑤ -7

46 최고차항의 계수가 1인 삼차함수 $g(x)$에 대하여 실수 전체의 집합에서 미분가능한 함수 $f(x)$를 ▶ 8472-0154

$$f(x) = \begin{cases} 2 & (x \le -1) \\ g(x) & (-1 < x < 1) \\ -2 & (x \ge 1) \end{cases}$$

로 정의할 때, 〈보기〉에서 옳은 것만을 있는 대로 고른 것은?

┤ 보기 ├

ㄱ. $g'\left(\dfrac{1}{2}\right) = -\dfrac{9}{4}$

ㄴ. $x \ne 0$일 때, $-3 < \dfrac{f(x)-f(-x)}{x-(-x)} < 0$

ㄷ. $f'(2)g(2) + f(2)g'(2) = -18$

① ㄱ   ② ㄱ, ㄴ   ③ ㄱ, ㄷ

④ ㄴ, ㄷ   ⑤ ㄱ, ㄴ, ㄷ

서술형 문제

47 이차함수 $f(x) = x^2 - 3x - 4$에 대하여 함수 $g(t)$를 $g(t) = \lim\limits_{x \to t} \dfrac{\{f(x)\}^2 - \{f(t)\}^2}{x-t}$이라 할 때, 열린구간 $(-5, 5)$에서 $g(t) < 0$을 만족시키는 정수 t의 개수를 구하시오. ▶ 8472-0155

48 미분가능한 두 함수 $f(x)$, $g(x)$가 다음 조건을 만족시킨다. ▶ 8472-0156

(가) $f(x) + g(x) = 2x^2 + 3x + 1$

(나) $\lim\limits_{h \to 0} \dfrac{f(1+h)g(1+h) - f(1)g(1)}{h} = 6$

$f(1)f'(1) + g(1)g'(1)$의 값을 구하시오.

● 정답과 풀이 43쪽

▶ 8472-0157

49 신 유형

양수 t와 함수 $f(x)=\begin{cases} 4x & (x\le 1) \\ 5-2x & (x>1) \end{cases}$ 에 대하여 닫힌구간 $[0,\ t]$에서의 평균변화율을 $g(t)$라 하자. 함수

$\dfrac{t^2+at+b}{g(t)+2}$가 $t=1$에서 미분가능할 때, a^2+b^2의 값은? (단, a, b는 상수이다.)

① 1 ② 2 ③ 3 ④ 4 ⑤ 5

▶ 8472-0158

50 두 함수 $f(x)=\begin{cases} x & (x<2) \\ 2x-6 & (x\ge 2) \end{cases}$, $g(x)=|2x-4|$의 그래프가 그림과 같다.

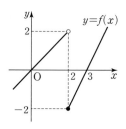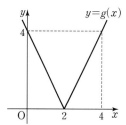

〈보기〉에서 옳은 것만을 있는 대로 고른 것은?

┤ 보기 ├

ㄱ. 두 함수 $f(x)$, $g(x)$는 모두 $x=2$에서 미분가능하지 않다.

ㄴ. 함수 $f(x)g(x)$는 $x=2$에서 미분가능하다.

ㄷ. 함수 $|f(x)|g(x)$는 $x=2$에서 미분가능하다.

① ㄱ ② ㄱ, ㄴ ③ ㄱ, ㄷ ④ ㄴ, ㄷ ⑤ ㄱ, ㄴ, ㄷ

▶ 8472-0159

51 계수가 모두 정수인 두 다항함수 $f(x)$, $g(x)$가 모든 실수 x에 대하여 다음 조건을 만족시킨다.

(가) $f'(x)g(x)=2x^4+x^3+4x^2+4x+1$

(나) $f(x)g'(x)=3x^4+3x^3-x^2+2x-2$

$f(2)+g(2)$의 값은?

① 14 ② 16 ③ 18 ④ 20 ⑤ 22

○ 8472-0160

신 유형

52 $f(0)=0$이고 실수 전체의 집합에서 연속인 함수 $f(x)$가 $\lim\limits_{x \to 1} \dfrac{f((x-1)^2)}{(x-1)^2}=a$ (a는 상수)를 만족시킬 때, 〈보기〉에서 옳은 것만을 있는 대로 고른 것은?

┤ 보기 ├

ㄱ. $a=0$이고 $f(-x)=f(x)$이면 함수 $f(x)$는 $x=0$에서 미분가능하다.

ㄴ. $a \neq 0$이고 $f(-x)=f(x)$이면 함수 $f(x)$는 $x=0$에서 미분가능하다.

ㄷ. $f(-x)=-f(x)$이면 함수 $f(x)$는 $x=0$에서 미분가능하다.

① ㄱ   ② ㄴ   ③ ㄱ, ㄷ   ④ ㄴ, ㄷ   ⑤ ㄱ, ㄴ, ㄷ

○ 8472-0161

53 삼차함수 $f(x)=x^3+ax^2+bx$와 두 실수 p, q ($p<q$)에 대하여
$$A=\frac{f'(p)+f'(q)}{2},\ B=f'\!\left(\frac{p+q}{2}\right),\ C=\frac{f(q)-f(p)}{q-p}$$
라 할 때, A, B, C의 대소 관계를 바르게 나타낸 것은? (단, a, b는 상수이다.)

① $A>B>C$ ② $A>C>B$ ③ $B>C>A$ ④ $C>A>B$ ⑤ $C>B>A$

○ 8472-0162

54 두 다항함수 $f(x)$, $g(x)$가 다음 조건을 만족시킨다.

(가) $f(x)$를 $(x-1)^2$으로 나누었을 때의 나머지는 $2x+1$이다.

(나) $xf(x)+g(x)$는 $(x-1)^3$으로 나누어떨어진다.

$g(x)$를 $(x-1)^2$으로 나누었을 때의 나머지를 $h(x)$라 할 때, $h(3)$의 값은?

① -11 ② -13 ③ -15 ④ -17 ⑤ -19

◐ 8472-0163

55 함수 $f(x)=x^3+3x^2-9x+3$에 대하여 함수 $g(x)$를 다음과 같이 정의한다.

$$g(x)=\begin{cases} f(x) & (x \leq 2) \\ -f(-x+a)+b & (x>2) \end{cases}$$

$g(x)$가 실수 전체의 집합에서 미분가능할 때, 상수 a, b에 대하여 $a+b$의 값을 구하시오. (단, $a \neq 4$)

문항 파헤치기

풀이

실수 point 찾기

Ⅱ 미분

04 도함수의 활용 (1)

빈틈 개념

■ 곡선 $y=f(x)$ 위의 한 점 $(x_0, f(x_0))$에서의 접선에 수직인 직선의 방정식은

$$y-f(x_0)=-\frac{1}{f'(x_0)}(x-x_0)$$

■ **두 곡선에 공통인 접선**

두 곡선 $y=f(x)$, $y=g(x)$가 점 $x=a$에서 접할 조건은

(i) $f(a)=g(a)$

(ii) $f'(a)=g'(a)$

이때 공통인 접선의 방정식은

$$y-f(a)=f'(a)(x-a)$$

■ **롤의 정리**

함수 $f(x)$가 닫힌구간 $[a, b]$에서 연속이고 열린구간 (a, b)에서 미분가능할 때, $f(a)=f(b)$이면 $f'(c)=0$인 c가 열린구간 (a, b)에 적어도 하나 존재한다.

■ **미분가능한 함수의 극대와 극소**

(1) 미분가능한 함수 $f(x)$에 대하여 $f'(a)=0$이고 $x=a$의 좌우에서 $f'(x)$의 부호가 양에서 음으로 바뀌면 함수 $f(x)$는 $x=a$에서 극대이고, 극댓값은 $f(a)$이다.

(2) 미분가능한 함수 $f(x)$에 대하여 $f'(b)=0$이고 $x=b$의 좌우에서 $f'(x)$의 부호가 음에서 양으로 바뀌면 함수 $f(x)$는 $x=b$에서 극소이고, 극솟값은 $f(b)$이다.

■ 극댓값과 극솟값을 통틀어 극값이라고 한다.

1 접선의 방정식

함수 $f(x)$가 $x=a$에서 미분가능할 때, 곡선 $y=f(x)$ 위의 점 $P(a, f(a))$에서의 접선의 방정식은

$$y-f(a)=f'(a)(x-a)$$

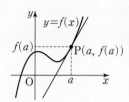

2 평균값 정리

함수 $f(x)$가 닫힌구간 $[a, b]$에서 연속이고 열린구간 (a, b)에서 미분가능하면

$$\frac{f(b)-f(a)}{b-a}=f'(c)$$

인 c가 열린구간 (a, b)에 적어도 하나 존재한다.

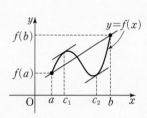

3 함수의 증가와 감소

함수 $f(x)$가 어떤 구간에 속하는 임의의 두 실수 x_1, x_2에 대하여

(1) $x_1 < x_2$일 때 $f(x_1) < f(x_2)$이면 함수 $f(x)$는 이 구간에서 증가한다고 한다.

(2) $x_1 < x_2$일 때 $f(x_1) > f(x_2)$이면 함수 $f(x)$는 이 구간에서 감소한다고 한다.

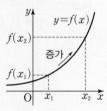 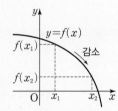

4 함수의 극대와 극소

(1) $x=a$를 포함하는 어떤 열린 구간에 속하는 모든 x에 대하여 $f(x) \leq f(a)$이면 함수 $f(x)$는 $x=a$에서 극대라 하고, $f(a)$를 극댓값이라고 한다.

(2) $x=b$를 포함하는 어떤 열린 구간에 속하는 모든 x에 대하여 $f(x) \geq f(b)$이면 함수 $f(x)$는 $x=b$에서 극소라 하고, $f(b)$를 극솟값이라고 한다.

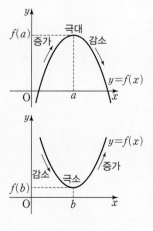

■ (1) 어떤 구간에서 미분가능한 함수 $f(x)$에 대하여

① 함수 $f(x)$가 이 구간에서 증가하면 이 구간의 모든 x에 대하여 $f'(x) \geq 0$이다.

② 함수 $f(x)$가 이 구간에서 감소하면 이 구간의 모든 x에 대하여 $f'(x) \leq 0$이다.

(2) 어떤 구간에서 다항함수 $f(x)$가 상수함수가 아닐 때

① 이 구간의 모든 x에 대하여 $f'(x) \geq 0$이면 함수 $f(x)$는 이 구간에서 증가한다.

② 이 구간의 모든 x에 대하여 $f'(x) \leq 0$이면 함수 $f(x)$는 이 구간에서 감소한다.

■ 함수 $f(x)$가 어떤 구간에서 미분가능하고, 이 구간의 모든 x에 대하여

(1) $f'(x) > 0$이면 $f(x)$는 이 구간에서 증가한다.

(2) $f'(x) < 0$이면 $f(x)$는 이 구간에서 감소한다.

■ **극값을 가질 조건**

$x=a$에서 미분가능한 함수 $f(x)$에 대하여 $x=a$에서 극값을 갖는다.

$$\xrightarrow{\quad} f'(a)=0$$

01 | 접선의 방정식 | ▶ 8472-0164

출제율 89%

삼차함수 $f(x)=x^3+x^2-4x-1$의 그래프 위의 점 $(-2, 3)$에서의 접선의 방정식이 $y=ax+b$일 때, $a+b$의 값은? (단, a, b는 상수이다.)

① 10 　　　　② 15 　　　　③ 20

④ 25 　　　　⑤ 30

02 | 접선의 기울기 | ▶ 8472-0165

출제율 93%

곡선 $y=x^3+x^2-3x+5$ 위의 서로 다른 두 점 A, B 에서의 접선이 서로 평행하다. 두 점 A, B의 x좌표의 곱이 -2일 때, 점 A에서의 접선의 기울기는?

① 1 　　　　② 2 　　　　③ 3

④ 4 　　　　⑤ 5

03 | 접선의 기울기 | ▶ 8472-0166

출제율 95%

곡선 $y=x^3-3x^2+2$에 접하고 기울기가 m인 직선이 오직 하나일 때, 상수 m의 값은?

① -3 　　　② -1 　　　③ 1

④ 3 　　　　⑤ 5

04 | 접선의 방정식 | ▶ 8472-0167

출제율 96%

곡선 $y=x^2-3x+2$ 위의 점 $(3, 2)$에서의 접선이 곡선 $y=x^3+ax+9$에 접할 때, 상수 a의 값은?

① -1 　　　② -3 　　　③ -5

④ -7 　　　⑤ -9

05 | 접선의 기울기 | ▶ 8472-0168

출제율 94%

최고차항의 계수가 1인 이차함수 $f(x)$에 대하여 두 곡선 $y=x^3+x^2+3$, $y=f(x)$는 x좌표가 1인 점 P에서 만난다. 이 두 곡선 위의 점 P에서의 접선이 서로 일치할 때, $f(2)$의 값은?

① 10 　　　　② 11 　　　　③ 12

④ 13 　　　　⑤ 14

06 | 접선의 기울기 | ▶ 8472-0169

출제율 92%

그림은 삼차함수 $f(x)=x^3-3x^2+kx-1$의 그래프에서 기울기가 같은 두 접선을 나타낸 것이다. 두 접선의 접점 P, Q의 x좌표를 각각 p, q라 할 때, $p+q$의 값은? (단, $k<3$)

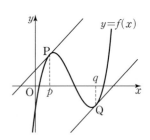

① 1 　　　　② $\dfrac{4}{3}$ 　　　③ $\dfrac{5}{3}$

④ 2 　　　　⑤ $\dfrac{7}{3}$

07 | 접선의 기울기 | ◉ 8472-0170

출제율 96%

삼차함수 $f(x)=-x^3+3x^2+9x$에 대하여 곡선 $y=f(x)$ 위의 원점 O에서의 접선과 곡선 $y=f(x)$의 교점 중 원점 O가 아닌 점을 A라 하자. 점 P가 곡선 $y=f(x)$ 위에서 원점과 점 A 사이를 움직일 때, 삼각형 OAP의 넓이가 최대가 되는 점 P의 좌표는 (a, b)이다. $a+b$의 값은?

① 18 　　② 20 　　③ 22
④ 24 　　⑤ 26

08 | 접선의 기울기 | ◉ 8472-0171

출제율 95%

사차함수 $y=f(x)$의 그래프가 그림과 같고, $f'(a)=f'(5)=f'(b)=0$이다. $0 \le x \le 10$에서 $f(x)f'(x)<0$을 만족시키는 모든 정수 x의 값의 합은? (단, $1<a<2$, $8<b<9$)

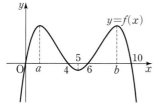

① 12 　　② 13 　　③ 14
④ 15 　　⑤ 16

09 | 평균값 정리 | ◉ 8472-0172

출제율 94%

함수 $f(x)=-x^3-5x^2+3$에 대하여 $f(2)-f(-1)=3f'(c)$를 만족시키는 상수 c의 값은? (단, $-1<c<2$)

① $-\dfrac{1}{3}$ 　　② 0 　　③ $\dfrac{1}{3}$
④ $\dfrac{2}{3}$ 　　⑤ 1

10 | 평균값 정리 | ◉ 8472-0173

출제율 93%

다항함수 $f(x)$가 모든 실수 x에 대하여 $f(-x)=-f(x)$를 만족시킨다. $f(1)=2$, $f(3)=0$일 때, 〈보기〉에서 옳은 것만을 있는 대로 고른 것은?

┤ 보기 ├
ㄱ. $f(0)=0$
ㄴ. 방정식 $f'(x)=0$은 열린구간 $(0, 3)$에서 적어도 하나의 실근을 갖는다.
ㄷ. 방정식 $f'(x)=2$는 적어도 두 개의 실근을 갖는다.

① ㄱ 　　② ㄱ, ㄴ 　　③ ㄱ, ㄷ
④ ㄴ, ㄷ 　　⑤ ㄱ, ㄴ, ㄷ

11 | 함수의 증가와 감소 | ◉ 8472-0174

출제율 97%

삼차함수 $f(x)=-x^3+3ax^2-9ax+1$의 역함수가 존재하도록 하는 정수 a의 개수는?

① 1 　　② 2 　　③ 3
④ 4 　　⑤ 5

12 | 함수의 증가와 감소 | ◉ 8472-0175

출제율 92%

함수 $f(x)=x^3-x^2-5x+4$가 열린구간 $(-1, a)$에서 감소할 때, 실수 a의 최댓값은? (단, $a>-1$)

① $\dfrac{2}{3}$ 　　② 1 　　③ $\dfrac{4}{3}$
④ $\dfrac{5}{3}$ 　　⑤ 2

13 | 함수의 증가와 감소 | ▶ 8472-0176
출제율 93%

함수 $f(x)=\dfrac{1}{3}x^3-x^2+ax+5$가 열린구간 $(a, 2)$에서 감소할 때, $f(3)$의 값은? (단, a는 상수이다.)

① 1   ② 2   ③ 3
④ 4   ⑤ 5

14 | 함수의 증가와 감소 | ▶ 8472-0177
출제율 94%

함수 $f(x)=x^3+k|x-2|$가 실수 전체의 집합에서 증가할 때, 실수 k의 최댓값과 최솟값의 합은?

① -12 ② -11 ③ -10
④ -9 ⑤ -8

15 | 함수의 증가와 감소 | ▶ 8472-0178
출제율 93%

a가 음이 아닌 실수일 때, 함수
$f(x)=x^3+ax-a-1$에 대하여 〈보기〉에서 옳은 것만을 있는 대로 고른 것은?

┤ 보기 ├
ㄱ. 함수 $f(x)$는 구간 $(-\infty, \infty)$에서 증가한다.
ㄴ. 함수 $g(x)$가 구간 $(-\infty, \infty)$에서 감소하면 함수 $f(x)-g(x)$는 구간 $(-\infty, \infty)$에서 증가한다.
ㄷ. 함수 $h(x)$가 구간 $(-\infty, \infty)$에서 증가하면 함수 $f(x)h(x)$는 구간 $(-\infty, \infty)$에서 증가한다.

① ㄱ   ② ㄱ, ㄴ   ③ ㄱ, ㄷ
④ ㄴ, ㄷ   ⑤ ㄱ, ㄴ, ㄷ

16 | 함수의 극대와 극소 | ▶ 8472-0179
출제율 96%

삼차함수 $f(x)=x^3+(a-2)x^2-\dfrac{1}{3}(ab-4)^2x+1$이 극값을 갖지 않을 때, 상수 a, b에 대하여 $a+b$의 값은?

① -4 ② -2 ③ 0
④ 2   ⑤ 4

17 | 함수의 극대와 극소 | ▶ 8472-0180
출제율 92%

사차함수 $f(x)=3x^4-4x^3-12x^2+a$의 극댓값이 10일 때, 모든 극솟값의 합은? (단, a는 상수이다.)

① -11 ② -13 ③ -15
④ -17 ⑤ -19

18 | 함수의 극대와 극소 | ▶ 8472-0181
출제율 91%

삼차함수 $f(x)=x^3-kx-1$의 두 극값의 차가 108일 때, 상수 k의 값은?

① 24   ② 25   ③ 26
④ 27   ⑤ 28

▶ 8472-0182

19 | 함수의 극대와 극소 |

출제율 93%

함수 $f(x)=x^3-3x^2+4$의 극대인 점을 A라 할 때, 점 A를 지나고 곡선 $y=f(x)$에 접하는 직선은 2개 있다. 이 두 직선 중 기울기가 0이 아닌 직선의 기울기는?

① $-\dfrac{7}{4}$ ② -2 ③ $-\dfrac{9}{4}$

④ $-\dfrac{5}{2}$ ⑤ $-\dfrac{11}{4}$

20 | 함수의 극대와 극소 |

출제율 95%

▶ 8472-0183

다항함수 $f(x)$에 대하여 함수 $g(x)$를 $g(x)=x^2 f(x)$라 하자. 함수 $g(x)$가 $x=3$에서 극솟값 27을 갖는다고 할 때, $f'(3)$의 값은?

① -2 ② -1 ③ 0

④ 1 ⑤ 2

21 | 함수의 극대와 극소 |

출제율 94%

▶ 8472-0184

함수 $f(x)=x^4+ax^2+b$가 단 한 개의 극값 6을 가질 때, 실수 a, b에 대하여 $a+b$의 최솟값은?

① 2 ② 4 ③ 6

④ 8 ⑤ 10

서술형 문제

▶ 8472-0185

22 두 곡선

출제율 96%

$$C_1 : y=x^2+4x, \quad C_2 : y=\frac{1}{4}x^2$$

에 동시에 접하는 직선은 두 개이다. 두 직선의 기울기를 각각 m_1, m_2라 할 때, m_1+m_2의 값을 구하시오.

▶ 8472-0186

23 함수

출제율 95%

$$f(x)=\begin{cases} x^3+3ax^2-1 & (x<1) \\ -a(x-4) & (x\geq1) \end{cases}$$

의 모든 극값의 합이 5일 때, 양수 a의 값을 구하시오.

개념 1 접선의 방정식

24 ▶ 8472-0187

두 곡선 $y=x^3+2$, $y=x^3-2$에 동시에 접하는 직선 l이 있다. 직선 l과 두 곡선 $y=x^3+2$, $y=x^3-2$의 접점을 각각 $P(a, b)$, $Q(c, d)$라 할 때, $a^2+b^2+c^2+d^2$의 값은? (단, $a>0$, $c<0$)

① 20   ② 22   ③ 24
④ 26   ⑤ 28

25 ▶ 8472-0188

삼차함수 $f(x)$가 $\dfrac{f(2)-f(-1)}{3}=f'(2)$를 만족시킬 때, 방정식 $f(x)=f'(2)(x-2)+f(2)$의 서로 다른 두 실근의 합은?

① -2 ② -1 ③ 1
④ 2 ⑤ 3

26 ▶ 8472-0189

미분가능한 함수 $f(x)$가 $\displaystyle\lim_{x\to 0}\dfrac{f(x)-3}{x}=-1$을 만족시킬 때, 곡선 $y=(x^2-3x+1)f(x)$ 위의 x좌표가 0인 점에서의 접선의 방정식은 $y=ax+b$이다. 상수 a, b에 대하여 $a+b$의 값은?

① -5 ② -7 ③ -9
④ -11 ⑤ -13

27 ▶ 8472-0190

그림과 같이 곡선 $y=x^3-3x^2+27$ 위의 점 중에서 제1사분면에 있는 점의 좌표를 (a, b)라 하자. $\dfrac{b}{a}$가 최솟값을 가질 때, 상수 a, b에 대하여 $a+b$의 값은?

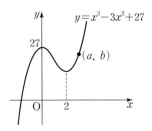

① 28   ② 30   ③ 32
④ 34   ⑤ 36

28 ▶ 8472-0191

곡선 $y=\dfrac{1}{3}x^3+3x+\dfrac{4}{3}$ 위의 점 $A(-1, -2)$에서의 접선이 이 곡선과 만나는 점 중에서 점 A가 아닌 점을 B라 하자. 선분 AB 위의 점 P를 지나고 직선 AB에 수직인 직선이 이 곡선과 만나는 점을 Q라 할 때, 선분 PQ의 길이의 최댓값은?

(단, 점 P는 두 점 A, B가 아니다.)

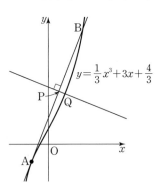

① $\dfrac{2\sqrt{17}}{51}$ ② $\dfrac{\sqrt{17}}{17}$ ③ $\dfrac{4\sqrt{17}}{51}$
④ $\dfrac{5\sqrt{17}}{51}$ ⑤ $\dfrac{2\sqrt{17}}{17}$

29 8472-0192

함수 $f(x)=x^3-3x+2$의 그래프 위의 점 $\mathrm{P}(m,\ f(m))$에서의 접선과 곡선 $y=f(x)$의 교점 중에서 점 P가 아닌 점을 $\mathrm{Q}(n,\ f(n))$이라 하자. $\dfrac{f(m)-f(n)}{m-n}=1$일 때, m^2+n^2의 값은? (단, $m\neq0$)

① $\dfrac{17}{3}$ ② $\dfrac{20}{3}$ ③ $\dfrac{23}{3}$

④ $\dfrac{26}{3}$ ⑤ $\dfrac{29}{3}$

30 8472-0193

삼차함수 $f(x)$가 다음 조건을 만족시킨다.

> (가) 모든 실수 x에 대하여 $f(-x)=-f(x)$이다.
> (나) 곡선 $y=f(x)$ 위의 점 $(2,\ 0)$에서의 접선의 기울기는 -8이다.

곡선 $y=f(x)$ 위의 점 $(1,\ f(1))$에서의 접선의 방정식이 $y=mx+n$일 때, 상수 m, n에 대하여 m^2+n^2의 값은?

① 3   ② 4   ③ 5

④ 6   ⑤ 7

31 8472-0194

삼차함수 $f(x)=x^3-3x$와 원점을 지나는 원에 대하여 원점 O에서의 함수 $f(x)$의 접선 l이 다음 조건을 만족시킨다.

> (가) 원의 중심은 함수 $f(x)$의 그래프 위에 있다.
> (나) 원점을 지나고 직선 l에 수직인 직선은 원의 중심을 지난다.

원의 반지름의 길이는?

① $\dfrac{8\sqrt{3}}{9}$ ② $\dfrac{10\sqrt{3}}{9}$ ③ $\dfrac{4\sqrt{3}}{3}$

④ $\dfrac{14\sqrt{3}}{9}$ ⑤ $\dfrac{16\sqrt{3}}{9}$

32 8472-0195

곡선 $y=x^3-ax$ 위의 원점이 아닌 한 점 P에서의 접선을 l_1이라 하자. 직선 l_1과 곡선 $y=x^3-ax$의 교점 중에서 점 P가 아닌 점을 Q라 할 때, 점 Q에서의 접선을 l_2라 하자. 두 직선 l_1, l_2가 서로 수직이 되는 점 P의 개수가 4일 때, 자연수 a의 최솟값은?

① 2   ② 4   ③ 6

④ 8   ⑤ 10

개념 ② **평균값 정리**

33 8472-0196

다항함수 $f(x)$가 다음 조건을 만족시킨다.

> (가) $f(1)=5$, $f(3)=13$
> (나) $1<x<3$인 모든 실수 x에 대하여 $f'(x)\leq4$이다.

$f\left(\dfrac{3}{2}\right)$의 값은?

① 1   ② 3   ③ 5

④ 7   ⑤ 9

34 8472-0197

실수 전체의 집합에서 미분가능하고 도함수가 연속인 함수 $f(x)$가 다음 조건을 만족시킨다.

> (가) $x\leq2$일 때, $f(x)=ax^2+bx$이다.
> (나) 2 이상의 임의의 서로 다른 두 실수 x_1, x_2 $(x_1<x_2)$에 대하여 $\dfrac{f(x_2)-f(x_1)}{x_2-x_1}\leq10$ 이다.

두 자연수 a, b의 모든 순서쌍 $(a,\ b)$의 개수는?

① 4   ② 6   ③ 8

④ 10   ⑤ 12

● 8472-0198

개념 ③ 함수의 증가와 감소

35 최고차항의 계수가 1인 삼차함수 $f(x)$가 다음 조건을 만족시킬 때, $f(2)$의 최댓값과 최솟값의 합은?

(가) $x_1 < x_2$인 임의의 두 실수 x_1, x_2에 대하여 $f(x_1) < f(x_2)$이다.
(나) $f(1)=3$, $f'(1)=3$

① 12 ② 13 ③ 14
④ 15 ⑤ 16

● 8472-0199

36 삼차함수 $f(x)=x^3+ax^2+bx+3$이 다음 조건을 만족시킬 때, $f(2)$의 값은? (단, a, b는 상수이다.)

(가) 구간 $(-\infty, -2]$, $[3, \infty)$에서 각각 증가한다.
(나) 닫힌구간 $[-2, 3]$에 속하는 임의의 두 실수 x_1, x_2에 대하여 $x_1 < x_2$이면 $f(x_1) > f(x_2)$이다.

① -29 ② -31 ③ -33
④ -35 ⑤ -37

● 8472-0200

37 삼차함수 $f(x)=ax^3+bx^2+4x+5$가 임의의 두 실수 x_1, x_2에 대하여 $f(x_1)=f(x_2)$이면 $x_1=x_2$를 만족시킬 때, 두 정수 a, b에 대하여 모든 순서쌍 (a, b)의 개수는? (단, $-10<a<10$, $-10<b<10$)

① 129 ② 131 ③ 133
④ 135 ⑤ 137

● 8472-0201

38 두 함수 $f(x)=x^3+ax^2+(12-a^2)x+2$, $g(x)$가 다음 조건을 만족시킬 때, $f'(2)$의 값은?
(단, a는 상수이다.)

(가) 모든 실수 x에 대하여 $(f \circ g)(x)=(g \circ f)(x)=x$
(나) $g(3)=1$

① -2 ② -1 ③ 1
④ 2 ⑤ 3

● 8472-0202

39 함수 $f(x)=x^3-3ax^2+6$의 그래프가 네 점 $O(0, 0)$, $A(4, 0)$, $B(4, 4)$, $C(0, 4)$를 꼭짓점으로 하는 정사각형의 둘레 및 내부를 지난다. 곡선 $y=f(x)$와 정사각형 OABC의 둘레 및 내부와 겹쳐지는 곡선 $y=f(x)$의 일부는 구간 $[0, 4]$에서 감소할 때, 양수 a의 최솟값은?

① $\dfrac{31}{24}$ ② $\dfrac{4}{3}$ ③ $\dfrac{11}{8}$
④ $\dfrac{17}{12}$ ⑤ $\dfrac{35}{24}$

개념 ④ 함수의 극대와 극소

● 8472-0203

40 이차함수 $y=f(x)$의 그래프가 그림과 같고, $f(-1)=f(3)=0$이다. 함수 $\{f(x)\}^2$이 $x=k$에서 극솟값을 가질 때, 모든 실수 k의 값의 합은?

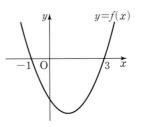

① -2 ② -1 ③ 1
④ 2 ⑤ 3

41 ▶ 8472-0204

삼차함수 $f(x)=x^3-3x^2+2x+2$에 대하여 곡선 $y=f(x)$ 위의 한 점 $\mathrm{P}(t,\,f(t))$에서의 접선의 y절편을 $g(t)$라 하자. 함수 $g(t)$의 극댓값과 극솟값의 합은?

① 3   ② 4   ③ 5
④ 6   ⑤ 7

42 ▶ 8472-0205

최고차항의 계수가 1인 사차함수 $f(x)$가 다음 조건을 만족시킨다.

> (가) 함수 $f(x)$는 $x=1$에서 극댓값 57을 갖는다.
> (나) 함수 $f(x)$의 극솟값은 오직 -24뿐이다.

$f(5)$의 값은?

① 25   ② 27   ③ 29
④ 31   ⑤ 33

43 ▶ 8472-0206

열린구간 $(-4,\,4)$에서 정의된 함수 $f(x)$의 도함수 $f'(x)$는 연속함수이고 다음 조건을 만족시킨다.

> (가) $f'(-3)f'(-2)<0$, $f'(-2)f'(-1)>0$
> (나) $f'(-1)f'(0)>0$, $f'(0)f'(1)<0$
> (다) $f'(1)f'(2)>0$, $f'(2)f'(3)<0$

집합 $\{a\,|\,$함수 $f(x)$는 $x=a$에서 극대 또는 극소이다.$\}$의 원소의 개수의 최솟값은? (단, $-4<a<4$)

① 2   ② 3   ③ 4
④ 5   ⑤ 6

44 ▶ 8472-0207

최고차항의 계수가 -1인 삼차함수 $f(x)$는 $x=a$, $x=b\ (a<b)$에서 극값을 갖는다. 곡선 $y=f(x)$ 위의 두 점 $(a,\,f(a))$, $(b,\,f(b))$가 모두 직선 $y=4x$ 위에 있을 때, 함수 $f(x)$의 극댓값과 극솟값의 차는?

① $2\sqrt{2}$ ② $4\sqrt{2}$ ③ $6\sqrt{2}$
④ $8\sqrt{2}$ ⑤ $10\sqrt{2}$

45 ▶ 8472-0208

함수 $f(x)=x^3+ax^2+(a+6)x-8$의 그래프를 x축에 대하여 대칭이동하고 다시 y축의 방향으로 b만큼 평행이동하였더니 함수 $y=g(x)$의 그래프가 되었다. 함수 $f(x)-g(x)$가 극값을 갖도록 하는 자연수 a의 최솟값은?

① 3   ② 4   ③ 5
④ 6   ⑤ 7

46 ▶ 8472-0209

실수 전체의 집합에서 연속인 함수
$$f(x)=\begin{cases} x & (|x|\geq 1) \\ ax^2+bx+3 & (|x|<1) \end{cases}$$
의 극댓값을 M, 극솟값을 m이라 할 때, $M+m$의 값은? (단, a, b는 상수이다.)

① $\dfrac{15}{4}$ ② $\dfrac{47}{12}$ ③ $\dfrac{49}{12}$
④ $\dfrac{17}{4}$ ⑤ $\dfrac{53}{12}$

47 ▶ 8472-0210

함수 $f(x)=x(x-p)(x+2p)$는 $x=\alpha$에서 극대이고, $x=\beta$에서 극소이다. 〈보기〉에서 옳은 것만을 있는 대로 고른 것은? (단, p는 0이 아닌 실수이다.)

┤ 보기 ├
ㄱ. $\alpha\beta<0$
ㄴ. p가 유리수이면 α, β는 모두 무리수이다.
ㄷ. $p\times f(\alpha+\beta)>0$

① ㄱ   ② ㄱ, ㄴ   ③ ㄱ, ㄷ
④ ㄴ, ㄷ   ⑤ ㄱ, ㄴ, ㄷ

48 ▶ 8472-0211

함수 $f(x)=x^3+kx^2+(k+3)x+2$는 $x=\alpha$에서 극대이고, $x=\beta$에서 극소이다. $0<\alpha<1$, $\beta>1$이기 위한 실수 k의 값의 범위가 $p<k<q$일 때, $p+q$의 값은?

① -3 ② -4 ③ -5
④ -6 ⑤ -7

49 ▶ 8472-0212

함수 $f(x)=x^3-\dfrac{3}{2}x^2-6x+k$에 대하여 함수 $g(x)=|f(x)|$라 하자. $g(x)$는 $x=\alpha$, $x=\beta$ $(\alpha<\beta)$ 에서 극댓값을 가질 때, $|g(\alpha)-g(\beta)|>\dfrac{7}{2}$을 만족시키는 정수 k의 개수는?

① 1   ② 3   ③ 5
④ 7   ⑤ 9

서술형 문제

50 ▶ 8472-0213

좌표평면에서 곡선 $y=2x^3$ 위의 원점이 아닌 한 점에서의 접선이 x축과 만나는 점의 좌표를 $(a, 0)$이라 하고, 점 $(a, 2a^3)$에서의 접선이 x축과 만나는 점의 좌표를 $(b, 0)$, 점 $(b, 2b^3)$에서의 접선이 x축과 만나는 점의 좌표를 $(c, 0)$이라 할 때, $\dfrac{a+c}{b}$의 값을 구하시오.

51 ▶ 8472-0214

삼차함수 $f(x)$와 일차함수 $g(x)$가 다음 조건을 만족시킨다.

(가) $f(x)$의 삼차항의 계수와 $g(x)$의 일차항의 계수는 모두 1이다.
(나) 두 함수 $y=f(x)$, $y=g(x)$의 그래프는 $x=1$ 인 점에서 만나고, $x=4$인 점에서 접한다.

함수 $f(x)$는 $x=\alpha$에서 극대이고 $x=\beta$에서 극소일 때, $\alpha^2+\beta^2$의 값을 구하시오.

52 ▶ 8472-0215

최고차항의 계수가 1인 삼차함수 $f(x)$에 대하여 함수 $g(x)$를

$$g(x)=\begin{cases} -f(x) & (x<1) \\ f(x) & (x\geq1) \end{cases}$$

이라 하자. 함수 $g(x)$가 다음 조건을 만족시킬 때, $f(2)$의 값은?

> (가) 함수 $g(x)$는 실수 전체의 집합에서 미분가능하다.
> (나) 함수 $g(x)$는 $x=-2$에서 극값을 갖는다.

① 5   ② $\dfrac{11}{2}$ ③ 6   ④ $\dfrac{13}{2}$ ⑤ 7

53 ▶ 8472-0216

함수 $f(x)=x^2$에 대하여 다음과 같이 단계별로 함수를 만들어 나간다.

> [단계 1] 함수 $y=f(x)$의 그래프를 y축의 방향으로 -1만큼 평행이동시킨 다음, $y\geq0$인 부분은 그대로 두고 $y<0$인 부분은 x축에 대하여 대칭이동시킨다.
> [단계 2] [단계 1]에서 얻은 함수의 그래프를 y축의 방향으로 -2만큼 평행이동시킨 다음, $y\geq0$인 부분은 그대로 두고 $y<0$인 부분은 x축에 대하여 대칭이동시킨다.
>   ⋮
> [단계 n] [단계 $(n-1)$]에서 얻은 함수의 그래프를 y축의 방향으로 $-n$만큼 평행이동시킨 다음, $y\geq0$인 부분은 그대로 두고 $y<0$인 부분은 x축에 대하여 대칭이동시킨다. $(n=2,\ 3,\ 4,\ \cdots)$

예를 들어 오른쪽 그림은 [단계 2]에서 얻어진 함수의 그래프를 나타낸 것이다. [단계 n]에서 얻어진 함수에서 모든 극댓값의 합을 $g(n)$이라 할 때, $g(10)-g(9)$의 값은?

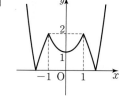

① 10   ② 15   ③ 20
④ 25   ⑤ 30

54 신 유형 ▶ 8472-0217

0을 제외한 실수 전체의 집합에서 미분가능한 두 함수 $f(x)$, $g(x)$와 자연수 k에 대하여 $f(x)=\dfrac{g(x)}{x^k}$일 때, 두 함수 $f(x)$, $g(x)$가 다음 조건을 만족시킨다.

> (가) $g(1)\neq0$, $g(3)\neq0$, $g'(3)=0$
> (나) 함수 $y=f(x)$의 그래프 위의 점 $(3, f(3))$에서의 접선의 x절편이 $\dfrac{10}{3}$이다.

$\dfrac{g'(1)}{g(1)}-\dfrac{f'(1)}{f(1)}$의 값은?

① 6   ② 7   ③ 8   ④ 9   ⑤ 10

● 8472-0218

55 그림과 같이 양수 a에 대하여 함수 $y=x^3-3a^2x$의 극대, 극소인 점을 각각 A, B라 하고 두 점 A, B를 지나고 y축에 수직인 직선을 각각 l_1, l_2라 하자. 두 직선 l_1, l_2가 이 곡선과 만나는 점 중에서 A, B가 아닌 점을 각각 C, D라 하고, 두 점 C, D를 지나고 x축에 수직인 직선이 두 직선 l_2, l_1과 만나는 점을 각각 E, F라 하자. 선분 OB를 대각선으로 하는 직사각형(어두운 부분)의 넓이가 6일 때, 사각형 FDEC의 넓이는? (단, O는 원점이다.)

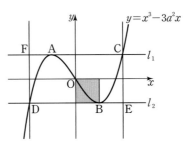

① 24   ② 36   ③ 48   ④ 60   ⑤ 72

신 유형

● 8472-0219

56 그림과 같이 미분가능한 두 함수 $f(x)$, $g(x)$의 도함수 $y=f'(x)$, $y=g'(x)$의 그래프가 모두 y축에 대하여 대칭이고, x좌표가 -2, 0, 2인 세 점에서만 만난다. 함수 $h(x)=f(x)-g(x)$라 할 때, 〈보기〉에서 옳은 것만을 있는 대로 고른 것은?

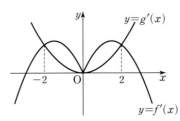

┤ 보기 ├

ㄱ. $-2 \le x \le 2$에서 함수 $h(x)$는 증가한다.

ㄴ. 함수 $h(x)$의 극댓값과 극솟값의 합은 0이다.

ㄷ. $h(-2)h(2)>0$이면 방정식 $h(x)=0$은 오직 하나의 실근을 갖는다.

① ㄱ   ② ㄴ   ③ ㄷ   ④ ㄱ, ㄴ   ⑤ ㄱ, ㄷ

◉ 8472-0220

57
내적
문제해결

최고차항의 계수가 1인 사차함수 $f(x)$에 대하여 함수 $g(x)$를

$$g(x) = \begin{cases} f(x) & (x \geq 0) \\ f(-x) & (x < 0) \end{cases}$$

라 하자. 함수 $g(x)$가 다음 조건을 만족시킬 때, $f(2)$의 값을 구하시오.

> (가) $g(0) = g'(0) = 0$
> (나) 함수 $|g(x) - 27|$은 실수 전체의 집합에서 미분가능하다.

문항 파헤치기

풀이

실수 point 찾기

Ⅱ 미분

05 도함수의 활용 (2)

빈틈 개념

■ 함수 $y=f(x)$의 그래프 그리기
(i) $f'(x)=0$인 x의 값 구하기
(ii) 함수 $f(x)$의 증가와 감소를 표로 나타내어 극값 구하기
(iii) 함수 $y=f(x)$의 그래프와 좌표축과의 교점의 좌표 구하기
(iv) 함수 $y=f(x)$의 그래프 그리기

■ 함수의 최대와 최소

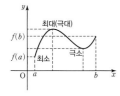

■ 삼차방정식의 실근의 개수
최고차항의 계수가 양수인 삼차함수 $f(x)$가 극값을 가질 때, 방정식 $f(x)=0$이
(i) 서로 다른 세 실근을 가지면 함수 $y=f(x)$의 그래프는

(ii) 중근과 다른 한 근을 가지면 함수 $y=f(x)$의 그래프는

또는

(iii) 한 실근과 두 허근을 가지면 함수 $y=f(x)$의 그래프는

또는

■ 위치, 속도, 가속도 사이의 관계

위치
$x=f(t)$

↓ (미분)

속도
$v=f'(t)$

↓ (미분)

가속도
$a=v'(t)$

---

1 함수의 최댓값, 최솟값과 그래프

닫힌구간 $[a, b]$에서 연속인 함수 $f(x)$는 이 구간에서 반드시 최댓값과 최솟값을 갖는다. 이때 함수 $f(x)$의 극댓값과 극솟값, $f(a)$, $f(b)$ 중에서 가장 큰 값이 최댓값이고, 가장 작은 값이 최솟값이다. 또한 함수의 정의역과 치역, 증가와 감소, 극대와 극소, 좌표축과의 교점 등을 구하여 함수의 그래프를 그릴 수 있다.

2 방정식과 함수의 그래프

(1) 방정식의 실근과 함수의 그래프
   ① 방정식 $f(x)=0$의 실근은 함수 $y=f(x)$의 그래프와 x축과의 교점의 x좌표와 같다.
   ② 방정식 $f(x)=g(x)$의 실근은 두 함수 $y=f(x)$, $y=g(x)$의 그래프의 교점의 x좌표와 같고, 함수 $y=f(x)-g(x)$의 그래프와 x축과의 교점의 x좌표와도 같다.

(2) 삼차방정식의 실근의 개수
   삼차함수 $f(x)$가 극값을 가질 때 삼차방정식 $f(x)=0$의 실근의 개수는 다음과 같다.
   ① (극댓값)×(극솟값)<0 ⟺ 서로 다른 3개의 실근을 갖는다.
   ② (극댓값)×(극솟값)=0 ⟺ 중근과 다른 한 실근을 갖는다.
   ③ (극댓값)×(극솟값)>0 ⟺ 오직 한 개의 실근을 갖는다.

3 부등식에의 활용

주어진 구간에서
(1) $f(x) \geq 0$의 증명은 (최솟값)≥ 0임을 보인다.
(2) $f(x) \leq 0$의 증명은 (최댓값)≤ 0임을 보인다.

4 속도와 가속도

수직선 위를 움직이는 점 P의 시각 t에서의 위치가 $x=f(t)$로 나타내어질 때,
(1) **속도**: 시각 t에서의 점 P의 속도(순간속도) v는
$$v=\lim_{\Delta t \to 0}\frac{\Delta x}{\Delta t}=\lim_{\Delta t \to 0}\frac{f(t+\Delta t)-f(t)}{\Delta t}=\frac{dx}{dt}=f'(t)$$

참고 속도는 부호로 방향을 나타내고, 속력은 방향과는 상관없이 크기만을 나타낸다. 즉, (속력)=|(속도)|이다.

(2) **가속도**: 시각 t에서의 점 P의 속도를 v라 할 때, 가속도 a는
$$a=\lim_{\Delta t \to 0}\frac{\Delta v}{\Delta t}=\lim_{\Delta t \to 0}\frac{v(t+\Delta t)-v(t)}{\Delta t}=\frac{dv}{dt}=v'(t)$$

■ 점의 위치에 따른 삼차함수 $y=f(x)$의 그래프에 그을 수 있는 접선의 개수
삼차함수 $y=f(x)$에서 $f'(a)=0$, 즉 $x=a$에서 $y=f(x)$의 그래프의 접선이 l일 때, 각 영역의 점에서 함수 $y=f(x)$의 그래프에 그을 수 있는 접선의 개수는 다음과 같다.

■ 삼차함수 $y=f(x)$와 그 도함수 $y=f'(x)$
삼차함수 $f(x)=ax^3+bx^2+cx+d$에 대하여 $f'(a)=f'(\beta)=0$이면
$f'(x)=3a(x-a)(x-\beta)$

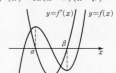

특히, 함수 $y=f(x)$의 그래프가 다음 그림과 같이 x축에서 a, β와 만나면
$f(x)=ax^3+bx^2+cx+d=a(x-a)(x-\beta)^2$

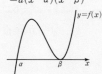

01 | 함수의 최댓값과 최솟값 | ▶ 8472-0221
출제율 94%
닫힌구간 $[-1, 3]$에서 함수 $f(x)=2x^3-9x^2+12x$의 최댓값을 M, 최솟값을 m이라 할 때, $M-m$의 값은?

① 31　　② 32　　③ 33
④ 34　　⑤ 35

02 | 함수의 최댓값과 최솟값 | ▶ 8472-0222
출제율 98%
닫힌구간 $[-1, 3]$에서 함수 $f(x)=x^3-12|x|+2$의 최댓값과 최솟값의 차는?

① 10　　② 13　　③ 16
④ 19　　⑤ 22

03 | 함수의 최댓값과 최솟값을 이용하여 미정계수 구하기 | ▶ 8472-0223
출제율 95%
닫힌구간 $[-1, 3]$에서 삼차함수 $f(x)=x^3-6x^2+9x+a$의 최댓값과 최솟값의 합이 0일 때, 상수 a의 값은?

① 3　　② 4　　③ 5
④ 6　　⑤ 7

04 | 함수의 최댓값과 최솟값을 이용하여 미정계수 구하기 | ▶ 8472-0224
출제율 89%
닫힌구간 $[-1, 3]$에서 함수 $f(x)=2x^3-6x+a$의 최댓값을 M, 최솟값을 m이라 할 때, $M\times m=84$가 되도록 하는 양수 a의 값은?

① 6　　② 7　　③ 8
④ 9　　⑤ 10

05 | 최대, 최소의 활용 | ▶ 8472-0225
출제율 90%
밑면이 한 변의 길이가 x인 정사각형이고, 높이가 y인 직육면체가 있다. $x^2+y=10$일 때, 직육면체의 부피의 최댓값은?

① 20　　② 25　　③ 30
④ 35　　⑤ 40

06 | 최대, 최소의 활용 | ▶ 8472-0226
출제율 88%
그림과 같이 곡선 $y=x^2$ 위의 두 점 $P(a, a^2)$, $Q(-a, a^2)$과 y축 위의 점 $A(0, 36)$에 대하여 삼각형 AQP의 넓이의 최댓값은? (단, $0<a<6$)

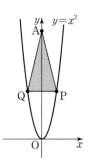

① $32\sqrt{3}$　　② $36\sqrt{3}$　　③ $40\sqrt{3}$
④ $44\sqrt{3}$　　⑤ $48\sqrt{3}$

07
출제율 92%

| 방정식의 실근의 개수 |
● 8472-0227

x에 대한 삼차방정식 $2x^3+3x^2-12x+k=0$이 서로 다른 세 실근을 갖도록 하는 정수 k의 개수는?

① 26 　　　 ② 27 　　　 ③ 28

④ 29 　　　 ⑤ 30

08
출제율 84%

| 삼차방정식의 근의 판별 |
● 8472-0228

삼차방정식 $x^3-3x^2-9x+k=0$이 한 개의 양의 실근과 서로 다른 두 개의 음의 실근을 갖도록 하는 모든 정수 k의 값의 합은?

① -10 　　　 ② -9 　　　 ③ -8

④ -7 　　　 ⑤ -6

09
출제율 89%

| 방정식의 실근의 개수 |
● 8472-0229

실수 k와 함수 $f(x)=x^3-6x^2+9x-3$에 대하여 x에 대한 방정식 $|f(x)|=k$의 서로 다른 실근의 개수를 $A(k)$라 하자. $A(1)+A(2)+A(3)$의 값은?

① 8 　　　 ② 9 　　　 ③ 10

④ 11 　　　 ⑤ 12

10
출제율 80%

| 방정식에의 활용 |
● 8472-0230

두 곡선 $y=3x^4-6x^2-k$, $y=8x^3-24x$가 서로 다른 세 점에서 만나도록 하는 모든 실수 k의 값의 합은?

① 21 　　　 ② 23 　　　 ③ 25

④ 27 　　　 ⑤ 29

11
출제율 99%

| 방정식의 실근의 개수 |
● 8472-0231

사차함수 $f(x)$의 도함수 $y=f'(x)$의 그래프가 그림과 같고 $f(0)\times f(3)<0$일 때, 방정식 $f(x)=0$의 서로 다른 실근의 개수는? (단, $f'(0)=f'(3)=0$)

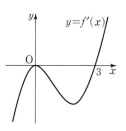

① 0 　　　 ② 1 　　　 ③ 2

④ 3 　　　 ⑤ 4

12
출제율 93%

| 방정식의 실근의 개수 |
● 8472-0232

삼차함수 $f(x)$의 도함수 $y=f'(x)$의 그래프가 그림과 같고 $f(0)>0$일 때, 〈보기〉에서 옳은 것만을 있는 대로 고른 것은? (단, $f'(0)=f'(2)=0$)

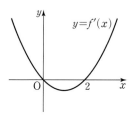

┤ 보기 ├

ㄱ. 함수 $f(x)$는 $x=2$에서 극솟값을 갖는다.

ㄴ. $f(2)<0$

ㄷ. $f(0)f(2)<0$이면 방정식 $f(x)=0$은 서로 다른 세 실근을 갖는다.

① ㄱ 　　　 ② ㄴ 　　　 ③ ㄱ, ㄷ

④ ㄴ, ㄷ 　　　 ⑤ ㄱ, ㄴ, ㄷ

13 출제율 91% | 부등식에의 활용 | ▶ 8472-0233

$x>0$인 모든 실수 x에 대하여 부등식 $x^3-6x^2+k>0$을 만족시키는 정수 k의 최솟값은?

① 31   ② 33   ③ 35

④ 37   ⑤ 39

14 출제율 88% | 부등식에의 활용 | ▶ 8472-0234

$x<k$인 모든 실수 x에 대하여 부등식
$$2x^3-3x^2-12x-7<0$$
이 성립할 때, 정수 k의 최댓값은?

① -1 ② -2 ③ -3

④ -4 ⑤ -5

15 출제율 87% | 부등식에의 활용 | ▶ 8472-0235

닫힌구간 $[0, 3]$에서 x에 대한 부등식
$$|-x^3+3x+n|<15$$
를 만족시키는 자연수 n의 개수는?

① 6   ② 7   ③ 8

④ 9   ⑤ 10

16 출제율 91% | 속도와 가속도 | ▶ 8472-0236

수직선 위를 움직이는 점 P의 시각 t에서의 위치가 t^3-6t^2+9일 때, 점 P의 속도와 가속도의 곱이 음수가 되는 t의 값의 범위는?

① $0<t<2$ ② $1<t<3$ ③ $2<t<4$

④ $3<t<5$ ⑤ $4<t<6$

17 출제율 90% | 속도와 가속도 | ▶ 8472-0237

수직선 위를 움직이는 두 점 P, Q의 시각 t에서의 위치를 각각 $f(t)$, $g(t)$라 하면 $f(t)=t^3+4$, $g(t)=3t^2$이다. 두 점 P와 Q가 만나는 순간 두 점 P, Q의 가속도를 각각 a_1, a_2라 할 때, a_1-a_2의 값은?

① 6   ② 7   ③ 8

④ 9   ⑤ 10

18 출제율 80% | 속도와 가속도 | ▶ 8472-0238

수직선 위를 움직이는 두 점 P, Q의 시각 t에서의 위치를 각각 $f(t)$, $g(t)$라 하면 $f(t)=t^3+t^2-7t$, $g(t)=t^3-5t^2-10t$이다. 선분 PQ를 $2:1$로 내분하는 점을 R라 할 때, 점 R의 운동 방향이 바뀌는 순간 두 점 P, Q 사이의 거리는? (단, $t>0$)

① 63   ② 66   ③ 69

④ 72   ⑤ 75

19
출제율 87%

| 시각에 대한 변화율 |

▶ 8472-0239

그림과 같이 한 변의 길이가 3인 정육각형이 있다. t초 후 이 정육각형의 한 변의 길이가 $3+t$일 때, 이 정육각형의 한 변의 길이가 10인 순간의 넓이의 변화율은?

① $10\sqrt{3}$ ② $15\sqrt{3}$ ③ $20\sqrt{3}$

④ $25\sqrt{3}$ ⑤ $30\sqrt{3}$

20
출제율 85%

| 시각에 대한 변화율 |

▶ 8472-0240

한 변의 길이가 2인 정사각형을 밑면으로 하고 높이가 4인 직육면체의 t초 후의 밑면의 한 변의 길이와 높이는 각각 $t+2$, $t+4$이다. $t=5$가 되는 순간 이 직육면체의 부피의 변화율은?

① 160   ② 165   ③ 170

④ 175   ⑤ 180

21
출제율 88%

| 시각에 대한 변화율 |

▶ 8472-0241

키가 1.6 m인 사람이 높이가 2.8 m인 가로등 바로 밑에서 출발하여 1 m/초의 속도로 일직선으로 걸어갈 때, 이 사람의 발에서 먼 쪽의 그림자 끝이 움직이는 속도는? (단, 속도의 단위는 m/초이다.)

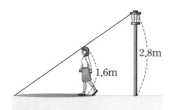

① 1   ② $\dfrac{5}{4}$ ③ $\dfrac{3}{2}$

④ $\dfrac{7}{3}$ ⑤ 2

서술형 문제

22
출제율 89%

▶ 8472-0242

x에 대한 사차방정식 $3x^4-4x^3-12x^2+k=0$이 서로 다른 세 실근을 갖도록 하는 모든 실수 k의 값의 합을 구하시오.

23
출제율 83%

▶ 8472-0243

모든 실수 x에 대하여 부등식 $x^4-4a^3x+48\geq0$이 성립하도록 하는 정수 a의 개수를 구하시오.

개념 ① 함수의 최댓값과 최솟값

24 ▶ 8472-0244

두 함수 $f(x)=-x^3+12x$, $g(x)=x^2-2x-1$에 대하여 합성함수 $(f \circ g)(x)$의 최댓값은?

① 12 ② 14 ③ 16
④ 18 ⑤ 20

25 ▶ 8472-0245

닫힌구간 $[-a, a]$에서 함수 $f(x)=-x^4+6x^2$의 최댓값을 $M(a)$라 할 때, $M(1)+M(2)+M(3)$의 값은? (단, $a>0$)

① 21 ② 22 ③ 23
④ 24 ⑤ 25

26 ▶ 8472-0246

최고차항의 계수가 1인 삼차함수 $f(x)$의 도함수 $f'(x)$에 대하여 방정식 $f'(x)=0$이 -2와 1을 두 실근으로 갖는다. 닫힌구간 $[0, 3]$에서 함수 $f(x)$의 최솟값이 2일 때, 닫힌구간 $[0, 3]$에서 함수 $f(x)$의 최댓값은?

① 20 ② 22 ③ 24
④ 26 ⑤ 28

개념 ② 최대, 최소의 활용

27 ▶ 8472-0247

그림과 같이 중심이 O이고, 두 점 A, B를 지름의 양 끝으로 하는 반지름의 길이가 1인 원이 있다. 선분 AB에 수직인 반지름 OC 위의 점 P에 대하여 선분 PO를 1 : 4로 내분하는 점을 Q라 하자. 점 Q를 지나고 선분 AB에 평행한 직선이 이 원과 만나는 두 점을 각각 H, I라 할 때, 사각형 OIPH의 넓이가 최대가 되도록 하는 선분 OP의 길이는?

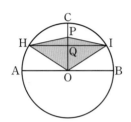

① $\dfrac{\sqrt{2}}{8}$ ② $\dfrac{\sqrt{2}}{4}$ ③ $\dfrac{3\sqrt{2}}{8}$
④ $\dfrac{\sqrt{2}}{2}$ ⑤ $\dfrac{5\sqrt{2}}{8}$

28 ▶ 8472-0248

이차함수 $y=x^2+x-1$의 그래프 위의 한 점 P에 대하여 원점을 중심으로 하고 점 P를 지나는 원을 C라 하자. 원 C의 넓이의 최솟값을 구하시오.

29 ▶ 8472-0249

그림과 같이 실수 m에 대하여 함수 $f(x)=-(x^2-3x-4)(x-1)$의 그래프가 점 A$(1, 0)$을 지나고 직선 $y=m(x+1)$과 제1사분면에서 서로 다른 두 점 B, C에서 만난다. 삼각형 ABC의 넓이의 최댓값을 구하시오.

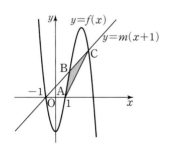

개념 ③ 방정식에의 활용

30 ● 8472-0250

점 $(-1, k)$를 지나고 곡선 $y=x^3-3x^2$에 접하는 직선이 3개일 때, 정수 k의 개수는?

① 3 　　　② 4 　　　③ 5
④ 6 　　　⑤ 7

31 ● 8472-0251

삼차함수 $y=x^3+3x^2-7x+k$의 그래프가 두 점 $\mathrm{A}(-1, -3)$, $\mathrm{B}(2, 3)$을 이은 선분과 서로 다른 두 점에서 만나도록 하는 모든 정수 k의 값의 합은?

① -1 　　　② 0 　　　③ 1
④ 2 　　　⑤ 3

32 ● 8472-0252

x에 대한 삼차방정식 $x^3-kx+2k-8=0$이 서로 다른 두 실근을 가질 때, 모든 실수 k의 값의 합은?

① 15 　　　② 17 　　　③ 19
④ 21 　　　⑤ 23

33 ● 8472-0253

삼차함수 $f(x)$가 다음 조건을 만족시킬 때, $f(4)$의 값을 구하시오.

(가) 모든 실수 x에 대하여 $f(-x)=-f(x)$이다.
(나) $f'(x)$가 $x=0$에서 최솟값 -3을 갖는다.
(다) 방정식 $|f(x)|=2$가 서로 다른 네 실근을 갖는다.

34 ● 8472-0254

x에 대한 사차방정식 $2x^4-4x^2+2=t$의 서로 다른 실근의 개수를 $f(t)$라 하자. 실수 t에 대한 방정식 $f(t)=kt+2$의 서로 다른 실근의 개수가 3이 되기 위한 정수 k의 최솟값은?

① -2 　　　② 0 　　　③ 2
④ 4 　　　⑤ 6

35 ● 8472-0255

함수 $f(x)=x^4-6x^2+8x$와 실수 k에 대하여 함수 $g(x)$를

$$g(x)=\begin{cases} f(x) & (f(x) \geq k) \\ 2k-f(x) & (f(x) < k) \end{cases}$$

라 하자. 〈보기〉에서 옳은 것만을 있는 대로 고른 것은?

┤ 보기 ├
ㄱ. $f'(1)=0$
ㄴ. $k=-12$일 때, 방정식 $g(x)=-1$은 서로 다른 세 실근을 갖는다.
ㄷ. 방정식 $g(x)=30$이 서로 다른 세 실근을 가질 때, 함수 $g(x)$는 $x=-3$에서 미분가능하지 않다.

① ㄱ 　　　② ㄴ 　　　③ ㄱ, ㄷ
④ ㄴ, ㄷ 　　　⑤ ㄱ, ㄴ, ㄷ

개념 ④ 부등식에의 활용

36 ▶ 8472-0256

두 함수 $f(x)=x^3+4x^2-7x-6$, $g(x)=x^2+2x$에 대하여 닫힌구간 $[-3, 2]$에서 부등식 $g(x)-k\leq f(x)\leq g(x)+k$가 성립하도록 하는 양수 k의 최솟값은?

① 21   ② 22   ③ 23

④ 24   ⑤ 25

37 ▶ 8472-0257

$x\geq 0$에서 x에 대한 부등식 $x^{n+1}-(n+1)x+2\geq k$를 만족시키는 실수 k의 최댓값이 -10일 때, 자연수 n의 값은?

① 3   ② 6   ③ 9

④ 12   ⑤ 15

38 ▶ 8472-0258

$x>0$인 모든 실수 x에 대하여 부등식 $x^3+\dfrac{1}{x^3}-24\left(x+\dfrac{1}{x}\right)+60>n$을 만족시키는 자연수 n의 개수는?

① 1   ② 3   ③ 5

④ 7   ⑤ 9

개념 ⑤ 속도와 가속도

39 ▶ 8472-0259

원점에서 출발하여 수직선 위를 움직이는 점 P의 시각 t $(0\leq t\leq 5)$에서의 위치가 $2t^3-15t^2+24t$이다. 출발 후 점 P가 원점으로부터 가장 멀리 떨어져 있는 순간 점 P와 원점 사이의 거리는?

① 12   ② 14   ③ 16

④ 18   ⑤ 20

40 ▶ 8472-0260

수직선 위를 움직이는 점 P의 시각 t에서의 위치 $x(t)$가 $x(t)=t^3-nt^2+(n+6)t+2$이다. 점 P가 출발 후 운동 방향을 두 번 바꾸게 되는 자연수 n의 최솟값은?

① 6   ② 7   ③ 8

④ 9   ⑤ 10

41 ▶ 8472-0261

두 점 P, Q는 한 변의 길이가 5인 정사각형 ABCD 위의 한 점 A에서 동시에 출발하여 정사각형의 변을 따라 A → B → C → D → A의 방향으로 움직인다. 두 점 P, Q가 점 A를 출발하여 t초 동안 움직인 거리가 각각 $2t^3+2t^2$, $6t^2+8t$일 때, 출발 후 5초 동안 두 점 P, Q가 만난 횟수는? (단, $t>0$)

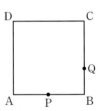

① 2   ② 4   ③ 6

④ 8   ⑤ 10

42 ○ 8472-0262

$\overline{\mathrm{AB}}=\overline{\mathrm{BC}}=2$ cm, $\angle \mathrm{B}=90°$인 직각삼각형 ABC가 있다. 선분 AB의 길이는 일정한 속도로 매초 2 cm씩 늘어나고, 선분 BC의 길이는 일정한 속도로 매초 3 cm씩 늘어난다고 할 때, 삼각형 ABC의 넓이가 70 cm²가 되는 순간, 넓이의 변화율은? (단, 단위는 cm²/초이다.)

① 26   ② 29   ③ 32
④ 35   ⑤ 38

43 ○ 8472-0263

좌표평면에서 x축 위를 양의 방향으로 움직이는 점 P는 원점을 출발하여 일정하게 매초 3의 속력으로 움직인다. 그림은 원점 O와 점 P를 지나고 이차항의 계수가 -1인 이차함수 $y=f(x)$의 그래프를 나타낸 것이다. 선분 OP를 1 : 2로 내분하는 점을 A, 선분 OP를 2 : 1로 내분하는 점을 B라 하고, 이차함수의 그래프의 꼭짓점을 C라 하자. 삼각형 ABC가 정삼각형이 되는 순간, 삼각형 ABC의 넓이의 변화율을 구하시오.

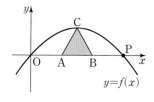

44 ○ 8472-0264

그림과 같이 밑면의 반지름의 길이가 30 cm, 높이가 50 cm인 원뿔 모양의 빈 그릇에 수면의 반지름의 길이가 매초 2 cm씩 일정하게 늘어나도록 물을 부었다. 수면의 반지름의 길이가 6 cm인 순간 그릇에 채워진 물의 부피의 변화율은 a cm³/초이다. 상수 a의 값을 구하시오.

45 ○ 8472-0265

그림과 같이 곡선 $y=(x-6)^2$ 위의 점 (a, b)에서의 접선과 x축 및 y축으로 둘러싸인 부분의 넓이의 최댓값을 구하시오. (단, $0<a<6$)

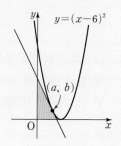

46 ○ 8472-0266

삼차함수 $f(x)=x^3+ax^2+bx+c$가 다음 조건을 만족시킨다.

> (가) 함수 $|f(x)|$는 $x=1$, $x=3$에서 극댓값을 갖는다.
> (나) 방정식 $|f(x)|=3$은 서로 다른 세 실근을 갖는다.

세 실수 a, b, c에 대하여 모든 $f(3)$의 값의 합을 구하시오.

47 ● 8472-0267

$1 \le t \le 3$인 실수 t에 대하여 함수 $f(x) = (x^2 - 3x + 2)(x - t)$라 하자. 방정식 $f'(x) = 0$의 서로 다른 두 실근을 α, β $(\alpha < \beta)$라 할 때, $1 \le t \le 3$에서 함수 $g(t) = (|t - \alpha| + |t - \beta|)^2$의 최솟값은 m이다. $30m$의 값을 구하시오.

48 ● 8472-0268

그림과 같이 열린구간 $(0, 3)$에서 정의된 함수 $f(x) = x^2$에 대하여 곡선 $y = f(x)$ 위의 점 P와 곡선 $y = f(x)$ 위에 있지 않은 점 A$(6, 9)$가 있다. 점 P에서 x축에 내린 수선의 발을 Q, 점 A에서 x축에 내린 수선의 발을 B라 할 때, 사각형 PQBA의 넓이의 최솟값을 구하시오.

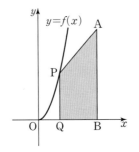

49 ● 8472-0269

함수 $f(x) = x^4 + ax^2 + ax$에 대하여 곡선 $y = f(x)$ 위의 점 $(t, f(t))$에서의 접선의 y절편을 $g(t)$라 하자. 함수 $g(t)$가 모든 실수 t에 대하여 $g(t) \le 3$을 만족시킬 때, 실수 a의 최솟값을 구하시오.

신 유형

50 ● 8472-0270

실수 k에 대하여 닫힌구간 $[-1, 1]$에서 정의된 함수 $f(x) = x^3 - 3k^2 x$의 최댓값을 $M(k)$라 하자. 함수 $M(k)$가 $k = \alpha$, $k = \beta$에서 미분가능하지 않을 때, $\alpha\beta$의 값을 구하시오.

● 8472-0271

51 함수 $f(x)=2ax^3-3(a+1)x^2+6x$에 대하여 함수 $|f(x)|$가 다음 조건을 만족시킬 때, 모든 양수 a의 값의 합을 구하시오.

> 닫힌구간 $[0, 1]$에서 함수 $|f(x)|$의 최댓값은 1이다.

● 8472-0272

52 두 함수 $f(x)=x^4-2x^2$, $g(x)=x^2-k$에 대하여 x에 대한 방정식 $(g \circ f)(x)=0$의 서로 다른 실근의 개수가 4일 때, 양수 k의 값을 구하시오.

● 8472-0273

53 곡선 $y=3x^3-12x^2+11x+a$와 두 점 $A(2, 0)$, $B(0, 2)$를 이은 선분이 한 점에서 만날 때, 실수 a의 값을 구하시오.

● 8472-0274

54 두 함수 $f(x)=-x^4-4x^3+8x^2$, $g(x)=x^2+a$가 있다. 임의의 두 실수 x_1, x_2에 대하여 $f(x_1) \leq g(x_2)$가 성립하도록 하는 실수 a의 최솟값을 구하시오.

◉ 8472-0275

신유형

55 $x \geq k$인 모든 실수 x에 대하여 부등식 $x^3 + 3kx^2 + 1 \geq 0$이 항상 성립할 때, 실수 k에 대하여 k^3의 최솟값을 구하시오.

◉ 8472-0276

56 원점을 출발하여 수직선 위를 움직이는 점 P의 시각 t에서의 속도를 $v(t)$라 할 때, 함수 $y = v(t)$의 그래프는 그림과 같다. $0 < t < t_4$일 때, 〈보기〉에서 옳은 것만을 있는 대로 고른 것은?

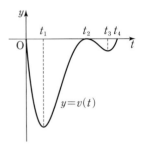

┤ 보기 ├
ㄱ. 점 P는 운동 방향을 1번 바꾼다.
ㄴ. $t = t_1$일 때 점 P의 속력은 $t = t_3$일 때의 점 P의 속력보다 크다.
ㄷ. 점 P의 가속도의 부호는 3번 바뀐다.

① ㄴ ② ㄷ ③ ㄱ, ㄷ ④ ㄴ, ㄷ ⑤ ㄱ, ㄴ, ㄷ

◉ 8472-0277

57 원점에서 동시에 출발하여 수직선 위를 움직이는 두 점 P, Q의 시각 t $(0 \leq t \leq 6)$에서의 위치는 각각 $P(t) = t^3 - 12t^2 + 36t$, $Q(t) = t^2 - 4t$이다. 두 점 P, Q 사이의 거리의 최댓값을 구하시오.

◉ 8472-0278

58 수직선 위를 움직이는 점 P가 다음 조건을 만족시킨다.

(가) 시각 t에서의 점 P의 위치는 $at^3 + bt^2 + ct + 4$이다.
(나) 점 P는 $t = 1$과 $t = 4$일 때 운동 방향을 바꾼다.
(다) $t > 0$에서 점 P의 위치의 최솟값은 -12이다.

$0 < t \leq 4$에서 원점과 점 P 사이의 거리의 최댓값을 구하시오. (단, a, b, c는 상수이다.)

59 세 정수 a, b, c에 대하여 함수 $f(x)=x^3+ax^2+bx+c$가 다음 조건을 만족시킨다.

▶ 8472-0279

내적
문제해결

> (가) $f(-1)=f(1)=0$
> (나) $|x|\leq1$일 때, $f(x)\geq1-|x|$

$a^2+b^2+c^2$의 최솟값은?

① 1   ② 3   ③ 5   ④ 7   ⑤ 9

문항 파헤치가

풀이

실수 point 찾기

Ⅲ 적분

06 부정적분과 정적분

🔅 빈틈 개념

■ y축 대칭인 함수의 정적분
함수 $f(x)$가 닫힌구간 $[-a, a]$에서 연속일 때, $f(-x)=f(x)$, 즉 $y=f(x)$의 그래프가 y축 대칭이면
$$\int_{-a}^{a}f(x)dx=2\int_{0}^{a}f(x)dx$$

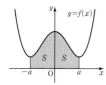

■ 원점 대칭인 함수의 정적분
함수 $f(x)$가 닫힌구간 $[-a, a]$에서 연속일 때, $f(-x)=-f(x)$, 즉 $y=f(x)$의 그래프가 원점 대칭이면
$$\int_{-a}^{a}f(x)dx=0$$

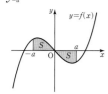

■ 정적분을 포함한 등식
(1) 적분구간이 상수일 때
$f(x)=g(x)+\int_{a}^{b}f(t)dt$의 꼴에서 $\int_{a}^{b}f(t)dt=k$ (k는 상수)로 놓으면
$f(x)=g(x)+k$,
$\int_{a}^{b}\{g(t)+k\}dt=k$
임을 이용한다.
(2) 적분구간에 변수가 있을 때
$\int_{a}^{x}f(t)dt=g(x)$의 꼴에서
$\int_{a}^{a}f(t)dt=0, f(x)=g'(x)$
임을 이용한다.

---

1 부정적분

(1) 함수 $f(x)$에 대하여 $F'(x)=f(x)$인 함수 $F(x)$를 $f(x)$의 부정적분이라 하고, $\int f(x)dx$로 나타낸다. 즉,
$$\int f(x)dx=F(x)+C \text{ (단, } C\text{는 적분상수)}$$

(2) n이 음이 아닌 정수일 때
$$\int x^{n}dx=\frac{1}{n+1}x^{n+1}+C \text{ (단, } C\text{는 적분상수)}$$

(3) 부정적분의 성질
① $\int kf(x)dx=k\int f(x)dx$ (단, k는 상수)

② $\int \{f(x)\pm g(x)\}dx=\int f(x)dx\pm\int g(x)dx$
(단, 복부호 동순)

2 적분과 미분의 관계

(1) 함수 $f(x)$가 닫힌구간 $[a, b]$에서 연속일 때,
$$\frac{d}{dx}\int_{a}^{x}f(t)dt=f(x) \text{ (단, } a\leq x\leq b)$$

(2) 함수 $f(x)$가 닫힌구간 $[a, b]$에서 연속이고, 함수 $f(x)$의 한 부정적분을 $F(x)$라 하면
$$\int_{a}^{b}f(x)dx=\Big[F(x)\Big]_{a}^{b}=F(b)-F(a)$$

3 정적분의 성질

(1) 두 함수 $f(x)$, $g(x)$가 닫힌구간 $[a, b]$에서 연속일 때,
① $\int_{a}^{b}kf(x)dx=k\int_{a}^{b}f(x)dx$ (단, k는 상수)

② $\int_{a}^{b}\{f(x)\pm g(x)\}dx=\int_{a}^{b}f(x)dx\pm\int_{a}^{b}g(x)dx$
(단, 복부호 동순)

(2) 함수 $f(x)$가 세 실수 a, b, c를 포함한 구간에서 연속일 때,
$$\int_{a}^{b}f(x)dx=\int_{a}^{c}f(x)dx+\int_{c}^{b}f(x)dx$$

4 정적분으로 표현된 함수의 극한

연속함수 $f(x)$에 대하여
(1) $\lim_{x\to 0}\frac{1}{x}\int_{a}^{x+a}f(t)dt=f(a)$

(2) $\lim_{x\to a}\frac{1}{x-a}\int_{a}^{x}f(t)dt=f(a)$

■ 적분구간에 변수가 있는 함수의 적분

(i) $\int_{a}^{x}xf(t)dt$가 주어진 경우
$$\int_{a}^{x}xf(t)dt=x\int_{a}^{x}f(t)dt$$
이므로
$$\frac{d}{dx}\int_{a}^{x}xf(t)dt$$
$$=\int_{a}^{x}f(t)dt+xf(x)$$

(ii) $\int_{a}^{x}(x-t)f(t)dt$가 주어진 경우
$$\int_{a}^{x}(x-t)f(t)dt$$
$$=\int_{a}^{x}xf(t)dt-\int_{a}^{x}tf(t)dt$$
이므로
$$\frac{d}{dx}\int_{a}^{x}(x-t)f(t)dt$$
$$=\int_{a}^{x}f(t)dt+xf(x)-xf(x)$$
$$=\int_{a}^{x}f(t)dt$$
$$\frac{d}{dx}\int_{a}^{x}f(t)dt=f(x)$$

■ 함수의 대칭성과 정적분

(i) $\int_{-a}^{a}f(x)dx$
$$=\int_{-a}^{a}f(-x)dx$$
$$=\int_{0}^{a}\{f(x)+f(-x)\}dx$$

(ii) $\int_{a}^{b}f(x)dx$
$$=\int_{a}^{b}f(a+b-x)dx$$
$$=\int_{\frac{a+b}{2}}^{b}\{f(x)+f(a+b-x)\}dx$$

(iii) 두 함수 $y=f(x), y=f(a-x)$의 그래프는 직선 $x=\frac{a}{2}$에 대칭이므로
$$\int_{0}^{a}f(x)dx=\int_{0}^{a}f(a-x)dx$$
또한
$$\int_{0}^{a}(a-x)f(x)dx$$
$$=\int_{0}^{a}xf(a-x)dx$$

01 | 부정적분의 뜻 | ○ 8472-0280
출제율 88%
두 함수 $f(x)=x^2+2x$, $g(x)=2x^2-3$에 대하여 함수 $h(x)$를 $\int h(x)dx=f(x)g(x)$라 하자. $h(2)$의 값은?

① 91 　　　② 92 　　　③ 93

④ 94 　　　⑤ 95

02 | 부정적분과 미분 | ○ 8472-0281
출제율 93%
다항함수 $f(x)$에 대하여

$$\frac{d}{dx}\int f(x)dx=x^2-2x-3$$

일 때, 방정식 $f(x+3)=3f(x)$를 만족시키는 모든 실수 x의 값의 합은?

① 1 　　　② 3 　　　③ 5

④ 7 　　　⑤ 9

03 | 부정적분과 미분 | ○ 8472-0282
출제율 97%
함수 $f(x)$에 대하여

$$f(x)=\int\left\{\frac{d}{dx}(3x^2-6x)\right\}dx$$

이고, $f(2)=2$일 때, 방정식 $f(x)=0$을 만족시키는 모든 실수 x의 값의 곱은?

① $\frac{1}{3}$ 　　　② $\frac{2}{3}$ 　　　③ 1

④ $\frac{4}{3}$ 　　　⑤ $\frac{5}{3}$

04 | 함수의 연속성과 부정적분 | ○ 8472-0283
출제율 87%
실수 전체의 집합에서 미분가능한 함수 $f(x)$가 다음 조건을 만족시킬 때, $f(2)$의 값은? (단, k는 상수이다.)

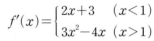

> (가) $f(0)=2$
> (나) $f'(x)=\begin{cases} 2x-3 & (x<1) \\ x^2-x+k & (x>1) \end{cases}$

① $-\frac{1}{2}$ 　　　② $-\frac{1}{6}$ 　　　③ $\frac{1}{6}$

④ $\frac{1}{2}$ 　　　⑤ $\frac{5}{6}$

05 | 함수의 연속성과 부정적분 | ○ 8472-0284
출제율 93%
실수 전체의 집합에서 연속인 함수 $f(x)$의 도함수 $f'(x)$가

$$f'(x)=\begin{cases} 2x+3 & (x<1) \\ 3x^2-4x & (x>1) \end{cases}$$

이고 함수 $y=f(x)$의 그래프가 점 $(0, -1)$을 지날 때, $f(-2)+f(2)$의 값은?

① 1 　　　② 2 　　　③ 3

④ 4 　　　⑤ 5

06 | 도함수의 정의와 부정적분 | ○ 8472-0285
출제율 82%
실수 전체의 집합에서 미분가능한 함수 $f(x)$가 모든 실수 x, y에 대하여

$$f(x+y)=f(x)+f(y)+4xy+2$$

를 만족시킨다. $f'(0)=3$일 때, $f(5)$의 값은?

① 51 　　　② 54 　　　③ 57

④ 60 　　　⑤ 63

07 출제율 (81%)

| 도함수의 정의와 부정적분 | ▶ 8472-0286

다항함수 $f(x)$가 $f(-2)=0$이고,

$$\lim_{h \to 0} \frac{f(x+h)-f(x-2h)}{h}=9x^2-6x+3$$

을 만족시킬 때, $f(2)$의 값은?

① 12 ② 14 ③ 16
④ 18 ⑤ 20

---

08 출제율 (89%)

| 도함수의 그래프와 부정적분 | ▶ 8472-0287

실수 전체의 집합에서 미분가능한 함수 $f(x)$에 대하여 그 도함수 $y=f'(x)$의 그래프가 그림과 같다. 함수 $y=f(x)$의 그래프가 원점을 지날 때, $f(-3)+f(1)+f(5)$의 값은?

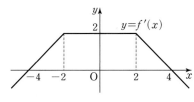

① 1 ② 2 ③ 3
④ 4 ⑤ 5

---

09 출제율 (99%)

| $f'(x)$와 부정적분의 관계 | ▶ 8472-0288

다항함수 $f(x)$에 대하여 $f'(x)=6x^2-6x+k$이고, $f(x)$가 x^2-1로 나누어떨어질 때, $f(2)$의 값은? (단, k는 상수이다.)

① 1 ② 2 ③ 3
④ 4 ⑤ 5

---

10 출제율 (96%)

| $f'(x)$와 부정적분의 관계 | ▶ 8472-0289

두 다항함수 $f(x)$, $g(x)$에 대하여

$$\frac{d}{dx}\{f(x)+g(x)\}=4x-2$$

$$\frac{d}{dx}\{f(x)g(x)\}=4x^3-6x^2+2x-2$$

이고 $f(0)=1$, $g(0)=0$일 때, $f(3)-g(3)$의 값은?

① 1 ② 3 ③ 5
④ 7 ⑤ 9

---

11 출제율 (93%)

| 정적분과 미분의 관계 | ▶ 8472-0290

함수 $f(x)=4x^3+7x^2-15x+9$에 대하여

$$\frac{d}{dx}\int_{-1}^{x} f(t)\,dt - \int_{-1}^{x}\left\{\frac{d}{dt}f(t)\right\}dt$$

의 값은?

① 21 ② 23 ③ 25
④ 27 ⑤ 29

---

12 출제율 (89%)

| 정적분과 미분의 관계 | ▶ 8472-0291

다항함수 $f(x)$가 모든 실수 x에 대하여

$$\int_{a}^{x} f(t)\,dt = x^3-4ax+7a-6$$

을 만족시킬 때, $f(2)$의 값은? (단, a는 상수이다.)

① 1 ② 2 ③ 3
④ 4 ⑤ 5

13
출제율 90%

| 정적분과 미분의 관계 |

▶ 8472-0292

다항함수 $f(x)$가 모든 실수 x에 대하여

$$3f(x)=3x^2-4x+\int_0^x f'(t)dt$$

를 만족시킬 때, $f(4)$의 값은?

① 12　　　　② 14　　　　③ 16

④ 18　　　　⑤ 20

14
출제율 90%

| 정적분의 성질 |

▶ 8472-0293

방정식 $\int_2^{a+2}(2x+a)dx=a+9$를 만족시키는 양수 a의 값을 구하시오.

15
출제율 92%

| 정적분의 성질 |

▶ 8472-0294

$$\int_{-1}^0(x^3+2x^2+3x+4)dx+\int_0^1(x^3+2x^2+3x+4)dx$$
의 값은?

① $\dfrac{28}{3}$　　　② 10　　　③ $\dfrac{32}{3}$

④ $\dfrac{34}{3}$　　　⑤ 12

16
출제율 89%

| 정적분의 성질 |

▶ 8472-0295

다항함수 $f(x)$가 $f(-1)=2$이고,

$$\int_{-1}^3(3x^2+1)f(x)dx+\int_{-1}^3(x^3+x)f'(x)dx=64$$

를 만족시킬 때, $f(3)$의 값은?

① 1　　　　② 2　　　　③ 3

④ 4　　　　⑤ 5

17
출제율 88%

| 정적분의 성질 |

▶ 8472-0296

삼차함수 $y=f(x)$의 그래프가 그림과 같고 함수 $f(x)$가

$$\int_{-1}^1 f(x)dx=\int_1^2 f(x)dx=\int_2^6 f(x)dx=0$$

을 만족시킨다. 함수 $g(x)=\int_{-1}^x f(t)dt$라 할 때, 방정식 $g(x)=0$의 모든 실근의 합은?

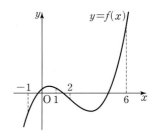

① 6　　　　② 7　　　　③ 8

④ 9　　　　⑤ 10

18
출제율 82%

| 구간이 나누어진 함수의 정적분 |

▶ 8472-0297

$\int_0^4 |x^2-2x|\,dx$의 값은?

① $\dfrac{22}{3}$　　　② 8　　　③ $\dfrac{26}{3}$

④ $\dfrac{28}{3}$　　　⑤ 10

19 정적분 $\int_{-2}^{2}(|x|+1)^3dx$의 값은?

출제율 81%

① 24　　　　　② 28　　　　　③ 32

④ 36　　　　　⑤ 40

| 대칭성을 이용한 함수의 정적분 |　　　　　 ○ 8472-0299

20 실수 전체의 집합에서 연속인 함수 $f(x)$가 다음 조건을

출제율 88% 만족시킬 때, $\int_{-3}^{5}f(x)dx$의 값은?

> (가) 모든 실수 x에 대하여 $f(-x)=-f(x)$
>
> (나) $\int_{-3}^{2}f(x)dx=-5$, $\int_{-2}^{5}f(x)dx=12$

① 5　　　　　② 7　　　　　③ 9

④ 11　　　　　⑤ 13

| 정적분으로 표현된 함수의 극한 |　　　　 ○ 8472-0300

21 $\lim_{h\to 0}\dfrac{1}{h}\int_{1-2h}^{1+3h}(4x^3+2x-3)dx$의 값은?

출제율 94%

① 12　　　　　② 15　　　　　③ 18

④ 21　　　　　⑤ 24

서술형 문제

○ 8472-0301

22 원점을 지나는 곡선 $y=f(x)$ 위의 점 $(x, f(x))$에

출제율 99% 서의 접선의 기울기가 $3x^2-6x+a$이다. 함수 $f(x)$의 극댓값과 극솟값의 합이 -12일 때, 상수 a의 값을 구하시오.

○ 8472-0302

23 다항함수 $f(x)$가 모든 실수 x에 대하여

출제율 94% $$\int_{2}^{x}xf(t)dt=\int_{2}^{x}tf(t)dt+ax^3-2x^2-4x+8$$

을 만족시킬 때, $f(3)$의 값을 구하시오.

（단, a는 상수이다.）

개념 ① 부정적분

24 ▶ 8472-0303

상수함수가 아닌 다항함수 $f(x)$가 다음 조건을 만족시킬 때, $f(5)$의 값은?

(가) 모든 실수 x에 대하여
$$\int \{f'(x)\}^2 dx = 4f(x) + k \text{ (단, } k\text{는 상수)}$$
(나) $\int_1^3 f(x)dx = 3\int_0^2 f(x)dx$

① 16   ② 17   ③ 18
④ 19   ⑤ 20

25 ▶ 8472-0304

다항함수 $f(x)$에 대하여 함수 $g(x)$가 모든 실수 x에 대하여

$$g(x) = \int xf(x)dx$$
$$f(x)g(x) = 3x^4 + 10x^3 + 8x^2$$

을 만족시킬 때, $g(3)$의 값은? (단, $f(0) > 0$)

① 40   ② 45   ③ 50
④ 55   ⑤ 60

26 ▶ 8472-0305

최고차항의 계수가 1인 다항함수 $f(x)$의 한 부정적분 $F(x)$가 모든 실수 x에 대하여
$$4F(x) = x\{f(x) + 12\}$$
를 만족시킬 때, $F(2)$의 값은?

① 12   ② 14   ③ 16
④ 18   ⑤ 20

개념 ② 부정적분의 활용

27 ▶ 8472-0306

함수 $f(x) = x^5 + x^4 + 3x$에 대하여
$$\lim_{x \to 0} \frac{1}{x}\int_0^x (x+t+2)f'(t)dt$$의 값은?

① 2   ② 4   ③ 6
④ 8   ⑤ 10

28 ▶ 8472-0307

다항함수 $f(x)$의 도함수 $f'(x)$가
$f'(x) = 12(x+1)^2(x-1)$이고, 직선 $y=4$와 함수 $y=f(x)$의 그래프가 접할 때, $f(2)$의 값은?

(단, $f(0) > 0$)

① 41   ② 43   ③ 45
④ 47   ⑤ 49

29 ▶ 8472-0308

사차함수 $y=f(x)$의 도함수 $y=f'(x)$의 그래프가 그림과 같다. $f(-2) = -64$, $f(3) = 61$일 때, x에 대한 방정식 $|f(x)| = k$가 서로 다른 6개의 실근을 갖도록 하는 모든 정수 k의 값의 합은?

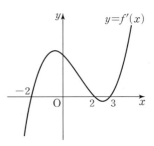

① 121   ② 122   ③ 123
④ 124   ⑤ 125

개념 3 정적분의 계산과 성질

30 🔵 8472-0309

삼차함수 $f(x)=x^3+2x^2-ax$에 대하여
$$\int_0^2 f(x)dx=\int_a^2 f(x)dx$$
를 만족시키는 0이 아닌 실수 a의 값을 구하시오.

31 🔵 8472-0310

이차함수 $f(x)$의 그래프가 그림과 같을 때, 함수 $G(x)$를 $G(x)=\int_{-1}^x f(t)dt$라 하자. $G(x)$의 극솟값은?

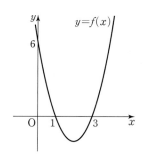

① 10　　　② $\dfrac{31}{3}$　　　③ $\dfrac{32}{3}$

④ 11　　　⑤ $\dfrac{34}{3}$

32 🔵 8472-0311

실수 전체의 집합에서 미분가능한 두 함수 $f(x)$, $g(x)$가 다음 조건을 만족시킬 때, $\int_{-2}^3 \{f(x)-g(x)\}dx$의 값을 구하시오.

(가) 두 함수 $y=f(x)$, $y=g(x)$의 그래프는 원점을 지난다.
(나) 모든 실수 x에 대하여 $f'(x)>g'(x)$
(다) $\int_{-2}^0 |f(x)-g(x)|dx=4$,
$\int_0^3 |f(x)-g(x)|dx=8$

33 🔵 8472-0312

함수 $f(x)=\int_0^2 |2t-x|dt$일 때, $\int_2^5 f(x)dx$의 값은?

① $\dfrac{31}{3}$　　　② $\dfrac{32}{3}$　　　③ 11

④ $\dfrac{34}{3}$　　　⑤ $\dfrac{35}{3}$

34 🔵 8472-0313

곡선 $y=x^2$ 위의 원점이 아닌 점 $A(t, t^2)$에서의 접선이 x축, y축과 만나는 점을 각각 P, Q라 하자. 두 선분 OP, OQ의 길이 중에서 크지 않은 값을 $h(t)$라 할 때, $\int_{-1}^{-\frac{1}{4}} h(t)dt=\dfrac{a}{b}$이다. $a+b$의 값을 구하시오.
(단, a와 b는 서로소인 자연수이고, O는 원점이다.)

35 🔵 8472-0314

실수 전체의 집합에서 미분가능한 함수 $f(x)$의 도함수 $f'(x)$가
$$f'(x)=|x+1|+3x$$
이다. $f(-1)=4$일 때, 〈보기〉에서 옳은 것만을 있는 대로 고른 것은?

┤ 보기 ├

ㄱ. $\int_{-2}^2 x^2 f'(x)dx=\dfrac{13}{2}$

ㄴ. 함수 $f(x)$는 $x=-1$에서 극솟값을 갖는다.

ㄷ. 방정식 $f(x)=3$은 서로 다른 두 실근을 갖는다.

① ㄱ　　　② ㄷ　　　③ ㄱ, ㄷ

④ ㄴ, ㄷ　　　⑤ ㄱ, ㄴ, ㄷ

개념 ④ 특수한 함수의 정적분의 계산

36 ▶ 8472-0315

다항함수 $f(x)$가 다음 조건을 만족시킬 때, $\int_0^2 f(x)dx$의 값은?

> (가) $\int_{-2}^2 \{f(x)+f(-x)\}dx=32$
>
> (나) $\int_{-2}^0 \{f(x)-f(-x)\}dx=-8$

① 12   ② 14   ③ 16

④ 18   ⑤ 20

37 ▶ 8472-0316

연속함수 $f(x)$가 다음 조건을 만족시킬 때, $\int_{-2}^0 f(x)dx$의 값은?

> (가) $\int_{-2}^4 f(x)dx=24$
>
> (나) 모든 실수 x에 대하여 $f(x+2)-f(x)=4x+2$

① 4   ② $\dfrac{14}{3}$ ③ $\dfrac{16}{3}$

④ 6   ⑤ $\dfrac{20}{3}$

38 ▶ 8472-0317

이차함수 $f(x)$가 다음 조건을 만족시킬 때, $f(5)$의 값은?

> (가) $f(2)=4$
>
> (나) 모든 실수 k에 대하여
> $$\int_{3-k}^2 f(x)dx=\int_2^{k+1} f(x)dx$$
>
> (다) $\int_0^3 f(x)dx=21$

① 31   ② 32   ③ 33

④ 34   ⑤ 35

39 ▶ 8472-0318

삼차함수 $f(x)$가 다음 조건을 만족시킬 때, $\int_{-2}^2 (x+3)f'(x)dx$의 값은?

> (가) 모든 실수 x에 대하여 $f(-x)=-f(x)$이다.
>
> (나) 함수 $f(x)$는 $x=2$에서 극댓값 5를 갖는다.

① 20   ② 25   ③ 30

④ 35   ⑤ 40

40 ▶ 8472-0319

두 다항함수 $f(x)$, $g(x)$가 다음 조건을 만족시킬 때, $\int_2^4 f(x)g(x)dx$의 값은?

> (가) 모든 실수 x에 대하여
> $$f(-x)=-f(x),\ g(-x)=g(x)$$
>
> (나) $\int_{-2}^1 f(x)g(x)dx=5$, $\int_{-1}^4 f(x)g(x)dx=8$

① 10   ② 13   ③ 16

④ 19   ⑤ 22

41 ▶ 8472-0320

다항함수 $f(x)$가 모든 실수 x에 대하여
$$f(x)=3x^2-12x+8-2f(4-x)$$
를 만족시킬 때, $\int_{-1}^5 f(x)dx$의 값은?

① 2   ② 4   ③ 6

④ 8   ⑤ 10

42 다항함수 $f(x)$가 모든 실수 x에 대하여

$$\int_1^x (x+1)f(t)dt = x^4 + x^2 + \frac{1}{2}\int_0^1 f(t)dt - 3$$

을 만족시킬 때, $f(3)$의 값은?

① 21   ② 22   ③ 23

④ 24   ⑤ 25

> 8472-0321

43 다항함수 $f(x)$가 모든 실수 x에 대하여

$$xf(x) = 4x^3 + x^2\int_0^2 f'(t)dt + \int_2^x f(t)dt$$

를 만족시킬 때, $f(3)$의 값은?

① 11   ② 12   ③ 13

④ 14   ⑤ 15

> 8472-0322

44 그림과 같이 이차함수 $y=f(x)$의 그래프가 두 점 $(0, 0)$, $(\alpha, 0)$을 지날 때, 함수 $g(x)=\int_{-1}^x f(t)dt$에 대하여 〈보기〉에서 옳은 것만을 있는 대로 고른 것은? (단, α는 양수이다.)

> 8472-0323

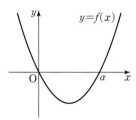

┤ 보기 ├

ㄱ. $g'(\alpha)=0$
ㄴ. 함수 $g(x)$의 극댓값을 M이라 하면 $M>0$이다.
ㄷ. 방정식 $g(x)=0$은 서로 다른 세 실근을 갖는다.

① ㄱ   ② ㄷ   ③ ㄱ, ㄴ

④ ㄴ, ㄷ   ⑤ ㄱ, ㄴ, ㄷ

서술형 문제

45 모든 실수 x에 대하여 미분가능한 함수 $f(x)$가 다음 조건을 만족시킨다.

> 8472-0324

(가) $f(1)=0$

(나) $f'(x)=\begin{cases} 2x-4 & (x<1) \\ k & (x>1) \end{cases}$

$f(3)$의 값을 구하시오. (단, k는 상수이다.)

46 다항함수 $f(x)$와 $f(x)$의 한 부정적분 $F(x)$가 모든 실수 x에 대하여

$$xf(x) = F(x) - x^3(x-2)$$

를 만족시킨다. $f(0)=3$일 때, $\displaystyle\lim_{x\to 1}\frac{1}{x-1}\int_1^{x^3} f(t)dt$의 값을 구하시오.

> 8472-0325

⊙ 8472-0326

47 다항함수 $f(x)$가 다음 조건을 만족시킬 때, $f(3)$의 값을 구하시오.

> (가) $f(x)=\int(3x^2-3)dx$
>
> (나) $0\leq x\leq 2$에서 함수 $f(x)$의 최댓값과 최솟값의 합은 10이다.

⊙ 8472-0327

48 다항함수 $f(x)$와 일차함수 $g(x)=x+a$가 모든 실수 x에 대하여 다음 조건을 만족시킬 때, $f(2)$의 값을 구하시오. (단, a는 상수이다.)

> (가) $\int xf'(x)dx=\dfrac{2}{3}x^3+x^2$
>
> (나) $\dfrac{d}{dx}\{f(x)g(x)\}=3x^2+6x$

⊙ 8472-0328

49 두 다항함수 $f(x)$, $g(x)$에 대하여 $f'(x)=x^2-2$, $g'(x)=x$이고, 함수 $y=f(x)$와 $y=g(x)$의 그래프는 서로 다른 두 점 A, B에서 만난다. 두 점 A, B의 x좌표를 각각 a, b $(a<b)$라 할 때, $a+b$의 값을 구하시오. (단, $a+b>0$)

⊙ 8472-0329

50 두 실수 p, q에 대하여 $\dfrac{1}{2}\int_{-1}^{1}(x^2+px+q)^2dx$의 최솟값을 구하시오.

● 8472-0330

51 상수함수가 아닌 다항함수 $f(x)$가 모든 실수 x에 대하여 $f(f(x)+x)=\int_0^x f(t)dt-x^2+3x+9$를 만족시킬 때, $f(2)$의 값을 구하시오.

● 8472-0331

52 다항함수 $f(x)$가 모든 실수 x에 대하여 $\int_1^x (t-x)f(t)dt=-x^3+x^2+ax+b$를 만족시킬 때, $\int_1^3 (t-3)f(t)dt$의 값을 구하시오. (단, a, b는 실수이다.)

● 8472-0332

53 두 실수 a, b에 대하여 삼차함수 $f(x)=x^3+ax^2+bx$가 다음 조건을 만족시킨다.

> (가) $f(1)=16$
> (나) $x\geq0$일 때 $f(x)\geq0$

$\int_{-1}^1 f(x)dx$의 최댓값과 최솟값의 합을 구하시오.

● 8472-0333

신 유형

54 최고차항의 계수가 1인 삼차함수 $f(x)$가 다음 조건을 만족시킨다.

> (가) $f'(0)=0$
> (나) 양수 t와 실수 s에 대하여 함수 $y=f(x)$의 그래프와 직선 $y=x$는 서로 다른 세 점 $O(0, 0)$, $P(t, t)$, $Q(s, s)$에서 만난다.

$\int_0^t f(x)dx=0$일 때, $f(4)$의 값을 구하시오.

▶ 8472-0334

55 최고차항의 계수가 1인 이차함수 $f(x)$에 대하여 함수 $g(x)$를 $g(x)=\int_0^x f(t)dt$라 하자. $f(0)>0$, $f'(0)<0$이고 방정식 $g(x)=0$이 서로 다른 두 실근을 가질 때, 〈보기〉에서 옳은 것만을 있는 대로 고른 것은?

┤ 보기 ├

ㄱ. 방정식 $g(x)=0$은 $x=0$을 중근으로 갖는다.

ㄴ. 방정식 $f(x)-g(x)=0$을 만족시키는 양수 x가 존재한다.

ㄷ. 방정식 $g(x)+f(x)=0$은 서로 다른 세 실근을 갖는다.

① ㄱ   ② ㄴ   ③ ㄱ, ㄷ   ④ ㄴ, ㄷ   ⑤ ㄱ, ㄴ, ㄷ

▶ 8472-0335

56 함수 $f(x)=|x|$와 양수 t에 대하여 닫힌구간 $[-4t,\ t^2]$에서 함수 $f(x)$의 최댓값을 $g(t)$라 할 때, $\int_3^5 g(t)dt$의 값을 구하시오.

신 유형

▶ 8472-0336

57 연속함수 $f(x)$의 도함수 $f'(x)$의 그래프가 그림과 같이 직선과, 대칭축의 방정식이 $x=1$인 이차함수의 그래프의 일부분으로 이루어져 있다. 함수 $f(x)$가 다음 조건을 만족시킬 때, $f(-1)+f(2)$의 값을 구하시오.

(가) $f(-2)=0$

(나) $\displaystyle\lim_{x\to 1}\frac{f(x)}{x-1}=1$

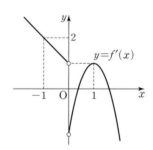

● 정답과 풀이 98쪽

58

내적
문제해결

▶ 8472-0337

닫힌구간 $[0, 10]$에서 연속인 함수 $f(x)$가 다음 조건을 만족시킨다.

(가) $0 \le n \le 10$인 정수 n에 대하여 함수 $f(x)$의 그래프는 점 (n, n^2)을 지난다.

(나) $1 \le k \le 10$인 자연수 k에 대하여 닫힌구간 $[k-1, k]$에서 함수 $f(x)$는 최고차항의 계수가 1 또는 -1인 이차함수의 일부이다.

$\int_0^9 f(x)dx = 244$일 때, $\int_0^6 f(x)dx$의 최댓값은 M, 최솟값은 m이다. $M+m$의 값을 구하시오.

문항 파헤치가

풀이

실수 point 찾기

III

적분

07 정적분의 활용

1등급 note 📖

빈틈 개념

■ 정적분과 넓이

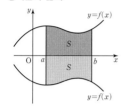

(1) $f(x) \geq 0$일 때의 넓이 S는
$$S = \int_a^b f(x)dx$$

(2) $f(x) \leq 0$일 때의 넓이 S는
$$S = -\int_a^b f(x)dx$$

1 곡선과 좌표축 사이의 넓이

(1) 함수 $f(x)$가 닫힌구간 $[a, b]$에서 연속일 때, 곡선 $y=f(x)$와 x축 및 두 직선 $x=a$, $x=b$로 둘러싸인 도형의 넓이 S는

$$S = \int_a^b |f(x)|dx$$

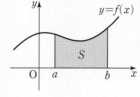

(2) 함수 $g(y)$가 닫힌구간 $[c, d]$에서 연속일 때, 곡선 $x=g(y)$와 y축 및 두 직선 $y=c$, $y=d$로 둘러싸인 도형의 넓이 S는

$$S = \int_c^d |g(y)|dy$$

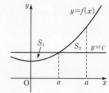

2 두 곡선 사이의 넓이

닫힌구간 $[a, b]$에서 연속인 두 곡선 $y=f(x)$, $y=g(x)$와 두 직선 $x=a$, $x=b$로 둘러싸인 도형의 넓이 S는

$$S = \int_a^b |f(x)-g(x)|dx$$

참고 닫힌구간 $[a, c]$에서 $f(x) \geq g(x)$이고, 닫힌구간 $[c, b]$에서 $f(x) \leq g(x)$일 때,

$$S = S_1 + S_2$$
$$= \int_a^c \{f(x)-g(x)\}dx$$
$$+ \int_c^b \{g(x)-f(x)\}dx$$

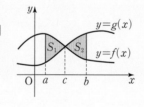

■ 위치, 속도, 가속도 사이의 관계

위치
$x(t)$

↑ (적분)

속도
$v(t)$

↑ (적분)

가속도
$a(t)$

3 수직선 운동에서의 점의 위치

수직선 위를 움직이는 점 P의 시각 t에서의 속도가 $v(t)$이고, 시각 $t=t_0$에서의 위치가 x_0일 때, 시각 t에서의 점 P의 위치 $x(t)$는

$$x(t) = x_0 + \int_{t_0}^t v(t)dt$$

4 수직선 운동에서의 위치의 변화량과 움직인 거리

수직선 위를 움직이는 점 P의 시각 t에서의 속도를 $v(t)$, 위치를 $x(t)$라 하면

(1) 시각 $t=a$에서 $t=b (a \leq b)$까지 점 P의 위치의 변화량은

$$x(b) - x(a) = \int_a^b v(t)dt$$

(2) 시각 $t=a$에서 $t=b (a \leq b)$까지 점 P가 움직인 거리는

$$\int_a^b |v(t)|dt$$

■ 함수 $f(x)$가 닫힌구간 $[0, a]$에서 증가 또는 감소할 때, 그림과 같이 함수 $y=f(x)$의 그래프와 세 직선 $y=c$, $x=0$, $x=a$에 의하여 나타내어지는 도형의 넓이를 각각 S_1, S_2라 하면 S_1+S_2는 $a=\frac{a}{2}$일 때 최댓값 또는 최솟값을 갖는다.

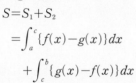

[설명]
$S_1+S_2=S(a)$라 하면
$$S(a) = af(a) - \int_0^a f(x)dx$$
$$+ \int_a^a f(x)dx - (a-a)f(a)$$
$$S'(a) = f(a) + af'(a)$$
$$- f(a) - f(a) + f(a)$$
$$- (a-a)f'(a)$$
$$= (2a-a)f'(a)$$
따라서 함수 $S(a)=S_1+S_2$는 $a=\frac{a}{2}$에서 극값을 갖는다.

■ 위치의 변화량은 단순히 위치가 변화한 양을 나타내지만, 움직인 거리는 속도가 양일 때와 음일 때의 실제 움직인 거리의 총합을 의미한다.

내신 기출 우수 문항

01
| 곡선과 x축 사이의 넓이 |
8472-0338
출제율 85%

곡선 $y=x^3-x|x|$와 x축으로 둘러싸인 부분의 넓이는?

① $\dfrac{1}{6}$　　② $\dfrac{1}{3}$　　③ $\dfrac{1}{2}$

④ $\dfrac{2}{3}$　　⑤ $\dfrac{5}{6}$

02
| 곡선과 x축 사이의 넓이 |
8472-0339
출제율 89%

함수 $f(x)=x^3-6x^2+9x$에 대하여 함수 $y=f(|x|)$의 그래프와 x축으로 둘러싸인 부분의 넓이는?

① 12　　② $\dfrac{27}{2}$　　③ 15

④ $\dfrac{33}{2}$　　⑤ 18

03
| 곡선과 x축 사이의 넓이 |
8472-0340
출제율 95%

곡선 $y=\sqrt{x+3}$과 x축 및 직선 $x=6$으로 둘러싸인 도형의 넓이는?

① 12　　② 14　　③ 16

④ 18　　⑤ 20

04
| 곡선과 직선 사이의 넓이 |
8472-0341
출제율 93%

곡선 $y=x^2$과 두 직선 $y=4$, $y=x+2$로 둘러싸인 부분의 넓이는?

① $\dfrac{11}{2}$　　② $\dfrac{35}{6}$　　③ $\dfrac{37}{6}$

④ $\dfrac{13}{2}$　　⑤ $\dfrac{41}{6}$

05
| 곡선과 직선 사이의 넓이 |
8472-0342
출제율 82%

그림과 같이 곡선 $y=-x^2+4x$와 직선 $y=2x$ 및 직선 $x=4$로 둘러싸인 두 부분의 넓이의 합은?

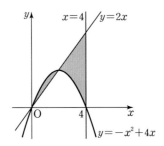

① 6　　② 7　　③ 8

④ 9　　⑤ 10

06
| 두 곡선 사이의 넓이 |
8472-0343
출제율 98%

두 다항함수 $f(x)$, $g(x)$가 모든 실수 x에 대하여 $f(x)\geq g(x)\geq 0$을 만족시킨다. $\displaystyle\int_0^3 f(x)dx=73$이고 두 곡선 $y=f(x)$, $y=g(x)$와 두 직선 $x=0$, $x=t\,(t>0)$로 둘러싸인 도형의 넓이가 t^3+2t^2+3t일 때, 곡선 $y=g(x)$와 두 직선 $x=0$, $x=3$으로 둘러싸인 도형의 넓이는?

① 16　　② 17　　③ 18

④ 19　　⑤ 20

07 | 두 곡선 사이의 넓이 | ▶ 8472-0344

출제율 83%

함수 $f(x)=x^3+3x^2-6x-9$에 대하여 곡선 $y=f(x)$를 y축 방향으로 k만큼 평행이동시킨 곡선을 $y=g(x)$라 하자. 두 곡선 $y=f(x)$, $y=g(x)$와 두 직선 $x=-1$, $x=5$로 둘러싸인 부분의 넓이가 27일 때, 양수 k의 값은?

① 4   ② $\dfrac{9}{2}$ ③ 5

④ $\dfrac{11}{2}$ ⑤ 6

08 | 두 곡선 사이의 넓이 | ▶ 8472-0345

출제율 82%

함수 $f(x)=x^3+3x^2$의 그래프와 $f(x)$의 도함수 $f'(x)$의 그래프로 둘러싸인 부분의 넓이는?

① 12   ② 15   ③ 18

④ 21   ⑤ 24

09 | 곡선과 접선 사이의 넓이 | ▶ 8472-0346

출제율 91%

곡선 $y=x^2-4x+5$ 위의 점 $(3, 2)$에서의 접선과 이 곡선 및 y축으로 둘러싸인 부분의 넓이는?

① 8   ② 9   ③ 10

④ 11   ⑤ 12

10 | 곡선과 접선 사이의 넓이 | ▶ 8472-0347

출제율 93%

점 $(0, 2)$에서 곡선 $y=x^3-2x$에 그은 접선과 이 곡선으로 둘러싸인 도형의 넓이는?

① $\dfrac{27}{4}$ ② 7   ③ $\dfrac{29}{4}$

④ $\dfrac{15}{2}$ ⑤ $\dfrac{31}{4}$

11 | 넓이와 정적분 | ▶ 8472-0348

출제율 92%

그림과 같이 곡선 $y=(x-1)^2$과 곡선 $y=-ax(x-1)$로 둘러싸인 부분 A의 넓이와 곡선 $y=(x-1)^2$과 곡선 $y=-ax(x-1)$ 및 y축으로 둘러싸인 부분 B의 넓이가 서로 같을 때, 양수 a의 값은?

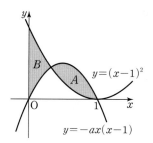

① 1   ② $\dfrac{4}{3}$ ③ $\dfrac{5}{3}$

④ 2   ⑤ $\dfrac{7}{3}$

12 | 넓이와 정적분 | ▶ 8472-0349

출제율 96%

그림과 같이 곡선 $y=3x^2-4x+a$와 x축 및 y축으로 둘러싸인 부분을 A라 하고 곡선 $y=3x^2-4x+a$와 x축으로 둘러싸인 부분을 B라 하자. 도형 A와 도형 B의 넓이의 비가 $1:2$일 때, 양수 a의 값을 구하시오.

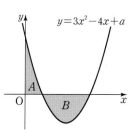

내신 기출 우수 문항

13 | 넓이와 정적분 | ▶ 8472-0350
출제율 88%

그림과 같이 곡선 $y=-(x-4)(x-a)\,(0<a<4)$와 x축으로 둘러싸인 도형의 넓이와 이 곡선과 x축 및 y축으로 둘러싸인 도형의 넓이가 서로 같을 때, 상수 a의 값은?

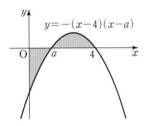

① $\dfrac{4}{3}$ ② $\dfrac{3}{2}$ ③ $\dfrac{5}{3}$

④ $\dfrac{11}{6}$ ⑤ 2

14 | 넓이와 정적분 | ▶ 8472-0351
출제율 91%

곡선 $y=|x^2-4x|$와 x축으로 둘러싸인 부분의 넓이와 닫힌구간 $[4,\ k]$에서 곡선 $y=|x^2-4x|$와 x축 및 직선 $x=k$로 둘러싸인 부분의 넓이가 서로 같을 때, 상수 k의 값을 구하시오. (단, $k>4$)

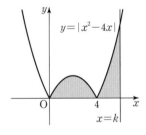

15 | 넓이와 정적분 | ▶ 8472-0352
출제율 81%

$0<a<2$인 실수 a에 대하여 곡선 $y=x^2-ax$와 x축으로 둘러싸인 부분의 넓이를 S_1, 곡선 $y=x^2-ax$와 x축 및 직선 $x=2$로 둘러싸인 부분의 넓이를 S_2라 할 때, S_1+S_2의 값이 최소가 되도록 하는 a의 값은?

① $\dfrac{2\sqrt{2}}{3}$ ② $\dfrac{5\sqrt{2}}{6}$ ③ $\sqrt{2}$

④ $\dfrac{7\sqrt{2}}{6}$ ⑤ $\dfrac{4\sqrt{2}}{3}$

16 | 역함수와 넓이 | ▶ 8472-0353
출제율 93%

역함수가 존재하고 $f(1)=1$, $f(4)=8$인 연속함수 $f(x)$의 역함수를 $g(x)$라 할 때,

$$\int_1^4 f(x)dx + \int_1^8 g(x)dx$$ 의 값은?

① 27 ② 28 ③ 29

④ 30 ⑤ 31

17 | 역함수와 넓이 | ▶ 8472-0354
출제율 99%

함수 $f(x)=x^3+2x-2$의 역함수를 $g(x)$라 할 때,

$$\int_1^2 f(x)dx + \int_1^{10} g(x)dx$$ 의 값은?

① 16 ② 17 ③ 18

④ 19 ⑤ 20

18 | 속도와 거리 | ▶ 8472-0355
출제율 81%

원점을 출발하여 수직선 위를 움직이는 점 P의 시각 t에서의 위치 $x(t)$가 $x(t)=t^3-3t^2-9t$로 주어질 때, 〈보기〉에서 옳은 것만을 있는 대로 고른 것은?

┤ 보기 ├
ㄱ. 점 P의 출발 후 3초 후의 속력은 0이다.
ㄴ. 점 P는 움직이는 동안 방향을 두 번 바꾼다.
ㄷ. 점 P가 출발 후 4초 동안 움직인 거리는 34이다.

① ㄱ   ② ㄴ   ③ ㄱ, ㄷ

④ ㄴ, ㄷ   ⑤ ㄱ, ㄴ, ㄷ

19 | 속도와 거리 | ▶ 8472-0356
출제율 80%

지면으로부터 20 m의 높이에서 처음 속도 20 m/초로 지면에 수직으로 던져 올린 물체의 시각 t에서의 속도가 $v(t)=20-12t$이다. 4초 후 이 물체의 지면으로부터의 높이가 x m일 때, x의 값은?

① 1　　　　② 2　　　　③ 3

④ 4　　　　⑤ 5

20 | 속도와 거리 | ▶ 8472-0357
출제율 87%

원점을 출발하여 수직선 위를 움직이는 점 P의 시각 $t\,(0 \le t \le 6)$에서의 속도 $v(t)$의 그래프가 그림과 같다. $t=0$에서 $t=6$까지 점 P가 움직인 거리는?

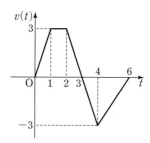

① $\dfrac{21}{2}$　　② 11　　③ $\dfrac{23}{2}$

④ 12　　⑤ $\dfrac{25}{2}$

21 | 속도와 거리 | ▶ 8472-0358
출제율 84%

원점을 출발하여 수직선 위를 움직이는 점 P의 시각 $t\,(0 \le t \le 8)$에서의 속도 $v(t)$의 그래프가 그림과 같다. 출발 후 $t=8$일 때의 점 P의 위치가 5일 때, 양수 k의 값은?

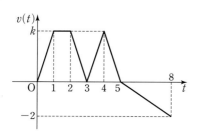

① $\dfrac{7}{3}$　　② $\dfrac{5}{2}$　　③ $\dfrac{8}{3}$

④ $\dfrac{17}{6}$　　⑤ 3

22 　　　　　　　　　　　　　　　　　▶ 8472-0359
출제율 93%

함수 $f(x)=x^3-x^2+ax$의 그래프 위의 $x=2$인 점에서의 접선의 기울기가 6일 때, 곡선 $y=f(x)$와 x축으로 둘러싸인 부분의 넓이를 구하시오.

23 　　　　　　　　　　　　　　　　　▶ 8472-0360
출제율 95%

곡선 $y=x^2$ 위의 점 $(a,\ a^2)$에서의 접선을 l이라 하자. 주어진 곡선과 직선 l 및 y축으로 둘러싸인 도형의 넓이가 9일 때, 양수 a의 값을 구하시오.

개념 1 곡선과 좌표축 사이의 넓이

24 ● 8472-0361

함수 $g(t)=3-2|t|$에 대하여 함수

$f(x)=\displaystyle\int_{-x}^{x} g(t)dt$의 그래프와 x축으로 둘러싸인 부분의 넓이는?

① 12   ② 14   ③ 16

④ 18   ⑤ 20

25 ● 8472-0362

닫힌구간 $[0, 2]$에서 정의된 함수 $y=f(x)$의 그래프가 그림과 같다. 합성함수 $g(x)=(f\circ f)(x)$에 대하여 함수 $y=g(x)$의 그래프와 x축 및 직선 $x=2$로 둘러싸인 부분의 넓이는?

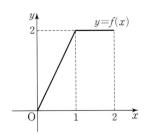

① 3   ② $\dfrac{7}{2}$ ③ 4

④ $\dfrac{9}{2}$ ⑤ 5

26 ● 8472-0363

삼차함수 $f(x)$가 다음 조건을 만족시킬 때, 함수 $y=f(x)$의 그래프와 x축으로 둘러싸인 도형의 넓이는?

> (가) $f'(x)=3(x+1)(x-3)$
> (나) 함수 $f(x)$의 극댓값과 극솟값의 합은 32이다.

① 100   ② 104   ③ 108

④ 112   ⑤ 116

개념 2 두 곡선 사이의 넓이

27 ● 8472-0364

점 $(1, -2)$에서 곡선 $y=x^2+1$에 그은 두 접선과 이 곡선으로 둘러싸인 도형의 넓이는?

① $\dfrac{8}{3}$ ② $\dfrac{10}{3}$ ③ 4

④ $\dfrac{14}{3}$ ⑤ $\dfrac{16}{3}$

28 ● 8472-0365

3 이상의 자연수 n에 대하여 x좌표가 0, 1, 2인 곡선 $y=x^n$ 위의 세 점을 각각 O, A, B라 하자. 세 점 O, A, B를 지나는 이차함수 $y=f(x)$에 대하여 함수 $y=f(x)$의 그래프와 곡선 $y=x^n$으로 둘러싸인 두 부분의 넓이를 S_1, S_2라 할 때, 다음은 $S_1=S_2$가 되도록 하는 자연수 n의 값을 구하는 과정이다.

> $f(x)=ax^2+bx+c$ (a, b, c는 상수, $a\neq0$)라 하자.
> 함수 $f(x)$의 그래프가 세 점 O, A, B를 지나므로
> $a=\boxed{\text{(가)}}$, $b=2-2^{n-1}$, $c=0$
> $g(x)=x^n$이라 하면
> $f'(1)=\boxed{\text{(나)}}$, $g'(1)=n$
> $n>2$이면 $f'(1)\neq g'(1)$이므로 매우 작은 양수 h에 대하여
> $g(1-h)-f(1-h)>0$, $g(1+h)-f(1+h)<0$
> 따라서 $\displaystyle\int_0^2 (x^n-ax^2-bx)dx=0$이므로
> $\boxed{\text{(다)}}=\dfrac{2^n}{3}+\dfrac{4}{3}$
> $\dfrac{4}{3}>0$이므로 $n<5$
> $n=3$일 때 $\boxed{\text{(다)}}=\dfrac{2^n}{3}+\dfrac{4}{3}$를 만족시키므로 구하는 자연수 n의 값은 3이다.

위의 (가), (나), (다)에 알맞은 식을 각각 $F(n)$, $G(n)$, $H(n)$이라 할 때, $\{G(2)-F(2)\}\times H(3)$의 값은?

① 1   ② 2   ③ 3

④ 4   ⑤ 5

개념 ③ 넓이와 정적분

▶ 8472-0366

29 그림과 같이 곡선 $y=2x^2-3x-2$와 직선 $y=\dfrac{4}{3}x+1$ 로 둘러싸인 도형의 넓이를 직선 $x=a$가 이등분할 때, 실수 a의 값은?

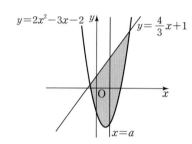

① $\dfrac{13}{12}$ ② $\dfrac{7}{6}$ ③ $\dfrac{5}{4}$

④ $\dfrac{4}{3}$ ⑤ $\dfrac{17}{12}$

▶ 8472-0367

30 두 실수 a, t $(t>0)$에 대하여 다항함수 $f(x)$가 다음 조건을 만족시킬 때, $f(a)$의 값은?

> (가) $x>0$일 때, $f(x)<0$이다.
> (나) 함수 $y=f(x)$의 그래프와 x축 및 두 직선 $x=0$, $x=t$로 둘러싸인 도형의 넓이는 $2t^3+t+1-a$ 이다.

① -9 ② -7 ③ -5

④ -3 ⑤ -1

▶ 8472-0368

31 그림과 같이 함수 $y=f(x)$의 그래프가 직선 $y=x$와 만나는 세 점의 x좌표는 각각 0, 2, 5이다. 곡선 $y=f(x)$와 직선 $y=x$로 둘러싸인 두 부분 A, B의 넓이가 각각 7, 18일 때, $\displaystyle\int_0^5 f(x)dx$의 값을 구하시오.

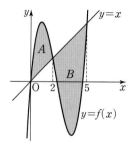

▶ 8472-0369

32 그림과 같이 곡선 $y=x^2$과 직선 $y=k^2$으로 둘러싸인 부분의 넓이를 S_1, 곡선 $y=x^2$과 두 직선 $y=k^2$, $x=2$로 둘러싸인 부분의 넓이를 S_2라 할 때, S_1+S_2의 넓이가 최소가 되도록 하는 양수 k의 값을 구하시오.

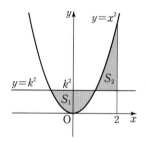

▶ 8472-0370

33 두 함수 $y=f(x)$, $y=g(x)$의 그래프가 그림과 같다.

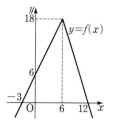 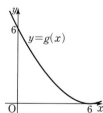

닫힌구간 [0, 6]에서 곡선 $y=g(x)$와 x축 및 y축으로 둘러싸인 도형의 넓이가 12일 때, $\displaystyle\int_0^6 (f\circ g)(x)dx$의 값을 구하시오.

34 ▶ 8472-0371

그림과 같이 $x \geq 0$에서 함수 $f(x) = ax^2 + b$의 그래프와 그 역함수 $y = g(x)$의 그래프는 한 점에서 만나고 만나는 점의 x좌표는 2이다. 두 곡선 $y = f(x)$, $y = g(x)$ 및 x축, y축으로 둘러싸인 부분의 넓이를 구하시오.

(단, $a > 0$이고 b는 실수이다.)

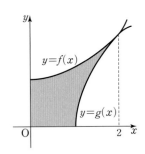

35 ▶ 8472-0372

연속함수 $f(x)$가 다음 조건을 만족시킨다.

(가) 모든 실수 x에 대하여 $f'(x) < 0$
(나) $f(1) = 7$, $f(4) = 2$
(다) $\int_1^4 f(x)dx = 17$

함수 $f(x)$의 역함수를 $g(x)$라 할 때, $\int_2^7 g(x)dx$의 값은?

① 16 ② 18 ③ 20
④ 22 ⑤ 24

36 ▶ 8472-0373

삼차함수 $f(x) = x^3 + ax^2 + 2ax$가 역함수를 갖도록 하는 최대의 실수 a에 대하여 함수 $y = f(x)$의 그래프와 $f(x)$의 역함수의 그래프 및 직선 $y = -x + 20$으로 둘러싸인 부분의 넓이는?

① 175 ② $\dfrac{355}{2}$ ③ 180
④ $\dfrac{365}{2}$ ⑤ 185

37 ▶ 8472-0374

원점을 출발하여 수직선 위를 움직이는 점 P의 시각 t에서의 속도 $v(t)$가 다음과 같다.

$$v(t) = \begin{cases} 3t^2 & (0 \leq t \leq 2) \\ a(t-2) + 12 & (t \geq 2) \end{cases}$$

점 P가 출발한 후 $t = 6$일 때의 위치는 원점이다. 상수 a의 값은?

① -3 ② -5 ③ -7
④ -9 ⑤ -11

38 ▶ 8472-0375

원점을 동시에 출발하여 수직선 위를 움직이는 두 점 P, Q가 있다. 시각 t에서의 두 점 P, Q의 속도를 각각 $v_P(t)$, $v_Q(t)$라 하면 $v_P(t) = 3t^2 - 10t$, $v_Q(t) = 12t - 24$이다. 원점을 출발한 후 두 점 P, Q가 두 번째로 다시 만날 때까지 두 점 P, Q 사이의 거리의 최댓값은?

① 30 ② 33 ③ 36
④ 39 ⑤ 42

39 ▶ 8472-0376

점 A(-4)를 출발하여 수직선 위를 움직이는 점 P가 있다. 점 P의 시각 t $(t > 0)$에서의 속도 $v(t)$가

$$v(t) = 3(t-1)(t-3)$$

일 때, 점 P가 원점을 처음 지날 때부터 두 번째 지날 때까지 움직인 거리는?

① 6 ② 7 ③ 8
④ 9 ⑤ 10

40 ▶ 8472-0377

원점을 출발하여 수직선 위를 움직이는 점 P의 시각 t에서의 속도 $v(t)$의 그래프는 그림과 같다. 점 P가 움직이기 시작하여 $t=2$, $t=6$일 때, 다시 원점으로 돌아온다고 한다.

$$\int_1^2 v(t)dt=-4, \quad \int_0^a v(t)dt=16, \quad \int_a^7 v(t)dt=6$$

일 때, $t=0$에서 $t=7$까지 점 P가 실제로 움직인 거리를 구하시오. (단, $2<a<6$)

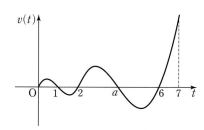

41 ▶ 8472-0378

그림은 원점을 출발하여 수직선 위를 움직이는 점 P의 시각 t $(0 \le t \le c)$에서의 속도 $v(t)$를 나타내는 그래프이다.

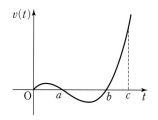

$\int_0^b v(t)dt<0$, $\left|\int_0^b v(t)dt\right|=\int_a^c v(t)dt$ 일 때, 〈보기〉에서 옳은 것만을 있는 대로 고른 것은?

(단, $0<a<b<c$)

┤ 보기 ├

ㄱ. $t=0$에서 $t=c$까지 점 P가 움직인 거리는 $3\int_a^b |v(t)|dt$이다.

ㄴ. 점 P는 원점을 출발한 후 $t=a$에서 $t=c$ 사이에서 원점을 두 번 지난다.

ㄷ. $t=c$일 때, 점 P는 원점에서 가장 멀리 떨어져 있다.

① ㄱ   ② ㄴ   ③ ㄱ, ㄷ
④ ㄴ, ㄷ   ⑤ ㄱ, ㄴ, ㄷ

서술형 문제 ✎

42 ▶ 8472-0379

최고차항의 계수가 1인 사차함수 $f(x)$가 다음 조건을 만족시킨다.

(가) 모든 실수 x에 대하여 $f(-x)=f(x)$이다.
(나) 함수 $f(x)$는 $x=\alpha$, $x=\beta$에서 극솟값 0을 갖는다. (단, $\beta<0<\alpha$)

곡선 $y=f(x)$와 x축으로 둘러싸인 부분의 넓이가 $\dfrac{81}{10}$일 때, $f(2)$의 값을 구하시오.

43 ▶ 8472-0380

함수 $f(x)=x^3-12x$의 극댓값을 M이라 할 때, 곡선 $y=f(x)$와 직선 $y=M$으로 둘러싸인 도형의 넓이를 구하시오.

◎ 8472-0381

44 곡선 $y=|x^2-9x+18|$과 직선 $y=18$로 둘러싸인 도형의 넓이를 구하시오.

◎ 8472-0382

45 곡선 $y=-2x^2+6$ $(0\leq x\leq\sqrt{3})$ 위의 점 P에서 x축에 내린 수선의 발을 Q, y축에 내린 수선의 발을 R라 하자. 사각형 OQPR가 정사각형일 때, 곡선 $y=-2x^2+6$ $(0\leq x\leq\sqrt{3})$과 직선 PR 및 y축으로 둘러싸인 부분의 넓이를 구하시오. (단, O는 원점이다.)

신 유형

◎ 8472-0383

46 좌표평면 위의 점 P$(-1, 1)$에서 함수 $f(x)=x^3-\dfrac{7}{2}x^2+x+2$의 그래프에 그은 두 접선의 접점을 각각 Q$(a, f(a))$, R$(b, f(b))$라 할 때, 두 선분 PQ, PR와 곡선 $y=f(x)$ $(a\leq x\leq b)$로 둘러싸인 부분의 넓이를 구하시오. (단, $0\leq a<b$)

◎ 8472-0384

47 그림과 같이 곡선 $C:y=(x-a)^2+\dfrac{1}{2}$과 직선 $y=x$가 서로 다른 두 점 A, B에서 만난다. 점 A를 지나고 곡선 C에 접하는 직선과 직선 $y=x$가 서로 수직일 때, 곡선 C와 직선 $y=x$로 둘러싸인 도형의 넓이를 구하시오. (단, $a>0$)

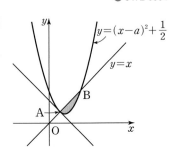

● 정답과 풀이 110쪽

48 ● 8472-0385
그림과 같이 $0<t<3$인 실수 t에 대하여 함수 $f(x)=x^2-6x+9$의 그래프 위의 점 $\mathrm{P}(t,\ t^2-6t+9)$에서의 접선을 l이라 하자. 곡선 $y=f(x)$와 직선 l 및 x축으로 둘러싸인 부분의 넓이를 S_1, 곡선 $y=f(x)$와 직선 l 및 y축으로 둘러싸인 부분의 넓이를 S_2라 할 때, S_1+S_2의 값이 자연수가 되도록 하는 실수 t의 개수를 구하시오.

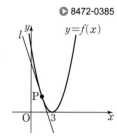

49 ● 8472-0386
다항함수 $f(x)$에 대하여 $g(x)=\int f(x)dx$라 하자. $g(0)=0$이고 모든 실수 x에 대하여 등식 $f(x)g(x)=g(x)+2x^3+2x^2$이 성립할 때, 다음은 함수 $y=g(x)$의 그래프와 x축으로 둘러싸인 도형의 넓이를 구하는 과정이다.

> $f(x)g(x)=g(x)+2x^3+2x^2$에서 $\{f(x)-1\}g(x)=$ 　(가)
>
> $f(x)$를 n차 함수라 하면 $g(x)$는 $(n+1)$차 함수이므로 $f(x)$는 일차함수이고, $g(x)$는 이차함수이다.
>
> $g(x)=ax^2+bx$ $(a,\ b$는 상수, $a\neq0)$라 하면
>
> 　(나)　$\times x^3+(3ab-a)x^2+b(b-1)x=2x^3+2x^2$
>
> 위의 등식이 모든 실수 x에 대하여 성립하므로
>
> 　(나)　$=2,\ 3ab-a=2,\ b(b-1)=0$
>
> 따라서 함수 $y=g(x)$의 그래프와 x축으로 둘러싸인 도형의 넓이는 　(다)　이다.

위의 과정에서 (가), (나)에 알맞은 식을 각각 $F(x)$, $G(a)$, (다)에 알맞은 수를 p라 할 때, $F(1)+G(1)+p$의 값을 구하시오.

50 ● 8472-0387
그림과 같이 두 함수 $f(x)=3x^2$, $g(x)=3(x-2a)^2\ (a>0)$에 대하여 곡선 $y=g(x)$가 y축과 만나는 점을 P, 점 P를 지나고 x축에 평행한 직선이 제1사분면 위의 곡선 $y=f(x)$와 만나는 점을 Q라 하자. 두 곡선 $y=f(x)$, $y=g(x)$와 선분 PQ로 둘러싸인 부분의 넓이를 S_1, 두 곡선 $y=f(x)$, $y=g(x)$와 y축으로 둘러싸인 부분의 넓이를 S_2라 할 때, $S_1-S_2=8a$이다. 상수 a의 값을 구하시오.

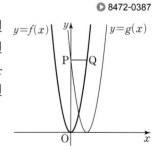

51 ● 8472-0388
정수 a에 대하여 삼차함수 $f(x)=\dfrac{1}{3}(x^3-4x^2+ax)$와 그 역함수 $f^{-1}(x)$가 있다. 두 곡선 $y=f(x)$, $y=f^{-1}(x)$가 서로 다른 세 점에서 만날 때, 두 곡선 $y=f(x)$, $y=f^{-1}(x)$로 둘러싸인 도형의 넓이를 구하시오.

◎ 8472-0389

52 수직선 위를 움직이는 두 점 P, Q의 시각 t에서의 속도 v_P, v_Q가 각각 $v_P=2t-5$, $v_Q=3$이고, $t=0$일 때 두 점 P, Q의 위치는 각각 10, -10이다. 두 점 P, Q가 동시에 출발하여 두 점 사이의 거리가 최소가 될 때의 시각은 $t=\alpha$이다. 점 P가 출발하여 $t=\alpha$일 때까지 움직인 거리를 구하시오.

◎ 8472-0390

53 수직선 위를 움직이는 점 P의 시각 t에서의 속도 $f(t)$와 점 Q의 시각 t에서의 속도 $g(t)$는
$$f(t)=4t(t-1)(t-3),\ g(t)=12t$$
이다. 두 점 P, Q가 원점을 동시에 출발한 후 $t=\alpha$일 때 만난다. $t=\alpha$일 때, 점 Q의 위치를 구하시오. (단, $\alpha>0$)

◎ 8472-0391

54 수직선 위를 움직이는 두 점 P, Q의 시각 t에서의 속도를 각각
$$v_P(t)=-t^2+2t\ (0\le t\le 2),\ v_Q(t)=\begin{cases} t & (0\le t\le 1) \\ 1 & (1\le t\le 2) \end{cases}$$
라 할 때, 그림은 함수 $v_P(t)$, $v_Q(t)$의 그래프를 나타낸 것이다. 두 점 P, Q가 원점에서 동시에 출발할 때, 〈보기〉에서 옳은 것만을 있는 대로 고른 것은?

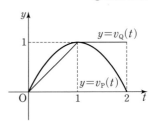

┤ 보기 ├
ㄱ. $t=1$일 때, 점 P는 점 Q보다 원점으로부터 더 멀리 떨어져 있다.
ㄴ. 두 점 P, Q의 위치가 같아지는 시각 c가 $1<c<2$에 존재한다.
ㄷ. 두 점 P, Q 사이의 거리의 최댓값은 $\dfrac{1}{6}$이다.

① ㄱ   ② ㄷ   ③ ㄱ, ㄴ   ④ ㄴ, ㄷ   ⑤ ㄱ, ㄴ, ㄷ

신 유형

◎ 8472-0392

55 자연수 a에 대하여 수직선 위를 움직이는 점 P의 시각 t에서의 속도는 $v(t)=(t-a)(t-2a)$이고, $t=0$일 때 점 P의 위치는 -18이다. 점 P가 원점을 두 번 지날 때, a의 값을 구하시오.

8472-0393

56 한 변의 길이가 3인 정사각형 ABCD의 둘레 및 내부의 점 P를 지나고 서로 수직인 두 직선 l, m이 다음 조건을 만족시킨다.

> (가) 직선 l은 변 DA와 점 E에서 만나고 직선 m은 변 BC와 점 F에서 만난다.
> (나) $\angle AEP = 45°$

도형 EPF가 정사각형 ABCD의 넓이를 이등분하며 움직일 때, 선분 PE가 움직이는 부분의 넓이는?

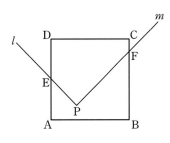

① 1   ② 3   ③ 5   ④ 7   ⑤ 9

문항 파헤치기

풀이

실수 point 찾기

MEMO

너듀나듀

올림포스 고난도

수학 Ⅱ

진짜 상위권 도약을 위한

정답과 풀이

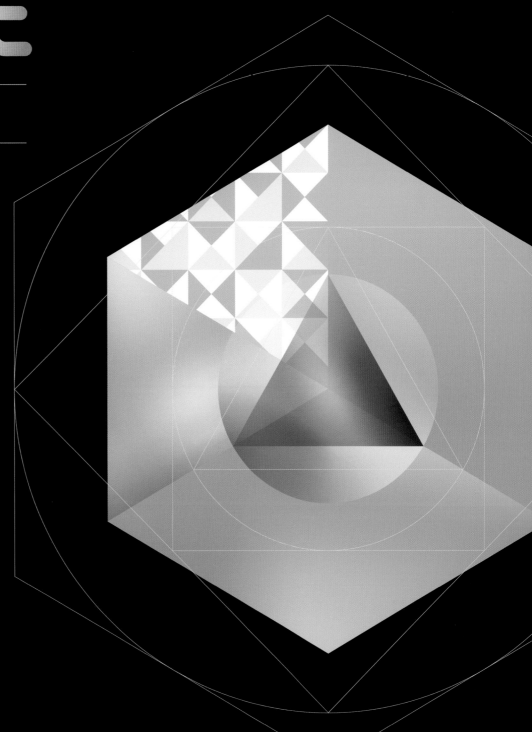

올림포스고난도 **수학Ⅱ**

정답과 풀이

01 함수의 극한

내신 기출 우수 문항

본문 8~11쪽

01 ⑤	**02** ①	**03** ②	**04** ⑤	**05** ⑤
06 ⑤	**07** ⑤	**08** ③	**09** ②	**10** ③
11 ③	**12** ②	**13** ①	**14** ③	**15** ②
16 ④	**17** ③	**18** ⑤	**19** ④	**20** ⑤
21 ②	**22** $g(x)=x^2+3x-4$		**23** 2	

01 $\displaystyle\lim_{x\to 2+}\frac{x^2+x-6}{|x-2|}=\lim_{x\to 2+}\frac{(x-2)(x+3)}{x-2}=5$

$\displaystyle\lim_{x\to 2-}|x^2+x-6|=\lim_{x\to 2-}|(x-2)(x+3)|=\lim_{x\to 2-}(2-x)(x+3)$

이므로

$\displaystyle\lim_{x\to 2-}\frac{x-2}{|x^2+x-6|}=\lim_{x\to 2-}\frac{x-2}{(2-x)(x+3)}=-\frac{1}{5}$

$\displaystyle\lim_{x\to 2+}\frac{x^2+x-6}{|x-2|}+\lim_{x\to 2-}\frac{x-2}{|x^2+x-6|}=5+\left(-\frac{1}{5}\right)=\frac{24}{5}$

답 ⑤

02 $\displaystyle\lim_{x\to 1+}f(x)=\lim_{x\to 1+}(x^2+ax+2)=a+3$

$\displaystyle\lim_{x\to 1-}f(x)=\lim_{x\to 1-}(-x^2+2x+b)=1+b$

$\displaystyle\lim_{x\to 1}f(x)$가 존재하므로

$a+3=1+b$, $b=a+2$

$a^2+b^2=a^2+(a+2)^2=2(a+1)^2+2$

따라서 $a=-1$, $b=1$일 때 a^2+b^2의 최솟값은 2이다.

답 ①

03 $\displaystyle f(-1)+\lim_{x\to 0-}f(x)+\lim_{x\to 1+}f(x)=1+(-1)+(-1)$
$=-1$

답 ②

04 $\displaystyle\lim_{x\to 1+}f(x)=\lim_{x\to 1+}\frac{\sqrt{x}+1-(\sqrt{x}-1)-2}{\sqrt{x}-1}$

$\displaystyle =\lim_{x\to 1+}\frac{0}{\sqrt{x}-1}=0$

$\displaystyle\lim_{x\to 1-}f(x)=\lim_{x\to 1-}\frac{\sqrt{x}+1+(\sqrt{x}-1)-2}{\sqrt{x}-1}$

$\displaystyle =\lim_{x\to 1-}\frac{2(\sqrt{x}-1)}{\sqrt{x}-1}=2$

$\displaystyle\lim_{x\to 1+}f(x)+\lim_{x\to 1-}f(x)=0+2=2$

답 ⑤

05 이차방정식 $ax^2+4x-12=0$의 두 근은 $x=\dfrac{-2\pm\sqrt{4+12a}}{a}$이므로

$a=\dfrac{-2+\sqrt{4+12a}}{a}$

$\displaystyle\lim_{a\to 0+}a=\lim_{a\to 0+}\frac{-2+\sqrt{4+12a}}{a}$

$\displaystyle =\lim_{a\to 0+}\frac{(-2+\sqrt{4+12a})(-2-\sqrt{4+12a})}{a(-2-\sqrt{4+12a})}$

$\displaystyle =\lim_{a\to 0+}\frac{-12a}{a(-2-\sqrt{4+12a})}$

$=3$

답 ⑤

06 $\displaystyle\lim_{x\to 1}f(x)=\alpha$, $\lim_{x\to 1}g(x)=\beta$ (α, β는 실수)라 하면

$\displaystyle\lim_{x\to 1}\{f(x)-(x+1)g(x)\}$

$\displaystyle =\lim_{x\to 1}f(x)-\lim_{x\to 1}(x+1)g(x)$

$\displaystyle =\lim_{x\to 1}f(x)-\lim_{x\to 1}(x+1)\times\lim_{x\to 1}g(x)$

$=\alpha-2\beta=4$ ...... ㉠

$\displaystyle\lim_{x\to 1}\{(x+1)f(x)+g(x)\}$

$\displaystyle =\lim_{x\to 1}(x+1)f(x)+\lim_{x\to 1}g(x)$

$\displaystyle =\lim_{x\to 1}(x+1)\times\lim_{x\to 1}f(x)+\lim_{x\to 1}g(x)$

$=2\alpha+\beta=3$ ...... ㉡

㉠, ㉡을 연립하여 풀면

$\alpha=2$, $\beta=-1$

$\displaystyle\lim_{x\to 1}\{f(x)+g(x)\}=\lim_{x\to 1}f(x)+\lim_{x\to 1}g(x)$
$=2+(-1)=1$

답 ⑤

07 $\displaystyle\lim_{x\to 1}f(x)=2$, $\lim_{x\to 1}\frac{g(x)}{f(x)}=3$에서

$\displaystyle\lim_{x\to 1}g(x)=\lim_{x\to 1}\left\{f(x)\times\frac{g(x)}{f(x)}\right\}=2\times 3=6$

$x+1=t$라 하면 $x\to 0$일 때 $t\to 1$이므로

$\displaystyle\lim_{x\to 0}\frac{2x+1}{g(x+1)}=\lim_{t\to 1}\frac{2t-1}{g(t)}=\frac{1}{6}$

답 ⑤

08

ㄱ. $\displaystyle\lim_{x\to 0-}f(x)=\lim_{x\to 0-}(x^2-2)=-2$ (참)

ㄴ. $\lim\limits_{x\to 0+}f(x)=\lim\limits_{x\to 0+}(-x^2+2)=2$이므로

$\lim\limits_{x\to 0+}\{f(x)\}^2=\lim\limits_{x\to 0+}f(x)\times\lim\limits_{x\to 0+}f(x)$
$\qquad\qquad=2\times 2=4$

$\lim\limits_{x\to 0-}\{f(x)\}^2=\lim\limits_{x\to 0-}f(x)\times\lim\limits_{x\to 0-}f(x)$
$\qquad\qquad=(-2)\times(-2)=4$

$\lim\limits_{x\to 0}\{f(x)\}^2=4$ (참)

ㄷ. $x-2=t$라 하면 $x\to 0$일 때 $t\to -2$이므로

$\lim\limits_{x\to 0}f(x-2)=\lim\limits_{t\to -2}f(t)=\lim\limits_{t\to -2}(t^2-2)=2$

$\lim\limits_{x\to 0+}f(x)f(x-2)=\lim\limits_{x\to 0+}f(x)\times\lim\limits_{x\to 0+}f(x-2)$
$\qquad\qquad\qquad=2\times 2=4$

$\lim\limits_{x\to 0-}f(x)f(x-2)=\lim\limits_{x\to 0-}f(x)\times\lim\limits_{x\to 0-}f(x-2)$
$\qquad\qquad\qquad=(-2)\times 2=-4$

$\lim\limits_{x\to 0}f(x)f(x-2)$의 값은 존재하지 않는다. (거짓)

따라서 옳은 것은 ㄱ, ㄴ이다.

답 ③

09 상수함수가 아닌 다항함수 $g(x)$에 대하여 $\lim\limits_{x\to\infty}|g(x)|=\infty$이므로

$\lim\limits_{x\to\infty}\dfrac{4f(x)-3g(x)}{g(x)}=0$

$\lim\limits_{x\to\infty}\dfrac{2f(x)-3g(x)}{3g(x)}=\lim\limits_{x\to\infty}\dfrac{\frac{1}{2}\{4f(x)-3g(x)\}-\frac{3}{2}g(x)}{3g(x)}$

$\qquad\qquad=\dfrac{1}{6}\lim\limits_{x\to\infty}\dfrac{4f(x)-3g(x)}{g(x)}-\dfrac{1}{2}$

$\qquad\qquad=\dfrac{1}{6}\times 0-\dfrac{1}{2}$

$\qquad\qquad=-\dfrac{1}{2}$

답 ②

다른풀이 $\lim\limits_{x\to\infty}|g(x)|=\infty$이므로

$\lim\limits_{x\to\infty}\{4f(x)-3g(x)\}=\lim\limits_{x\to\infty}\left[g(x)\left\{\dfrac{4f(x)}{g(x)}-3\right\}\right]=2$에서

$\lim\limits_{x\to\infty}\left\{\dfrac{4f(x)}{g(x)}-3\right\}=0$

따라서 $\lim\limits_{x\to\infty}\dfrac{f(x)}{g(x)}=\dfrac{3}{4}$이므로

$\lim\limits_{x\to\infty}\dfrac{2f(x)-3g(x)}{3g(x)}=\dfrac{2}{3}\lim\limits_{x\to\infty}\dfrac{f(x)}{g(x)}-1$

$\qquad\qquad=\dfrac{2}{3}\times\dfrac{3}{4}-1=-\dfrac{1}{2}$

10 $x^2+4x+7<f(x)<x^2+4x+8$이므로

$\sqrt{x^2+4x+7}-x+1<\sqrt{f(x)}-x+1<\sqrt{x^2+4x+8}-x+1$

$\lim\limits_{x\to\infty}\{\sqrt{x^2+4x+7}-x+1\}=\lim\limits_{x\to\infty}\dfrac{6x+6}{\sqrt{x^2+4x+7}+(x-1)}$

$\qquad=\lim\limits_{x\to\infty}\dfrac{6+\dfrac{6}{x}}{\sqrt{1+\dfrac{4}{x}+\dfrac{7}{x^2}}+1-\dfrac{1}{x}}$

$\qquad=3$

$\lim\limits_{x\to\infty}\{\sqrt{x^2+4x+8}-x+1\}=\lim\limits_{x\to\infty}\dfrac{6x+7}{\sqrt{x^2+4x+8}+(x-1)}$

$\qquad=\lim\limits_{x\to\infty}\dfrac{6+\dfrac{7}{x}}{\sqrt{1+\dfrac{4}{x}+\dfrac{8}{x^2}}+1-\dfrac{1}{x}}$

$\qquad=3$

이므로

$\lim\limits_{x\to\infty}\{\sqrt{f(x)}-x+1\}=3$

답 ③

11 $\lim\limits_{x\to 2}\dfrac{\sqrt{x^2-2}-\sqrt{x}}{x^2-2x}=\lim\limits_{x\to 2}\dfrac{x^2-2-x}{x(x-2)(\sqrt{x^2-2}+\sqrt{x})}$

$\qquad=\lim\limits_{x\to 2}\dfrac{(x-2)(x+1)}{x(x-2)(\sqrt{x^2-2}+\sqrt{x})}$

$\qquad=\lim\limits_{x\to 2}\dfrac{x+1}{x(\sqrt{x^2-2}+\sqrt{x})}$

$\qquad=\dfrac{3}{2(\sqrt{2}+\sqrt{2})}$

$\qquad=\dfrac{3\sqrt{2}}{8}$

답 ③

12 $\lim\limits_{x\to a}(x-1)(x-3)=-1$이므로

$(a-1)(a-3)=-1,\ a^2-4a+4=0$

$(a-2)^2=0,\ a=2$

$\lim\limits_{x\to 2}\dfrac{x^3-4x}{x^2-x-2}=\lim\limits_{x\to 2}\dfrac{x(x-2)(x+2)}{(x-2)(x+1)}$

$\qquad=\lim\limits_{x\to 2}\dfrac{x(x+2)}{x+1}$

$\qquad=\dfrac{8}{3}$

답 ②

13 $f(x)=(x-a)(x-3a)(px+q)$ (p, q는 상수, $p\neq 0$)라 하면

$\lim\limits_{x\to a}\dfrac{f(x)}{x-a}=-2a(ap+q)=2$이므로

$ap+q=-\dfrac{1}{a}$ ...... ㉠

$\lim\limits_{x\to 3a}\dfrac{f(x)}{x-3a}=2a(3ap+q)=2$이므로

$3ap+q=\dfrac{1}{a}$ ...... ㉡

㉠, ㉡에 의하여 $p=\dfrac{1}{a^2}$, $q=-\dfrac{2}{a}$

$f(x)=\dfrac{1}{a^2}(x-a)(x-3a)(x-2a)$이므로

$\displaystyle\lim_{x\to 2a}\dfrac{f(x)}{x-2a}=\lim_{x\to 2a}\dfrac{1}{a^2}(x-a)(x-3a)$

$\qquad\qquad=\dfrac{a\times(-a)}{a^2}=-1$

답 ①

14 $\dfrac{3}{x}=t$라 하면 $x\to\infty$일 때 $t\to 0+$이므로

$\displaystyle\lim_{x\to\infty}(3x-1)\left\{\left(\dfrac{3}{x}\right)^{10}+\left(\dfrac{3}{x}\right)^{9}+\cdots+\left(\dfrac{3}{x}\right)^{2}+\left(\dfrac{3}{x}\right)\right\}$

$=\displaystyle\lim_{t\to 0+}\left(\dfrac{9-t}{t}\right)(t^{10}+t^9+\cdots+t^2+t)$

$=\displaystyle\lim_{t\to 0+}(9-t)(t^9+t^8+\cdots+t+1)$

$=9$

답 ③

15 $\displaystyle\lim_{x\to\infty}\dfrac{4x-3}{\sqrt{4x^2+x+1}+\sqrt{x^2-2x-3}}$

$=\displaystyle\lim_{x\to\infty}\dfrac{4-\dfrac{3}{x}}{\sqrt{4+\dfrac{1}{x}+\dfrac{1}{x^2}}+\sqrt{1-\dfrac{2}{x}-\dfrac{3}{x^2}}}$

$=\dfrac{4}{3}$

답 ②

16 $x=-t$라 하면 $x\to -\infty$일 때 $t\to\infty$이므로

$\displaystyle\lim_{x\to -\infty}\dfrac{1}{\sqrt{x^2-2x+2}+(x+1)}=\lim_{t\to\infty}\dfrac{1}{\sqrt{t^2+2t+2}-(t-1)}$

$\qquad=\displaystyle\lim_{t\to\infty}\dfrac{\sqrt{t^2+2t+2}+(t-1)}{4t+1}$

$\qquad=\displaystyle\lim_{t\to\infty}\dfrac{\sqrt{1+\dfrac{2}{t}+\dfrac{2}{t^2}}+1-\dfrac{1}{t}}{4+\dfrac{1}{t}}$

$\qquad=\dfrac{1}{2}$

답 ④

17 $\displaystyle\lim_{x\to 1}\dfrac{x^3-ax^2-b}{x^2-1}=-\dfrac{5}{2}$에서 $x\to 1$일 때 (분모)$\to 0$이므로

(분자)$\to 0$이어야 한다.

즉, $\displaystyle\lim_{x\to 1}(x^3-ax^2-b)=0$이므로

$1-a-b=0$, $b=-a+1$

$\displaystyle\lim_{x\to 1}\dfrac{x^3-ax^2-b}{x^2-1}=\lim_{x\to 1}\dfrac{x^3-ax^2+a-1}{x^2-1}$

$\qquad=\displaystyle\lim_{x\to 1}\dfrac{(x^3-1)-a(x^2-1)}{x^2-1}$

$\qquad=\displaystyle\lim_{x\to 1}\dfrac{(x-1)(x^2+x+1)-a(x-1)(x+1)}{(x-1)(x+1)}$

$=\displaystyle\lim_{x\to 1}\dfrac{(x-1)(x^2+x+1-ax-a)}{(x-1)(x+1)}$

$=\displaystyle\lim_{x\to 1}\dfrac{x^2+x+1-ax-a}{x+1}$

$=\dfrac{3-2a}{2}$

따라서 $\dfrac{3-2a}{2}=-\dfrac{5}{2}$이므로

$a=4$, $b=-3$

$a^2+b^2=25$

답 ③

18 $\displaystyle\lim_{x\to -1}\dfrac{\sqrt{x^2-x+2}-ax}{x+1}=b$에서 $x\to -1$일 때 (분모)$\to 0$이므로

(분자)$\to 0$이어야 한다.

즉, $\displaystyle\lim_{x\to -1}(\sqrt{x^2-x+2}-ax)=0$이므로

$\sqrt{1+1+2}+a=0$, $a=-2$

$\displaystyle\lim_{x\to -1}\dfrac{\sqrt{x^2-x+2}+2x}{x+1}=\lim_{x\to -1}\dfrac{-3x^2-x+2}{(x+1)(\sqrt{x^2-x+2}-2x)}$

$\qquad=\displaystyle\lim_{x\to -1}\dfrac{-(x+1)(3x-2)}{(x+1)(\sqrt{x^2-x+2}-2x)}$

$\qquad=\displaystyle\lim_{x\to -1}\dfrac{-(3x-2)}{\sqrt{x^2-x+2}-2x}=\dfrac{5}{4}$

$b=\dfrac{5}{4}$이므로 $a+b=(-2)+\dfrac{5}{4}=-\dfrac{3}{4}$

답 ⑤

19 조건 (가)에 의하여 $f(x)-x^3=ax+b$ (a, b는 상수)로 놓으면

$f(x)=x^3+ax+b$

조건 (나)에서

$\displaystyle\lim_{x\to 1}\dfrac{f(x)}{x-1}=\lim_{x\to 1}\dfrac{x^3+ax+b}{x-1}=5$

$x\to 1$일 때 (분모)$\to 0$이므로 (분자)$\to 0$이어야 한다.

즉, $\displaystyle\lim_{x\to 1}(x^3+ax+b)=1+a+b=0$이므로

$b=-a-1$

$\displaystyle\lim_{x\to 1}\dfrac{x^3+ax+b}{x-1}=\lim_{x\to 1}\dfrac{x^3+ax-a-1}{x-1}=\lim_{x\to 1}\dfrac{(x^3-1)+a(x-1)}{x-1}$

$\qquad=\displaystyle\lim_{x\to 1}\dfrac{(x-1)(x^2+x+1)+a(x-1)}{x-1}$

$\qquad=\displaystyle\lim_{x\to 1}\dfrac{(x-1)(x^2+x+1+a)}{x-1}$

$\qquad=\displaystyle\lim_{x\to 1}(x^2+x+1+a)$

$\qquad=3+a$

$\qquad=5$

따라서 $a=2$, $b=-3$이므로

$f(x)=x^3+2x-3$

$f(2)=8+4-3=9$

답 ④

20

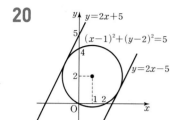

원 $(x-1)^2+(y-2)^2=5$의 중심의 좌표는 $(1, 2)$, 반지름의 길이는 $\sqrt{5}$이다.

원의 중심 $(1, 2)$와 직선 $y=2x+a$, 즉 $2x-y+a=0$ 사이의 거리를 d라 하면

$$d=\frac{|2\times1+(-1)\times2+a|}{\sqrt{2^2+(-1)^2}}=\frac{|a|}{\sqrt{5}}$$

따라서 $\frac{|a|}{\sqrt{5}}=\sqrt{5}$, 즉 $a=\pm5$일 때 직선 $y=2x+a$와

원 $(x-1)^2+(y-2)^2=5$가 접하므로 함수 $y=f(a)$의 그래프는 다음과 같다.

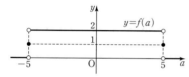

$$\lim_{a\to5-}f(a)+\lim_{a\to-5+}f(a)=2+2=4$$

답 ⑤

21

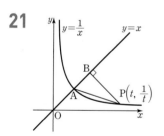

점 A의 좌표는 $(1, 1)$이므로

$$\overline{PA}=\sqrt{(t-1)^2+\left(\frac{1}{t}-1\right)^2}$$

$\overline{PB}$는 점 $P\left(t, \frac{1}{t}\right)$과 직선 $x-y=0$ 사이의 거리이고, $t\to\infty$일 때

$t>\frac{1}{t}$이므로

$$\overline{PB}=\frac{\left|t-\frac{1}{t}\right|}{\sqrt{1^2+(-1)^2}}=\frac{1}{\sqrt{2}}\left(t-\frac{1}{t}\right)$$

$$\lim_{t\to\infty}(\overline{PA}-\sqrt{2}\,\overline{PB})=\lim_{t\to\infty}\left\{\sqrt{(t-1)^2+\left(\frac{1}{t}-1\right)^2}-\left(t-\frac{1}{t}\right)\right\}$$

$$=\lim_{t\to\infty}\left\{\sqrt{t^2-2t+\frac{1}{t^2}-\frac{2}{t}+2}-\left(t-\frac{1}{t}\right)\right\}$$

$$=\lim_{t\to\infty}\frac{-2t-\frac{2}{t}+4}{\sqrt{t^2-2t+\frac{1}{t^2}-\frac{2}{t}+2}+\left(t-\frac{1}{t}\right)}$$

$$=\lim_{t\to\infty}\frac{-2-\frac{2}{t^2}+\frac{4}{t}}{\sqrt{1-\frac{2}{t}+\frac{1}{t^4}-\frac{2}{t^3}+\frac{2}{t^2}}+\left(1-\frac{1}{t^2}\right)}$$

$$=-1$$

답 ②

22 조건 (가)에서 $g(x)=(x-1)(x-c)$ (c는 상수)로 놓으면

조건 (나)에서 $\lim\limits_{x\to1}\dfrac{f(x)}{g(x)}=0$이므로

$$\lim_{x\to1}\frac{x^3+ax^2+bx+1}{(x-1)(x-c)}=0 \qquad \cdots\cdots ㉠$$

㉠에서 $x\to1$일 때 (분모) $\to0$이고 극한값이 존재하므로 (분자) $\to0$이어야 한다. 즉, 이차식 $Q(x)$에 대하여

$$f(x)=x^3+ax^2+bx+1=(x-1)Q(x)$$

의 꼴로 나타낼 수 있다.

$$\lim_{x\to1}\frac{(x-1)Q(x)}{(x-1)(x-c)}=\lim_{x\to1}\frac{Q(x)}{x-c}=0에서$$

$$Q(1)=0$$

·· (가)

$f(x)$의 최고차항의 계수가 1이므로

$Q(x)=(x-1)(x-k)$ (단, k는 상수)

따라서 $f(x)$는 $(x-1)^2$으로 나누어떨어진다.

이때 상수항이 1이므로

$$f(x)=x^3+ax^2+bx+1=(x-1)^2(x+1)$$

·· (나)

$$\lim_{x\to2}\frac{g(x)}{f(x)}=\lim_{x\to2}\frac{(x-1)(x-c)}{(x-1)^2(x+1)}=\lim_{x\to2}\frac{x-c}{(x-1)(x+1)}=2$$

$x\to2$일 때 극한값이 2이므로 $c\neq2$이고

$$\frac{2-c}{3}=2,\ c=-4$$

따라서 $g(x)=(x-1)(x+4)=x^2+3x-4$

·· (다)

답 $g(x)=x^2+3x-4$

단계	채점 기준	비율
(가)	$Q(1)$의 값을 구한 경우	30 %
(나)	$f(x)$를 구한 경우	40 %
(다)	$g(x)$를 구한 경우	30 %

23 $y=\sqrt{\dfrac{x}{a}}+1$의 역함수는 $(y-1)^2=\dfrac{x}{a}$, $x=a(y-1)^2$에서

$y=a(x-1)^2$ $(x\geq1)$이므로

$$g(x)=a(x-1)^2 \ (x\geq1)$$

·· (가)

두 곡선 $y=f(x)$, $y=g(x)$의 교점 P는 직선 $y=x$와 이차함수 $y=a(x-1)^2$ $(x\geq1)$의 그래프의 교점과 같다.

교점의 x좌표는 $x=a(x-1)^2$에서

$ax^2-(2a+1)x+a=0$

$x=\dfrac{2a+1\pm\sqrt{(2a+1)^2-4a^2}}{2a}$

$\quad=\dfrac{2a+1\pm\sqrt{4a+1}}{2a}$

그런데 $x\geq1$이므로

$t=\dfrac{2a+1+\sqrt{4a+1}}{2a}$

.... (나)

교점의 y좌표는 x좌표와 같으므로

$\displaystyle\lim_{a\to\infty}\{t+f(t)\}=\lim_{a\to\infty}2t=\lim_{a\to\infty}\dfrac{(2a+1)+\sqrt{4a+1}}{a}$

$\qquad\qquad\qquad=\displaystyle\lim_{a\to\infty}\dfrac{\left(2+\dfrac{1}{a}\right)+\sqrt{\dfrac{4}{a}+\dfrac{1}{a^2}}}{1}$

$\qquad\qquad\qquad=2$

.... (다)

답 2

단계	채점 기준	비율
(가)	$g(x)$를 구한 경우	30 %
(나)	t를 구한 경우	40 %
(다)	극한값을 구한 경우	30 %

내신 상위 7% 고득점 문항 본문 12~16쪽

24 ①	**25** ④	**26** ⑤	**27** ④	**28** ⑤
29 ④	**30** ④	**31** ④	**32** ④	**33** ⑤
34 ③	**35** ①	**36** ③	**37** ②	**38** ④
39 ①	**40** ②	**41** ②	**42** ①	**43** ②
44 ②	**45** ①	**46** 32	**47** ⑤	**48** 22
49 61				

24 ㄱ. $\displaystyle\lim_{x\to1+}f(x)=-1$, $\displaystyle\lim_{x\to1+}g(x)=1$

$\displaystyle\lim_{x\to1+}f(x)g(x)=\lim_{x\to1+}f(x)\times\lim_{x\to1+}g(x)$

$\qquad\qquad\qquad=(-1)\times1$

$\qquad\qquad\qquad=-1$ (참)

ㄴ. $\displaystyle\lim_{x\to1-}f(x)=1$

$\displaystyle\lim_{x\to1-}g(-x)=\lim_{t\to-1+}g(t)=1$

$\displaystyle\lim_{x\to1-}\{f(x)+g(-x)\}=\lim_{x\to1-}f(x)+\lim_{x\to1-}g(-x)$

$\qquad\qquad\qquad=1+1$

$\qquad\qquad\qquad=2$ (거짓)

ㄷ. $\displaystyle\lim_{x\to0+}f(x+1)g(1-x)=\lim_{x\to0+}f(x+1)\times\lim_{x\to0+}g(1-x)$

$\qquad\qquad\qquad=\displaystyle\lim_{t\to1+}f(t)\times\lim_{t\to1+}g(t)$

$\qquad\qquad\qquad=(-1)\times(-1)=1$

$\displaystyle\lim_{x\to0-}f(x+1)g(1-x)=\lim_{x\to0-}f(x+1)\times\lim_{x\to0-}g(1-x)$

$\qquad\qquad\qquad=\displaystyle\lim_{t\to1-}f(t)\times\lim_{t\to1+}g(t)$

$\qquad\qquad\qquad=1\times1=1$

$\displaystyle\lim_{x\to0}f(x+1)g(1-x)=1$ (거짓)

따라서 옳은 것은 ㄱ이다.

답 ①

25 함수 $y=|f(x)|$의 그래프는 다음과 같다.

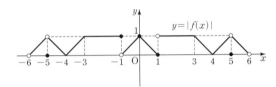

따라서 $-6<n<6$인 정수 n에 대하여 $\displaystyle\lim_{x\to n}|f(x)|$의 값이 존재하기 위해서는 $\displaystyle\lim_{x\to n+}|f(x)|=\lim_{x\to n-}|f(x)|$가 성립해야 한다.

그런데 $n=-1$, $n=1$일 때는

$\displaystyle\lim_{x\to-1+}|f(x)|=0$, $\displaystyle\lim_{x\to-1-}|f(x)|=1$,

$\displaystyle\lim_{x\to1+}|f(x)|=1$, $\displaystyle\lim_{x\to1-}|f(x)|=0$이므로

$\displaystyle\lim_{x\to n+}|f(x)|\neq\lim_{x\to n-}|f(x)|$

따라서 $\displaystyle\lim_{x\to n}|f(x)|$의 값이 존재하는 n의 값은 -5, -4, -3, -2, 0, 2, 3, 4, 5의 9개이다.

답 ④

26 $f(x+4)=f(x)$이므로 $-5\leq x\leq5$일 때, 함수 $y=f(x)$의 그래프는 그림과 같다.

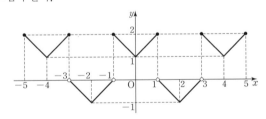

따라서 $\displaystyle\lim_{x\to-3-}f(x)=2$, $\displaystyle\lim_{x\to4-}f(x)=1$이므로

$\displaystyle\lim_{x\to-3-}f(x)+\lim_{x\to4-}f(x)=2+1=3$

답 ⑤

27 함수 $y=f(x)$의 그래프에서

$\displaystyle\lim_{x\to1+}f(x)=1$, $\displaystyle\lim_{x\to1-}f(x)=2$

$\displaystyle\lim_{x\to2+}f(x)=2$, $\displaystyle\lim_{x\to2-}f(x)=0$

이차함수 $g(x)$의 최고차항의 계수가 1이므로

$g(x)=x^2+ax+b$ (a, b는 상수)
로 놓을 수 있다.
$$\lim_{x \to 1} g(x) = \lim_{x \to 1} (x^2+ax+b)$$
$$= 1+a+b$$
$$\lim_{x \to 2} g(x) = \lim_{x \to 2} (x^2+ax+b)$$
$$= 4+2a+b$$
$\lim_{x \to 1} f(x)g(x)$의 값이 존재하므로
$$\lim_{x \to 1+} f(x)g(x) = \lim_{x \to 1-} f(x)g(x)$$
$$\lim_{x \to 1+} f(x)g(x) = 1 \times (1+a+b)$$
$$= 1+a+b$$
$$\lim_{x \to 1-} f(x)g(x) = 2 \times (1+a+b)$$
$$= 2+2a+2b$$
에서 $1+a+b=2+2a+2b$
$a+b=-1$ ······ ㉠
마찬가지로 $\lim_{x \to 2} f(x)g(x)$의 값이 존재하므로
$$\lim_{x \to 2+} f(x)g(x) = \lim_{x \to 2-} f(x)g(x)$$
$$\lim_{x \to 2+} f(x)g(x) = 2 \times (4+2a+b)$$
$$= 8+4a+2b$$
$$\lim_{x \to 2-} f(x)g(x) = 0 \times (4+2a+b)$$
$$= 0$$
에서 $8+4a+2b=0$
$2a+b=-4$ ······ ㉡
㉠, ㉡을 연립하여 풀면 $a=-3$, $b=2$
따라서 $g(x)=x^2-3x+2$이므로
$g(3)=3^2-3 \times 3+2=2$

답 ④

28 $x-1=t$, $2-x=s$라 하면 $x \to 1$일 때 $t \to 0$, $s \to 1$이므로
$$\lim_{x \to 1} \frac{f(x-1)+g(2-x)}{x^2-1}$$
$$= \lim_{x \to 1} \frac{f(x-1)}{(x-1)(x+1)} + \lim_{x \to 1} \frac{g(2-x)}{(x-1)(x+1)}$$
$$= \lim_{t \to 0} \frac{f(t)}{t(t+2)} + \lim_{s \to 1} \frac{g(s)}{(1-s)(3-s)}$$
$$= \frac{4}{2} + \frac{-2}{2} = 1$$

답 ⑤

29 $\lim_{x \to 2} \frac{g(x)-2}{x-2} = a$ (a는 상수)이므로
$$\lim_{x \to 2} \frac{f(x)g(x)-2f(x)-3g(x)+6}{(x-2)^2}$$
$$= \lim_{x \to 2} \frac{\{f(x)-3\}\{g(x)-2\}}{(x-2)^2}$$
$$= \lim_{x \to 2} \frac{f(x)-3}{x-2} \times \lim_{x \to 2} \frac{g(x)-2}{x-2}$$

$$= 3 \times a = 12$$
따라서 $\lim_{x \to 2} \frac{g(x)-2}{x-2} = a = 4$

답 ④

30 $x = \frac{1}{t}$이라 하면 $x \to 0+$일 때 $t \to \infty$이므로
$$\lim_{x \to 0+} \frac{(x^3-2x^2)f\left(\frac{1}{x}\right)-2}{3x^2-x} = \lim_{t \to \infty} \frac{\left(\frac{1}{t^3}-\frac{2}{t^2}\right)f(t)-2}{\frac{3}{t^2}-\frac{1}{t}}$$
$$= \lim_{t \to \infty} \frac{(1-2t)f(t)-2t^3}{3t-t^2} = 5$$
따라서 $f(t)$는 이차식이고 최고차항의 계수가 -1이므로
$f(t)=-t^2+at+b$ (a, b는 상수)로 놓으면
$$\lim_{t \to \infty} \frac{(1-2t)f(t)-2t^3}{3t-t^2}$$
$$= \lim_{t \to \infty} \frac{(1-2t)(-t^2+at+b)-2t^3}{3t-t^2}$$
$$= \lim_{t \to \infty} \frac{-(2a+1)t^2+(a-2b)t+b}{3t-t^2}$$
에서 $2a+1=5$, $a=2$
$\lim_{x \to 0} \frac{f(x)-3}{x} = a$에서 $x \to 0$일 때 (분모) $\to 0$이므로 (분자) $\to 0$이어야 한다.
즉, $\lim_{x \to 0} \{f(x)-3\}=0$이므로
$f(0)=b=3$
따라서 $f(x)=-x^2+2x+3$이므로
$$\lim_{x \to 0} \frac{f(x)-3}{x} = \lim_{x \to 0} \frac{-x^2+2x+3-3}{x}$$
$$= \lim_{x \to 0} \frac{-x^2+2x}{x}$$
$$= \lim_{x \to 0} (-x+2) = 2$$
따라서 $a=2$

답 ④

31 $-1 \leq f(x) \leq 1$이므로 $-x^2 \leq x^2 f(x) \leq x^2$이다.
따라서 $-x^2 + \frac{x^2+4x}{2x^3+x} \leq x^2 f(x) + \frac{x^2+4x}{2x^3+x} \leq x^2 + \frac{x^2+4x}{2x^3+x}$에서
$$\lim_{x \to 0} \left(-x^2 + \frac{x^2+4x}{2x^3+x}\right) = \lim_{x \to 0} \left(-x^2 + \frac{x+4}{2x^2+1}\right) = 4,$$
$$\lim_{x \to 0} \left(x^2 + \frac{x^2+4x}{2x^3+x}\right) = \lim_{x \to 0} \left(x^2 + \frac{x+4}{2x^2+1}\right) = 4$$이므로
$$\lim_{x \to 0} \left\{x^2 f(x) + \frac{x^2+4x}{2x^3+x}\right\} = 4$$

답 ④

32 $\lim_{x \to 1} \frac{f(x)-3x}{x-1} = 2$에서 $x \to 1$일 때 (분모) $\to 0$이므로

(분자) $\to 0$이어야 한다.

즉, $\lim\limits_{x \to 1} \{f(x)-3x\}=0$이므로

$f(1)=3$

따라서 다항식 $f(x)$를 $x-1$로 나누었을 때의 나머지는 $f(1)=3$이므로

$f(x)=(x-1)g(x)+3$

$\lim\limits_{x \to 1} \dfrac{f(x)-3x}{x-1}=\lim\limits_{x \to 1} \dfrac{(x-1)g(x)+3-3x}{x-1}$

$\qquad\qquad\quad=\lim\limits_{x \to 1} \dfrac{(x-1)g(x)-3(x-1)}{x-1}$

$\qquad\qquad\quad=\lim\limits_{x \to 1} \{g(x)-3\}=2$

따라서 $g(1)=5$

$\lim\limits_{x \to 1} \dfrac{\{f(x)-3\}g(x)}{x^2-1}=\lim\limits_{x \to 1} \dfrac{(x-1)g(x) \times g(x)}{(x-1)(x+1)}$

$\qquad\qquad\qquad\quad=\lim\limits_{x \to 1} \dfrac{\{g(x)\}^2}{x+1}$

$\qquad\qquad\qquad\quad=\dfrac{\{g(1)\}^2}{2}$

$\qquad\qquad\qquad\quad=\dfrac{25}{2}$

답 ④

33 $x-f(x)=g(x)$라 하면 $f(x)=x-g(x)$이고

$\lim\limits_{x \to \infty} g(x)=3$, $\lim\limits_{x \to \infty} \dfrac{g(x)}{x}=0$이므로

$\lim\limits_{x \to \infty} \dfrac{\sqrt{x+1}-\sqrt{f(x)}}{\sqrt{x}-\sqrt{f(x)}}=\lim\limits_{x \to \infty} \dfrac{\sqrt{x+1}-\sqrt{x-g(x)}}{\sqrt{x}-\sqrt{x-g(x)}}$

$\qquad\qquad\qquad\qquad=\lim\limits_{x \to \infty} \dfrac{\{1+g(x)\}\{\sqrt{x}+\sqrt{x-g(x)}\}}{g(x)\{\sqrt{x+1}+\sqrt{x-g(x)}\}}$

$\qquad\qquad\qquad\qquad=\lim\limits_{x \to \infty} \dfrac{\{1+g(x)\}\left\{\sqrt{1}+\sqrt{1-\dfrac{g(x)}{x}}\right\}}{g(x)\left\{\sqrt{1+\dfrac{1}{x}}+\sqrt{1-\dfrac{g(x)}{x}}\right\}}$

$\qquad\qquad\qquad\qquad=\dfrac{4}{3}$

답 ⑤

다른풀이 $\lim\limits_{x \to \infty} \{x-f(x)\}=\lim\limits_{x \to \infty} x\left\{1-\dfrac{f(x)}{x}\right\}=3$이므로

$\lim\limits_{x \to \infty} \dfrac{f(x)}{x}=1$

$\lim\limits_{x \to \infty} \dfrac{\sqrt{x+1}-\sqrt{f(x)}}{\sqrt{x}-\sqrt{f(x)}}=\lim\limits_{x \to \infty} \dfrac{\{\sqrt{x}+\sqrt{f(x)}\}\{(x+1)-f(x)\}}{\{\sqrt{x+1}+\sqrt{f(x)}\}\{x-f(x)\}}$

$\qquad\qquad\qquad\qquad=\lim\limits_{x \to \infty} \dfrac{\left\{\sqrt{1}+\sqrt{\dfrac{f(x)}{x}}\right\}\{x-f(x)+1\}}{\left\{\sqrt{1+\dfrac{1}{x}}+\sqrt{\dfrac{f(x)}{x}}\right\}\{x-f(x)\}}$

$\qquad\qquad\qquad\qquad=\dfrac{2 \times 4}{2 \times 3}=\dfrac{4}{3}$

34 $\dfrac{f(x)+g(x)}{f(x)-g(x)}=h(x)$라 하면 $\lim\limits_{x \to \infty} h(x)=3$이고

$\{h(x)-1\}f(x)=\{h(x)+1\}g(x)$이므로

$\lim\limits_{x \to \infty} \dfrac{g(x)}{f(x)}=\lim\limits_{x \to \infty} \dfrac{h(x)-1}{h(x)+1}=\dfrac{2}{4}=\dfrac{1}{2}$

$\lim\limits_{x \to \infty} \dfrac{2f(x)-g(x)}{f(x)+2g(x)}=\lim\limits_{x \to \infty} \dfrac{2-\dfrac{g(x)}{f(x)}}{1+2 \times \dfrac{g(x)}{f(x)}}=\dfrac{3}{4}$이므로

$p=4$, $q=3$

따라서 $p+q=4+3=7$

답 ③

35 $f(x+y)=f(x)+f(y)+xy+2$ ...... ㉠

㉠의 양변에 $x=0$, $y=0$을 대입하면

$f(0)=f(0)+f(0)+2$

$f(0)=-2$

㉠의 양변에 $x=1$, $y=1$을 대입하면

$f(2)=f(1)+f(1)+1+2$

$\quad\;\;=2f(1)+3=-1$

$\lim\limits_{x \to 2} f(x)$에서 $x-2=h$라 하면 $x \to 2$일 때 $h \to 0$이므로

$\lim\limits_{x \to 2} f(x)=\lim\limits_{h \to 0} f(2+h)$

$\qquad\quad\;\;=\lim\limits_{h \to 0} \{f(2)+f(h)+2h+2\}$

$\qquad\quad\;\;=f(2)+\lim\limits_{h \to 0} f(h)+0+2$

$\qquad\quad\;\;=(-1)+(-2)+0+2$

$\qquad\quad\;\;=-1$

답 ①

36 $\lim\limits_{x \to a} \dfrac{\{g(x)\}^2}{\{f(x)\}^3}=\lim\limits_{x \to a} \left\{\dfrac{g(x)}{f(x)}\right\}^2 \times \lim\limits_{x \to a} \dfrac{1}{f(x)}$

$\qquad\qquad\qquad=\lim\limits_{x \to a} \left\{\dfrac{g(x)}{f(x)}\right\}^2 \times \dfrac{1}{9}$

$\qquad\qquad\qquad=64$

이므로 $\lim\limits_{x \to a} \left\{\dfrac{g(x)}{f(x)}\right\}^2=24^2$

따라서 $\lim\limits_{x \to a} \dfrac{g(x)}{f(x)}=k=24$

답 ③

37 $\lim\limits_{x \to a} \dfrac{\sqrt{g(x)}}{f(x)}=\dfrac{1}{2}$이므로

$\lim\limits_{x \to a} \dfrac{g(x)}{\{f(x)\}^2}=\dfrac{1}{4}$

$\lim\limits_{x \to a} \dfrac{\{f(x)\}^2}{g(x)}=\lim\limits_{x \to a} \dfrac{1}{\dfrac{g(x)}{\{f(x)\}^2}}=\dfrac{1}{\lim\limits_{x \to a} \dfrac{g(x)}{\{f(x)\}^2}}$

$\qquad\qquad\;\;=\dfrac{1}{\dfrac{1}{4}}=4$

따라서 $\displaystyle\lim_{x\to a}\dfrac{\{f(x)\}^2-2g(x)}{g(x)}=4-2=2$

답 ②

38 $-x=t$라 하면 $x\to-\infty$일 때 $t\to\infty$이므로

$$\lim_{x\to-\infty}x\left(\sqrt{\dfrac{x+1}{x-1}}-1\right)=\lim_{t\to\infty}\left\{-t\left(\sqrt{\dfrac{t-1}{t+1}}-1\right)\right\}$$

$$=\lim_{t\to\infty}\dfrac{-t\left(\sqrt{\dfrac{t-1}{t+1}}-1\right)\left(\sqrt{\dfrac{t-1}{t+1}}+1\right)}{\sqrt{\dfrac{t-1}{t+1}}+1}$$

$$=\lim_{t\to\infty}\dfrac{-t\left(\dfrac{t-1}{t+1}-1\right)}{\sqrt{1-\dfrac{2}{t+1}}+1}$$

$$=\lim_{t\to\infty}\dfrac{2t}{\left(\sqrt{1-\dfrac{2}{t+1}}+1\right)(t+1)}$$

$$=1$$

답 ④

39 α, β가 방정식 $f(x)=x^2-2x-1=0$의 서로 다른 두 실근이므로
$f(x)=(x-\alpha)(x-\beta)$
이차방정식의 근과 계수의 관계에 의하여
$\alpha+\beta=2$, $\alpha\beta=-1$

$$\lim_{x\to\alpha}\dfrac{f(x)f(-x)}{x-\alpha}=\lim_{x\to\alpha}\dfrac{(x-\alpha)(x-\beta)(-x-\alpha)(-x-\beta)}{x-\alpha}$$
$$=\lim_{x\to\alpha}(x-\beta)(-x-\alpha)(-x-\beta)$$
$$=2\alpha(\alpha^2-\beta^2)$$

$$\lim_{x\to\beta}\dfrac{f(x)f(-x)}{x-\beta}=\lim_{x\to\beta}\dfrac{(x-\alpha)(x-\beta)(-x-\alpha)(-x-\beta)}{x-\beta}$$
$$=\lim_{x\to\beta}(x-\alpha)(-x-\alpha)(-x-\beta)$$
$$=2\beta(\beta^2-\alpha^2)$$

$$\lim_{x\to\alpha}\dfrac{f(x)f(-x)}{x-\alpha}+\lim_{x\to\beta}\dfrac{f(x)f(-x)}{x-\beta}$$
$$=2\alpha(\alpha^2-\beta^2)+2\beta(\beta^2-\alpha^2)$$
$$=2(\alpha-\beta)(\alpha^2-\beta^2)$$
$$=2(\alpha-\beta)^2(\alpha+\beta)$$
$$=2\{(\alpha+\beta)^2-4\alpha\beta\}(\alpha+\beta)$$
$$=2\times8\times2=32$$

답 ①

40 $\displaystyle\lim_{x\to\infty}\dfrac{x^n(\sqrt{x^4+1}-x^2)}{\sqrt{x^2+x}-x}=\lim_{x\to\infty}\dfrac{x^n(\sqrt{x^2+x}+x)}{x(\sqrt{x^4+1}+x^2)}$

$$=\lim_{x\to\infty}\dfrac{x^{n-1}(\sqrt{x^2+x}+x)}{\sqrt{x^4+1}+x^2}$$

$$=\lim_{x\to\infty}\dfrac{x^{n-2}\left(\sqrt{1+\dfrac{1}{x}}+1\right)}{\sqrt{1+\dfrac{1}{x^4}}+1}$$

이므로
(ⅰ) $n=1$일 때, 0에 수렴
(ⅱ) $n=2$일 때, 1에 수렴
(ⅲ) $n\ge3$일 때, 양의 무한대로 발산
따라서 $n=2$, $\alpha=1$이므로
$n+\alpha=3$

답 ②

41 ㄱ. $-x=t$라 하면 $x\to-\infty$일 때 $t\to\infty$이므로

$$\lim_{x\to-\infty}f(x)=\lim_{x\to-\infty}\dfrac{|x^3|-3x-4}{2x^3+|x|+1}$$
$$=\lim_{t\to\infty}\dfrac{t^3+3t-4}{-2t^3+t+1}$$
$$=-\dfrac{1}{2}\text{ (참)}$$

ㄴ. 주어진 함수 $f(x)$는 $x=1$에서 분모, 분자가 각각 수렴하므로

$$\lim_{x\to1}f(x)=\dfrac{\displaystyle\lim_{x\to1}(|x^3|-3x-4)}{\displaystyle\lim_{x\to1}(2x^3+|x|+1)}$$

$$=\dfrac{\displaystyle\lim_{x\to1}(x^3-3x-4)}{\displaystyle\lim_{x\to1}(2x^3+x+1)}$$

$$=\dfrac{1-3-4}{2+1+1}=-\dfrac{3}{2}\text{ (참)}$$

ㄷ. $\displaystyle\lim_{x\to-1}f(x)=\lim_{x\to-1}\dfrac{-x^3-3x-4}{2x^3-x+1}$

$$=\lim_{x\to-1}\dfrac{-(x+1)(x^2-x+4)}{(x+1)(2x^2-2x+1)}$$

$$=\lim_{x\to-1}\dfrac{-(x^2-x+4)}{2x^2-2x+1}$$

$$=-\dfrac{6}{5}\text{ (거짓)}$$

따라서 옳은 것은 ㄱ, ㄴ이다.

답 ②

42 $x^2-4x-3=0$의 두 실근이 α, $\beta\ (\alpha>\beta)$이므로
$\alpha+\beta=4$, $\alpha\beta=-3$
따라서 $\alpha-\beta=\sqrt{(\alpha+\beta)^2-4\alpha\beta}=\sqrt{16+12}=2\sqrt{7}$

$$\lim_{x\to\infty}\sqrt{x}(\sqrt{x+\alpha}-\sqrt{x+\beta})=\lim_{x\to\infty}\dfrac{(\alpha-\beta)\sqrt{x}}{\sqrt{x+\alpha}+\sqrt{x+\beta}}$$

$$=\lim_{x\to\infty}\dfrac{(\alpha-\beta)\sqrt{1}}{\sqrt{1+\dfrac{\alpha}{x}}+\sqrt{1+\dfrac{\beta}{x}}}$$

$$=\dfrac{\alpha-\beta}{2}$$

$$=\dfrac{2\sqrt{7}}{2}=\sqrt{7}$$

답 ①

43 $\lim_{x\to 0}\dfrac{\sqrt{a^2+2x^2+x^3}-b}{x^n}=1$에서 $x\to 0$일 때 (분모)$\to 0$이므로

(분자)$\to 0$이어야 한다.

즉, $\lim_{x\to 0}(\sqrt{a^2+2x^2+x^3}-b)=0$이므로

$\sqrt{a^2}=b$, $a=b$

$\lim_{x\to 0}\dfrac{\sqrt{a^2+2x^2+x^3}-b}{x^n}=\lim_{x\to 0}\dfrac{\sqrt{a^2+2x^2+x^3}-a}{x^n}$

$=\lim_{x\to 0}\dfrac{x^2(2+x)}{x^n(\sqrt{a^2+2x^2+x^3}+a)}=1$

이므로 $n=2$, $\dfrac{2}{a+a}=1$

따라서 $a=b=1$, $n=2$이므로

$a+b+n=1+1+2=4$

답 ②

44 다항함수 $f(x)$가 $\lim_{x\to\infty}\dfrac{f(x)}{x^3}=2$를 만족시키므로

$f(x)=2x^3+ax^2+bx+c$ (a, b, c는 상수)

로 놓을 수 있다.

또한 $\lim_{x\to 1}\dfrac{f(x-1)}{x-1}=4$에서 $x-1=t$라 하면 $x\to 1$일 때 $t\to 0$이므로

$\lim_{x\to 1}\dfrac{f(x-1)}{x-1}=\lim_{t\to 0}\dfrac{f(t)}{t}=4$

이고 $t\to 0$일 때 (분모)$\to 0$이므로 (분자)$\to 0$이어야 한다.

즉, $\lim_{t\to 0}f(t)=f(0)=0$에서 $c=0$이므로

$f(x)=2x^3+ax^2+bx$

이때

$\lim_{t\to 0}\dfrac{f(t)}{t}=\lim_{t\to 0}\dfrac{2t^3+at^2+bt}{t}$

$\quad=\lim_{t\to 0}(2t^2+at+b)$

$\quad=b=4$

따라서 $f(x)=2x^3+ax^2+4x$이므로 방정식 $f(x)=0$에서

$2x^3+ax^2+4x=0$

$x(2x^2+ax+4)=0$ $\cdots\cdots$ ㉠

㉠의 한 근은 0이고 나머지 두 근을 α, β라 하면 α, β는 방정식 $2x^2+ax+4=0$의 근이다.

그런데 방정식 $f(x)=0$의 서로 다른 모든 실근의 합이 -3이므로 이차방정식의 근과 계수의 관계에 의하여

$\alpha+\beta=-\dfrac{a}{2}=-3$

$a=6$

따라서 $f(x)=2x^3+6x^2+4x$이므로

$f(1)=2+6+4=12$

답 ②

45 조건 (가)에 의하여 $f(x)=(x-1)(x+1)(4x+p)$ (p는 상수)

로 놓으면

$\lim_{x\to 1}\dfrac{f(x)}{x-1}\times\lim_{x\to-1}\dfrac{f(x)}{x+1}$

$=\lim_{x\to 1}(x+1)(4x+p)\times\lim_{x\to-1}(x-1)(4x+p)$

$=\{2(4+p)\}\times\{(-2)(-4+p)\}$

$=4(16-p^2)$

이므로 $4(16-p^2)=28$

$16-p^2=7$, $p^2=9$

$p=\pm 3$

조건 (나)에서 $\dfrac{1}{x}=t$라 하면 $x\to\infty$일 때 $t\to 0+$이므로

$\lim_{x\to\infty}\left\{f\left(\dfrac{1}{x}\right)-3\right\}=\lim_{t\to 0+}\{f(t)-3\}=0$에서

$f(0)=3$

따라서 $p=-3$이므로

$f(x)=(x-1)(x+1)(4x-3)$

$f(2)=15$

답 ①

46 접점 $\mathrm{P}\left(t, \dfrac{1}{2}t^2+4\right)$에서의 접선 l의 기울기를 m이라 하면 접선 l의 방정식은

$y-\left(\dfrac{1}{2}t^2+4\right)=m(x-t)$

$y=mx-mt+\dfrac{1}{2}t^2+4$

방정식 $\dfrac{1}{2}x^2+4=mx-mt+\dfrac{1}{2}t^2+4$, 즉 $\dfrac{1}{2}x^2-mx+mt-\dfrac{1}{2}t^2=0$

은 중근을 가지므로 판별식을 D라 하면

$D=m^2-4\times\dfrac{1}{2}\times\left(mt-\dfrac{1}{2}t^2\right)=0$

$(m-t)^2=0$, $m=t$

따라서 접선의 방정식은 $y=tx-\dfrac{1}{2}t^2+4$이다.

한편, 접선 $y=tx-\dfrac{1}{2}t^2+4$는 포물선 $y=ax^2+\dfrac{1}{a^2}$과 접하므로 방정식

$ax^2-tx+\dfrac{1}{2}t^2+\dfrac{1}{a^2}-4=0$은 중근을 갖는다.

판별식을 D'이라 하면

$D'=t^2-4a\left(\dfrac{1}{2}t^2+\dfrac{1}{a^2}-4\right)=0$

$(1-2a)t^2=\dfrac{4}{a}-16a$

따라서 $t^2=\dfrac{4(1-4a^2)}{a(1-2a)}=\dfrac{4(1+2a)}{a}$이므로

$\lim_{a\to\frac{1}{2}+}t^2=16$

또한 직선 l의 기울기 $m=t$는 양수이므로

$\lim_{a\to\frac{1}{2}+}t=4$

$\lim_{a\to\frac{1}{2}+}(t^2+2t+8)=16+8+8=32$

답 32

47

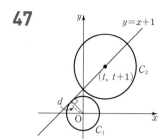

원점 O와 직선 $y=x+1$, 즉 $x-y+1=0$ 사이의 거리를 d라 하면

$$d=\frac{|0-0+1|}{\sqrt{1^2+(-1)^2}}=\frac{\sqrt{2}}{2}$$

이므로 원 C_1의 반지름의 길이는 $\frac{\sqrt{2}}{2}$이다.

원 C_2의 중심 $(t, t+1)$과 원점 사이의 거리는
$$\sqrt{t^2+(t+1)^2}=\sqrt{2t^2+2t+1}$$

원 C_2의 반지름의 길이가 $\sqrt{2}t$이고 $t>0$에서

$$\sqrt{2\left(t^2+t+\frac{1}{2}\right)}>\sqrt{2\left(t^2+t+\frac{1}{4}\right)}$$

$$\sqrt{2t^2+2t+1}>\sqrt{2\left(t+\frac{1}{2}\right)}$$

$$\sqrt{2t^2+2t+1}>\sqrt{2}t+\frac{\sqrt{2}}{2}$$

이므로 두 원 C_1, C_2는 만나지 않는다.

따라서 $f(t)=\sqrt{2t^2+2t+1}-\sqrt{2}t-\frac{\sqrt{2}}{2}$,

$g(t)=\sqrt{2t^2+2t+1}+\sqrt{2}t+\frac{\sqrt{2}}{2}$이므로

$$\lim_{t\to\infty}\frac{g(t)+\sqrt{2}t}{f(t)+\sqrt{2}t}=\lim_{t\to\infty}\frac{\sqrt{2t^2+2t+1}+2\sqrt{2}t+\frac{\sqrt{2}}{2}}{\sqrt{2t^2+2t+1}-\frac{\sqrt{2}}{2}}$$

$$=\lim_{t\to\infty}\frac{\sqrt{2+\frac{2}{t}+\frac{1}{t^2}}+2\sqrt{2}+\frac{\sqrt{2}}{2t}}{\sqrt{2+\frac{2}{t}+\frac{1}{t^2}}-\frac{\sqrt{2}}{2t}}$$

$$=3$$

답 ⑤

48 $\lim_{x\to1}\frac{f(x)}{x-1}=a$에서 $f(x)=(x-1)(x+p)$ (p는 상수)라 하면

$$\lim_{x\to1}\frac{(x-1)(x+p)}{x-1}=\lim_{x\to1}(x+p)=a$$

$$1+p=a$$

·· (가)

$$\lim_{x\to\infty}\{\sqrt{f(x)}-\sqrt{f(-x)}\}$$

$$=\lim_{x\to\infty}\{\sqrt{(x-1)(x+p)}-\sqrt{(x+1)(x-p)}\}$$

$$=\lim_{x\to\infty}\frac{2(p-1)x}{\sqrt{(x-1)(x+p)}+\sqrt{(x+1)(x-p)}}$$

$$=\lim_{x\to\infty}\frac{2(p-1)}{\sqrt{\left(1-\frac{1}{x}\right)\left(1+\frac{p}{x}\right)}+\sqrt{\left(1+\frac{1}{x}\right)\left(1-\frac{p}{x}\right)}}$$

$=p-1$

이므로 $p-1=4$, $p=5$

·· (나)

따라서 $f(x)=(x-1)(x+5)$이므로 $f(3)=16$이고 $a=6$

$f(3)+a=16+6=22$

·· (다)

답 22

단계	채점 기준	비율
(가)	a와 p 사이의 관계식을 구한 경우	30 %
(나)	p의 값을 구한 경우	40 %
(다)	$f(3)+a$의 값을 구한 경우	30 %

49 조건 (가)에 의하여 $f(x)=(x-\alpha)(x-\beta)$

조건 (나)의 $\lim_{x\to\alpha}\frac{f(x)}{g(x)}=\frac{1}{\beta}$에서 $x\to\alpha$일 때 (분자)$\to0$이므로

(분모)$\to0$이어야 한다.

$$\lim_{x\to\alpha}g(x)=g(\alpha)=0$$

······ ㉠

또한 $\lim_{x\to\beta}\frac{g(x)}{f(x)}=\alpha-2$에서 $x\to\beta$일 때 (분모)$\to0$이므로 (분자)$\to0$

이어야 한다.

$$\lim_{x\to\beta}g(x)=g(\beta)=0$$

······ ㉡

·· (가)

조건 (다)의 $\lim_{x\to1}\frac{g(x)}{x-1}=20$에서 $x\to1$일 때 (분모)$\to0$이므로

(분자)$\to0$이어야 한다.

$$\lim_{x\to1}g(x)=g(1)=0$$

······ ㉢

㉠, ㉡, ㉢에 의하여

$$g(x)=(x-\alpha)(x-\beta)(x-1)$$

조건 (나)에서

$$\lim_{x\to\alpha}\frac{f(x)}{g(x)}=\lim_{x\to\alpha}\frac{(x-\alpha)(x-\beta)}{(x-\alpha)(x-\beta)(x-1)}$$

$$=\lim_{x\to\alpha}\frac{1}{x-1}$$

$$=\frac{1}{\alpha-1}=\frac{1}{\beta}$$

따라서 $\alpha-1=\beta$

······ ㉣

·· (나)

조건 (다)에서

$$\lim_{x\to1}\frac{g(x)}{x-1}=\lim_{x\to1}\frac{(x-\alpha)(x-\beta)(x-1)}{x-1}$$

$$=\lim_{x\to1}(x-\alpha)(x-\beta)$$

$$=(1-\alpha)(1-\beta)=20$$

······ ㉤

㉣을 ㉤에 대입하면

$$(1-\alpha)(2-\alpha)=20$$

$a^2-3a-18=0$

$(a+3)(a-6)=0$

따라서 $a=6$, $\beta=5$이므로

.... (다)

$a^2+\beta^2=6^2+5^2=61$

.... (라)

답 61

단계	채점 기준	비율
(가)	$g(a)$, $g(\beta)$의 값을 구한 경우	20 %
(나)	a, β 사이의 관계를 구한 경우	30 %
(다)	a, β의 값을 구한 경우	30 %
(라)	$a^2+\beta^2$의 값을 구한 경우	20 %

내신 (상위 4%) 변별력 문항
본문 17~18쪽

50 ④	**51** ④	**52** ③	**53** ⑤	**54** ①
55 $2\sqrt{2}$				

50

그림은 닫힌구간 $[-2, 2]$에서 정의된 함수 $y=f(x)$의 그래프를 나타낸 것이다. 〈보기〉에서 옳은 것만을 있는 대로 고른 것은?

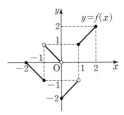

┤ 보기 ├

ㄱ. $\lim\limits_{x\to-1-}f(x)=\lim\limits_{x\to1-}f(x)$ ➡ $\dfrac{x-1}{x}=t,\ -\dfrac{x}{x+1}=s$로 치환하여 함수의 그래프를 그려 본다.

ㄴ. $\lim\limits_{x\to\infty}f\left(\dfrac{x-1}{x}\right)f\left(-\dfrac{x}{x+1}\right)=2$

ㄷ. $-2<a<2$일 때, $\lim\limits_{x\to a+}f^{-1}(x)\ne f^{-1}(a)$를 만족시키는 실수 a의 개수는 1이다.

① ㄴ   ② ㄷ   ③ ㄱ, ㄴ
✓④ ㄱ, ㄷ   ⑤ ㄱ, ㄴ, ㄷ

풀이전략

$1-\dfrac{1}{x}=t$로 치환하고 $y=f^{-1}(x)$의 그래프를 그린다.

문제풀이

step 1 좌극한, 우극한을 확인한다.

ㄱ. $x\to-1-$일 때, $f(x)\to-1$이므로

$\lim\limits_{x\to1-}f(x)=-1$

$x\to1-$일 때, $f(x)\to-1$이므로

$\lim\limits_{x\to1-}f(x)=-1$

따라서 $\lim\limits_{x\to-1-}f(x)=\lim\limits_{x\to1-}f(x)=-1$ (참)

step 2 $\dfrac{x-1}{x}=t$, $-\dfrac{x}{x+1}=s$로 치환하여 극한값을 구한다.

ㄴ. $\dfrac{x-1}{x}=1-\dfrac{1}{x}$

$1-\dfrac{1}{x}=t$라 하면 $x\to\infty$일 때, $\dfrac{1}{x}\to0+$이므로 $t\to1-$

$\lim\limits_{x\to\infty}f\left(\dfrac{x-1}{x}\right)=\lim\limits_{t\to1-}f(t)=-1$

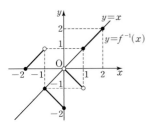

$-\dfrac{x}{x+1}=\dfrac{-(x+1)+1}{x+1}=-1+\dfrac{1}{x+1}$

$-1+\dfrac{1}{x+1}=s$라 하면 $x\to\infty$일 때, $\dfrac{1}{x+1}\to0+$이므로 $s\to-1+$

$\lim\limits_{x\to\infty}f\left(-\dfrac{x}{x+1}\right)=\lim\limits_{s\to-1+}f(s)=1$

따라서 $\lim\limits_{x\to\infty}f\left(\dfrac{x-1}{x}\right)f\left(-\dfrac{x}{x+1}\right)=(-1)\times1=-1$ (거짓)

step 3 역함수의 그래프를 그린 후 극한값을 구한다.

ㄷ. 함수 $y=f(x)$의 역함수 $y=f^{-1}(x)$의 그래프는 함수 $y=f(x)$의 그래프를 직선 $y=x$에 대하여 대칭이동한 그래프와 같다.

이때 $\lim\limits_{x\to a+}f^{-1}(x)\ne f^{-1}(a)$를 만족시키는 실수 a는 0으로 1개이다. (참) ➡ 불연속이면서 좌극한과 함숫값이 같거나 극한값과 함숫값이 같지 않은 점을 찾는다.

따라서 옳은 것은 ㄱ, ㄷ이다.

답 ④

51

구간 $[1, \infty)$에서 정의된 함수 $f(x)$는 모든 자연수 k에 대하여

$f(x)=2k\ (k^2\le x<(k+1)^2)$

를 만족시킨다. $\lim\limits_{x\to\infty}\dfrac{f(x)}{\sqrt{x}}$의 값은?

① $\dfrac{1}{2}$ ② 1   ③ $\dfrac{3}{2}$

✓④ 2   ⑤ $\dfrac{5}{2}$

풀이전략

k와 $f(x)$ 사이의 관계를 이용하여 $f(x)$를 구한다.

step 1 $\dfrac{f(x)}{\sqrt{x}}$의 범위를 구한다.

$k^2 \leq x < (k+1)^2$, 즉 $k \leq \sqrt{x} < k+1$일 때 $f(x)=2k$에서

$\dfrac{f(x)}{2} \leq \sqrt{x} < \dfrac{f(x)}{2}+1$이므로

$2\sqrt{x}-2 < f(x) \leq 2\sqrt{x}$ → $\dfrac{f(x)}{2} \leq \sqrt{x}$이고 $\sqrt{x} < \dfrac{f(x)}{2}+1$

각 변을 $\sqrt{x}$로 나누면

$\dfrac{2\sqrt{x}-2}{\sqrt{x}} < \dfrac{f(x)}{\sqrt{x}} \leq 2$

step 2 함수의 극한의 대소 관계를 이용하여 극한값을 구한다.

이때 $\displaystyle\lim_{x\to\infty}\dfrac{2\sqrt{x}-2}{\sqrt{x}}=2$, $\displaystyle\lim_{x\to\infty}2=2$이므로

$\displaystyle\lim_{x\to\infty}\dfrac{f(x)}{\sqrt{x}}=2$ → $\displaystyle\lim_{x\to\infty}\left(2-\dfrac{2}{\sqrt{x}}\right)$

답 ④

$k^2 \leq x < (k+1)^2$에서

$k \leq \sqrt{x} < k+1$ → $a>0$, $b>0$에 대하여 $a<b$이면 $\sqrt{a}<\sqrt{b}$이다.

$\dfrac{1}{k+1} < \dfrac{1}{\sqrt{x}} \leq \dfrac{1}{k}$

각 변에 $2k$를 곱하면 $\dfrac{2k}{k+1} < \dfrac{2k}{\sqrt{x}} \leq 2$

이때 $\dfrac{2k}{\sqrt{x}}=\dfrac{f(x)}{\sqrt{x}}$이고 $x\to\infty$일 때 $k\to\infty$이므로

$\displaystyle\lim_{k\to\infty}\dfrac{2k}{k+1}=2$, $\displaystyle\lim_{k\to\infty}2=2$

$\displaystyle\lim_{k\to\infty}\dfrac{f(x)}{\sqrt{x}}=2$ → $\displaystyle\lim_{k\to\infty}\dfrac{2}{1+\frac{1}{k}}$

52

두 양수 a, b와 음수 c에 대하여 이차방정식 $ax^2+bx+c=0$의 0이 아닌 서로 다른 두 실근을 α, β라 하자. 〈보기〉에서 옳은 것만을 있는 대로 고른 것은? (단, $\alpha>\beta$)

─┤ 보기 ├─

ㄱ. $\displaystyle\lim_{a\to 0+}\alpha=-\dfrac{c}{b}$

ㄴ. $\displaystyle\lim_{a\to 0+}\beta=\dfrac{b}{c}$

ㄷ. $\displaystyle\lim_{a\to\infty}\sqrt{a}\,\alpha=\sqrt{-c}$

① ㄱ   ② ㄱ, ㄴ   ✓③ ㄱ, ㄷ

④ ㄴ, ㄷ   ⑤ ㄱ, ㄴ, ㄷ

근의 공식을 이용하여 α, β의 값을 구한다.

step 1 근의 공식을 이용하여 α, β를 구한다.   →   근의 공식 $x=\dfrac{-b\pm\sqrt{b^2-4ac}}{2a}$

$ax^2+bx+c=0$ $(a>0,\ b>0,\ c<0)$의 두 실근 α, β에 대하여

$\alpha\beta=\dfrac{c}{a}<0$이므로 α는 양수, β는 음수이다.

따라서 $\alpha=\dfrac{-b+\sqrt{b^2-4ac}}{2a}$, $\beta=\dfrac{-b-\sqrt{b^2-4ac}}{2a}$

step 2 유리화하여 극한값을 구한다.

ㄱ. $\displaystyle\lim_{a\to 0+}\alpha = \lim_{a\to 0+}\dfrac{-b+\sqrt{b^2-4ac}}{2a}$

$= \displaystyle\lim_{a\to 0+}\dfrac{(-b+\sqrt{b^2-4ac})(-b-\sqrt{b^2-4ac})}{2a(-b-\sqrt{b^2-4ac})}$

$= \displaystyle\lim_{a\to 0+}\dfrac{4ac}{2a(-b-\sqrt{b^2-4ac})}$

$= \dfrac{2c}{-2b}=-\dfrac{c}{b}$ (참)

ㄴ. $\displaystyle\lim_{a\to 0+}\beta = \lim_{a\to 0+}\dfrac{-b-\sqrt{b^2-4ac}}{2a}=-\infty$ → $a\to 0+$이면 $\dfrac{1}{a}\to\infty$ (거짓)

ㄷ. $\displaystyle\lim_{a\to\infty}\sqrt{a}\,\alpha = \lim_{a\to\infty}\dfrac{-\sqrt{ab}+\sqrt{ab^2-4a^2c}}{2a}$

$= \displaystyle\lim_{a\to\infty}\dfrac{-\dfrac{b}{\sqrt{a}}+\sqrt{\dfrac{b^2}{a}-4c}}{2}$

$= \sqrt{-c}$ (참)

따라서 옳은 것은 ㄱ, ㄷ이다.

답 ③

53

최고차항의 계수가 1인 삼차함수 $f(x)$가 $f(0)=f(1)=a$, $\displaystyle\lim_{x\to 2}\dfrac{f(x)-a}{x-2}=b$를 만족시킬 때, 〈보기〉에서 옳은 것만을 있는 대로 고른 것은? (단, a, b, c는 실수이다.)

ㄱ. $f(b)=a$ → $f(b)-a=0$

ㄴ. $\displaystyle\lim_{x\to b}\dfrac{f(x)-a}{x^2-b^2}=\dfrac{1}{b}$ (단, $b\neq 0$)

ㄷ. $\displaystyle\lim_{x\to c}\dfrac{f(x-b)-a}{x-c}=2$를 만족시키는 모든 c의 값의 합은 6이다.

① ㄱ   ② ㄱ, ㄴ   ③ ㄱ, ㄷ

④ ㄴ, ㄷ   ✓⑤ ㄱ, ㄴ, ㄷ

미정계수법을 이용하여 $f(x)$를 구한다.

step 1 미정계수법을 이용하여 b의 값을 구한다.

$\displaystyle\lim_{x\to 2}\dfrac{f(x)-a}{x-2}=b$에서 $x\to 2$일 때 (분모)$\to 0$이므로 (분자)$\to 0$이어야 하므로 $f(2)=a$이다.

따라서 $f(0)=f(1)=f(2)=a$이므로

$f(x)-a=x(x-1)(x-2)$ → $f(0)-a=f(1)-a=f(2)-a=0$

$\displaystyle\lim_{x\to 2}\dfrac{f(x)-a}{x-2}=\lim_{x\to 2}x(x-1)=2=b$ → $g(a)=0$이면 $g(x)$는 $x-a$로 나누어떨어진다.

step 2 미정계수법을 이용하여 극한값을 구하고 c의 값에 따른 극한값을 구한다.

ㄱ. $f(x)-a=x(x-1)(x-2)$에서 $f(x)=x(x-1)(x-2)+a$이 므로 $f(b)=f(2)=a$ (참)

ㄴ. $\displaystyle\lim_{x\to b}\frac{f(x)-a}{x^2-b^2}=\lim_{x\to 2}\frac{x(x-1)(x-2)}{(x-2)(x+2)}$

$\displaystyle\quad\quad=\lim_{x\to 2}\frac{x(x-1)}{x+2}$

$\displaystyle\quad\quad=\frac{1}{2}=\frac{1}{b}$ (참)

ㄷ. $f(x-b)-a=f(x-2)-a=(x-2)(x-3)(x-4)$

$\displaystyle\lim_{x\to c}\frac{f(x-b)-a}{x-c}=2$에서 $x\to c$일 때 (분모)$\to 0$이므로

(분자)$\to 0$이어야 하므로

$\displaystyle\lim_{x\to c}\{f(x-b)-a\}=0$

$(c-2)(c-3)(c-4)=0$

(i) $c=2$일 때

$\displaystyle\lim_{x\to c}\frac{f(x-b)-a}{x-c}=\lim_{x\to 2}\frac{(x-2)(x-3)(x-4)}{x-2}=2$

(ii) $c=3$일 때

$\displaystyle\lim_{x\to c}\frac{f(x-b)-a}{x-c}=\lim_{x\to 3}\frac{(x-2)(x-3)(x-4)}{x-3}=-1$

(iii) $c=4$일 때

$\displaystyle\lim_{x\to c}\frac{f(x-b)-a}{x-c}=\lim_{x\to 4}\frac{(x-2)(x-3)(x-4)}{x-4}=2$

(i), (ii), (iii)에서 $c=2$ 또는 $c=4$이므로 모든 c의 값의 합은

$2+4=6$ (참)

따라서 옳은 것은 ㄱ, ㄴ, ㄷ이다.

답 ⑤

54

그림과 같이 직선 $x+y=2$ 위의 점 $\mathrm{P}(t,\ 2-t)$에서 원 $x^2+y^2=2$에 그은 두 접선이 두 원과 만나는 점을 각각 A, B라 하자. 선분 AB의 중점을 M이라 할 때, $\displaystyle\lim_{t\to 1+}\frac{\overline{\mathrm{AM}}\times\overline{\mathrm{OP}}}{t-1}$의 값은?

(단, $t>1$이고, 점 A의 y좌표는 점 B의 y좌표보다 크다.)

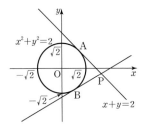

✓① 2 　　② 4 　　③ 6
④ 8 　　⑤ 10

풀이전략

원의 접선을 이용하여 점 A의 좌표를 구하고 직각삼각형의 넓이를 이용하여 $\overline{\mathrm{AM}}\times\overline{\mathrm{OP}}$의 값을 구한다.

문제풀이

step 1 선분 AB의 길이를 구한다.

점 A는 원 $x^2+y^2=2$와 직선 $x+y=2$의 교점이므로 점 A의 좌표는 $(1,\ 1)$이다.

$\overline{\mathrm{PB}}=\overline{\mathrm{PA}}=\sqrt{(t-1)^2+(-t+1)^2}$

$\quad\quad\quad=\sqrt{2(t-1)^2}$

step 2 $\overline{\mathrm{AM}}\times\overline{\mathrm{OP}}$의 길이를 구한다.

$\overline{\mathrm{AM}}\times\overline{\mathrm{OP}}=\overline{\mathrm{OA}}\times\overline{\mathrm{PA}}=\sqrt{2}\times\sqrt{2(t-1)^2}=2(t-1)$이므로

$\displaystyle\lim_{t\to 1+}\frac{\overline{\mathrm{AM}}\times\overline{\mathrm{OP}}}{t-1}=\lim_{t\to 1+}\frac{2(t-1)}{t-1}=2$

　→ 직각삼각형 OPA의 넓이는 $\dfrac{1}{2}\times\overline{\mathrm{OA}}\times\overline{\mathrm{PA}}$ $=\dfrac{1}{2}\times\overline{\mathrm{AM}}\times\overline{\mathrm{OP}}$

답 ①

55

그림과 같이 선분 AB를 지름으로 하는 원에 내접하는 사각형 ABCD가 있다. $\overline{\mathrm{AB}}=2$, $\overline{\mathrm{AD}}=\overline{\mathrm{CD}}=x$일 때, $\displaystyle\lim_{x\to\sqrt{2}-}\frac{\overline{\mathrm{BC}}}{\sqrt{2-x}}$의 값을 구하시오. $\quad 2\sqrt{2}$

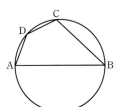

풀이전략

점 D를 지나고 선분 AB에 평행한 직선과 수직인 직선을 그은 후 교점을 이용하여 선분 BC의 길이를 구한다.

문제풀이

step 1 삼각형 CBD와 삼각형 EDB가 합동임을 보인다.

$\overline{\mathrm{AB}}$가 원의 지름이므로 $\overline{\mathrm{AB}}$의 중점을 O라 하면 점 O는 원의 중심이다.

직선 AB에 평행하고 점 D를 지나는 직선이 원과 만나는 점을 E라 하면

$\angle\mathrm{EDB}=\angle\mathrm{ABD}$ 　→ 직선 DE와 직선 AB가 평행하므로 엇각의 크기는 서로 같다.

$\overline{\mathrm{AD}}=\overline{\mathrm{CD}}$이므로 $\angle\mathrm{ABD}=\angle\mathrm{CBD}$ 　→ 현의 길이가 같으면 원주각의 크기가 같다.

$\angle\mathrm{CBD}=\angle\mathrm{EDB}$

$\angle\mathrm{CDE}=\angle\mathrm{EBC}$이므로

$\angle\mathrm{CDB}=\angle\mathrm{CDE}+\angle\mathrm{EDB}=\angle\mathrm{EBC}+\angle\mathrm{DBC}=\angle\mathrm{EBD}$

$\overline{\mathrm{DB}}$는 공통

따라서 $\triangle\mathrm{CBD}\equiv\triangle\mathrm{EDB}$ (ASA 합동)

step 2 피타고라스 정리를 이용하여 선분 BC의 길이를 구한다.

$\overline{DE}=\overline{BC}=y$라 하고, 점 D에서 $\overline{AB}$에 내린 수선의 발을 F라 하면

$$\overline{OF}=\dfrac{\overline{DE}}{2}=\dfrac{y}{2}$$

$\overline{AD}^2-\overline{AF}^2=\overline{DF}^2=\overline{OD}^2-\overline{OF}^2$이므로

$$x^2-\left(1-\dfrac{y}{2}\right)^2=1-\left(\dfrac{y}{2}\right)^2$$

→ 두 직각삼각형 AFD, ODF에서 피타고라스 정리를 이용한다.

$$y=2-x^2$$

$$\lim_{x\to\sqrt2-}\dfrac{\overline{BC}}{\sqrt{2-x}}=\lim_{x\to\sqrt2-}\dfrac{y}{\sqrt{2-x}}=\lim_{x\to\sqrt2-}\dfrac{2-x^2}{\sqrt{2-x}}$$
$$=\lim_{x\to\sqrt2-}(\sqrt2+x)$$
$$=2\sqrt2$$

답 $2\sqrt2$

내신 상위 4% of 4%　　　　본문 19쪽

56

최고차항의 계수가 1인 두 삼차식 $f(x)$, $g(x)$가 다음 조건을 만족시킬 때, $f(2)+g(2)$의 값을 구하시오.　20

> (가) $f(0)=g(0)=1$ → $f(0)-1=g(0)-1=0$
> (나) 다항식 $f(x)g(x)$를 $(x-1)^2$으로 나누었을 때의 나머지는 $7x-6$이다. → $f(x)g(x)=(x-1)^2Q(x)+7x-6$은 x에 대한 항등식이다.
> (다) $\lim\limits_{x\to\infty}\dfrac{f(x)-g(x)}{x^2}=1$, $\lim\limits_{x\to1}\dfrac{f(x)+g(x)-2}{x-1}=7$

→ $f(1)+g(1)=2$

문항 파헤치기 → $f(x)-g(x)$는 이차식이고 이차항의 계수는 1이다.
나머지정리와 인수정리를 이용하여 두 삼차식 $f(x)$, $g(x)$ 구하기

실수 point 찾기
두 삼차식 $f(x)-1$, $g(x)-1$을 이용하여 두 다항식 $f(x)$, $g(x)$를 구한다.

풀이전략
나머지정리, 인수정리를 이용하여 $f(x)$, $g(x)$를 구한 후 $f(x)-g(x)$, $f(x)+g(x)-2$를 구한다.

문제풀이

step 1 나머지정리와 인수정리를 이용하여 $f(x)$, $g(x)$를 정한다.
조건 (나)에서 다항식 $f(x)g(x)$를 $(x-1)^2$으로 나누었을 때의 나머지가 $7x-6$이므로
$\underline{f(1)g(1)=1}$　→ $f(x)g(x)=(x-1)^2Q(x)+7x-6$의 양변에 $x=1$을 대입한다.　……㉠

조건 (다)의 $\lim\limits_{x\to1}\dfrac{f(x)+g(x)-2}{x-1}=7$에서 $x\to1$일 때 (분모)$\to0$이므로 (분자)$\to0$이어야 한다.

즉, $\lim\limits_{x\to1}\{f(x)+g(x)-2\}=f(1)+g(1)-2=0$　……㉡

㉡에서 $g(1)=-f(1)+2$이므로 ㉠에 대입하면
$$f(1)\{-f(1)+2\}=1$$
$$\{f(1)\}^2-2f(1)+1=0$$
$$\{f(1)-1\}^2=0$$
따라서 $f(1)=1$, $g(1)=1$

또한 조건 (가)에서 $f(0)=g(0)=1$이므로 두 다항식 $f(x)-1$, $g(x)-1$은 모두 $x(x-1)$로 나누어떨어진다.

즉, $f(x)-1=x(x-1)(x+a)$, $g(x)-1=x(x-1)(x+b)$ (a, b는 상수)로 놓을 수 있다.

→ $f(1)-1=0$, $f(0)-1=0$이고 $g(1)-1=0$, $g(0)-1=0$이므로 인수정리에 의하여

step 2 미정계수법을 이용하여 $f(x)$, $g(x)$의 계수를 구한다.

$$\{f(x)-1\}-\{g(x)-1\}=f(x)-g(x)$$
$$=x(x-1)(x+a)-x(x-1)(x+b)$$
$$=x(x-1)\{(x+a)-(x+b)\}$$
$$=(a-b)x(x-1)$$

조건 (다)에서
$$\lim_{x\to\infty}\dfrac{f(x)-g(x)}{x^2}=\lim_{x\to\infty}\dfrac{(a-b)x(x-1)}{x^2}$$
$$=\lim_{x\to\infty}(a-b)\left(1-\dfrac{1}{x}\right)$$
$$=a-b=1\qquad\cdots\cdots㉢$$

$$\lim_{x\to1}\dfrac{f(x)+g(x)-2}{x-1}=\lim_{x\to1}\dfrac{x(x-1)(x+a)+x(x-1)(x+b)}{x-1}$$
$$=\lim_{x\to1}x(2x+a+b)$$
$$=2+a+b=7$$
$$a+b=5\qquad\cdots\cdots㉣$$

㉢, ㉣을 연립하여 풀면
$$a=3,\ b=2$$

step 3 $f(x)$, $g(x)$를 구하고 함숫값을 구한다.
따라서 $f(x)=x(x-1)(x+3)+1$, $g(x)=x(x-1)(x+2)+1$이므로

$$f(2)+g(2)=2\times1\times5+1+2\times1\times4+1=20$$

답 20

02 함수의 연속

01 ③	02 ③	03 ①	04 ①	05 ④
06 ③	07 ①	08 ②	09 ①	10 ③
11 ④	12 ②	13 ②	14 ④	15 ②
16 ①	17 ④	18 ②	19 ①	20 ②
21 6	22 2			

01 ㄱ. $\lim\limits_{x \to -1-} f(x)=0$, $\lim\limits_{x \to -1+} f(x)=0$이므로

$\lim\limits_{x \to -1} f(x)=0$ (참)

ㄴ. $\lim\limits_{x \to 0-} f(x)=2$, $\lim\limits_{x \to 0+} f(x)=1$이므로 $a=0$일 때 $\lim\limits_{x \to a} f(x)$의 값이

존재하지 않는다.

따라서 $-2<a<2$에 대하여 $\lim\limits_{x \to a} f(x)$의 값이 존재하지 않는 a의

개수는 1이다. (참)

ㄷ. 열린구간 $(-2, 2)$에 대하여 함수 $f(x)$는 $x=0$, $x=1$에서 불연속

이므로 2개의 점에서 불연속이다. (거짓)

따라서 옳은 것은 ㄱ, ㄴ이다.

답 ③

02 실수 전체의 집합에서 연속이 되려면 모든 실수 x에 대하여

$x^2+ax+2 \neq 0$이어야 한다.

이차방정식 $x^2+ax+2=0$의 판별식을 D라 하면

$D=a^2-4 \times 2<0$에서

$(a+\sqrt{8})(a-\sqrt{8})<0$

$-\sqrt{8}<a<\sqrt{8}$

따라서 정수 a는 -2, -1, 0, 1, 2의 5개이다.

답 ③

03 함수 $f(x)$가 $x=a$에서 연속이면 실수 전체의 집합에서 연속이다.

$f(x)=\begin{cases} x^2-2x+a & (x \geq a) \\ -x^2+2x+4 & (x<a) \end{cases}$ 에서

$\lim\limits_{x \to a+} f(x)=a^2-2a+a=a^2-a=f(a)$

$\lim\limits_{x \to a-} f(x)=-a^2+2a+4$

이므로 $a^2-a=-a^2+2a+4$

따라서 $2a^2-3a-4=0$이므로 모든 실수 a의 값의 합은 $\dfrac{3}{2}$이다.

답 ①

04 함수 $f(x)$가 실수 전체의 집합에서 연속이므로 $x=0$에서 연속이

다. 즉, $f(0)=\lim\limits_{x \to 0} f(x)$에서

$b=\lim\limits_{x \to 0} \dfrac{\sqrt{x^2+9}-a}{x^2}$ ...... ㉠

㉠에서 $x \to 0$일 때 (분모) $\to 0$이고 극한값이 존재하므로 (분자) $\to 0$이

어야 한다.

즉, $\lim\limits_{x \to 0}(\sqrt{x^2+9}-a)=0$에서

$\sqrt{9}-a=0$, $a=3$ ...... ㉡

㉡을 ㉠에 대입하면

$b=\lim\limits_{x \to 0} \dfrac{\sqrt{x^2+9}-a}{x^2}$

$=\lim\limits_{x \to 0} \dfrac{\sqrt{x^2+9}-3}{x^2}$

$=\lim\limits_{x \to 0} \dfrac{x^2}{x^2(\sqrt{x^2+9}+3)}$

$=\lim\limits_{x \to 0} \dfrac{1}{\sqrt{x^2+9}+3}=\dfrac{1}{6}$

따라서 $a+b=3+\dfrac{1}{6}=\dfrac{19}{6}$

답 ①

05 함수 $f(x)=\begin{cases} x^2 & (x<a) \\ 5x+k & (x \geq a) \end{cases}$ 가 $x=a$에서 연속이면 실수 전체

의 집합에서 연속이다.

(i) $\lim\limits_{x \to a+} f(x)=\lim\limits_{x \to a+}(5x+k)=5a+k$

(ii) $\lim\limits_{x \to a-} f(x)=\lim\limits_{x \to a-} x^2=a^2$

(iii) $f(a)=5a+k$

(i), (ii), (iii)에서

$5a+k=a^2$, 즉 $a^2-5a-k=0$ ...... ㉠

이차방정식 ㉠이 실근을 가져야 하므로 ㉠의 판별식을 D라 하면

$D=(-5)^2-4 \times 1 \times (-k) \geq 0$

$25+4k \geq 0$, $k \geq -\dfrac{25}{4}$

따라서 음의 정수 k는 -6, -5, -4, -3, -2, -1의 6개이다.

답 ④

다른풀이

함수 $y=x^2$의 그래프와 직선 $y=5x+k$가 접

할 때의 k의 값은 이차방정식 $x^2=5x+k$, 즉

$x^2-5x-k=0$의 판별식 D에 대하여

$D=(-5)^2-4 \times 1 \times (-k)=0$이므로

$25+4k=0$, $k=-\dfrac{25}{4}$

함수 $y=x^2$의 그래프와 직선 $y=5x-\dfrac{25}{4}$의

교점의 x좌표는 $x^2=5x-\dfrac{25}{4}$에서

$x^2-5x+\dfrac{25}{4}=0$

$\left(x-\dfrac{5}{2}\right)^2=0$, $x=\dfrac{5}{2}$

이때 $y=\dfrac{25}{4}$이므로 함수 $y=x^2$의 그래프와 직선 $y=5x-\dfrac{25}{4}$의 교점의

좌표는 $\left(\dfrac{5}{2}, \dfrac{25}{4}\right)$이다.

따라서 함수 $f(x)=\begin{cases} x^2 & (x<a) \\ 5x+k & (x\geq a) \end{cases}$ 가 실수 전체의 집합에서 연속이

되도록 하는 실수 a의 값이 존재하려면

$k\geq -\dfrac{25}{4}$

따라서 음의 정수 k는 -6, -5, -4, -3, -2, -1의 6개이다.

06 조건 (나)에서 $x\neq 1$일 때,

$f(x)=\dfrac{x^3+ax^2+b}{x^2-1}=\dfrac{x^3+ax^2+b}{(x-1)(x+1)}$

함수 $f(x)$가 양의 실수 전체의 집합에서 정의된 연속인 함수이므로
$x=1$에서 연속이다. 즉,

$f(1)=\lim\limits_{x\to 1}f(x)=\lim\limits_{x\to 1}\dfrac{x^3+ax^2+b}{(x-1)(x+1)}$ ······ ㉠

㉠에서 $x\to 1$일 때 (분모)$\to 0$이고 극한값이 존재하므로 (분자)$\to 0$이
어야 한다.

즉, $\lim\limits_{x\to 1}(x^3+ax^2+b)=0$에서

$1+a+b=0$, $b=-(a+1)$ ······ ㉡

㉡을 ㉠에 대입하면

$\lim\limits_{x\to 1}f(x)=\lim\limits_{x\to 1}\dfrac{x^3+ax^2+b}{(x-1)(x+1)}$

$=\lim\limits_{x\to 1}\dfrac{x^3+ax^2-(a+1)}{(x-1)(x+1)}$

$=\lim\limits_{x\to 1}\dfrac{(x^3-1)+a(x^2-1)}{(x-1)(x+1)}$

$=\lim\limits_{x\to 1}\dfrac{(x-1)(x^2+x+1)+a(x-1)(x+1)}{(x-1)(x+1)}$

$=\lim\limits_{x\to 1}\dfrac{(x-1)\{x^2+(a+1)x+a+1\}}{(x-1)(x+1)}$

$=\lim\limits_{x\to 1}\dfrac{x^2+(a+1)x+a+1}{x+1}$

$=\dfrac{2a+3}{2}$

이므로 조건 (가)에서

$\dfrac{2a+3}{2}=\dfrac{9}{2}$, $a=3$

㉡에서 $b=-4$

따라서 $f(x)=\begin{cases} \dfrac{(x+2)^2}{x+1} & (0<x<1,\ x>1) \\ \dfrac{9}{2} & (x=1) \end{cases}$ 이므로

$f(2)=\dfrac{16}{3}$

답 ③

07 $f(x)g(x)=\begin{cases} (x-2)(3x+k) & (x<1) \\ (-x+2)(3x+k) & (x\geq 1) \end{cases}$ 가 실수 전체의 집합

에서 연속이 되려면 $x=1$에서 연속이어야 한다.

$\lim\limits_{x\to 1-}f(x)g(x)=\lim\limits_{x\to 1+}f(x)g(x)=f(1)g(1)$에서

$(-1)\times(3+k)=1\times(3+k)$

$k=-3$

답 ①

08 함수 $\{f(x)\}^2$이 $x=0$에서 연속이려면 $\lim\limits_{x\to 0}\{f(x)\}^2=\{f(0)\}^2$이
성립해야 한다.

즉, $\lim\limits_{x\to 0-}\{f(x)\}^2=\lim\limits_{x\to 0+}\{f(x)\}^2=\{f(0)\}^2$이어야 한다.

$\lim\limits_{x\to 0-}\{f(x)\}^2=\lim\limits_{x\to 0-}f(x)\times\lim\limits_{x\to 0-}f(x)=(a+2)^2$

$\lim\limits_{x\to 0+}\{f(x)\}^2=\lim\limits_{x\to 0+}f(x)\times\lim\limits_{x\to 0+}f(x)=9$

$\{f(0)\}^2=9$

이므로 $(a+2)^2=9$, $a+2=\pm 3$

$a=1$ 또는 $a=-5$

따라서 모든 실수 a의 값의 곱은 $1\times(-5)=-5$

답 ②

09 함수 $g(x)$는 $x=2$, $x=3$에서 연속일 때 실수 전체의 집합에서 연
속이다.

$x=2$에서 연속일 때, $\lim\limits_{x\to 2-}g(x)=\lim\limits_{x\to 2+}g(x)=g(2)$가 성립한다.

$\lim\limits_{x\to 2-}g(x)=(4+2a+b)\times 4$

$\lim\limits_{x\to 2+}g(x)=(4+2a+b)\times 3=g(2)$

이므로 $(4+2a+b)\times 4=(4+2a+b)\times 3$

$4+2a+b=0$ ······ ㉠

$x=3$에서 연속일 때, $\lim\limits_{x\to 3-}g(x)=\lim\limits_{x\to 3+}g(x)=g(3)$이 성립한다.

$\lim\limits_{x\to 3-}g(x)=(9+3a+b)\times 4$

$\lim\limits_{x\to 3+}g(x)=(9+3a+b)\times 3=g(3)$

이므로 $(9+3a+b)\times 4=(9+3a+b)\times 3$

$9+3a+b=0$ ······ ㉡

㉠, ㉡을 연립하여 풀면 $a=-5$, $b=6$

따라서 $a+b=-5+6=1$

답 ①

10 함수 $f(x)$는 $x=1$에서만 불연속이고 〈보기〉에서 주어진 함수
$g(x)$는 모두 실수 전체의 집합에서 연속이므로 함수 $f(x)g(x)$가
$x=1$에서만 연속이면 실수 전체의 집합에서 연속이다.

$\lim\limits_{x\to 1-}f(x)=0$, $\lim\limits_{x\to 1+}f(x)=-1$, $f(1)=0$이므로

$\lim\limits_{x\to 1-}f(x)g(x)=\lim\limits_{x\to 1+}f(x)g(x)=f(1)g(1)$이 성립하려면

$\lim\limits_{x\to 1}g(x)=g(1)=0$이어야 한다.

ㄱ. $g(x)=x^2+2x-3$에서 $g(1)=0$

ㄴ. $g(x)=\sqrt{x^2+3}-2$에서 $g(1)=0$

ㄷ. $g(x)=\dfrac{1}{x^2+1}-1$에서 $g(1)=-\dfrac{1}{2}$

따서 함수 $f(x)g(x)$가 실수 전체의 집합에서 연속이 되도록 하는 함수 $g(x)$는 ㄱ, ㄴ이다.

답 ③

11 ㄱ. $\lim_{x \to 1-} f(x)g(x) = \lim_{x \to 1-} f(x) \times \lim_{x \to 1-} g(x)$
$= \lim_{x \to 1-} (2x-1) \times \lim_{x \to 1-} x^2$
$= 1 \times 1$
$= 1$
$\lim_{x \to 1+} f(x)g(x) = \lim_{x \to 1+} f(x) \times \lim_{x \to 1+} g(x)$
$= \lim_{x \to 1+} (-x) \times \lim_{x \to 1+} x^2$
$= (-1) \times 1 = -1$
이므로
$\lim_{x \to 1-} f(x)g(x) \neq \lim_{x \to 1+} f(x)g(x)$
즉, 함수 $f(x)g(x)$는 $x=1$에서 불연속이다.

ㄴ. $\lim_{x \to 1-} f(x)g(x) = \lim_{x \to 1-} f(x) \times \lim_{x \to 1-} g(x)$
$= \lim_{x \to 1-} (2x-1) \times \lim_{x \to 1-} (-1)$
$= 1 \times (-1)$
$= -1$
$\lim_{x \to 1+} f(x)g(x) = \lim_{x \to 1+} f(x) \times \lim_{x \to 1+} g(x)$
$= \lim_{x \to 1+} (-x) \times \lim_{x \to 1+} 1$
$= (-1) \times 1$
$= -1$
$f(1)g(1) = 1 \times (-1) = -1$이므로
$\lim_{x \to 1} f(x)g(x) = f(1)g(1)$
즉, 함수 $f(x)g(x)$는 $x=1$에서 연속이다.

ㄷ. $\lim_{x \to 1-} f(x)g(x) = \lim_{x \to 1-} f(x) \times \lim_{x \to 1-} g(x)$
$= \lim_{x \to 1-} (2x-1) \times \lim_{x \to 1-} x$
$= 1 \times 1$
$= 1$
$\lim_{x \to 1+} f(x)g(x) = \lim_{x \to 1+} f(x) \times \lim_{x \to 1+} g(x)$
$= \lim_{x \to 1+} (-x) \times \lim_{x \to 1+} (-x)$
$= (-1) \times (-1)$
$= 1$
$f(1)g(1) = 1 \times 1 = 1$이므로
$\lim_{x \to 1} f(x)g(x) = f(1)g(1)$
즉, 함수 $f(x)g(x)$는 $x=1$에서 연속이다.
따라서 함수 $f(x)g(x)$가 $x=1$에서 연속이 되도록 하는 함수 $g(x)$는
ㄴ, ㄷ이다.

답 ④

12 ㄱ. 함수 $y=f(x)$의 그래프는 그림과 같이 $x=1$에서만 불연속이므로 집합 A의 원소의 개수는 1이다. (거짓)

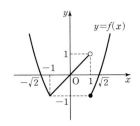

ㄴ. 함수 $\{f(x)\}^2$이 실수 전체의 집합에서 연속이 되려면 $x=1$에서 연속이면 된다.
$\lim_{x \to 1-} \{f(x)\}^2 = 1^2 = 1$
$\lim_{x \to 1+} \{f(x)\}^2 = (-1)^2 = 1$
$\{f(1)\}^2 = (-1)^2 = 1$
이므로 $\lim_{x \to 1} \{f(x)\}^2 = \{f(1)\}^2$
즉, 함수 $\{f(x)\}^2$은 $x=1$에서 연속이므로 실수 전체의 집합에서 연속이다. (참)

ㄷ. 함수 $y=(x+a)^2$은 실수 전체의 집합에서 연속이므로 함수 $(x+a)^2 f(x)$가 실수 전체의 집합에서 연속이 되려면 $x=1$에서 연속이면 된다.
$\lim_{x \to 1-} (x+a)^2 f(x) = (1+a)^2 \times 1$
$\lim_{x \to 1+} (x+a)^2 f(x) = (1+a)^2 \times (-1) = (1+a)^2 f(1)$
에서 $(1+a)^2 = -(1+a)^2$이므로 $a=-1$
즉, 실수 a의 개수는 1이다. (거짓)
따라서 옳은 것은 ㄴ이다.

답 ②

13 두 함수 $f(x)$, $f(x)+b$는 $x=0$에서만 불연속이므로 함수 $f(x)\{f(x)+b\}$가 실수 전체의 집합에서 연속이려면 $x=0$에서 연속이어야 한다. 즉,
$\lim_{x \to 0-} f(x)\{f(x)+b\} = \lim_{x \to 0+} f(x)\{f(x)+b\} = f(0)\{f(0)+b\}$
이어야 한다.
$\lim_{x \to 0-} f(x)\{f(x)+b\} = \lim_{x \to 0-} (x^2+2x-3)(x^2+2x-3+b)$
$= (-3) \times (-3+b)$
$= 9-3b$
$\lim_{x \to 0+} f(x)\{f(x)+b\} = \lim_{x \to 0+} (-2x+4)(-2x+4+b)$
$= 4 \times (4+b)$
$= 16+4b$
$f(0)\{f(0)+b\} = a \times (a+b) = a^2+ab$
이므로 $9-3b = 16+4b = a^2+ab$
$9-3b = 16+4b$에서 $b=-1$
$16+4 \times (-1) = a^2+a \times (-1)$에서
$a^2-a-12 = 0$, $(a-4)(a+3) = 0$
$a=4$ 또는 $a=-3$
따라서 순서쌍 (a, b)는 $(4, -1)$, $(-3, -1)$의 2개이다.

답 ②

14 함수 $f(x)$가 $x=0$에서 불연속이므로 $k\neq 3$ ...... ㉠

함수 $f(x)f(1-x)$가 $x=1$에서 연속이므로

(i) $1-x=t$라 하면 $x\rightarrow 1-$일 때 $t\rightarrow 0+$이므로

$$\lim_{x\rightarrow 1-}f(x)f(1-x)=\lim_{x\rightarrow 1-}f(x)\times\lim_{x\rightarrow 1-}f(1-x)$$
$$=\lim_{x\rightarrow 1-}f(x)\times\lim_{t\rightarrow 0+}f(t)$$
$$=(-1+k)\times k$$
$$=k^2-k$$

(ii) $1-x=t$라 하면 $x\rightarrow 1+$일 때 $t\rightarrow 0-$이므로

$$\lim_{x\rightarrow 1+}f(x)f(1-x)=\lim_{x\rightarrow 1+}f(x)\times\lim_{x\rightarrow 1+}f(1-x)$$
$$=\lim_{x\rightarrow 1+}f(x)\times\lim_{t\rightarrow 0-}f(t)$$
$$=(-1+k)\times 3$$
$$=3(k-1)$$

(iii) $f(1)f(0)=(-1+k)\times 3=3(k-1)$

(i), (ii), (iii)에서 $k^2-k=3(k-1)$

$k^2-4k+3=0$, $(k-1)(k-3)=0$

㉠에서 $k\neq 3$이므로 $k=1$

답 ④

15 $\lim_{x\rightarrow 1}f(x)=4$이므로 $g(1)=0$

$\lim_{x\rightarrow -1}f(x)=2$이므로 $g(-1)=0$

$g(x)=(x-1)(x+1)(ax+b)$ (a, b는 상수, $a\neq 0$)라 하면

$$\lim_{x\rightarrow 1}f(x)=\lim_{x\rightarrow 1}\frac{(x-1)(x+1)(ax+b)}{x^2-1}$$
$$=\lim_{x\rightarrow 1}(ax+b)$$
$$=a+b$$

$$\lim_{x\rightarrow -1}f(x)=\lim_{x\rightarrow -1}\frac{(x-1)(x+1)(ax+b)}{x^2-1}$$
$$=\lim_{x\rightarrow -1}(ax+b)$$
$$=-a+b$$

이므로 $a+b=4$, $-a+b=2$

위의 두 식을 연립하여 풀면

$a=1$, $b=3$

따라서 $g(x)=(x-1)(x+1)(x+3)$이므로

$g(2)=15$, $f(2)=\dfrac{g(2)}{3}=\dfrac{15}{3}=5$

$f(2)+g(2)=5+15=20$

답 ②

16 함수 $f(x)$가 $x=1$에서 연속이므로 $\lim_{x\rightarrow 1}f(x)=f(1)$이어야 한다.

(i) $f(1)=0$

(ii) $\lim_{x\rightarrow 1+}(4x+a)=4+a$

(iii) $\lim_{x\rightarrow 1-}(x^2-1)=0$

(i), (ii), (iii)에서 $4+a=0$

$a=-4$

닫힌구간 $[-2, 2]$에서 함수 $f(x)$는 연속이고 그래프는 그림과 같다.

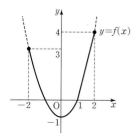

따라서 닫힌구간 $[-2, 2]$에서 함수 $f(x)$는 $x=2$일 때 최댓값 4,

$x=0$일 때 최솟값 -1을 가지므로

$M+m=4+(-1)=3$

답 ①

17 방정식 $f(x)-x=0$에서 $g(x)=f(x)-x$라 하면 $f(x)$가 연속함수이므로 $g(x)$도 연속함수이다.

$f(0)=1$, $f(1)=2$, $f(2)=2$, $f(3)=4$, $f(4)=-1$, $f(5)=3$에서

$g(0)=1-0=1>0$

$g(1)=2-1=1>0$

$g(2)=2-2=0$

$g(3)=4-3=1>0$

$g(4)=-1-4=-5<0$

$g(5)=3-5=-2<0$

이므로 방정식 $g(x)=0$의 한 근은 $x=2$이고, $g(3)>0$, $g(4)<0$이므로 사잇값의 정리에 의하여 방정식 $g(x)=0$은 열린구간 $(3, 4)$에서 또 다른 하나의 실근을 가진다.

따라서 방정식 $g(x)=0$, 즉 $f(x)=x$의 실근이 반드시 존재하는 구간은 열린구간 $(3, 4)$이다.

답 ④

18 $g(x)=f(2x-1)f(2x+1)$이라 하면 함수 $f(x)$가 연속함수이므로 함수 $g(x)$도 연속함수이다.

$f(1)f(2)<0$, $f(2)f(3)>0$에서 $f(1)\{f(2)\}^2f(3)<0$이므로

$f(2)\neq 0$, $f(1)f(3)<0$

$f(2)f(3)>0$, $f(3)f(4)>0$에서 $f(2)\{f(3)\}^2f(4)>0$이므로

$f(3)\neq 0$, $f(2)f(4)>0$

$g(1)=f(1)f(3)<0$, $g\left(\dfrac{3}{2}\right)=f(2)f(4)>0$이므로 사잇값의 정리에 의하여 방정식 $g(x)=0$은 열린구간 $\left(1, \dfrac{3}{2}\right)$에서 적어도 하나의 실근을 갖는다.

따라서 방정식 $f(2x-1)f(2x+1)=0$의 실근이 반드시 존재하는 구간은 열린구간 $\left(1, \dfrac{3}{2}\right)$이다.

답 ②

19 $\lim_{x\rightarrow 1}\dfrac{f(x)}{x-1}=1$에서 $x\rightarrow 1$일 때 (분모)$\rightarrow 0$이고 극한값이 존재하므로 (분자)$\rightarrow 0$이다.

$f(x)$가 다항식이므로 $f(x)$는 $x-1$로 나누어떨어진다.

$\lim\limits_{x \to 2} \dfrac{f(x)}{x-2}=2$에서 $x \to 2$일 때 (분모) $\to 0$이고 극한값이 존재하므로 (분자) $\to 0$이다. 즉, $f(x)$는 $x-2$로 나누어떨어진다.

$f(x)=(x-1)(x-2)g(x)$ ($g(x)$는 다항식)라 하면

$\lim\limits_{x \to 1} \dfrac{f(x)}{x-1}=1$에서

$\lim\limits_{x \to 1} \dfrac{(x-1)(x-2)g(x)}{x-1}=-g(1)=1$

$\lim\limits_{x \to 2} \dfrac{f(x)}{x-2}=2$에서

$\lim\limits_{x \to 2} \dfrac{(x-1)(x-2)g(x)}{x-2}=g(2)=2$

$g(1)=-1$, $g(2)=2$

$g(x)$는 다항식이므로 함수 $g(x)$는 실수 전체의 집합에서 연속이고 $g(1)g(2)<0$이므로 사잇값의 정리에 의하여 방정식 $g(x)=0$은 열린구간 $(1,\ 2)$에서 적어도 하나의 실근을 갖는다.

따라서 방정식 $f(x)=(x-1)(x-2)g(x)=0$은 닫힌구간 $[1,\ 2]$에서 $x=1$, $x=2$를 포함하여 적어도 3개의 실근을 갖는다.

답 ①

20 $f(x)=(x-1)(x-2)(x-3)+(x-1)(x-2)$
$\qquad\qquad +(x-2)(x-3)+(x-3)(x-1)$

이라 하면 함수 $f(x)$는 실수 전체의 집합에서 연속이다.

ㄱ, ㄴ. $f(1)=2>0$, $f(2)=-1<0$, $f(3)=2>0$에서 방정식 $f(x)=0$은 사잇값의 정리에 의하여 열린구간 $(1,\ 2)$, $(2,\ 3)$에서 각각 적어도 하나의 실근을 가진다. (참)

ㄷ. $k \geq 3$인 임의의 실수 k에 대하여 $f(k)>0$이므로 방정식 $f(x)=0$은 3보다 큰 실근을 갖지 않는다. (거짓)

따라서 옳은 것은 ㄱ, ㄴ이다.

답 ②

21 함수 $g(x)$가 실수 전체의 집합에서 연속이므로 $x=1$에서도 연속이다. 즉, $\lim\limits_{x \to 1}g(x)=g(1)$이므로

$\lim\limits_{x \to 1} \dfrac{f(x)}{x-1}=1$

$x \to 1$일 때 (분모) $\to 0$이고 극한값이 존재하므로 (분자) $\to 0$이어야 한다.

즉, $\lim\limits_{x \to 1}f(x)=0$에서 $f(1)=0$

$f(x)=(x-1)(x^2+cx+d)$ (c, d는 상수)라 하면

$g(x)=\begin{cases} x^2+cx+d & (x \neq 1) \\ 1 & (x=1) \end{cases}$

·········· (가)

$\lim\limits_{x \to 1}(x^2+cx+d)=1$에서

$1+c+d=1$, $c+d=0$ ······ ㉠

$f(0)=2$에서 $d=-2$

$d=-2$를 ㉠에 대입하면 $c-2=0$, $c=2$

따라서 $f(x)=(x-1)(x^2+2x-2)$이므로

·········· (나)

$f(2)=1 \times (4+4-2)=6$

·········· (다)

답 6

단계	채점 기준	비율
(가)	$g(x)$를 구한 경우	40 %
(나)	$f(x)$를 구한 경우	40 %
(다)	$f(2)$의 값을 구한 경우	20 %

22 (i) $0<r<2$일 때, $f(r)=4$

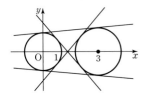

(ii) $r=2$일 때, $f(r)=3$

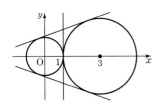

(iii) $2<r<4$일 때, $f(r)=2$

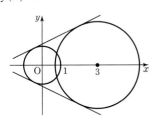

(iv) $r=4$일 때, $f(r)=1$

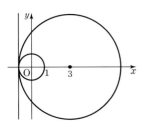

(v) $r>4$일 때, $f(r)=0$

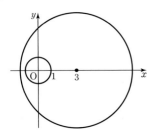

따라서 $f(r)$의 그래프는 다음 그림과 같다.

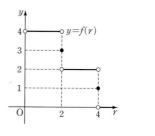

────────────────────────────────── (가)

위의 그래프에서 함수 $f(r)$는 $r=2$, $r=4$에서 불연속이다.
$g(r)=(r^2+ar+b)f(r)$라 하면 함수 $g(r)$가 양의 실수 전체의 집합에서 연속이므로 $r=2$, $r=4$에서도 연속이다.
즉, $4+2a+b=0$, $16+4a+b=0$에서
$a=-6$, $b=8$

────────────────────────────────── (나)

따라서 $a+b=(-6)+8=2$

────────────────────────────────── (다)

답 2

단계	채점 기준	비율
(가)	함수 $f(r)$를 구한 경우	40 %
(나)	a, b의 값을 구한 경우	40 %
(다)	$a+b$의 값을 구한 경우	20 %

내신 상위 7% 고득점 문항
본문 26~30쪽

23 ①	**24** ④	**25** ③	**26** ②	**27** ①
28 ③	**29** ⑤	**30** ①	**31** ②	**32** ③
33 ④	**34** ④	**35** ④	**36** ⑤	**37** ④
38 ④	**39** ①	**40** ②	**41** ③	**42** ⑤
43 ②	**44** ③	**45** 112	**46** 22	

23 함수 $f(x)$가 실수 전체의 집합에서 연속이므로 $x=0$에서도 연속이다.
즉, $\lim\limits_{x\to 0} f(x)=f(0)$이므로

$\lim\limits_{x\to 0} \dfrac{\sqrt{x^2+2x+4}-(ax+2)}{x^2}$

$=\lim\limits_{x\to 0} \dfrac{(x^2+2x+4)-(ax+2)^2}{x^2(\sqrt{x^2+2x+4}+ax+2)}$

$=\lim\limits_{x\to 0} \dfrac{(1-a^2)x^2+(2-4a)x}{x^2(\sqrt{x^2+2x+4}+ax+2)}$

$=\lim\limits_{x\to 0} \dfrac{(1-a^2)x+(2-4a)}{x(\sqrt{x^2+2x+4}+ax+2)}=b$ ⋯⋯ ㉠

㉠에서 $x\to 0$일 때 (분모) $\to 0$이고 극한값이 존재하므로 (분자) $\to 0$ 이어야 한다. 즉, $\lim\limits_{x\to 0} \{(1-a^2)x+2-4a\}=0$에서

$2-4a=0$, $a=\dfrac{1}{2}$

$a=\dfrac{1}{2}$을 ㉠에 대입하면

$\lim\limits_{x\to 0} \dfrac{\dfrac{3}{4}x}{x\left(\sqrt{x^2+2x+4}+\dfrac{1}{2}x+2\right)}=\lim\limits_{x\to 0} \dfrac{\dfrac{3}{4}}{\sqrt{x^2+2x+4}+\dfrac{1}{2}x+2}$

$=\dfrac{\dfrac{3}{4}}{4}=\dfrac{3}{16}=b$

따라서 $a+b=\dfrac{1}{2}+\dfrac{3}{16}=\dfrac{11}{16}$

답 ①

24 함수 $f(x)$가 $x=1$에서 연속이므로
$\lim\limits_{x\to 1-} f(x)=\lim\limits_{x\to 1+} f(x)=f(1)$에서

$\lim\limits_{x\to 1-} (-x+c)=\lim\limits_{x\to 1+} \dfrac{|x^2-a|+|2x-b|}{x-1}=-1+c$ ⋯⋯ ㉠

㉠에서 $x\to 1+$일 때 (분모) $\to 0$이고 극한값이 존재하므로 (분자) $\to 0$ 이어야 한다.
즉, $\lim\limits_{x\to 1+} (|x^2-a|+|2x-b|)=0$에서
$|1-a|+|2-b|=0$이므로
$a=1$, $b=2$ ⋯⋯ ㉡

㉡을 ㉠에 대입하면

$\lim\limits_{x\to 1+} \dfrac{|x^2-1|+|2x-2|}{x-1}=\lim\limits_{x\to 1+} \dfrac{(x^2-1)+(2x-2)}{x-1}$

$=\lim\limits_{x\to 1+} (x+3)$

$=4$

따라서 $-1+c=4$이므로 $c=5$
$a+b+c=1+2+5=8$

답 ④

25 $g(x)=x^2+kx+k$, $h(x)=10x-1$이라 하자.
$f(x)$가 실수 전체의 집합에서 연속이려면 $x=a$, $x=a+1$에서 연속이어야 한다.
$\lim\limits_{x\to a-} f(x)=\lim\limits_{x\to a+} f(x)=f(a)$에서
$\lim\limits_{x\to a-} g(x)=\lim\limits_{x\to a+} h(x)=h(a)$이므로
$g(a)=h(a)$ ⋯⋯ ㉠
$\lim\limits_{x\to (a+1)-} f(x)=\lim\limits_{x\to (a+1)+} f(x)=f(a+1)$에서
$\lim\limits_{x\to (a+1)-} h(x)=\lim\limits_{x\to (a+1)+} g(x)=h(a+1)$이므로
$g(a+1)=h(a+1)$ ⋯⋯ ㉡
㉠, ㉡에서 a, $a+1$은 방정식 $g(x)=h(x)$, 즉 $x^2+(k-10)x+k+1=0$의 근이다.
이차방정식의 근과 계수의 관계에서
$a+(a+1)=-(k-10)$, $a(a+1)=k+1$이므로
$a^2+3a-10=0$, $(a+5)(a-2)=0$

$a=-5$ 또는 $a=2$

$a=-5$일 때, $k=19$

$a=2$일 때, $k=5$

따라서 모든 상수 k의 값의 합은

$19+5=24$

답 ③

26 $(f \circ g)(x^2)=f(g(x^2))=f(x^2+1)=\sqrt{x^2+1}$

$(g \circ f)(x^2)=g(f(x^2))=g(\sqrt{x^2})=\sqrt{x^2}+1=|x|+1$

함수 $h(x)$가 실수 전체의 집합에서 연속이므로 $x=0$에서도 연속이다.

$$\lim_{x \to 0+} h(x)=\lim_{x \to 0+} \frac{(f \circ g)(x^2)-(g \circ f)(x^2)}{x}$$

$$=\lim_{x \to 0+} \frac{\sqrt{x^2+1}-(|x|+1)}{x}$$

$$=\lim_{x \to 0+} \frac{\{\sqrt{x^2+1}-(|x|+1)\}\{\sqrt{x^2+1}+(|x|+1)\}}{x\{\sqrt{x^2+1}+(|x|+1)\}}$$

$$=\lim_{x \to 0+} \frac{-2|x|}{x\{\sqrt{x^2+1}+(|x|+1)\}}=-1$$

$$\lim_{x \to 0-} h(x)=k=h(0)$$

따라서 $k=-1$

답 ②

27 조건 (가)에서 $f(x+2)=f(x)$이므로 $f(0)=f(2)$이다.

$1=4+2a+b,\ 2a+b=-3$ ······ ㉠

함수 $f(x)$가 실수 전체의 집합에서 연속이므로 $x=1$에서도 연속이다.

$\lim\limits_{x \to 1-} f(x)=\lim\limits_{x \to 1+} f(x)=f(1)$에서

$2=1+a+b,\ a+b=1$ ······ ㉡

㉠, ㉡을 연립하여 풀면

$a=-4,\ b=5$

$a+2b=-4+2 \times 5=6$

답 ①

28 함수 $h(x)$가 실수 전체의 집합에서 연속이므로 $x=1$, $x=3$에서도 연속이다.

즉, $\lim\limits_{x \to 1} \dfrac{f(x)}{g(x)}=4$, $\lim\limits_{x \to 3} \dfrac{f(x)}{g(x)}=a$

이때 $\lim\limits_{x \to 1} g(x)=g(1)=0$, $\lim\limits_{x \to 3} g(x)=g(3)=0$이므로

$\lim\limits_{x \to 1} f(x)=f(1)=0$, $\lim\limits_{x \to 3} f(x)=f(3)=0$이어야 한다.

삼차함수 $f(x)$의 최고차항의 계수가 1이므로

$f(x)=(x-1)(x-3)(x+k)$ (k는 상수)

로 놓을 수 있다.

$$\lim_{x \to 1} \frac{f(x)}{g(x)}=\lim_{x \to 1} \frac{(x-1)(x-3)(x+k)}{(x-1)(x-3)}$$

$$=\lim_{x \to 1} (x+k)$$

$$=k+1=4$$

이므로 $k=3$

따라서 $f(x)=(x-1)(x-3)(x+3)$이고

$$\lim_{x \to 3} \frac{f(x)}{g(x)}=\lim_{x \to 3} \frac{(x-1)(x-3)(x+3)}{(x-1)(x-3)}$$

$$=\lim_{x \to 3} (x+3)$$

$$=6=a$$

$$\lim_{x \to a} h(x)=\lim_{x \to 6} \frac{f(x)}{g(x)}$$

$$=\lim_{x \to 6} \frac{(x-1)(x-3)(x+3)}{(x-1)(x-3)}$$

$$=\lim_{x \to 6} (x+3)$$

$$=9$$

답 ③

29 ㄱ. $1-\dfrac{1}{t}=x$라 하면 $t \to \infty$일 때 $x \to 1-$이므로

$\lim\limits_{t \to \infty} f\left(1-\dfrac{1}{t}\right)=\lim\limits_{x \to 1-} f(x)=1$ (참)

ㄴ. (i) $\lim\limits_{x \to 1-} f(x)f(x+1)=\lim\limits_{x \to 1-} f(x) \times \lim\limits_{x \to 1-} f(x+1)$

$=\lim\limits_{x \to 1-} f(x) \times \lim\limits_{t \to 2-} f(t)$

$=1 \times 0=0$

(ii) $\lim\limits_{x \to 1+} f(x)f(x+1)=\lim\limits_{x \to 1+} f(x) \times \lim\limits_{x \to 1+} f(x+1)$

$=\lim\limits_{x \to 1+} f(x) \times \lim\limits_{t \to 2+} f(t)$

$=2 \times 0=0$

(iii) $f(1)f(2)=0 \times 0=0$

(i), (ii), (iii)에 의하여

$\lim\limits_{x \to 1} f(x)f(x+1)=f(1)f(2)$

이므로 함수 $f(x)f(x+1)$은 $x=1$에서 연속이다. (참)

ㄷ. $g(x)=\dfrac{f(x)}{f(x-1)+1}$라 하면

(i) $\lim\limits_{x \to 2-} g(x)=\lim\limits_{x \to 2-} \dfrac{f(x)}{f(x-1)+1}=0$

(ii) $\lim\limits_{x \to 2+} g(x)=\lim\limits_{x \to 2+} \dfrac{f(x)}{f(x-1)+1}=0$

(iii) $g(2)=\dfrac{f(2)}{f(1)+1}=0$

(i), (ii), (iii)에 의하여

$\lim\limits_{x \to 2} g(x)=g(2)$

이므로 함수 $g(x)=\dfrac{f(x)}{f(x-1)+1}$는 $x=2$에서 연속이다. (참)

따라서 옳은 것은 ㄱ, ㄴ, ㄷ이다.

답 ⑤

30 $\lim\limits_{x \to \infty} g(x)=\lim\limits_{x \to \infty} \dfrac{xf(x)+1}{x^2-1}=2$에서 $xf(x)+1$은 최고차항의 계수가 2인 이차함수이어야 하므로 $f(x)=2x+a$ (a는 상수)로 놓을 수 있다.

또한 주어진 조건에서 함수 $g(x)$가 $x=1$에서 연속이므로

$g(1)=\lim\limits_{x\to1}g(x)$에서

$k=\lim\limits_{x\to1}\dfrac{xf(x)+1}{x^2-1}$

$=\lim\limits_{x\to1}\dfrac{x(2x+a)+1}{x^2-1}$ ...... ㉠

㉠에서 $x\to1$일 때 (분모)$\to0$이고 극한값이 존재하므로 (분자)$\to0$이어야 한다.

즉, $\lim\limits_{x\to1}\{x(2x+a)+1\}=0$에서

$a+3=0$, $a=-3$ ...... ㉡

㉡을 ㉠에 대입하면

$k=\lim\limits_{x\to1}\dfrac{x(2x-3)+1}{x^2-1}$

$=\lim\limits_{x\to1}\dfrac{2x^2-3x+1}{x^2-1}$

$=\lim\limits_{x\to1}\dfrac{(x-1)(2x-1)}{(x-1)(x+1)}$

$=\dfrac{1}{2}$

답 ①

31 $\lim\limits_{x\to1}\dfrac{f(x-1)+3}{x-1}=2$에서 $x\to1$일 때 (분모)$\to0$이고 극한값이 존재하므로 (분자)$\to0$이어야 한다.

즉, $\lim\limits_{x\to1}\{f(x-1)+3\}=0$이고 함수 $f(x)$가 $x=0$에서 연속이므로

$f(0)=\lim\limits_{x\to0}f(x)=\lim\limits_{t\to1}f(t-1)=-3$

$f(x+y)=f(x)+f(y)+a$의 양변에 $x=y=0$을 대입하면

$f(0)=f(0)+f(0)+a$이므로

$f(0)=-a=-3$

따라서 $a=3$

답 ②

32 이차방정식 $x^2+2ax+a=0$의 판별식을 D라 하면

$\dfrac{D}{4}=a^2-a=a(a-1)$

따라서 함수 $f(a)$는 다음과 같다.

$f(a)=\begin{cases}2 & (a<0)\\1 & (a=0)\\0 & (0<a<1)\\1 & (a=1)\\2 & (a>1)\end{cases}$

$g(a)=a^2+ka+l$ (k, l은 상수)이라 하면 함수 $f(a)g(a)$가 실수 전체의 집합에서 연속이므로 $a=0$, $a=1$에서도 연속이다.

(i) $a=0$에서 연속

$\lim\limits_{a\to0-}f(a)g(a)=\lim\limits_{a\to0-}f(a)\times\lim\limits_{a\to0-}g(a)$

$\qquad\qquad\quad =2\times g(0)=2g(0)$

$\lim\limits_{a\to0+}f(a)g(a)=\lim\limits_{a\to0+}f(a)\times\lim\limits_{a\to0+}g(a)$

$\qquad\qquad\quad =0\times g(0)=0$

$f(0)g(0)=1\times g(0)=g(0)$

이므로 $2g(0)=0=g(0)$

따라서 $g(0)=0$

(ii) $a=1$에서 연속

$\lim\limits_{a\to1-}f(a)g(a)=\lim\limits_{a\to1-}f(a)\times\lim\limits_{a\to1-}g(a)$

$\qquad\qquad\quad =0\times g(1)=0$

$\lim\limits_{a\to1+}f(a)g(a)=\lim\limits_{a\to1+}f(a)\times\lim\limits_{a\to1+}g(a)$

$\qquad\qquad\quad =2\times g(1)=2g(1)$

$f(1)g(1)=1\times g(1)=g(1)$

이므로 $0=2g(1)=g(1)$

따라서 $g(1)=0$

(i), (ii)에서 $g(0)=0$, $g(1)=0$이므로

$g(a)=a^2+ka+l$에 대입하면

$g(0)=l=0$ ...... ㉠

$g(1)=1+k+l=0$ ...... ㉡

㉠, ㉡에서 $k=-1$, $l=0$

따라서 $g(a)=a^2-a$이므로

$g(3)=9-3=6$

답 ③

33 $g(x)=\dfrac{f(x)+|f(x)|}{2}$에서

$f(x)\geq0$이면 $g(x)=\dfrac{f(x)+f(x)}{2}=f(x)$

$f(x)<0$이면 $g(x)=\dfrac{f(x)-f(x)}{2}=0$

함수 $g(x)$가 실수 전체의 집합에서 연속이므로 $x=-1$에서도 연속이다.

즉, $\lim\limits_{x\to-1-}g(x)=\lim\limits_{x\to-1+}g(x)=g(-1)$

이때 $f(-1)=6>0$이므로 $g(-1)=f(-1)=6$이고,

$\lim\limits_{x\to-1-}g(x)=\lim\limits_{x\to-1-}(-x+5)=6$이므로

$\lim\limits_{x\to-1+}g(x)=6$

즉, $\lim\limits_{x\to-1+}ax(x-2)=3a=6$에서

$a=2$

또한 함수 $g(x)$가 $x=1$에서도 연속이므로

$\lim\limits_{x\to1-}g(x)=\lim\limits_{x\to1+}g(x)=g(1)$

이때 $f(1)=-a=-2<0$이므로 $g(1)=0$이고,

$\lim\limits_{x\to1-}g(x)=\lim\limits_{x\to1-}0=0$이므로

$\lim\limits_{x\to1+}g(x)=0$

즉, $\lim\limits_{x\to1+}f(x)=\lim\limits_{x\to1+}(x+b)=1+b\leq0$에서

$b\leq-1$

$a+b\leq2+(-1)=1$

따라서 $a+b$의 최댓값은 1이다.

답 ④

정답과 풀이

34 이차함수 $f(x)$는 연속함수이고, 모든 실수 a에 대하여
$$\lim_{x \to a+2} f(x) = \lim_{x \to -a+2} f(x) = a^2-16$$
을 만족시키므로 이차함수 $y=f(x)$의 그래프는 직선 $x=2$에 대하여 대칭이다.

따라서 $b=2$

$f(x)=p(x-2)^2+q$ (p, q는 상수, $p\neq0$)로 놓으면 임의의 실수 a에 대하여
$$\lim_{x \to a+2}\{p(x-2)^2+q\} = \lim_{x \to -a+2}\{p(x-2)^2+q\}=a^2-16$$
$$pa^2+q=a^2-16$$
위의 식은 a에 대한 항등식이므로

$p=1$, $q=-16$

$$\lim_{x \to -b}\frac{f(x)}{x+b}=\lim_{x \to -2}\frac{(x-2)^2-16}{x+2}$$
$$=\lim_{x \to -2}\frac{x^2-4x-12}{x+2}$$
$$=\lim_{x \to -2}\frac{(x+2)(x-6)}{x+2}$$
$$=\lim_{x \to -2}(x-6)$$
$$=-8$$

답 ④

35 ㄱ. $\lim_{x \to 1-}f(x)=0$, $\lim_{x \to 1-}g(x)=1$이므로
$$\lim_{x \to 1-}f(x)g(x)=\lim_{x \to 1-}f(x)\times\lim_{x \to 1-}g(x)$$
$$=0\times1$$
$$=0 \text{ (참)}$$

ㄴ. $x+1=t$라 하면 $x \to 0+$일 때 $t \to 1+$이고 $x \to 0-$일 때 $t \to 1-$이므로
$$\lim_{x \to 0+}f(x+1)=\lim_{t \to 1+}f(t)=-1$$
$$\lim_{x \to 0-}f(x+1)=\lim_{t \to 1-}f(t)=0$$
즉, 극한값이 존재하지 않으므로 $x=0$에서 불연속이다. (거짓)

ㄷ. $x-1=t$라 하면 $x \to 1-$일 때 $t \to 0-$이고 $x \to 1+$일 때 $t \to 0+$이므로
$$\lim_{x \to 1-}|f(x)|g(x-1)=\lim_{x \to 1-}|f(x)|\times\lim_{x \to 1-}g(x-1)$$
$$=\lim_{x \to 1-}|f(x)|\times\lim_{t \to 0-}g(t)$$
$$=0\times1=0$$
$$\lim_{x \to 1+}|f(x)|g(x-1)=\lim_{x \to 1+}|f(x)|\times\lim_{x \to 1+}g(x-1)$$
$$=\lim_{x \to 1+}|f(x)|\times\lim_{t \to 0+}g(t)$$
$$=1\times0=0$$
$$|f(1)|g(1-1)=|f(1)|g(0)=0\times0=0$$
따라서 $\lim_{x \to 1}|f(x)|g(x-1)=|f(1)|g(0)$

즉, 함수 $|f(x)|g(x-1)$은 $x=1$에서 연속이다. (참)
따라서 옳은 것은 ㄱ, ㄷ이다.

답 ④

36

ㄱ. $\lim_{x \to -1-}f(x)=-1$ (참)

ㄴ. $\lim_{x \to 2-}(x-2)f(x)=0\times1=0$
$$\lim_{x \to 2+}(x-2)f(x)=0\times(-1)=0$$
$$(2-2)f(2)=0$$
이므로 $\lim_{x \to 2}(x-2)f(x)=(2-2)f(2)$
따라서 함수 $(x-2)f(x)$는 $x=2$에서 연속이다. (참)

ㄷ. 함수 $f(x)f(x+a)$가 $x=0$에서 연속이려면
$$\lim_{x \to 0-}f(x)f(x+a)=\lim_{x \to 0+}f(x)f(x+a)=f(0)f(a)$$
가 성립해야 한다.

$x+a=t$라 하면
$$\lim_{x \to 0-}f(x)f(x+a)=\lim_{x \to 0-}f(x)\times\lim_{t \to a-}f(t)=\lim_{t \to a-}f(t)$$
$$\lim_{x \to 0+}f(x)f(x+a)=\lim_{x \to 0+}f(x)\times\lim_{t \to a+}f(t)=-\lim_{t \to a+}f(t)$$
$$f(0)f(a)=f(a)$$
이므로 $\lim_{t \to a-}f(t)=-\lim_{t \to a+}f(t)=f(a)$

위의 그래프에서 $a=2n$ (n은 정수)일 때 위 식이 성립하므로 실수 a는 무수히 많다. (참)
따라서 옳은 것은 ㄱ, ㄴ, ㄷ이다.

답 ⑤

37 $g(x)=f(x)+f(-x)$라 하자.
$$\lim_{x \to 0+}f(-x)=\lim_{t \to 0-}f(t)=4$$이므로
$$\lim_{x \to 0+}g(x)=\lim_{x \to 0+}\{f(x)+f(-x)\}$$
$$=\lim_{x \to 0+}f(x)+\lim_{x \to 0+}f(-x)$$
$$=\lim_{x \to 0+}f(x)+\lim_{t \to 0-}f(t)$$
$$=6+4=10$$
$$\lim_{x \to 0-}f(-x)=\lim_{t \to 0+}f(t)=6$$이므로
$$\lim_{x \to 0-}g(x)=\lim_{x \to 0-}\{f(x)+f(-x)\}$$
$$=\lim_{x \to 0-}f(x)+\lim_{x \to 0-}f(-x)$$
$$=\lim_{x \to 0-}f(x)+\lim_{t \to 0+}f(t)$$
$$=4+6=10$$
$$g(0)=f(0)+f(0)=2f(0)$$
이때 함수 $g(x)=f(x)+f(-x)$가 $x=0$에서 연속이므로
$$\lim_{x \to 0+}g(x)=\lim_{x \to 0-}g(x)=g(0)$$에서
$$10=2f(0), \quad f(0)=5 \qquad \cdots\cdots \text{㉠}$$
$h(x)=f(x-1)\{f(x)-2\}$라 하자.
$$\lim_{x \to 1+}f(x-1)=\lim_{u \to 0+}f(u)=6$$이므로

24 올림포스 고난도 • 수학Ⅱ

$$\lim_{x \to 1+} h(x) = \lim_{x \to 1+} [f(x-1)\{f(x)-2\}]$$
$$= \lim_{x \to 1+} f(x-1) \times \lim_{x \to 1+} \{f(x)-2\}$$
$$= \lim_{u \to 0+} f(u) \times \lim_{x \to 1+} \{f(x)-2\}$$
$$= 6 \times (2-2) = 0$$
$$\lim_{x \to 1-} f(x-1) = \lim_{u \to 0-} f(u) = 4$$이므로
$$\lim_{x \to 1-} h(x) = \lim_{x \to 1-} [f(x-1)\{f(x)-2\}]$$
$$= \lim_{x \to 1-} f(x-1) \times \lim_{x \to 1-} \{f(x)-2\}$$
$$= \lim_{u \to 0-} f(u) \times \lim_{x \to 1-} \{f(x)-2\}$$
$$= 4 \times (2-2) = 0$$
$$h(1) = f(0)\{f(1)-2\} = 5\{f(1)-2\}$$
이때 함수 $h(x) = f(x-1)\{f(x)-2\}$가 $x=1$에서 연속이므로
$$\lim_{x \to 1+} h(x) = \lim_{x \to 1-} h(x) = h(1)$$에서
$$0 = 5\{f(1)-2\}, \ f(1) = 2 \qquad \cdots\cdots \ \unicode{x24C1}$$
$\unicode{x24BF}$, $\unicode{x24C1}$에서 $f(0) + f(1) = 5 + 2 = 7$

답 ④

38 ㄱ. $\lim_{x \to 0-} |f(x)| = 2$, $\lim_{x \to 0+} |f(x)| = 2$, $|f(0)| = |-2| = 2$
이므로 $|f(x)|$는 $x=0$에서 연속이다. (참)

ㄴ. $-x = t$라 하면
$$\lim_{x \to 0-} \{f(x) + f(-x)\} = \lim_{x \to 0-} f(x) + \lim_{t \to 0+} f(t)$$
$$= 2 + (-2) = 0$$
$$\lim_{x \to 0+} \{f(x) + f(-x)\} = \lim_{x \to 0+} f(x) + \lim_{t \to 0-} f(t)$$
$$= (-2) + 2 = 0$$
$$f(0) + f(0) = (-2) + (-2) = -4$$
이므로 $f(x) + f(-x)$는 $x=0$에서 불연속이다. (거짓)

ㄷ. $x-1 = t$, $x+1 = s$라 하면 $x \to 0-$일 때 $t \to -1-$, $s \to 1-$이고, $x \to 0+$일 때 $t \to -1+$, $s \to 1+$이므로
$$\lim_{x \to 0-} f(x-1)f(x+1) = \lim_{t \to -1-} f(t) \times \lim_{s \to 1-} f(s)$$
$$= (-1) \times (-1) = 1$$
$$\lim_{x \to 0+} f(x-1)f(x+1) = \lim_{t \to -1+} f(t) \times \lim_{s \to 1+} f(s)$$
$$= 1 \times 1 = 1$$
$$f(-1)f(1) = 1 \times 1 = 1$$
에서 $\lim_{x \to 0} f(x-1)f(x+1) = f(-1)f(1)$
따라서 함수 $f(x-1)f(x+1)$은 $x=0$에서 연속이다. (참)
따라서 옳은 것은 ㄱ, ㄷ이다.

답 ④

39 $\sqrt{x} = \frac{1}{2}x + t$의 양변을 제곱하여 정리하면
$$\frac{1}{4}x^2 + (t-1)x + t^2 = 0$$
이 이차방정식의 판별식을 D라 하면

$$D = (t-1)^2 - 4 \times \frac{1}{4} \times t^2 = 0$$에서
$$-2t + 1 = 0, \ t = \frac{1}{2}$$
즉, 곡선 $y = \sqrt{x}$와 직선 $y = \frac{1}{2}x + t$가 접할 때 실수 t의 값은 $\frac{1}{2}$이고 직선 $y = \frac{1}{2}x + t$가 점 $(0, 0)$을 지날 때 실수 t의 값은 0이므로
$$f(t) = \begin{cases} 0 & \left(t > \frac{1}{2}\right) \\ 1 & \left(t = \frac{1}{2}\right) \\ 2 & \left(0 \le t < \frac{1}{2}\right) \\ 1 & (t < 0) \end{cases}$$
따라서 함수 $y = f(t)$의 그래프는 다음과 같다.

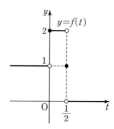

$h(t) = (2t^2 + at + b)f(t)$라 할 때, 함수 $h(t)$가 실수 전체의 집합에서 연속이려면 $t = 0$, $t = \frac{1}{2}$에서 연속이어야 한다.

(i) 함수 $h(t)$가 $t = 0$에서 연속이려면 $\lim_{t \to 0} h(t) = h(0)$이어야 한다.
이때
$$\lim_{t \to 0+} h(t) = \lim_{t \to 0+} (2t^2 + at + b)f(t) = 2b$$
$$\lim_{t \to 0-} h(t) = \lim_{t \to 0-} (2t^2 + at + b)f(t) = b$$
$$h(0) = (0^2 + a \times 0 + b)f(0) = 2b$$
이므로 $2b = b$
$$b = 0$$

(ii) 함수 $h(t)$가 $t = \frac{1}{2}$에서 연속이려면 $\lim_{t \to \frac{1}{2}} h(t) = h\left(\frac{1}{2}\right)$이어야 한다.
이때
$$\lim_{t \to \frac{1}{2}+} h(t) = \lim_{t \to \frac{1}{2}+} (2t^2 + at + b)f(t) = 0$$
$$\lim_{t \to \frac{1}{2}-} h(t) = \lim_{t \to \frac{1}{2}-} (2t^2 + at + b)f(t)$$
$$= \left(\frac{1}{2} + \frac{a}{2} + b\right) \times 2$$
$$= a + 2b + 1$$
$$h\left(\frac{1}{2}\right) = \left\{2 \times \left(\frac{1}{2}\right)^2 + a \times \frac{1}{2} + b\right\} f\left(\frac{1}{2}\right)$$
$$= \frac{1}{2} + \frac{1}{2}a + b$$
이므로 $0 = 1 + a + 2b = \frac{1}{2} + \frac{1}{2}a + b$
$$a = -1$$

(ⅰ), (ⅱ)에서
$a+b=-1+0=-1$

답 ①

40 $g(x)=\begin{cases}x^2+1 & (x\le0)\\x^2-1 & (x>0)\end{cases}$ 에 대하여

$g(0)=\lim_{x\to0-}g(x)=1,\ \lim_{x\to0+}g(x)=-1$

$h(x)=f(x+k)g(x)$라 할 때, $h(x)$가 $x=0$에서 연속이 되려면

$\lim_{x\to0-}h(x)=\lim_{x\to0+}h(x)=h(0)$이어야 한다.

$x+k=t$라 하면

(ⅰ) $\lim_{x\to0-}h(x)=\lim_{x\to0-}f(x+k)g(x)$

$\qquad\qquad =\lim_{x\to0-}f(x+k)\times\lim_{x\to0-}g(x)$

$\qquad\qquad =\lim_{x\to0-}f(x+k)=\lim_{t\to k-}f(t)$

(ⅱ) $\lim_{x\to0+}h(x)=\lim_{x\to0+}f(x+k)g(x)$

$\qquad\qquad =\lim_{x\to0+}f(x+k)\times\lim_{x\to0+}g(x)$

$\qquad\qquad =-\lim_{x\to0+}f(x+k)=-\lim_{t\to k+}f(t)$

(ⅲ) $h(0)=f(k)g(0)=f(k)$

(ⅰ), (ⅱ), (ⅲ)에 의하여

$\lim_{t\to k-}f(t)=-\lim_{t\to k+}f(t)=f(k)$

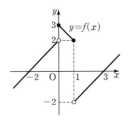

함수 $y=f(x)$의 그래프가 그림과 같으므로 이 조건을 만족시키는 실수 k의 값은

$k=-2$ 또는 $k=1$ 또는 $k=3$

따라서 모든 실수 k의 값의 합은

$-2+1+3=2$

답 ②

41 $0\le\alpha\le1,\ 0\le\beta\le1$이고 $f(\alpha)=1,\ f(\beta)=0$이라 하자.

ㄱ. $g(x)=f(x)-\dfrac{1}{2}$이라 하면 $g(x)$는 닫힌구간 $[0,\ 1]$에서 연속이고

$g(\alpha)g(\beta)=\left\{f(\alpha)-\dfrac{1}{2}\right\}\left\{f(\beta)-\dfrac{1}{2}\right\}$

$\qquad\qquad =\left(1-\dfrac{1}{2}\right)\left(0-\dfrac{1}{2}\right)<0$

이므로 사잇값의 정리에 의하여 $g(x)=0$을 만족시키는 실수 x가 열린구간 $(0,\ 1)$에 적어도 하나 존재한다.

즉, 방정식 $f(x)-\dfrac{1}{2}=0$은 열린구간 $(0,\ 1)$에서 적어도 하나의 실근을 갖는다.

ㄴ. $h(x)=f(x)-\dfrac{1}{2}x-\dfrac{1}{4}$이라 하면 $h(x)$는 닫힌구간 $[0,\ 1]$에서 연

속이고

$h(\alpha)h(\beta)=\left\{f(\alpha)-\dfrac{1}{2}\alpha-\dfrac{1}{4}\right\}\left\{f(\beta)-\dfrac{1}{2}\beta-\dfrac{1}{4}\right\}$

$\qquad\qquad =\left(1-\dfrac{1}{2}\alpha-\dfrac{1}{4}\right)\left(-\dfrac{1}{2}\beta-\dfrac{1}{4}\right)$

$\qquad\qquad =\left(\dfrac{3}{4}-\dfrac{1}{2}\alpha\right)\left(-\dfrac{1}{2}\beta-\dfrac{1}{4}\right)<0$

이므로 사잇값의 정리에 의하여 $h(x)=0$을 만족시키는 실수 x가 열린구간 $(0,\ 1)$에 적어도 하나 존재한다.

즉, 방정식 $f(x)-\dfrac{1}{2}x-\dfrac{1}{4}=0$은 열린구간 $(0,\ 1)$에서 적어도 하나의 실근을 갖는다.

ㄷ. [반례] $f(x)=x$이면 닫힌구간 $[0,\ 1]$에서 $x=1$일 때 최댓값 1, $x=0$일 때 최솟값 0을 갖지만 방정식 $f(x)-x^2=x-x^2=x(1-x)=0$은 $x=0,\ x=1$을 근으로 갖고 열린구간 $(0,\ 1)$에서는 실근을 갖지 않는다.

따라서 열린구간 $(0,\ 1)$에서 적어도 하나의 실근을 갖는 방정식은 ㄱ, ㄴ이다.

답 ③

42 ㄱ. $\lim_{x\to1+}f(x)=3,\ \lim_{x\to1+}f(-x)=\lim_{t\to-1-}f(t)=-2$이므로

$\lim_{x\to1+}\{f(x)+f(-x)\}=\lim_{x\to1+}f(x)+\lim_{x\to1+}f(-x)$

$\qquad\qquad\qquad =3+(-2)=1$ (참)

ㄴ. $f(x)=\begin{cases}x-1 & (x\le-1)\\3 & (-1<x\le1)\end{cases}$ 이므로

$g(x)=(-x+a)f(x)$라 하면

$\lim_{x\to-1-}g(x)=\lim_{x\to-1-}(-x+a)f(x)$

$\qquad\qquad =\lim_{x\to-1-}(-x+a)\times\lim_{x\to-1-}f(x)$

$\qquad\qquad =(1+a)\times(-2)=-2a-2$

$\lim_{x\to-1+}g(x)=\lim_{x\to-1+}(-x+a)f(x)$

$\qquad\qquad =\lim_{x\to-1+}(-x+a)\times\lim_{x\to-1+}f(x)$

$\qquad\qquad =(1+a)\times3=3a+3$

$g(-1)=(1+a)f(-1)=(1+a)\times(-2)=-2a-2$

함수 $g(x)$가 $x=-1$에서 연속이려면 $\lim_{x\to-1}g(x)=g(-1)$이어야

하므로 $-2a-2=3a+3$에서

$a=-1$ (참)

ㄷ. $f(x)=\begin{cases}3 & (-1<x\le1)\\x+2 & (x>1)\end{cases}$ 이므로

$h(x)=(x+1)f(x)-4$라 하면

$h(x)=\begin{cases}3(x+1)-4 & (-1<x\le1)\\(x+1)(x+2)-4 & (x>1)\end{cases}$

$\qquad =\begin{cases}3x-1 & (-1<x\le1)\\x^2+3x-2 & (x>1)\end{cases}$

이때 $h(x)$는 열린구간 $\left(-\dfrac{1}{2},\ 2\right)$에서 연속이고

$h\left(-\dfrac{1}{2}\right)=-\dfrac{5}{2}<0$, $h(2)=8>0$이므로 사잇값의 정리에 의하여

방정식 $h(x)=0$은 열린구간 $\left(-\dfrac{1}{2},\ 2\right)$에서 적어도 하나의 실근을

갖는다. (참)

따라서 옳은 것은 ㄱ, ㄴ, ㄷ이다.

답 ⑤

43 $(x+1)f(x)=0$에서 $g(x)=(x+1)f(x)$라 하면 함수 $g(x)$는
삼차함수이므로 실수 전체의 집합에서 연속이다.

방정식 $g(x)=0$이 세 개의 열린구간 $(-2,\ 0)$, $(0,\ 2)$, $(2,\ 4)$에서 각
각 한 개의 실근을 가지므로 사잇값의 정리에 의하여

$g(-2)g(0)=-f(-2)f(0)<0$이므로

$f(-2)f(0)>0$ ······ ㉠

$g(0)g(2)=f(0)\times3f(2)<0$이므로

$f(0)f(2)<0$ ······ ㉡

$g(2)g(4)=3f(2)\times5f(4)<0$이므로

$f(2)f(4)<0$ ······ ㉢

ㄱ. ㉠, ㉡에서 변끼리 곱하면

$\quad f(-2)\{f(0)\}^2f(2)<0$

$\quad f(-2)f(2)<0$ (참)

ㄴ. ㉡, ㉢에서 변끼리 곱하면

$\quad f(0)\{f(2)\}^2f(4)>0$

$\quad f(0)f(4)>0$ (참)

ㄷ. 위의 ㉠, ㉡, ㉢을 만족시키는 경우는 다음의 두 가지이다.

　(i) $f(-2)<0$, $f(0)<0$, $f(2)>0$, $f(4)<0$

　(ii) $f(-2)>0$, $f(0)>0$, $f(2)<0$, $f(4)>0$

　(i)의 경우는 $f(0)f(2)f(4)>0$

　(ii)의 경우는 $f(0)f(2)f(4)<0$

　이므로 항상 $f(0)f(2)f(4)<0$이라 할 수 없다. (거짓)

따라서 옳은 것은 ㄱ, ㄴ이다.

답 ②

44 사차함수 $f(x)$가 실수 전체의 집합에서 연속이므로

$\displaystyle\lim_{x\to-2+}f(x)=\lim_{x\to1}f(x)$에서 $f(-2)=f(1)$

$\displaystyle\lim_{x\to0+}f(x)=\lim_{x\to2-}f(x)$에서 $f(0)=f(2)$

이때 $f(0)f(1)<0$이므로

$f(-2)f(0)<0$, $f(1)f(2)<0$

따라서 사잇값의 정리에 의하여 사차방정식 $f(x)=0$은 열린구간
$(-2,\ 0)$, $(0,\ 1)$, $(1,\ 2)$에서 각각 적어도 1개의 실근을 갖는다.

조건 (다)에서 $\displaystyle\lim_{x\to3}\dfrac{f(x)}{x-3}=2$이므로 $f(3)=0$

따라서 사차방정식 $f(x)=0$의 한 실근이 $x=3$이므로 열린구간
$(-2,\ 0)$, $(0,\ 1)$, $(1,\ 2)$에서 각각 1개의 실근을 갖는다

따라서 사차방정식 $f(x)=0$은 $-2<x<1$에서 2개의 실근을 가지므로
n의 값은 2이다.

답 ③

45 $\overline{OA}=4$, $\overline{OB}=3$이므로

$\overline{AB}=5$

그림과 같이 꼭짓점 O에서 변 AB에 내린 수
선의 발을 H라 하면

$\overline{OA}\times\overline{OB}=\overline{AB}\times\overline{OH}$에서

$4\times3=5\times\overline{OH}$이므로 $\overline{OH}=\dfrac{12}{5}$

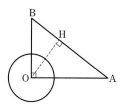

$f(r)=\begin{cases}2 & \left(0<r<\dfrac{12}{5}\right)\\ 3 & \left(r=\dfrac{12}{5}\right)\\ 4 & \left(\dfrac{12}{5}<r<3\right)\\ 3 & (r=3)\\ 2 & (3<r<4)\\ 1 & (r=4)\\ 0 & (r>4)\end{cases}$

이므로 함수 $y=f(r)$의 그래프는 그림과 같다.

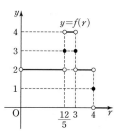

함수 $f(r)$는 $r=\dfrac{12}{5}$, $r=3$, $r=4$에서 불연속이고, 삼차함수 $g(r)$는
실수 전체의 집합에서 연속이므로 함수 $f(r)g(r)$가 양의 실수 전체의
집합에서 연속이려면 $r=\dfrac{12}{5}$, $r=3$, $r=4$에서 연속이어야 한다.

·············· (가)

(i) $r=\dfrac{12}{5}$에서 연속

$\displaystyle\lim_{r\to\frac{12}{5}-}f(r)g(r)=\lim_{r\to\frac{12}{5}-}f(r)\times\lim_{r\to\frac{12}{5}-}g(r)=2g\left(\dfrac{12}{5}\right)$

$\displaystyle\lim_{r\to\frac{12}{5}+}f(r)g(r)=\lim_{r\to\frac{12}{5}+}f(r)\times\lim_{r\to\frac{12}{5}+}g(r)=4g\left(\dfrac{12}{5}\right)$

$f\left(\dfrac{12}{5}\right)g\left(\dfrac{12}{5}\right)=3g\left(\dfrac{12}{5}\right)$

이므로 $2g\left(\dfrac{12}{5}\right)=4g\left(\dfrac{12}{5}\right)=3g\left(\dfrac{12}{5}\right)$

따라서 $g\left(\dfrac{12}{5}\right)=0$

·············· (나)

(ii) $r=3$에서 연속

$\displaystyle\lim_{r\to3-}f(r)g(r)=\lim_{r\to3-}f(r)\times\lim_{r\to3-}g(r)=4g(3)$

$\displaystyle\lim_{r\to3+}f(r)g(r)=\lim_{r\to3+}f(r)\times\lim_{r\to3+}g(r)=2g(3)$

$f(3)g(3)=3g(3)$

이므로 $4g(3)=2g(3)=3g(3)$

따라서 $g(3)=0$

.... (다)

(iii) $r=4$에서 연속

$$\lim_{r \to 4-} f(r)g(r)=\lim_{r \to 4-} f(r) \times \lim_{r \to 4-} g(r)=2g(4)$$

$$\lim_{r \to 4+} f(r)g(r)=\lim_{r \to 4+} f(r) \times \lim_{r \to 4+} g(r)=0$$

$$f(4)g(4)=g(4)$$

이므로 $2g(4)=0=g(4)$

따라서 $g(4)=0$

.... (라)

(i), (ii), (iii)에서 $g\left(\dfrac{12}{5}\right)=g(3)=g(4)=0$이므로

$$g(r)=\left(r-\dfrac{12}{5}\right)(r-3)(r-4)$$

따라서 $g(8)=\left(8-\dfrac{12}{5}\right)(8-3)(8-4)=112$

.... (마)

답 112

단계	채점 기준	비율
(가)	함수 $f(r)$를 구하고 연속인 조건을 찾은 경우	40 %
(나)	$g\left(\dfrac{12}{5}\right)$의 값을 구한 경우	10 %
(다)	$g(3)$의 값을 구한 경우	10 %
(라)	$g(4)$의 값을 구한 경우	10 %
(마)	$g(8)$의 값을 구한 경우	30 %

46 x가 정수가 아닐 때, 열린구간 $(-4, 3)$에서 함수 $y=f(x)$의 그래프는 다음과 같고, $x=-3$, $x=-2$, $x=-1$, $x=0$, $x=1$, $x=2$에서 불연속이므로 불연속인 점의 개수는 6이다.

.... (가)

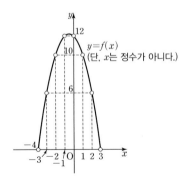

열린구간 $(-4, 3)$에서 함수

$$f(x)=\begin{cases} -x^2-x+12 & (x\text{가 정수가 아닐 때}) \\ ax+b & (x\text{가 정수일 때}) \end{cases}$$

가 불연속인 x의 값의 개수가 4가 되려면 기울기가 a인 직선 $y=ax+b$가 6개의 점 $(-3, 6)$, $(-2, 10)$, $(-1, 12)$, $(0, 12)$, $(1, 10)$,

$(2, 6)$ 중에서 서로 다른 두 점을 지나야 한다.

.... (나)

이때 두 실수 a, b에 대하여 $a+b$의 값이 최대가 되는 경우는 직선 $y=ax+b$가 두 점 $(-3, 6)$, $(-2, 10)$을 지날 때이다.

두 점 $(-3, 6)$, $(-2, 10)$을 지나는 직선의 방정식은

$$y-6=\dfrac{10-6}{(-2)-(-3)}(x+3), \quad y=4x+18$$

.... (다)

따라서 $a+b$의 최댓값은 $4+18=22$

.... (라)

답 22

단계	채점 기준	비율
(가)	불연속인 x의 값을 구한 경우	20 %
(나)	6개의 점 중에서 2개의 점을 지나는 조건을 구한 경우	30 %
(다)	$a+b$의 값이 최대가 되는 경우의 직선의 방정식을 구한 경우	30 %
(라)	$a+b$의 최댓값을 구한 경우	20 %

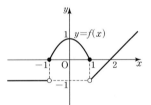

내신 상위 4% 변별력 문항   본문 31~32쪽

47 ⑤   **48** ⑤   **49** ③   **50** ③   **51** ⑤

47

함수

$$f(x)=\begin{cases} -1 & (x<-1) \\ -x^2+1 & (-1 \le x \le 1) \\ x-2 & (x>1) \end{cases}$$

의 그래프가 그림과 같을 때, 〈보기〉에서 옳은 것만을 있는 대로 고른 것은?

┤ 보기 ├

ㄱ. $\lim\limits_{x \to 0-} f(x+1)f(x-1)=0$

ㄴ. 함수 $f(x+1)f(x-1)$은 $x=0$에서 연속이다.

ㄷ. 함수 $f(x+1)f(x-a)$가 $x=-2$에서 연속이 되도록 하는 실수 a가 존재한다.

① ㄱ   ② ㄴ   ③ ㄱ, ㄴ

④ ㄱ, ㄷ   ✓⑤ ㄱ, ㄴ, ㄷ

$x+1$, $x-1$, $x-a$를 각각 치환하여 극한값을 구한다.

문제풀이

step 1 $x+1$, $x-1$을 치환하여 극한값을 구한다.

ㄱ. $\lim\limits_{x \to 0-} f(x+1) = \lim\limits_{t \to 1-} f(t) = 0$ → $x+1 = t$라 하면

$\lim\limits_{x \to 0-} f(x-1) = \lim\limits_{t \to -1-} f(t) = -1$ $\quad$ $x \to 0-$일 때 $t \to 1-$

$\lim\limits_{x \to 0-} f(x+1)f(x-1) = \lim\limits_{x \to 0-} f(x+1) \times \lim\limits_{x \to 0-} f(x-1)$

$\qquad\qquad\qquad\qquad = 0 \times (-1)$

$\qquad\qquad\qquad\qquad = 0$ (참)

ㄴ. ㄱ에서 $\lim\limits_{x \to 0-} f(x+1)f(x-1) = 0$이고

$\lim\limits_{x \to 0+} f(x+1) = \lim\limits_{t \to 1+} f(t) = -1$

$\lim\limits_{x \to 0+} f(x-1) = \lim\limits_{t \to -1+} f(t) = 0$

$\lim\limits_{x \to 0+} f(x+1)f(x-1) = \lim\limits_{x \to 0+} f(x+1) \times \lim\limits_{x \to 0+} f(x-1)$

$\qquad\qquad\qquad\qquad = (-1) \times 0 = 0$

$f(1)f(-1) = 0 \times 0 = 0$

이므로 $\lim\limits_{x \to 0} f(x+1)f(x-1) = f(1)f(-1)$

즉, 함수 $f(x+1)f(x-1)$은 $x=0$에서 연속이다. (참)

step 2 $x+1$, $x-a$를 치환하여 극한값을 구한 후 $x=-2$에서의 극한값과 함숫값이 같은지 확인한다.

ㄷ. $a=-4$일 때

(i) $\lim\limits_{x \to -2-} f(x+1) = \lim\limits_{t \to -1-} f(t) = -1$

$\lim\limits_{x \to -2-} f(x+4) = \lim\limits_{t \to 2-} f(t) = 0$

$\lim\limits_{x \to -2-} f(x+1)f(x+4) = (-1) \times 0 = 0$

$\qquad\qquad\qquad$ → $x+4 = t$라 하면

(ii) $\lim\limits_{x \to -2+} f(x+1) = \lim\limits_{t \to -1+} f(t) = 0$ $\quad$ $x \to -2-$일 때 $t \to 2-$

$\lim\limits_{x \to -2+} f(x+4) = \lim\limits_{t \to 2+} f(t) = 0$

$\lim\limits_{x \to -2+} f(x+1)f(x+4) = 0 \times 0 = 0$

(iii) $f(-1)f(2) = 0 \times 0 = 0$

(i), (ii), (iii)에서

$\lim\limits_{x \to -2} f(x+1)f(x+4) = f(-1)f(2)$

이므로 함수 $f(x+1)f(x+4)$는 $x=-2$에서 연속이다.

즉, $a=-4$이면 함수 $f(x+1)f(x-a)$는 $x=-2$에서 연속이다. (참)

따라서 옳은 것은 ㄱ, ㄴ, ㄷ이다.

답 ⑤

48

함수 $f(x)$가 다음 조건을 만족시킨다.

(가) 모든 실수 x에 대하여 $f(2x-1) = 2f(x) - 3$이다.
(나) $\lim\limits_{x \to 1} f(x) = 3$ → x에 대한 항등식
(다) 함수 $f(x)$는 $x=2$에서 연속이다. → $\lim\limits_{x \to 2} f(x) = f(2)$

〈보기〉에서 옳은 것만을 있는 대로 고른 것은?

┤ 보기 ├

ㄱ. 함수 $f(x)$는 $x=1$에서 연속이다.
ㄴ. $\lim\limits_{x \to 3} f(x) = 2f(2) - 3$
ㄷ. 함수 $f(x)f(4x-3)$은 $x=3$에서 연속이다.

① ㄱ $\qquad\qquad$ ② ㄷ $\qquad\qquad$ ③ ㄱ, ㄴ
④ ㄴ, ㄷ $\qquad$ ✓⑤ ㄱ, ㄴ, ㄷ

$2x-1 = t$로 치환하여 $f(x)f(4x-3)$을 $f(x)$에 대한 관계식으로 표현한다.

문제풀이

step 1 $x=1$에서 극한값과 함숫값을 확인한다.

ㄱ. $f(2x-1) = 2f(x) - 3$의 양변에 $x=1$을 대입하면

$f(1) = 2f(1) - 3$이므로 $f(1) = 3$

즉, $\lim\limits_{x \to 1} f(x) = 3 = f(1)$이므로 함수 $f(x)$는 $x=1$에서 연속이다.

$\qquad\qquad\qquad\qquad\qquad\qquad\qquad\qquad\qquad\qquad$ (참)

ㄴ. 함수 $f(x)$가 $x=2$에서 연속이므로 $\lim\limits_{x \to 2} f(x) = f(2)$

$\lim\limits_{x \to 3} f(x)$에서 $x = 2t - 1$로 놓으면

$\lim\limits_{x \to 3} f(x) = \lim\limits_{t \to 2} f(2t-1) = \lim\limits_{t \to 2} \{2f(t) - 3\}$

$\qquad\qquad = 2\lim\limits_{t \to 2} f(t) - 3$

$\qquad\qquad = 2f(2) - 3$ (참)

step 2 $2x-1 = t$로 치환하고 $f(2t-1) = 2f(t) - 3$임을 이용하여 $x=3$에서 연속임을 확인한다.

ㄷ. ㄴ에서 $\lim\limits_{x \to 3} f(x) = 2f(2) - 3$이고

$f(3) = f(2 \times 2 - 1) = 2f(2) - 3$

이므로 $\lim\limits_{x \to 3} f(x) = f(3)$

즉, 함수 $f(x)$는 $x=3$에서 연속이다.

$t = 2x - 1$이라 하면

$f(4x-3) = f(2(2x-1)-1) = f(2t-1) = 2f(t) - 3$

$\qquad\qquad = 2f(2x-1) - 3 = 2\{2f(x) - 3\} - 3$

$\qquad\qquad = 4f(x) - 9$

이므로

$f(x)f(4x-3) = f(x)\{4f(x) - 9\}$

$\qquad\qquad\qquad = 4\{f(x)\}^2 - 9f(x)$

이때 함수 $f(x)$가 $x=3$에서 연속이므로 함수 $4\{f(x)\}^2 - 9f(x)$, 즉 $f(x)f(4x-3)$도 $x=3$에서 연속이다. (참)

따라서 옳은 것은 ㄱ, ㄴ, ㄷ이다.

답 ⑤

49

세 집합
$A=\{(x, y)\,|\,y=x\}$ → 직선 $y=x$ 위의 점들의 집합
$B=\{(x, y)\,|\,y=ax+2a\}$ → 직선 $y=ax+2a$ 위의 점들의 집합
$C=\{(x, y)\,|\,x+y=t,\ t$는 실수$\}$ → 직선 $x+y=t$ 위의 점들의 집합
에 대하여 집합 $(A\cup B)\cap C$의 원소의 개수를 $f(t)$라 하자. 함수 $f(t)$가 $t=6$에서만 불연속이 되도록 하는 상수 a의 값은?

(단, $a\neq-1$)

① $\dfrac{1}{5}$ ② $\dfrac{2}{5}$ √③ $\dfrac{3}{5}$

④ $\dfrac{4}{5}$ ⑤1$(A\cup B)\cap C=(A\cap C)\cup(B\cap C)$
$A\cap C$는 두 직선 $y=x$, $x+y=t$의 교점들의 집합이고, $B\cap C$는 두 직선 $y=ax+2a$, $x+y=t$의 교점들의 집합이다.

풀이전략
두 직선 $y=x$, $y=ax+2a$의 위치 관계에 따른 직선 $x+y=t$와의 교점의 개수를 구한다.

문제풀이

step 1 두 직선 $y=x$, $y=ax+2a$가 평행할 때, 직선 $x+y=t$와의 교점의 개수를 구한다.

$f(t)$는 두 직선 $y=x$, $y=ax+2a$로 이루어진 도형과 직선 $x+y=t$, 즉 $y=-x+t$의 교점의 개수이다.

(ⅰ) 두 직선 $y=x$와 $y=ax+2a$가 평행할 때

→ 두 직선의 기울기인 일차항의 계수가 서로 같다.

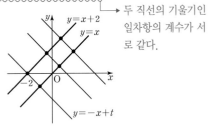

$a=1$이면 두 직선 $y=x$와 $y=ax+2a$가 서로 평행하므로 $f(t)=2$로 함수 $f(t)$는 실수 전체의 집합에서 연속이다.

step 2 두 직선 $y=x$, $y=ax+2a$가 한 점에서 만날 때, 직선 $x+y=t$와의 교점의 개수를 구한다.

(ⅱ) 두 직선 $y=x$와 $y=ax+2a$가 한 점에서 만날 때

→ 두 직선의 기울기가 같지 않다.

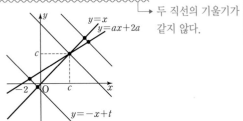

두 직선이 한 점 (c, c)에서 만난다고 하면 직선 $x+y=t$가 이 점을 지날 때 $c+c=2c$에서 $f(2c)=1$이고 $t\neq2c$일 때 $f(t)=2$이다.

즉, $f(t)$는 $t=2c$에서만 불연속이다.

따라서 $f(t)$가 $t=6$에서만 불연속이려면 $2c=6$, $c=3$

즉, 직선 $y=x$와 $y=ax+2a$가 점 $(3, 3)$에서 만나야 하므로 $3=3a+2a$, $a=\dfrac{3}{5}$

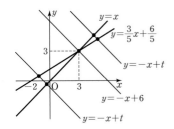

(ⅰ), (ⅱ)에 의하여 $a=\dfrac{3}{5}$

답 ③

50

→ $(x+2)(x-a)<0$
$a>-2$인 실수 a에 대하여 x에 대한 이차부등식 $x^2+(2-a)x-2a<0$을 만족시키는 자연수 x의 개수를 $f(a)$라 하자. 구간 $(1, \infty)$에서 함수 $g(a)=f(a)f(a-1)$이 불연속이 되는 a의 값을 작은 값부터 순서대로 a_1, a_2, a_3, $\cdots$이라 할 때,

$\dfrac{1}{g(a_2)}+\dfrac{1}{g(a_3)}+\cdots+\dfrac{1}{g(a_{10})}$의 값은?

① $\dfrac{7}{8}$ ② $\dfrac{8}{9}$ √③ $\dfrac{9}{10}$

④ $\dfrac{10}{11}$ ⑤ $\dfrac{11}{12}$

풀이전략
이차부등식의 해와 a의 값에 따른 $f(a)f(a-1)$의 값을 구하고 부분분수를 이용하여 합을 구한다.

문제풀이

step 1 이차부등식을 이용하여 $f(a)$를 구한다.

$x^2+(2-a)x-2a<0$에서 $(x+2)(x-a)<0$
$a>-2$이므로 $-2<x<a$

$a>-2$인 실수 a에 대하여 $-2<x<a$를 만족시키는 자연수 x의 개수가 $f(a)$이므로

$$f(a)=\begin{cases} 0 & (-2<a\leq1) \\ 1 & (1<a\leq2) \\ 2 & (2<a\leq3) \\ \vdots \end{cases} \quad\to\quad f(a-1)=\begin{cases} 0 & (-1<a\leq2) \\ 1 & (2<a\leq3) \\ 2 & (3<a\leq4) \\ \vdots \end{cases}$$

(ⅰ) $1<a\leq2$일 때, $g(a)=f(a)f(a-1)=1\times0=0$

(ⅱ) $2<a\leq3$일 때, $g(a)=f(a)f(a-1)=2\times1$

(ⅲ) $3<a\leq4$일 때, $g(a)=f(a)f(a-1)=3\times2$
$\vdots$

따라서 $a>1$에서 함수 $g(x)$가 불연속이 되는 a의 값은 2, 3, 4, 5, $\cdots$이므로 $a_1=2$, $a_2=3$, $a_3=4$, $\cdots$이다.

step 2 $g(a_n)$을 구한 후 부분분수를 이용하여 값을 구한다.

$$\frac{1}{g(a_2)}+\frac{1}{g(a_3)}+\cdots+\frac{1}{g(a_{10})}$$
$$=\frac{1}{g(3)}+\frac{1}{g(4)}+\cdots+\frac{1}{g(11)}$$
$$=\frac{1}{1\times2}+\frac{1}{2\times3}+\cdots+\frac{1}{9\times10}$$
$$=\left\{\left(\frac{1}{1}-\frac{1}{2}\right)+\left(\frac{1}{2}-\frac{1}{3}\right)+\cdots+\left(\frac{1}{9}-\frac{1}{10}\right)\right\}$$
$$=\frac{9}{10} \quad\longrightarrow\frac{1}{AB}=\frac{1}{B-A}\left(\frac{1}{A}-\frac{1}{B}\right)$$

답 ③

51

실수 전체의 집합에서 연속인 함수 $f(x)$가 다음 조건을 만족시킨다.

> (가) 모든 실수 x에 대하여 $f(-x)=1-f(x)$이다.
> (나) $\lim\limits_{x\to-1}\dfrac{f(x)-2}{x+1}$와 $\lim\limits_{x\to2}\dfrac{f(x)-3}{x-2}$의 값이 모두 존재한다. $\longrightarrow$ x에 대한 항등식
>
> $\longrightarrow f(-1)=2, f(2)=3$

〈보기〉에서 옳은 것만을 있는 대로 고른 것은?

> ┤ 보기 ├
> ㄱ. 방정식 $f(x)=0$은 열린구간 $(1, 2)$에서 적어도 1개의 실근을 갖는다. $\longrightarrow f(x)\{f(x)-1\}=0$
> ㄴ. 방정식 $\{f(x)\}^2=f(x)$ $(f(x)>0)$는 열린구간 $(-1, 2)$에서 적어도 2개의 실근을 갖는다.
> ㄷ. 방정식 $3\{f(x)\}^2=2-f(x)$는 열린구간 $(-2, 0)$에서 적어도 3개의 실근을 갖는다. $\longrightarrow \{3f(x)-2\}\{f(x)+1\}=0$

① ㄱ ② ㄱ, ㄴ ③ ㄱ, ㄷ
④ ㄴ, ㄷ ✓⑤ ㄱ, ㄴ, ㄷ

풀이전략

사잇값의 정리를 이용하여 구간에서 적어도 1개의 실근을 갖는 경우를 확인한다.

문제풀이

step 1 미정계수법과 주어진 조건을 이용하여 $f(-1)$, $f(2)$, $f(1)$, $f(-2)$, $f(0)$의 값을 구한다.

조건 (나)에서 $\lim\limits_{x\to-1}\dfrac{f(x)-2}{x+1}$의 값이 존재하고 (분모)$\to0$이므로 (분자)$\to0$이어야 한다.

즉, $\lim\limits_{x\to-1}\{f(x)-2\}=0$에서

$$f(-1)=2$$

또한 $\lim\limits_{x\to2}\dfrac{f(x)-3}{x-2}$의 값이 존재하고 (분모)$\to0$이므로 (분자)$\to0$이어야 한다.

즉, $\lim\limits_{x\to2}\{f(x)-3\}=0$에서

$$f(2)=3$$

$\longrightarrow$ x에 대한 항등식이므로 $x=-1$, $x=2$, $x=0$을 대입해도 성립한다.

조건 (가)에서 모든 실수 x에 대하여 $f(-x)=1-f(x)$이므로

$$f(1)=1-f(-1)=1-2=-1$$
$$f(-2)=1-f(2)=1-3=-2$$

또한 $f(0)=1-f(0)$이므로

$$f(0)=\frac{1}{2}$$

step 2 사잇값의 정리를 이용한다.

ㄱ. $f(1)=-1$, $f(2)=3$이므로 사잇값의 정리에 의하여 $f(c)=0$인 c가 열린구간 $(1, 2)$에 적어도 1개 존재한다. (참)

ㄴ. $\{f(x)\}^2=f(x)$에서 $f(x)\{f(x)-1\}=0$
$f(x)>0$이므로 $f(x)=1$
이때 $\longrightarrow f(x)-1=0$
$$f(-1)-1=2-1=1>0$$
$$f(1)-1=-1-1=-2<0$$
이므로 $f(c_1)=1$인 c_1이 열린구간 $(-1, 1)$에 적어도 1개 존재하고
$$f(1)-1=-1-1=-2<0$$
$$f(2)-1=3-1=2>0$$
이므로 $f(c_2)=1$인 c_2가 열린구간 $(1, 2)$에 적어도 1개 존재한다.
그러므로 열린구간 $(-1, 2)$에 적어도 2개의 실근이 존재한다. (참)

ㄷ. $3\{f(x)\}^2=2-f(x)$에서
$$\{3f(x)-2\}\{f(x)+1\}=0$$
$$f(x)=\frac{2}{3}\ \text{또는}\ f(x)=-1$$
이때 $\longrightarrow f(x)-\frac{2}{3}=0$ $\quad\longrightarrow f(x)+1=0$
$$f(-2)+1=-2+1=-1<0$$
$$f(-1)+1=2+1=3>0$$
$$f(-2)-\frac{2}{3}=-2-\frac{2}{3}=-\frac{8}{3}<0$$
$$f(-1)-\frac{2}{3}=2-\frac{2}{3}=\frac{4}{3}>0$$
이므로 $f(c_1)=-1$, $f(c_2)=\dfrac{2}{3}$인 c_1, c_2가 열린구간 $(-2, -1)$에 적어도 1개씩 존재하고
$$f(-1)+1=2+1=3>0$$
$$f(0)+1=\frac{1}{2}+1=\frac{3}{2}>0$$
$$f(-1)-\frac{2}{3}=2-\frac{2}{3}=\frac{4}{3}>0$$
$$f(0)-\frac{2}{3}=\frac{1}{2}-\frac{2}{3}=-\frac{1}{6}<0$$
이므로 $f(c_3)=\dfrac{2}{3}$인 c_3이 열린구간 $(-1, 0)$에 적어도 1개 존재한다.
그러므로 열린구간 $(-2, 0)$에 적어도 3개의 실근이 존재한다. (참)
따라서 옳은 것은 ㄱ, ㄴ, ㄷ이다.

답 ⑤

52

┌──→ 함수 $y=f(x)$의 그래프를 x축의 방향으로
│ k만큼 평행이동한 것이다.

양수 k와│함수 $f(x)=\begin{cases} 2x & (x<2) \\ -2x+8 & (2\le x<4) \\ x-4 & (4\le x<6) \\ -x+8 & (x\ge 6) \end{cases}$ 에 대하여

$g(x)=\begin{cases} f(x-k) & (x<a) \\ f(x) & (x\ge a) \end{cases}$ 가 실수 전체의 집합에서 연속이 되

도록 하는 실수 a의 개수를 $h(k)$라 하자. 함수 $(k-p)h(k)$가 양
의 실수 전체의 집합에서 연속일 때, 상수 p의 값을 구하시오.   4

└──→ 함수 $h(k)$가 불연속인 k의 값에 대하여

[문항] 파헤치기 $k-p=0$이어야 한다.

함수 $y=f(x)$의 그래프를 x축의 방향으로 k만큼 평행이동한 $y=f(x-k)$의
그래프를 이용하여 평행이동에 따른 규칙 구하기

                          함수 $g(x)$가 $x=a$에서 연속일 때 ◄
                          실수 전체의 집합에서 연속이다.

[실수] point 찾기

두 함수 $y=f(x-k)$, $y=f(x)$의 그래프가 만나는 점의 의미를 알아본다.

풀이전략

함수 $y=f(x)$와 $y=f(x-k)$의 그래프를 그려 평행이동에 따른 그래프를 그린다.

문제풀이

함수 $y=f(x-k)$의 그래프는 함수 $y=f(x)$의 그래프를 x축의 방향으로 k만큼 평행이동한 것이므로 그림과 같다.

step 1 $0<k<4$일 때, 두 함수 $y=f(x)$, $y=f(x-k)$의 그래프의 교점의 개수를 구한다.

(i) $0<k<4$일 때

        ┌──→ 두 함수 $y=f(x)$, $y=f(x-k)$의 그래프의 교점
        │   의 개수는 3이다.

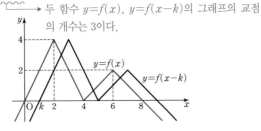

step 2 $k=4$일 때 두 함수 $y=f(x)$, $y=f(x-k)$의 그래프의 교점의 개수를 구한다.

(ii) $k=4$일 때

        ┌──→ 두 함수 $y=f(x)$, $y=f(x-k)$의 그래프의 교점의
        │   개수는 2이다.

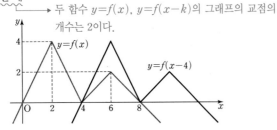

step 3 $k>4$일 때, 두 함수 $y=f(x)$, $y=f(x-k)$의 그래프의 교점의 개수

를 구한다.

(iii) $k>4$일 때

        ┌──→ 두 함수 $y=f(x)$, $y=f(x-k)$의 그래프의 교점의
        │   개수는 1이다.

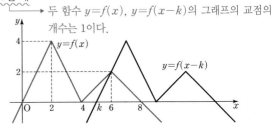

step 4 함수 $h(k)$를 구한 후 $(k-p)h(k)$가 $x=4$에서 연속이 되도록 하는 p의 값을 구한다.

함수 $g(x)$가 실수 전체의 집합에서 연속이려면 a의 값은 그림에서 두 함수 $y=f(x-k)$, $y=f(x)$의 그래프의 교점의 x좌표 중 하나이어야 하므로

$$h(k)=\begin{cases} 3 & (0<k<4) \\ 2 & (k=4) \\ 1 & (k>4) \end{cases}$$

함수 $h(k)$는 $k=4$에서 불연속이므로 함수 $(k-p)h(k)$가 양의 실수 전체의 집합에서 연속이려면

$$\lim_{k\to 4-}(k-p)h(k)=\lim_{k\to 4+}(k-p)h(k)=(4-p)h(4)$$

따라서 $(4-p)\times 3=(4-p)\times 1=(4-p)\times 2$이므로

$p=4$ 함수 $(k-p)h(k)$가 $k=4$에서 연속이면
                양의 실수 전체의 집합에서 연속이다.

답 4

03 미분계수와 도함수

내신 기출 우수 문항

본문 36∼39쪽

01 ①	**02** ⑤	**03** ④	**04** ⑤	**05** ②
06 ③	**07** ④	**08** ⑤	**09** ③	**10** ⑤
11 ②	**12** ④	**13** ②	**14** ④	**15** ①
16 ①	**17** ⑤	**18** ③	**19** ②	**20** ②
21 ④	**22** 14	**23** -9		

01 x의 값이 0에서 2까지 변할 때의 평균변화율이 2이므로

$$\frac{f(2)-f(0)}{2-0}=\frac{8+2a}{2}=4+a=2$$

따라서 $a=-2$

$f(x)=x^3-2x$이므로

$f(3)=3^3-2\times3=21$

답 ①

02 x의 값이 0에서 a까지 변할 때 평균변화율은

$$\frac{f(a)-f(0)}{a-0}=\frac{a^2}{a}=a$$

x의 값이 2에서 b까지 변할 때 평균변화율은

$$\frac{f(b)-f(2)}{b-2}=\frac{b^2-4}{b-2}=b+2$$

따라서 $a=b+2$이므로 $a-b=2$

답 ⑤

03 $\displaystyle\lim_{h\to0}\frac{f(1+2h)-2}{h}=8$에서 $h\to0$일 때 (분모)$\to0$이고 극한값

이 존재하므로 (분자)$\to0$이어야 한다.

즉, $\displaystyle\lim_{h\to0}\{f(1+2h)-2\}=0$

이때 함수 $f(x)$가 연속함수이므로 $f(1)=2$

$$\lim_{h\to0}\frac{f(1+2h)-2}{h}=\lim_{h\to0}\frac{f(1+2h)-f(1)}{h}$$
$$=\lim_{h\to0}\left\{\frac{f(1+2h)-f(1)}{2h}\times2\right\}$$
$$=2f'(1)$$

$2f'(1)=8$에서 $f'(1)=4$

따라서 $f'(1)f(1)=4\times2=8$

답 ④

04 $\displaystyle\lim_{x\to3}\frac{x^2f(3)-9f(x)}{x-3}=\lim_{x\to3}\frac{(x^2-9)f(3)-9\{f(x)-f(3)\}}{x-3}$

$$=\lim_{x\to3}(x+3)f(3)-9\lim_{x\to3}\frac{f(x)-f(3)}{x-3}$$
$$=6f(3)-9f'(3)$$
$$=6\times3-9\times(-1)=27$$

답 ⑤

05 ㄱ. $\displaystyle\lim_{h\to0}\frac{f(a)-f(a-h)}{h}=\lim_{h\to0}\frac{f(a-h)-f(a)}{-h}$

$-h=t$라 하면 $h\to0$일 때, $t\to0$이므로

(주어진 식)$=\displaystyle\lim_{t\to0}\frac{f(a+t)-f(a)}{t}=f'(a)$

ㄴ. $3x=t$라 하면 $x\to\dfrac{a}{3}$일 때, $t\to a$이므로

$$\lim_{x\to\frac{a}{3}}\frac{f(3x)-f(a)}{3x-a}=\lim_{t\to a}\frac{f(t)-f(a)}{t-a}=f'(a)$$

ㄷ. $x^2=t$라 하면 $x\to a$일 때, $t\to a^2$이므로

$$\lim_{x\to a}\frac{f(x^2)-f(a^2)}{x^2-a^2}=\lim_{t\to a^2}\frac{f(t)-f(a^2)}{t-a^2}=f'(a^2)$$

따라서 $f'(a)$와 항상 같은 것은 ㄱ, ㄴ이다.

답 ②

06 $f'(1)=\displaystyle\lim_{x\to1}\frac{f(x)-f(1)}{x-1}$

$$=\lim_{x\to1}\frac{(x-2)^3(x-1)+(2x+1)^2(x-1)}{x-1}$$
$$=\lim_{x\to1}\{(x-2)^3+(2x+1)^2\}$$
$$=(-1)^3+3^2=8$$

답 ③

07 $\displaystyle\lim_{h\to0}\frac{f(h)-f(0)}{h}=\lim_{h\to0}\frac{f(0+h)-f(0)}{h}=f'(0)=4$

$\displaystyle\lim_{h\to0}\frac{g(h)}{h}=-4$에서 $h\to0$일 때 (분모)$\to0$이므로 (분자)$\to0$이어야

한다.

즉, $\displaystyle\lim_{h\to0}g(h)=0$에서 $g(0)=0$이고

$$\lim_{h\to0}\frac{g(h)}{h}=\lim_{h\to0}\frac{g(0+h)-g(0)}{h}=g'(0)=-4$$

또한 $\displaystyle\lim_{h\to0}\frac{f(h)-g(h)}{h}=a$에서 $h\to0$일 때 (분모)$\to0$이므로

(분자)$\to0$이어야 한다.

즉, $\displaystyle\lim_{h\to0}\{f(h)-g(h)\}=0$에서

$f(0)=g(0)=0$

$$\lim_{h\to0}\frac{f(h)-g(h)}{h}=\lim_{h\to0}\frac{f(h)-f(0)-g(h)+g(0)}{h}$$
$$=\lim_{h\to0}\frac{f(h)-f(0)}{h}-\lim_{h\to0}\frac{g(h)-g(0)}{h}$$
$$=f'(0)-g'(0)$$
$$=4-(-4)=8$$

따라서 $a=8$

답 ④

08 주어진 식의 양변에 $x=y=0$을 대입하면

$f(0)=f(0)+f(0)+0$

$f(0)=0$

$f'(0)=\displaystyle\lim_{h\to0}\frac{f(0+h)-f(0)}{h}=\lim_{h\to0}\frac{f(h)}{h}$에서

$$\lim_{h \to 0} \frac{f(h)}{h} = -1$$

$$f'(2) = \lim_{h \to 0} \frac{f(2+h)-f(2)}{h}$$

$$= \lim_{h \to 0} \frac{f(2)+f(h)+8h-f(2)}{h}$$

$$= \lim_{h \to 0} \frac{f(h)}{h} + 8 = -1+8 = 7$$

답 ⑤

09 $\lim_{x \to 2} \frac{\{f(x)\}^2 - 2f(x) - 3}{x-2}$

$$= \lim_{x \to 2} \frac{\{f(x)-3\}\{f(x)+1\}}{x-2}$$

$$= \lim_{x \to 2} \frac{f(x)-f(2)}{x-2} \times \lim_{x \to 2}\{f(x)+1\}$$

$$= f'(2)\{f(2)+1\}$$

$$= 4k = 12$$

따라서 $k=3$

답 ③

10 조건 (나)에서 $(x-1)f'(x)=2f(x)+x^2+3x$의 양변에 $x=1$을 대입하면

$0=2f(1)+4$, $f(1)=-2$

$x \neq 1$일 때, $f'(x) = \dfrac{2f(x)+x^2+3x}{x-1}$이고, 조건 (가)에서 $f'(x)$가 연속함수이므로

$$f'(1) = \lim_{x \to 1} f'(x) = \lim_{x \to 1} \frac{2f(x)+x^2+3x}{x-1}$$

$$= \lim_{x \to 1} \frac{2\{f(x)+2\}+(x^2+3x-4)}{x-1}$$

$$= 2\lim_{x \to 1} \frac{f(x)-f(1)}{x-1} + \lim_{x \to 1} \frac{(x-1)(x+4)}{x-1}$$

$$= 2f'(1)+5$$

따라서 $f'(1)=-5$

답 ⑤

11 함수 $f(x) = \begin{cases} ax+2 & (x \geq 1) \\ bx^2-3x & (x<1) \end{cases}$가 $x=1$에서 미분가능하면 실수 전체의 집합에서 미분가능하다.

(i) $f(x)$가 $x=1$에서 연속이어야 하므로

$\lim\limits_{x \to 1+} f(x) = \lim\limits_{x \to 1-} f(x) = f(1)$에서

$a+2 = b-3$, $a=b-5$ ...... ㉠

(ii) $x=1$에서 미분계수 $f'(1)$이 존재해야 하므로

$$\lim_{x \to 1+} \frac{f(x)-f(1)}{x-1} = \lim_{x \to 1+} \frac{(ax+2)-(a+2)}{x-1} = a$$

$$\lim_{x \to 1-} \frac{f(x)-f(1)}{x-1} = \lim_{x \to 1-} \frac{(bx^2-3x)-(a+2)}{x-1}$$

$$= \lim_{x \to 1-} \frac{(bx^2-3x)-(b-3)}{x-1}$$

$$= \lim_{x \to 1-} \frac{(x-1)(bx+b-3)}{x-1}$$

$$= 2b-3$$

에서 $a=2b-3$ ...... ㉡

㉠, ㉡을 연립하여 풀면 $a=-7$, $b=-2$

$a+b=-9$

답 ②

12 ㄱ. [반례] $f(x)=x$라 하면 $|f(x)|=|x|$이므로 $|f(x)|$는 $x=0$에서 미분가능하지 않다. (거짓)

ㄴ. $\lim\limits_{h \to 0} \dfrac{f(h)}{h}=1$에서 $h \to 0$일 때 (분모) $\to 0$이므로 (분자) $\to 0$이어야 한다.

즉, $\lim\limits_{h \to 0} f(h) = f(0) = 0$이므로

$$f'(0) = \lim_{h \to 0} \frac{f(h)-f(0)}{h} = \lim_{h \to 0} \frac{f(h)}{h} = 1 \ (참)$$

ㄷ. 다항함수 $f(x)$의 도함수 $f'(x)$도 다항함수이므로 $f'(x)$는 실수 전체의 집합에서 연속이다.

$\lim\limits_{x \to 0} f'(x) = f'(0)$ (참)

따라서 옳은 것은 ㄴ, ㄷ이다.

답 ④

13 ㄱ. 함수 $f(x)$는 $x=0$에서 불연속이므로 미분가능하지 않다.

ㄴ. $g(x)=xf(x)$라 하면

$$\lim_{x \to 0-} \frac{g(x)-g(0)}{x-0} = \lim_{x \to 0-} \frac{x(x-1)-0}{x} = -1$$

$$\lim_{x \to 0+} \frac{g(x)-g(0)}{x-0} = \lim_{x \to 0+} \frac{x(x+1)-0}{x} = 1$$

이므로 함수 $xf(x)$는 $x=0$에서 미분가능하지 않다.

ㄷ. $h(x)=x^2f(x)$라 하면

$$\lim_{x \to 0-} \frac{h(x)-h(0)}{x-0} = \lim_{x \to 0-} \frac{x^2(x-1)-0}{x} = 0$$

$$\lim_{x \to 0+} \frac{h(x)-h(0)}{x-0} = \lim_{x \to 0+} \frac{x^2(x+1)-0}{x} = 0$$

이므로 함수 $x^2f(x)$는 $x=0$에서 미분가능하다.

따라서 $x=0$에서 미분가능한 함수는 ㄷ이다.

답 ②

14 $\lim\limits_{x \to 2} \dfrac{f(x-1)-6}{x-2}=7$에서 $x-1=t$라 하면 $x \to 2$일 때 $t \to 1$이므로

$$\lim_{x \to 2} \frac{f(x-1)-6}{x-2} = \lim_{t \to 1} \frac{f(t)-6}{t-1} = 7$$

$t \to 1$일 때 (분모) $\to 0$이므로 (분자) $\to 0$이어야 한다.

즉, $\lim\limits_{t \to 1}\{f(t)-6\} = f(1)-6 = 0$에서

$f(1)=6$

$1+a+b+4=6$, $a+b=1$ ...... ㉠

$$\lim_{t \to 1} \frac{f(t)-6}{t-1} = \lim_{t \to 1} \frac{f(t)-f(1)}{t-1} = f'(1) = 7$$이고

$f'(x)=3x^2+2ax+b$이므로

$3+2a+b=7$, $2a+b=4$ $\cdots\cdots$ ㉡

㉠, ㉡을 연립하여 풀면

$a=3$, $b=-2$

따라서 $f(x)=x^3+3x^2-2x+4$이므로

$f(2)=8+12-4+4=20$

답 ④

15 $f(x)=x^3-3x^2-2x+1$에서

$f'(x)=3x^2-6x-2$

$x=\alpha$, $x=\beta$는 방정식 $f'(x)=0$의 두 근이므로 이차방정식의 근과 계수의 관계에 의하여

$\alpha+\beta=-\dfrac{-6}{3}=2$

$f\left(\dfrac{\alpha+\beta}{2}\right)=f(1)=1-3-2+1=-3$

답 ①

16 조건 (가)에서 모든 실수 x에 대하여 $f(x)=f(-x)$이므로

$f(x)=x^4+ax^2+b$ (a, b는 상수)로 놓을 수 있다.

이때 $f'(x)=4x^3+2ax$이므로 조건 (나)에서

$f(2)=16+4a+b=-12$ $\cdots\cdots$ ㉠

$f'(2)=32+4a=0$ $\cdots\cdots$ ㉡

㉠, ㉡을 연립하여 풀면

$a=-8$, $b=4$

따라서 $f(x)=x^4-8x^2+4$이므로

$f(1)=1-8+4=-3$

답 ①

17 $f'(x)=\displaystyle\lim_{h\to0}\dfrac{f(x+h)-f(x)}{h}$

$\qquad=\displaystyle\lim_{h\to0}\dfrac{f(x)+f(h)+2xh(x+h)-f(x)}{h}$

$\qquad=\displaystyle\lim_{h\to0}\left\{\dfrac{f(h)}{h}+2x(x+h)\right\}$

$\qquad=\displaystyle\lim_{t\to0}\dfrac{f(2t)}{2t}+2x^2$ ($h=2t$로 놓는다.)

$\qquad=\dfrac{1}{2}\displaystyle\lim_{t\to0}\dfrac{f(2t)}{t}+2x^2$

$\qquad=\dfrac{1}{2}\times2+2x^2=2x^2+1$

또한 $g(x)=2f(x)+3x$에서

$g'(x)=2f'(x)+3$

$g'(1)=2f'(1)+3=2\times3+3=9$

답 ⑤

18 $f(x)=x^3+2xf'(2)$에서

$f'(x)=3x^2+2f'(2)$이므로

$f'(2)=3\times2^2+2f'(2)$

즉, $f'(2)=-12$

따라서 $f'(x)=3x^2-24$이므로

$f'(1)=3-24=-21$

답 ③

19 $f(1)=\dfrac{1}{2}$이므로

$\displaystyle\lim_{x\to1}\dfrac{2f(x)-1}{x^2+2x-3}=\lim_{x\to1}\dfrac{2f(x)-2f(1)}{(x+3)(x-1)}$

$\qquad\qquad\qquad\quad=\displaystyle\lim_{x\to1}\left\{\dfrac{2}{x+3}\times\dfrac{f(x)-f(1)}{x-1}\right\}$

$\qquad\qquad\qquad\quad=\dfrac{1}{2}f'(1)$

한편, $f(x)=\dfrac{1}{2}(x^3-2)(x^2-2)$에서

$f'(x)=\dfrac{1}{2}\times3x^2(x^2-2)+\dfrac{1}{2}(x^3-2)\times2x$

$\qquad=\dfrac{5}{2}x^4-3x^2-2x$

$\dfrac{1}{2}f'(1)=\dfrac{1}{2}\left(\dfrac{5}{2}-3-2\right)=-\dfrac{5}{4}$

답 ②

20 $f(x)=(x^2+x+2)(2x-3)$에서

$f'(x)=(2x+1)(2x-3)+(x^2+x+2)\times2$이므로

$f(1)=-4$, $f'(1)=-3+8=5$

$\displaystyle\lim_{x\to1}\dfrac{g(x)-3}{x^2-1}=4$에서 $x\to1$일 때 (분모)$\to0$이므로 (분자)$\to0$이어야 한다.

즉, $\displaystyle\lim_{x\to1}\{g(x)-3\}=0$이므로

$g(1)=3$

$\displaystyle\lim_{x\to1}\dfrac{g(x)-3}{x^2-1}=\lim_{x\to1}\dfrac{g(x)-g(1)}{x^2-1}$

$\qquad\qquad\qquad=\displaystyle\lim_{x\to1}\left\{\dfrac{g(x)-g(1)}{x-1}\times\dfrac{1}{x+1}\right\}$

$\qquad\qquad\qquad=\dfrac{1}{2}g'(1)=4$

$g'(1)=8$

따라서 $h'(x)=f'(x)g(x)+f(x)g'(x)$이므로

$h'(1)=f'(1)g(1)+f(1)g'(1)$

$\qquad=5\times3+(-4)\times8$

$\qquad=15-32=-17$

답 ②

21 $F(x)=f(x)g(x)$라 하면

$F(0)=f(0)g(0)=(-4)\times(-1)=4$이므로

$\displaystyle\lim_{h\to0}\dfrac{f(2h)g(2h)-4}{h}=\lim_{h\to0}\dfrac{F(2h)-F(0)}{h}$

$\qquad\qquad\qquad\qquad=\displaystyle\lim_{h\to0}\left\{2\times\dfrac{F(2h)-F(0)}{2h}\right\}$

$\qquad\qquad\qquad\qquad=2F'(0)$

$F(x)=f(x)g(x)=(2x^3+3x-4)(-2x^2+x-1)$에서
$F'(x)=(6x^2+3)(-2x^2+x-1)+(2x^3+3x-4)(-4x+1)$
$F'(0)=3\times(-1)+(-4)\times1=-7$
따라서 $2F'(0)=-14$

답 ④

22 $f(x)f'(x)-f(x)-xf'(x)=2x^3+3x$에서
$f(x)f'(x)-f(x)-xf'(x)+x=2x^3+4x$
$f(x)\{f'(x)-1\}-x\{f'(x)-1\}=2x^3+4x$
$\{f(x)-x\}\{f'(x)-1\}=2x^3+4x$
이때 $f(x)$의 차수를 $n\,(n\geq2)$이라 하면 우변은 삼차함수이므로
좌변의 차수는 $n+(n-1)=2n-1$이므로
$2n-1=3$, $n=2$

··· (가)

$f(x)=x^2+ax+b\,(a,\ b는\ 상수)$라 하면
$f'(x)=2x+a$이므로
$\{x^2+(a-1)x+b\}(2x+a-1)=2x^3+4x$
$2x^3+3(a-1)x^2+\{2b+(a-1)^2\}x+b(a-1)=2x^3+4x$
위의 식은 x에 대한 항등식이므로
$3(a-1)=0$, $2b+(a-1)^2=4$, $b(a-1)=0$
$a=1$, $b=2$

··· (나)

따라서 $f(x)=x^2+x+2$이므로
$f(3)=3^2+3+2=14$

··· (다)

답 14

단계	채점 기준	비율
(가)	$f(x)$의 차수를 구한 경우	40 %
(나)	a, b의 값을 구한 경우	40 %
(다)	$f(3)$의 값을 구한 경우	20 %

23 $g(x)=\begin{cases} x^2+ax+b & (x\geq2) \\ -x^2-ax-b & (x<2) \end{cases}$

(ⅰ) $g(x)$가 $x=2$에서 연속이어야 하므로
$\lim\limits_{x\to2+}g(x)=\lim\limits_{x\to2-}g(x)=g(2)$에서
$\lim\limits_{x\to2+}g(x)=\lim\limits_{x\to2+}(x^2+ax+b)=4+2a+b$
$\lim\limits_{x\to2-}g(x)=\lim\limits_{x\to2-}(-x^2-ax-b)=-4-2a-b$
$g(2)=4+2a+b$
이므로 $4+2a+b=-4-2a-b$
$2a+b=-4$ ······ ㉠

··· (가)

(ⅱ) $x=2$에서의 미분계수 $g'(2)$가 존재해야 하므로

$\lim\limits_{x\to2+}\dfrac{g(x)-g(2)}{x-2}=\lim\limits_{x\to2+}\dfrac{(x^2+ax+b)-(4+2a+b)}{x-2}$
$=\lim\limits_{x\to2+}\dfrac{(x^2-4)+a(x-2)}{x-2}$
$=\lim\limits_{x\to2+}\dfrac{(x-2)(x+2)+a(x-2)}{x-2}$
$=\lim\limits_{x\to2+}(x+2+a)=4+a$

$\lim\limits_{x\to2-}\dfrac{g(x)-g(2)}{x-2}=\lim\limits_{x\to2-}\dfrac{(-x^2-ax-b)-(-4-2a-b)}{x-2}$
$=\lim\limits_{x\to2-}\dfrac{-(x^2-4)-a(x-2)}{x-2}$
$=\lim\limits_{x\to2-}\dfrac{-(x-2)(x+2)-a(x-2)}{x-2}$
$=\lim\limits_{x\to2-}(-x-2-a)=-4-a$

에서 $4+a=-4-a$, $a=-4$ ······ ㉡

··· (나)

㉠, ㉡에서 $a=-4$, $b=4$이므로
$f(x)=x^2-4x+4$

··· (다)

$g(-1)=-f(-1)=-9$

··· (라)

답 -9

단계	채점 기준	비율
(가)	연속을 이용하여 a, b 사이의 관계식을 구한 경우	30 %
(나)	미분계수를 이용하여 a의 값을 구한 경우	30 %
(다)	$f(x)$를 구한 경우	20 %
(라)	$g(-1)$의 값을 구한 경우	20 %

내신 (상위 7%) 고득점 문항 본문 40~44쪽

24 ⑤	**25** ③	**26** ③	**27** ⑤	**28** ⑤
29 ②	**30** ②	**31** ②	**32** ②	**33** ③
34 ③	**35** ③	**36** ⑤	**37** ④	**38** ①
39 ④	**40** ①	**41** ⑤	**42** ⑤	**43** ②
44 ②	**45** ④	**46** ⑤	**47** 5	**48** 36

24 함수 $f(x)$에 대하여 x의 값이 a에서 b까지 변할 때의 평균변화율은 $\dfrac{f(b)-f(a)}{b-a}$이다.

ㄱ. $a=-1$, $b=2$이면

$m=\dfrac{f(2)-f(-1)}{2-(-1)}=\dfrac{3-6}{3}=-1$ (참)

ㄴ. $m=\dfrac{f(b)-f(a)}{b-a}=\dfrac{(b^2-2b+3)-(a^2-2a+3)}{b-a}$

$$= \frac{b^2 - a^2 - 2b + 2a}{b-a} = \frac{(b-a)(b+a) - 2(b-a)}{b-a}$$

$$= b + a - 2 = 1 \ (참)$$

ㄷ. ㄴ에서 $m = \dfrac{f(b) - f(a)}{b-a} = a + b - 2$

$f'(x) = 2x - 2$이므로

$$f'(c) = f'\left(\frac{a+b}{2}\right) = 2 \times \frac{a+b}{2} - 2$$

$$= a + b - 2 \ (참)$$

따라서 옳은 것은 ㄱ, ㄴ, ㄷ이다.

답 ⑤

참고 ㄷ은 모든 이차함수에 대하여 성립하는 성질이다. 즉, 이차함수 $f(x)$에 대하여 $\dfrac{f(b) - f(a)}{b-a} = f'\left(\dfrac{a+b}{2}\right)$이다.

25 x의 값이 a에서 b까지 변할 때의 함수 $f(x)$의 평균변화율은 $\dfrac{f(b) - f(a)}{b-a}$이고 이는 두 점 $(a, f(a))$, $(b, f(b))$를 지나는 직선의 기울기를 나타낸다.

또한 $\displaystyle\lim_{x \to a} \dfrac{f(x) - f(a)}{x-a} = f'(a)$이고 이는 x좌표가 a인 점에서의 접선의 기울기를 나타낸다.

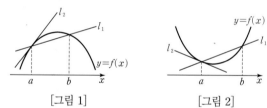
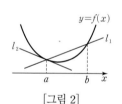

[그림 1]　　　　[그림 2]

즉, 그림에서 직선 l_1의 기울기는 $\dfrac{f(b) - f(a)}{b-a}$, 직선 l_2의 기울기는 $f'(a)$이고

[그림 1]에서 $\dfrac{f(b) - f(a)}{b-a} < f'(a)$,

[그림 2]에서 $\dfrac{f(b) - f(a)}{b-a} > f'(a)$이다.

따라서 $\dfrac{f(b) - f(a)}{b-a} < f'(a)$를 만족시키는 함수 $y = f(x)$의 그래프는 [그림 1]과 같은 형태이므로 함수 $y = f(x)$의 그래프로 가장 적당한 것은 ③이다.

답 ③

26 $f(x) = x^3 - 2x^2 - 3x + 6 = (x^2 - 3)(x-2)$이므로 $f(2) = 0$

$$\lim_{h \to 0} \frac{|f(2+h^2)| - |f(2-h^2)|}{h^2}$$

$$= \lim_{h \to 0} \left\{ \left| \frac{f(2+h^2)}{h^2} \right| - \left| \frac{f(2-h^2)}{-h^2} \times (-1) \right| \right\}$$

$$= \lim_{h \to 0} \left\{ \left| \frac{f(2+h^2) - f(2)}{h^2} \right| - \left| \frac{f(2-h^2) - f(2)}{-h^2} \times (-1) \right| \right\}$$

$$= |f'(2)| - |-f'(2)| = 0$$

답 ③

27 $2x + 1 - f(x) \leq g(x) \leq 2x + 1 + f(x)$에서

$2x + 1 - f(x) \leq 2x + 1 + f(x)$

따라서 $f(x) \geq 0$

(i) $x > 0$일 때

$\dfrac{f(x) - f(0)}{x-0} \geq 0$에서 $\displaystyle\lim_{x \to 0+} \dfrac{f(x) - f(0)}{x-0} \geq 0$

(ii) $x < 0$일 때

$\dfrac{f(x) - f(0)}{x-0} \leq 0$에서 $\displaystyle\lim_{x \to 0-} \dfrac{f(x) - f(0)}{x-0} \leq 0$

(i), (ii)에서 $\displaystyle\lim_{x \to 0} \dfrac{f(x) - f(0)}{x-0} = 0$, 즉 $f'(0) = 0$

또한 $2x + 1 - f(x) \leq g(x) \leq 2x + 1 + f(x)$에서

$1 - f(0) \leq g(0) \leq 1 + f(0)$

$f(0) = 0$이므로

$1 \leq g(0) \leq 1$

$g(0) = 1$

(가) $x > 0$일 때

$\dfrac{2x - f(x)}{x} \leq \dfrac{g(x) - g(0)}{x} \leq \dfrac{2x + f(x)}{x}$에서

$\displaystyle\lim_{x \to 0+} \dfrac{2x - f(x)}{x} \leq \lim_{x \to 0+} \dfrac{g(x) - g(0)}{x} \leq \lim_{x \to 0+} \dfrac{2x + f(x)}{x}$

$2 - f'(0) \leq \displaystyle\lim_{x \to 0+} \dfrac{g(x) - g(0)}{x} \leq 2 + f'(0)$

$2 \leq \displaystyle\lim_{x \to 0+} \dfrac{g(x) - g(0)}{x} \leq 2$

$\displaystyle\lim_{x \to 0+} \dfrac{g(x) - g(0)}{x} = 2$

(나) $x < 0$일 때

$\dfrac{2x - f(x)}{x} \geq \dfrac{g(x) - g(0)}{x} \geq \dfrac{2x + f(x)}{x}$에서

$\displaystyle\lim_{x \to 0-} \dfrac{2x - f(x)}{x} \geq \lim_{x \to 0-} \dfrac{g(x) - g(0)}{x} \geq \lim_{x \to 0-} \dfrac{2x + f(x)}{x}$

$2 - f'(0) \geq \displaystyle\lim_{x \to 0-} \dfrac{g(x) - g(0)}{x} \geq 2 + f'(0)$

$2 \geq \displaystyle\lim_{x \to 0-} \dfrac{g(x) - g(0)}{x} \geq 2$

$\displaystyle\lim_{x \to 0-} \dfrac{g(x) - g(0)}{x} = 2$

(가), (나)에서 $g'(0) = 2$

답 ⑤

28 조건 (가)에서 $f(-x) = -f(x)$이므로

$f(1) = -f(-1)$

조건 (나)에 의하여

$$\lim_{h \to 0} \frac{f(-1+3h) + f(1)}{2h} = \lim_{h \to 0} \frac{f(-1+3h) - f(-1)}{2h}$$

$$= \lim_{h \to 0} \frac{f(-1+3h) - f(-1)}{3h} \times \frac{3}{2}$$

$$= f'(-1) \times \frac{3}{2} = 18$$

$f'(-1) = 12$

$$\lim_{x \to -1} \frac{f(x)+f(1)}{x^3+1} = \lim_{x \to -1} \frac{f(x)-f(-1)}{(x+1)(x^2-x+1)}$$
$$= \lim_{x \to -1} \left\{ \frac{f(x)-f(-1)}{x-(-1)} \times \frac{1}{x^2-x+1} \right\}$$
$$= f'(-1) \times \frac{1}{3}$$
$$= 12 \times \frac{1}{3} = 4$$

답 ⑤

29 함수 $f(x)$가 실수 전체의 집합에서 미분가능하려면 $x=0$, $x=1$ 에서 미분가능해야 한다.

(i) $x=0$, $x=1$에서 연속

$\lim\limits_{x \to 0+} f(x) = \lim\limits_{x \to 0-} f(x) = f(0) = 0$이므로 $x=0$에서 연속이다.

$\lim\limits_{x \to 1+} f(x) = \lim\limits_{x \to 1-} f(x) = f(1)$에서 $1+a+b+c=1$

(ii) 미분계수 $f'(0)$, $f'(1)$이 존재

$$f'(x) = \begin{cases} 0 & (x>1) \\ 4x^3+3ax^2+2bx+c & (0<x<1) \\ 0 & (x<0) \end{cases}$$
이므로

$\lim\limits_{x \to 0+} f'(x) = \lim\limits_{x \to 0-} f'(x)$에서 $c=0$

$\lim\limits_{x \to 1+} f'(x) = \lim\limits_{x \to 1-} f'(x)$에서 $4+3a+2b+c=0$

(i), (ii)에서 $a+b=0$, $3a+2b=-4$

위의 두 식을 연립하여 풀면 $a=-4$, $b=4$

$a^2+b^2+c^2=16+16+0=32$

답 ②

참고 두 다항함수 $f(x)$, $g(x)$에 대하여 함수 $h(x)$가

$h(x) = \begin{cases} f(x) & (x \ge a) \\ g(x) & (x < a) \end{cases}$ 일 때 $h'(x) = \begin{cases} f'(x) & (x>a) \\ g'(x) & (x<a) \end{cases}$ 이다.

또한 함수 $h(x)$가 $x=a$에서 미분가능하면

$h'(a) = \lim\limits_{x \to a+} f'(x) = \lim\limits_{x \to a-} g'(x)$이다.

30 함수 $f(x)$는 실수 전체의 집합에서 미분가능한 삼차함수이고

$x \ge 1$일 때 $g(x)=f(x-2)$,

$x < 1$일 때 $g(x)=f(x+2)$

이므로 함수 $g(x)$는 $x \ne 1$일 때 미분가능하다.

따라서 함수 $g(x)$가 $x=1$에서 미분가능하면 실수 전체의 집합에서 미분가능하다.

(i) $g(x)$가 $x=1$에서 연속이어야 하므로

$\lim\limits_{x \to 1+} g(x) = \lim\limits_{x \to 1-} g(x) = g(1)$에서

$\lim\limits_{x \to 1+} f(x-2) = \lim\limits_{x \to 1-} f(x+2) = f(-1)$

$f(-1) = f(3)$ ...... ㉠

(ii) 미분계수 $g'(1)$이 존재해야 하므로

$\lim\limits_{x \to 1+} \frac{g(x)-g(1)}{x-1} = \lim\limits_{x \to 1+} \frac{f(x-2)-f(-1)}{x-1} = f'(-1)$

$\lim\limits_{x \to 1-} \frac{g(x)-g(1)}{x-1} = \lim\limits_{x \to 1-} \frac{f(x+2)-f(-1)}{x-1}$

$$= \lim_{x \to 1-} \frac{f(x+2)-f(3)}{x-1}$$
$$= f'(3)$$

에서 $f'(-1) = f'(3)$ ...... ㉡

$f(x) = x^3+ax^2+bx+c$ (a, b, c는 상수)라 하면 ㉠에서

$-1+a-b+c = 27+9a+3b+c$

$2a+b+7=0$ ...... ㉢

$f'(x) = 3x^2+2ax+b$이므로 ㉡에서

$3-2a+b = 27+6a+b$

$8a = -24$, $a=-3$

$a=-3$을 ㉢에 대입하면

$-6+b+7=0$, $b=-1$

따라서 $f'(x) = 3x^2-6x-1$이므로

$f'(2) = 12-12-1 = -1$

답 ②

31 $h(x) = f(x)g(x) = \begin{cases} (x+2)(x^2+ax+b+2) & (x \ge 0) \\ (-x-2)(x^2+ax+b+2) & (x < 0) \end{cases}$

이고 함수 $h(x)$가 $x=0$에서 미분가능하므로 $x=0$에서 연속이다.

즉, $\lim\limits_{x \to 0+} h(x) = \lim\limits_{x \to 0-} h(x) = h(0)$이므로

$\lim\limits_{x \to 0+} h(x) = \lim\limits_{x \to 0+} (x+2)(x^2+ax+b+2) = 2b+4$

$\lim\limits_{x \to 0-} h(x) = \lim\limits_{x \to 0-} (-x-2)(x^2+ax+b+2) = -2b-4$

에서 $2b+4 = -2b-4$, $b=-2$

따라서 $h(x) = \begin{cases} (x+2)(x^2+ax) & (x \ge 0) \\ (-x-2)(x^2+ax) & (x < 0) \end{cases}$

또한 함수 $h(x)$의 $x=0$에서의 미분계수가 존재해야 하므로

$\lim\limits_{x \to 0+} \frac{h(x)-h(0)}{x-0} = \lim\limits_{x \to 0+} \frac{h(x)}{x}$
$$= \lim_{x \to 0+} \frac{(x+2)(x^2+ax)}{x}$$
$$= \lim_{x \to 0+} (x+2)(x+a)$$
$$= 2a$$

$\lim\limits_{x \to 0-} \frac{h(x)-h(0)}{x-0} = \lim\limits_{x \to 0-} \frac{h(x)}{x}$
$$= \lim_{x \to 0-} \frac{(-x-2)(x^2+ax)}{x}$$
$$= \lim_{x \to 0-} (-x-2)(x+a)$$
$$= -2a$$

에서 $2a = -2a$, $a=0$

따라서 $a^2+b^2 = 0+4 = 4$

답 ②

32 $g(x) = (x^n+k)f(x)$라 하면

$g(x) = \begin{cases} (x^n+k)(x^2+1) & (x<0) \\ (x^n+k)(x+2) & (x \ge 0) \end{cases}$

함수 $g(x)$가 $x=0$에서 연속이어야 하므로

$\displaystyle\lim_{x\to0-}g(x)=\lim_{x\to0+}g(x)=g(0)$에서

$\displaystyle\lim_{x\to0-}g(x)=\lim_{x\to0-}(x^n+k)(x^2+1)=k$

$\displaystyle\lim_{x\to0+}g(x)=\lim_{x\to0+}(x^n+k)(x+2)=2k$

$g(0)=2k$

이므로 $k=2k$, $k=0$

따라서 $g(x)=\begin{cases}x^n(x^2+1) & (x<0) \\ x^n(x+2) & (x\geq0)\end{cases}$

또한 함수 $g(x)$의 $x=0$에서의 미분계수가 존재해야 하므로

$\displaystyle\lim_{x\to0-}\frac{g(x)-g(0)}{x-0}=\lim_{x\to0-}\frac{x^n(x^2+1)}{x}$

$\qquad\qquad\qquad\quad=\lim_{x\to0-}x^{n-1}(x^2+1)$

$\displaystyle\lim_{x\to0+}\frac{g(x)-g(0)}{x-0}=\lim_{x\to0+}\frac{x^n(x+2)}{x}$

$\qquad\qquad\qquad\quad=\lim_{x\to0+}x^{n-1}(x+2)$

에서 $\displaystyle\lim_{x\to0-}x^{n-1}(x^2+1)=\lim_{x\to0+}x^{n-1}(x+2)$ $\quad\cdots\cdots$ ㉠

따라서 $n\geq2$일 때, ㉠이 성립하므로 자연수 n의 최솟값은 2이다.

답 ②

33 $\displaystyle\lim_{x\to a}\{f(x)-f(a)\}=0$에서 $\displaystyle\lim_{x\to a}f(x)=f(a)$이므로 집합 A는 $-1<x<6$에서 연속인 점들의 x좌표 중 정수를 원소로 갖는다.

$\displaystyle\lim_{x\to b}\frac{f(x)-f(b)}{x-b}$의 값이 존재하므로 집합 B는 $-1<x<6$에서 미분가능한 점들의 x좌표 중 정수를 원소로 갖는다.

따라서 집합 $A-B$는 연속이지만 미분가능하지 않은 점들의 x좌표 중 정수를 원소로 가지므로 그 원소는 2, 3, 5이고 그 합은 $2+3+5=10$

답 ③

34 $\displaystyle\lim_{x\to0}\frac{f(x)}{x}=1$에서 $x\to0$일 때 (분모)$\to0$이므로 (분자)$\to0$ 이어야 한다.

즉, $\displaystyle\lim_{x\to0}f(x)=0$

이때 $f(0)=0$이므로 $\displaystyle\lim_{x\to0}f(x)=f(0)=0$

따라서 $f(x)$는 $x=0$에서 연속이다.

$f'(0)=\displaystyle\lim_{x\to0}\frac{f(x)-f(0)}{x-0}=\lim_{x\to0}\frac{f(x)}{x}=1$

ㄱ. $\displaystyle\lim_{x\to0}g(x)=\lim_{x\to0}\{f(x)+g(x)-f(x)\}$

$\qquad\qquad=\lim_{x\to0}\{f(x)+g(x)\}-\lim_{x\to0}f(x)$

$\qquad\qquad=\{f(0)+g(0)\}-f(0)=g(0)$

이므로 $g(x)$는 $x=0$에서 연속이다. (참)

ㄴ. [반례] $f(x)=x$이고 $g(x)=\begin{cases}1 & (x\geq0) \\ -1 & (x<0)\end{cases}$일 때,

$\displaystyle\lim_{x\to0}f(x)g(x)=f(0)g(0)=0$이지만

$\displaystyle\lim_{x\to0+}g(x)=\lim_{x\to0+}1=1$, $\displaystyle\lim_{x\to0-}g(x)=\lim_{x\to0-}(-1)=-1$

이므로 $\displaystyle\lim_{x\to0}g(x)$의 값이 존재하지 않는다.

즉, $g(x)$는 $x=0$에서 연속이 아니다. (거짓)

ㄷ. $f(x)g(x)$가 $x=0$에서 미분가능하므로 함수 $f(x)g(x)$의 $x=0$에 서의 미분계수가 존재한다. 즉

$\displaystyle\lim_{x\to0}\frac{f(x)g(x)-f(0)g(0)}{x-0}=\lim_{x\to0}\frac{f(x)g(x)}{x}$

의 값이 존재한다.

이때 $\dfrac{f(x)g(x)}{x}=h(x)$라 하면

$\displaystyle\lim_{x\to0}g(x)=\lim_{x\to0}\frac{h(x)}{\frac{f(x)}{x}}=\frac{\lim_{x\to0}h(x)}{\lim_{x\to0}\frac{f(x)}{x}}=\lim_{x\to0}h(x)$

이므로 $\displaystyle\lim_{x\to0}g(x)$의 값이 존재한다. (참)

따라서 옳은 것은 ㄱ, ㄷ이다.

답 ③

35 ㄱ. 함수 $g(x)$가 $x=1$에서 미분가능하므로 $g(x)$는 $x=1$에서 연속이다. 즉, $\displaystyle\lim_{x\to0}\frac{f(x)}{(x-1)^k}$의 값이 존재해야 하고 $x\to1$일 때 (분모)$\to0$이므로 (분자)$\to0$이어야 한다.

$\displaystyle\lim_{x\to1}f(x)=f(1)=0$ (참)

ㄴ. [반례] $k=1$, $f(x)=(x-1)(x^2-1)$이라 하면

$g(x)=\dfrac{(x-1)(x^2-1)}{x-1}=x^2-1$ $(x\neq1)$이고

$g(x)$는 $x=1$에서 연속이므로

$g(1)=\displaystyle\lim_{x\to1}(x^2-1)=0=a$

$g'(1)=\displaystyle\lim_{x\to1}\frac{g(x)-g(1)}{x-1}=\lim_{x\to1}\frac{x^2-1}{x-1}$

$\qquad\quad=\lim_{x\to1}(x+1)=2\neq a$ (거짓)

ㄷ. $k=2$이고 $f(x)$는 최고차항의 계수가 1인 삼차함수이며 $g(x)$는 $x=1$에서 미분가능하므로 $f(x)=(x-1)^2(x+p)$ (p는 상수)로 놓을 수 있다.

$g(x)=\dfrac{f(x)}{(x-1)^2}=\dfrac{(x-1)^2(x+p)}{(x-1)^2}=x+p$ $(x\neq1)$이고

$g(1)=\displaystyle\lim_{x\to1}(x+p)=p+1=a$이므로 $p=a-1$

따라서 $f(x)=(x-1)^2(x+a-1)$이므로

$f(2)=a+1$ (참)

따라서 옳은 것은 ㄱ, ㄷ이다.

답 ③

36 $f(x)=\begin{cases}(x-t)x(x-3) & (x<0) \\ -(x-t)x(x-3) & (0\leq x<3) \\ (x-t)x(x-3) & (x\geq3)\end{cases}$

이때 $x\neq0$, $x\neq3$일 때는 도함수 $f'(x)$가 존재하므로 미분가능하다.

$\displaystyle\lim_{x\to0-}\frac{f(x)-f(0)}{x-0}=\lim_{x\to0-}\frac{(x-t)x(x-3)}{x}$

$$= \lim_{x \to 0-}(x-t)(x-3)=3t \quad \cdots\cdots \ \text{㉠}$$

$$\lim_{x \to 0+}\frac{f(x)-f(0)}{x-0}=\lim_{x \to 0+}\frac{-(x-t)x(x-3)}{x}$$

$$=\lim_{x \to 0+}\{-(x-t)(x-3)\}=-3t \quad \cdots\cdots \ \text{㉡}$$

$$\lim_{x \to 3-}\frac{f(x)-f(3)}{x-3}=\lim_{x \to 3-}\frac{-(x-t)x(x-3)}{x-3}$$

$$=\lim_{x \to 3-}\{-(x-t)x\}=-3(3-t) \quad \cdots\cdots \ \text{㉢}$$

$$\lim_{x \to 3+}\frac{f(x)-f(3)}{x-3}=\lim_{x \to 3+}\frac{(x-t)x(x-3)}{x-3}$$

$$=\lim_{x \to 3+}\{(x-t)x\}=3(3-t) \quad \cdots\cdots \ \text{㉣}$$

(i) $t \ne 0$이고 $t \ne 3$일 때, ㉠$\ne$㉡, ㉢$\ne$㉣이므로 $g(t)=2$

(ii) $t=0$일 때, ㉠$=$㉡, ㉢$\ne$㉣이므로 $g(t)=1$

(iii) $t=3$일 때, ㉠$\ne$㉡, ㉢$=$㉣이므로 $g(t)=1$

$$g(t)=\begin{cases} 2 & (t<0) \\ 1 & (t=0) \\ 2 & (0<t<3) \\ 1 & (t=3) \\ 2 & (t>3) \end{cases}$$

ㄱ. $g(0)=1$ (참)

ㄴ. $\lim_{t \to 3}g(t)=2$ (참)

ㄷ. $t=0$, $t=3$일 때, 함수 $g(t)$가 불연속이므로 불연속인 점은 2개이다. (참)

따라서 옳은 것은 ㄱ, ㄴ, ㄷ이다.

답 ⑤

37 $\lim_{x \to \infty}\dfrac{f(x)+2g(x)}{x^3+1}=2$이므로 함수 $f(x)+2g(x)$는 최고차항의 계수가 2인 삼차함수이다.

두 다항함수 $f(x)$, $g(x)$의 최고차항의 계수가 모두 1이므로 $f(x)$는 이차 이하의 함수이고, $g(x)$는 삼차함수이다.

이때 $f(x)$가 상수함수 또는 일차함수이면 $f'(1)=6$을 만족시킬 수 없으므로 $f(x)$는 이차함수이다.

$f(x)=x^2+ax+b$ (a, b는 상수)라 하면

$f'(x)=2x+a$이므로

$f'(1)=2+a=6$, $a=4$

또한 $f(x)+g(x)=x^3+4x^2-3$에서

$g(x)=x^3+4x^2-3-f(x)=x^3+4x^2-3-(x^2+4x+b)$

$\qquad\qquad =x^3+3x^2-4x-3-b$

따라서 $g'(x)=3x^2+6x-4$이므로

$g'(2)=3 \times 2^2+6 \times 2-4=20$

답 ④

38 $f(x)=ax^2+bx-2$에서 $f'(x)=2ax+b$

$f(f'(x))=a(2ax+b)^2+b(2ax+b)-2$

$\qquad\qquad =4a^3x^2+(4a^2b+2ab)x+ab^2+b^2-2$

$f'(f(x))=2a(ax^2+bx-2)+b$

$\qquad\qquad =2a^2x^2+2abx-4a+b$

$f(f'(x))=f'(f(x))$이므로

$4a^3x^2+(4a^2b+2ab)x+ab^2+b^2-2=2a^2x^2+2abx-4a+b$

위의 식은 x에 대한 항등식이므로

$4a^3=2a^2 \quad \cdots\cdots \ \text{㉠}$

$4a^2b+2ab=2ab \quad \cdots\cdots \ \text{㉡}$

$ab^2+b^2-2=-4a+b \quad \cdots\cdots \ \text{㉢}$

㉠에서 $2a^2(2a-1)=0$

$a \ne 0$이므로 $a=\dfrac{1}{2}$

$a=\dfrac{1}{2}$을 ㉡에 대입하면 $b=0$

이때 $a=\dfrac{1}{2}$, $b=0$은 ㉢을 만족시키므로

$a+b=\dfrac{1}{2}$

답 ①

39 함수 $h(x)$가 $x=2$에서 미분가능하면 실수 전체의 집합에서 미분가능하다.

$f(x)=-(x-a)^2+1$, $g(x)=(x-1)^2+b$이므로

$$h(x)=\begin{cases} -(x-a)^2+1 & (x \ge 2) \\ (x-1)^2+b & (x<2) \end{cases}$$

(i) $h(x)$가 $x=2$에서 연속이므로

$\lim_{x \to 2+}h(x)=\lim_{x \to 2-}h(x)=h(2)$에서

$-(2-a)^2+1=b+1$

$b=-(a-2)^2 \quad \cdots\cdots \ \text{㉠}$

(ii) 미분계수 $h'(2)$가 존재하므로

$$\lim_{x \to 2+}\frac{h(x)-h(2)}{x-2}=\lim_{x \to 2+}\frac{-(x-a)^2+1+(2-a)^2-1}{x-2}$$

$$=\lim_{x \to 2+}\frac{(x-2a+2)(2-x)}{x-2}$$

$$=2a-4$$

$$\lim_{x \to 2-}\frac{h(x)-h(2)}{x-2}=\lim_{x \to 2-}\frac{(x-1)^2+b-1-b}{x-2}$$

$$=\lim_{x \to 2-}\frac{x(x-2)}{x-2}=\lim_{x \to 2-}x=2$$

에서 $2a-4=2$, $a=3$

$a=3$을 ㉠에 대입하면 $b=-1$

따라서 $a^2+b^2=9+1=10$

답 ④

40 조건 (가)에서

$f(x)=(x-1)^2g(x)+ax+b$ (a, b는 상수) $\quad \cdots\cdots \ \text{㉠}$

로 놓을 수 있고 조건 (나)에서

$g(2)=4$

조건 (다)에서 $x \to 2$일 때 (분모)$\to 0$이므로 (분자)$\to 0$이어야 한다.

즉, $\lim_{x \to 2}\{f(x)-g(x)\}=0$이므로

$f(2)=g(2)$

$$\lim_{x \to 2} \frac{f(x)-g(x)}{x-2} = \lim_{x \to 2} \frac{f(x)-f(2)-g(x)+g(2)}{x-2}$$
$$= \lim_{x \to 2} \frac{f(x)-f(2)}{x-2} - \lim_{x \to 2} \frac{g(x)-g(2)}{x-2}$$
$$= f'(2)-g'(2)=12$$

㉠의 양변에 $x=2$를 대입하면
$$f(2)=g(2)+2a+b$$
$$2a+b=0 \qquad \cdots\cdots ㉡$$
㉠의 양변을 x에 대하여 미분하면
$$f'(x)=2(x-1)g(x)+(x-1)^2 g'(x)+a$$
위의 식에 $x=2$를 대입하면
$$f'(2)=2g(2)+g'(2)+a$$
$$a=f'(2)-g'(2)-2g(2)$$
$$=12-2 \times 4=4$$
$a=4$를 ㉡에 대입하면
$$8+b=0, \; b=-8$$
따라서 $f(x)=(x-1)^2 g(x)+4x-8$이므로
$$f(1)=-4$$

답 ①

41 다항함수 $f(x)$의 최고차항의 계수가 4이므로 최고차항을 $4x^n$ (n은 자연수)으로 놓으면 조건 (가)에서 $f(x^2)$의 최고차항은 $4x^{2n}$, $\{f'(x)\}^2$의 최고차항은 $16n^2 x^{2n-2}$이다.

이때 $2n>2n-2$이므로 분모의 최고차항의 차수는 $2n$이다.

한편, $x^2 f(x)$의 최고차항은 $4x^{n+2}$이다.

그런데 조건 (가)에서 $\displaystyle \lim_{x \to \infty} \frac{x^2 f(x)}{f(x^2)+\{f'(x)\}^2}=1$이므로 분자의 차수와 분모의 차수가 같다.

따라서 $n+2=2n$이므로 $n=2$

즉, $f(x)$는 이차함수이므로
$$f(x)=4x^2+px+q \; (p, \; q는 \; 상수)$$
로 놓으면 조건 (나)에서 $x \to -3$일 때 (분모)$\to 0$이므로 (분자)$\to 0$이어야 한다.

$$f(x)+f'(x)=4x^2+px+q+8x+p$$
$$=4x^2+(p+8)x+(p+q) \qquad \cdots\cdots ㉠$$
$$\lim_{x \to -3}\{f(x)+f'(x)\}=\lim_{x \to -3}\{4x^2+(p+8)x+(p+q)\}$$
$$=36-3(p+8)+(p+q)=0$$
$$12-2p+q=0, \; q=2p-12 \qquad \cdots\cdots ㉡$$
㉡을 ㉠에 대입하면
$$f(x)+f'(x)=4x^2+(p+8)x+(p+2p-12)$$
$$=4x^2+(p+8)x+3(p-4)$$
$$=(4x+p-4)(x+3)$$
이므로 조건 (나)에서
$$\lim_{x \to -3} \frac{f(x)+f'(x)}{x+3}=\lim_{x \to -3}\frac{(4x+p-4)(x+3)}{x+3}$$
$$=\lim_{x \to -3}(4x+p-4)$$
$$=-12+p-4=-11$$

$p=5$

$p=5$를 ㉡에 대입하면 $q=-2$

따라서 $f(x)=4x^2+5x-2$이므로
$$f(1)=7$$

답 ⑤

42 $\displaystyle \lim_{h \to 0} \frac{f(3h)g(0)-f(0)g(-3h)}{h}$
$$=\lim_{h \to 0} \frac{f(3h)g(0)-f(0)g(0)+f(0)g(0)-f(0)g(-3h)}{h}$$
$$=\lim_{h \to 0} \frac{\{f(3h)-f(0)\}g(0)}{h}-\lim_{h \to 0}\frac{f(0)\{g(-3h)-g(0)\}}{h}$$
$$=\lim_{h \to 0}\left\{ \frac{f(3h)-f(0)}{3h} \times 3g(0) \right\}$$
$$\qquad +\lim_{h \to 0}\left\{ 3f(0) \times \frac{g(-3h)-g(0)}{-3h} \right\}$$
$$=3f'(0)g(0)+3f(0)g'(0)=12$$
이므로 $f'(0)g(0)+f(0)g'(0)=4$

따라서 함수 $y=f(x)g(x)$의 $x=0$에서의 미분계수는 4이다.

답 ⑤

43 함수 $y=f(x)$의 그래프가 점 $(2, 4)$에서 원점을 지나는 직선에 접하므로
$$f(2)=4, \; f'(2)=\frac{4-0}{2-0}=2$$
$g(x)=(x^3-2x+1)f(x)$에서
$$g'(x)=(3x^2-2)f(x)+(x^3-2x+1)f'(x)$$이므로
$$g'(2)=10f(2)+5f'(2)$$
$$=10 \times 4+5 \times 2=50$$

답 ②

44 $g(x)=x^2 f(x)$의 양변을 x에 대하여 미분하면
$$g'(x)=2xf(x)+x^2 f'(x)$$
이때
$$f'(x)g(x)-f(x)g'(x)$$
$$=f'(x) \times x^2 f(x)-f(x)\{2xf(x)+x^2 f'(x)\}$$
$$=-2x\{f(x)\}^2=-8x^3$$
이므로 $\{f(x)\}^2=4x^2$

따라서 $f(x)=-2x$ 또는 $f(x)=2x$

$f(x)=-2x$일 때, $g(x)=-2x^3$

$f(x)=2x$일 때, $g(x)=2x^3$

$$f(x)g(x)=4x^4 \qquad \cdots\cdots ㉠$$
㉠의 양변을 x에 대하여 미분하면
$$f'(x)g(x)+f(x)g'(x)=16x^3 \qquad \cdots\cdots ㉡$$
㉡의 양변에 $x=1$을 대입하면
$$f'(1)g(1)+f(1)g'(1)=16$$

답 ②

45 조건 (가)에서 $\lim\limits_{x \to 1} \dfrac{f(x)}{(x-1)^2}$의 값이 존재하고, $x \to 1$일 때

(분모)$\to 0$이므로 (분자)$\to 0$이어야 한다.

따라서 $f(x)=(x-1)g(x)$ ($g(x)$는 이차식)라 하면

$$\lim_{x \to 1} \frac{f(x)}{(x-1)^2}=\lim_{x \to 1} \frac{(x-1)g(x)}{(x-1)^2}$$
$$=\lim_{x \to 1} \frac{g(x)}{x-1}$$

위의 식에서 $x \to 1$일 때 (분모)$\to 0$이고 극한값이 존재하므로

(분자)$\to 0$이어야 한다.

즉, $\lim\limits_{x \to 1} g(x)=0$이므로 $g(1)=0$

$f(x)=(x-1)^2(px+q)$ (p, q는 상수, $p \neq 0$)라 하자.

조건 (나)에서 $x \to 2$일 때 (분모)$\to 0$이므로 (분자)$\to 0$이어야 한다.

즉, $\lim\limits_{x \to 2} \{f(x)-5\}=0$에서 $f(2)=5$

$2p+q=5$ ...... ㉠

또한 $f'(x)=2(x-1)(px+q)+p(x-1)^2$이므로

$$\lim_{x \to 2} \frac{f(x)-5}{x-2}=\lim_{x \to 2} \frac{f(x)-f(2)}{x-2}=f'(2)$$
$$=2(2p+q)+p=5p+2q=11 \quad ...... ㉡$$

㉠, ㉡을 연립하여 풀면

$p=1$, $q=3$

따라서 $f'(x)=2(x-1)(x+3)+(x-1)^2$이므로

$f'(0)=-6+1=-5$

답 ④

46 $f(x)=\begin{cases} 2 & (x \leq -1) \\ g(x) & (-1 < x < 1) \\ -2 & (x \geq 1) \end{cases}$에서

$f'(x)=\begin{cases} 0 & (x < -1) \\ g'(x) & (-1 < x < 1) \\ 0 & (x > 1) \end{cases}$

함수 $f(x)$가 실수 전체의 집합에서 미분가능하므로

$g'(-1)=g'(1)=0$

$g(x)=x^3+ax^2+bx+c$ (a, b, c는 상수)로 놓으면 함수 $f(x)$가 실수 전체의 집합에서 미분가능하므로 실수 전체의 집합에서 연속이다.

따라서 $g(-1)=2$, $g(1)=-2$이므로

$g(-1)=-1+a-b+c=2$ ...... ㉠

$g(1)=1+a+b+c=-2$ ...... ㉡

한편, $g'(x)=3x^2+2ax+b$이므로

$g'(-1)=3-2a+b=0$ ...... ㉢

$g'(1)=3+2a+b=0$ ...... ㉣

㉠, ㉡, ㉢, ㉣에서 $a=0$, $b=-3$, $c=0$

$g(x)=x^3-3x$, $g'(x)=3x^2-3$

ㄱ. $g'\left(\dfrac{1}{2}\right)=\dfrac{3}{4}-3=-\dfrac{9}{4}$ (참)

ㄴ. $g(-x)=-g(x)$이므로 모든 실수 x에 대하여

$f(-x)=-f(x)$

$$\frac{f(x)-f(-x)}{x-(-x)}=\frac{2f(x)}{2x}=\frac{f(x)}{x}$$

(i) $x \geq 1$일 때, $-2 \leq \dfrac{f(x)}{x}=\dfrac{-2}{x}<0$

(ii) $x \leq -1$일 때, $-2 \leq \dfrac{f(x)}{x}=\dfrac{2}{x}<0$

(iii) $-1 < x < 1$ ($x \neq 0$)일 때,

$\dfrac{f(x)}{x}=\dfrac{g(x)}{x}=x^2-3$이므로

$-3 < \dfrac{f(x)}{x} < -2$

(i), (ii), (iii)에 의하여

$-3 < \dfrac{f(x)-f(-x)}{x-(-x)} < 0$ (참)

ㄷ. $f(x)=\begin{cases} 2 & (x \leq -1) \\ x^3-3x & (-1 < x < 1) \\ -2 & (x \geq 1) \end{cases}$이므로

$f(x)g(x)=\begin{cases} 2(x^3-3x) & (x \leq -1) \\ (x^3-3x)^2 & (-1 < x < 1) \\ -2(x^3-3x) & (x \geq 1) \end{cases}$

$f'(x)g(x)+f(x)g'(x)=\begin{cases} 2(3x^2-3) & (x < -1) \\ 2(3x^2-3)(x^3-3x) & (-1 < x < 1) \\ -2(3x^2-3) & (x > 1) \end{cases}$

이므로 $f'(2)g(2)+f(2)g'(2)=-2 \times 9=-18$ (참)

따라서 옳은 것은 ㄱ, ㄴ, ㄷ이다.

답 ⑤

47 $f(x)=x^2-3x-4=(x+1)(x-4)$에서

$f'(x)=2x-3$

$h(x)=\{f(x)\}^2$으로 놓으면

$h'(x)=2f(x)f'(x)$

$$g(t)=\lim_{x \to t} \frac{h(x)-h(t)}{x-t}=h'(t)$$
$$=2f(t)f'(t)$$

한편, $g(t)<0$에서 $2f(t)f'(t)<0$, 즉 $f(t)f'(t)<0$

...... (가)

(i) $f(t)<0$, $f'(t)>0$일 때,

$f(t)<0$에서 $(t+1)(t-4)<0$

$-1 < t < 4$

$f'(t)>0$에서 $2t-3>0$, $t>\dfrac{3}{2}$

이므로 $\dfrac{3}{2} < t < 4$

...... (나)

(ii) $f(t)>0$, $f'(t)<0$일 때,

$f(t)>0$에서 $(t+1)(t-4)>0$

$t<-1$ 또는 $t>4$

$f'(t)<0$에서 $2t-3<0$, $t<\dfrac{3}{2}$

이므로 $t < -1$

.... (다)

따라서 열린구간 $(-5, 5)$에서 구하는 정수 t는 $-4, -3, -2, 2, 3$의 5개이다.

.... (라)

답 5

단계	채점 기준	비율
(가)	$f(t)f'(t) < 0$을 구한 경우	30 %
(나)	$f(t) < 0$, $f'(t) > 0$일 때 t의 값의 범위를 구한 경우	20 %
(다)	$f(t) > 0$, $f'(t) < 0$일 때 t의 값의 범위를 구한 경우	20 %
(라)	정수 t의 개수를 구한 경우	30 %

48 $f(x) + g(x) = 2x^2 + 3x + 1$의 양변을 x에 대하여 미분하면
$f'(x) + g'(x) = 4x + 3$
이므로
$(2x^2 + 3x + 1)(4x + 3)$
$= \{f(x) + g(x)\}\{f'(x) + g'(x)\}$
$= f(x)f'(x) + f(x)g'(x) + g(x)f'(x) + g(x)g'(x)$
따라서
$f(x)f'(x) + g(x)g'(x)$
$= (2x^2 + 3x + 1)(4x + 3) - \{f(x)g'(x) + g(x)f'(x)\}$ ...... ㉠

.... (가)

또한 $\displaystyle\lim_{h \to 0}\dfrac{f(1+h)g(1+h) - f(1)g(1)}{h}$은 함수 $f(x)g(x)$의 $x = 1$에서의 미분계수이고 $\{f(x)g(x)\}' = f'(x)g(x) + f(x)g'(x)$이므로
$f'(1)g(1) + f(1)g'(1) = 6$

.... (나)

㉠에 $x = 1$을 대입하면
$f(1)f'(1) + g(1)g'(1) = 6 \times 7 - 6 = 36$

.... (다)

답 36

단계	채점 기준	비율
(가)	$f(x)f'(x) + g(x)g'(x)$를 구한 경우	30 %
(나)	$f'(1)g(1) + f(1)g'(1)$의 값을 구한 경우	40 %
(다)	$f(1)f'(1) + g(1)g'(1)$의 값을 구한 경우	30 %

내신 (상위 4%) 변별력 문항
본문 45~46쪽

49 ⑤	50 ②	51 ③	52 ③	53 ②
54 ②				

49 $\dfrac{\Delta y}{\Delta x} = \dfrac{f(b) - f(a)}{b - a}$

양수 t와 함수 $f(x) = \begin{cases} 4x & (x \le 1) \\ 5 - 2x & (x > 1) \end{cases}$에 대하여 닫힌구간 $[0, t]$에서의 평균변화율을 $g(t)$라 하자. 함수 $\dfrac{t^2 + at + b}{g(t) + 2}$가 $t = 1$에서 미분가능할 때, $a^2 + b^2$의 값은? (단, a, b는 상수이다.)

① 1   ② 2   ③ 3
④ 4   √⑤ 5

풀이전략

t의 값에 따라 $g(t)$를 구한 후 $h'(1)$이 존재하도록 a, b의 값을 정한다.

문제풀이

step 1 함수 $g(t)$를 구한다.
함수 $y = f(x)$의 그래프는 그림과 같다.

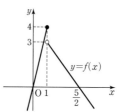

(i) $0 < t \le 1$일 때,
함수 $f(x)$의 닫힌구간 $[0, t]$에서의 평균변화율은 직선의 기울기와 같으므로
$\dfrac{4t}{t - 0} = 4$
$g(t) = 4$

(ii) $t > 1$일 때,
함수 $f(x)$의 닫힌구간 $[0, t]$에서의 평균변화율은
$g(t) = \dfrac{f(t) - f(0)}{t - 0} = \dfrac{5 - 2t}{t - 0} = \dfrac{5}{t} - 2$

(i), (ii)에서 $y = g(t)$의 그래프는 다음 그림과 같다.

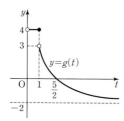

step 2 함수 $h(t)$를 구한 후 $t = 1$에서의 연속과 미분가능을 이용하여 a, b의 값을 구한다.
$h(t) = \dfrac{t^2 + at + b}{g(t) + 2}$라 하면
$h(t) = \begin{cases} \dfrac{1}{6}(t^2 + at + b) & (0 < t \le 1) \\ \dfrac{1}{5}(t^3 + at^2 + bt) & (t > 1) \end{cases}$

함수 $h(t)$가 $t = 1$에서 미분가능하므로 $t = 1$에서 연속이다.
즉, $\dfrac{1}{6}(1 + a + b) = \dfrac{1}{5}(1 + a + b)$이므로

$a+b=-1$ ······ ㉠

또한 $h'(t)=\begin{cases}\dfrac{1}{6}(2t+a) & (0<t<1) \\ \dfrac{1}{5}(3t^2+2at+b) & (t>1)\end{cases}$ 이므로

$h'(1)=\dfrac{1}{6}(2+a)=\dfrac{1}{5}(3+2a+b)$

$7a+6b=-8$ ······ ㉡

㉠, ㉡을 연립하여 풀면 $a=-2$, $b=1$

$a^2+b^2=4+1=5$

답 ⑤

50

두 함수 $f(x)=\begin{cases}x & (x<2) \\ 2x-6 & (x\geq2)\end{cases}$, $g(x)=|2x-4|$의 그래프가 그림과 같다.

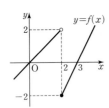 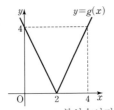

〈보기〉에서 옳은 것만을 있는 대로 고른 것은?

> ┤ 보기 ├
> ㄱ. 두 함수 $f(x)$, $g(x)$는 모두 $x=2$에서 미분가능하지 않다.
> ㄴ. 함수 $f(x)g(x)$는 $x=2$에서 미분가능하다.
> ㄷ. 함수 $|f(x)|g(x)$는 $x=2$에서 미분가능하다.

불연속이거나 뾰족한 점에서 미분 가능하지 않다.

① ㄱ   ✓② ㄱ, ㄴ   ③ ㄱ, ㄷ
④ ㄴ, ㄷ   ⑤ ㄱ, ㄴ, ㄷ

$x=2$에서 연속이고 미분계수의 좌, 우극한이 일치한다.

풀이전략

$x=2$에서 미분계수가 존재하는지를 확인한다.

문제풀이

step 1 함수 $f(x)$의 $x=2$에서의 연속을 확인하고, 함수 $g(x)$의 $x=2$에서의 미분계수의 존재성을 확인한다.

ㄱ. 함수 $f(x)$는 $x=2$에서 불연속이므로 $x=2$에서 미분가능하지 않다.

$\displaystyle\lim_{x\to2+}\frac{g(x)-g(2)}{x-2}=\lim_{x\to2+}\frac{|2x-4|}{x-2}=2$

$\displaystyle\lim_{x\to2-}\frac{g(x)-g(2)}{x-2}=\lim_{x\to2-}\frac{|2x-4|}{x-2}=-2$

따라서 $g'(2)$가 존재하지 않으므로 함수 $g(x)$는 $x=2$에서 미분가능하지 않다. (참) → $y=g(x)$의 그래프가 $x=2$에서 뾰족하다.

step 2 함수 $f(x)g(x)$의 $x=2$에서의 연속을 확인한 후 $x=2$에서의 미분계수를 구한다.

ㄴ. $\displaystyle\lim_{x\to2-}f(x)g(x)=\lim_{x\to2-}f(x)\times\lim_{x\to2-}g(x)$
$=2\times0=0$

$\displaystyle\lim_{x\to2+}f(x)g(x)=\lim_{x\to2+}f(x)\times\lim_{x\to2+}g(x)$
$=(-2)\times0=0$

이므로 $\displaystyle\lim_{x\to2-}f(x)g(x)=\lim_{x\to2+}f(x)g(x)=f(2)g(2)=0$

따라서 함수 $f(x)g(x)$는 $x=2$에서 연속이다.

$h(x)=f(x)g(x)$라 하면

$h'(2)=\displaystyle\lim_{x\to2}\frac{h(x)-h(2)}{x-2}$
$=\displaystyle\lim_{x\to2}\frac{f(x)g(x)-f(2)g(2)}{x-2}$
$=\displaystyle\lim_{x\to2}\frac{f(x)g(x)}{x-2}$

이때 $g(x)=|2x-4|$에서

$\displaystyle\lim_{x\to2+}\frac{f(x)g(x)}{x-2}=\lim_{x\to2+}\frac{f(x)\times(2x-4)}{x-2}$
$=\lim_{x\to2+}2f(x)$
$=2\times(-2)=-4$

$\displaystyle\lim_{x\to2-}\frac{f(x)g(x)}{x-2}=\lim_{x\to2-}\frac{f(x)\times(-2x+4)}{x-2}$
$=\lim_{x\to2-}\{-2f(x)\}$
$=(-2)\times2=-4$

이므로 $h'(2)=-4$

즉, 함수 $f(x)g(x)$는 $x=2$에서 미분가능하다. (참)

step 3 함수 $|f(x)|g(x)$의 $x=2$에서의 연속을 확인한 후 $x=2$에서의 미분계수를 구한다.

ㄷ. $\displaystyle\lim_{x\to2-}|f(x)|g(x)=\lim_{x\to2-}|f(x)|\times\lim_{x\to2-}g(x)$
$=2\times0=0$

$\displaystyle\lim_{x\to2+}|f(x)|g(x)=\lim_{x\to2+}|f(x)|\times\lim_{x\to2+}g(x)$
$=2\times0=0$

이므로 $\displaystyle\lim_{x\to2-}|f(x)|g(x)=\lim_{x\to2+}|f(x)|g(x)=|f(2)|g(2)=0$

따라서 함수 $|f(x)|g(x)$는 $x=2$에서 연속이다.

$h(x)=|f(x)|g(x)$라 하면

$h'(2)=\displaystyle\lim_{x\to2}\frac{h(x)-h(2)}{x-2}$
$=\displaystyle\lim_{x\to2}\frac{|f(x)|g(x)-|f(2)|g(2)}{x-2}$
$=\displaystyle\lim_{x\to2}\frac{|f(x)|g(x)}{x-2}$

이때 $g(x)=|2x-4|$에서

$\displaystyle\lim_{x\to2+}\frac{|f(x)|g(x)}{x-2}=\lim_{x\to2+}\frac{|f(x)|(2x-4)}{x-2}$
$=\lim_{x\to2+}2|f(x)|$
$=2\times2$
$=4$

$$\lim_{x \to 2^-} \frac{|f(x)|g(x)}{x-2} = \lim_{x \to 2^-} \frac{|f(x)|(-2x+4)}{x-2}$$
$$= \lim_{x \to 2^-} \{-2|f(x)|\}$$
$$= (-2) \times 2$$
$$= -4$$

이므로 $h'(2)$는 존재하지 않는다.

즉, 함수 $|f(x)|g(x)$는 $x=2$에서 미분가능하지 않다. (거짓)

따라서 옳은 것은 ㄱ, ㄴ이다.

답 ②

51

계수가 모두 정수인 두 다항함수 $f(x)$, $g(x)$가 모든 실수 x에 대하여 다음 조건을 만족시킨다. → x에 대한 항등식

(가) $f'(x)g(x) = 2x^4 + x^3 + 4x^2 + 4x + 1$
(나) $f(x)g'(x) = 3x^4 + 3x^3 - x^2 + 2x - 2$

$f(2) + g(2)$의 값은?

① 14   ② 16   ✓③ 18
④ 20   ⑤ 22

풀이전략

우변을 두 다항식의 곱으로 인수분해하여 $f(x)$, $g(x)$를 정한다.

문제풀이

step 1 다항식 $2x^4 + x^3 + 4x^2 + 4x + 1$을 인수분해한다.

조건 (가)에서
$$f'(x)g(x) = 2x^4 + x^3 + 4x^2 + 4x + 1$$
$$= x^3(2x+1) + (2x+1)^2$$
$$= (2x+1)(x^3 + 2x + 1)$$

step 2 $f'(x)$와 $g(x)$를 구한다.

(i) $f'(x) = x^3 + 2x + 1$, $g(x) = 2x+1$일 때
$g'(x) = 2$이므로 $f(x)g'(x) = 2f(x)$이다.
따라서 조건 (나)를 만족시킬 수 없다. → $2f(x) = 2x^3 + 4x + 2$

(ii) $f'(x) = 2x+1$, $g(x) = x^3 + 2x + 1$일 때
$g'(x) = 3x^2 + 2$이고 조건 (나)에서
$$f(x)g'(x) = 3x^4 + 3x^3 - x^2 + 2x - 2$$
$$= (3x^2 + 2)(x^2 + x - 1)$$
이므로 $f(x) = x^2 + x - 1$
이것은 $f'(x) = 2x+1$을 만족시킨다.

(i), (ii)에서 $f(x) = x^2 + x - 1$, $g(x) = x^3 + 2x + 1$이므로
$$f(2) + g(2) = 5 + 13 = 18$$

답 ③

52

→ $\lim_{x \to 0} f(x) = f(0) = 0$

$f(0) = 0$이고 실수 전체의 집합에서 연속인 함수 $f(x)$가
$$\lim_{x \to 1} \frac{f((x-1)^2)}{(x-1)^2} = \alpha \ (\alpha\text{는 상수})$$를 만족시킬 때, 〈보기〉에서 옳은 것만을 있는 대로 고른 것은?

┌ 보기 ├
> ㄱ. $\alpha = 0$이고 $f(-x) = f(x)$이면 함수 $f(x)$는 $x=0$에서 미분가능하다.
> ㄴ. $\alpha \neq 0$이고 $f(-x) = f(x)$이면 함수 $f(x)$는 $x=0$에서 미분가능하다.
> ㄷ. $f(-x) = -f(x)$이면 함수 $f(x)$는 $x=0$에서 미분가능하다.

① ㄱ   ② ㄴ   ✓③ ㄱ, ㄷ
④ ㄴ, ㄷ   ⑤ ㄱ, ㄴ, ㄷ

풀이전략

$x=0$에서의 미분계수를 확인한다.

문제풀이

step 1 $(x-1)^2 = t$로 치환하여 $f'(0)$을 구한다.

$\lim_{x \to 1} \dfrac{f((x-1)^2)}{(x-1)^2} = \alpha$에서 $(x-1)^2 = t$라 하면 $x \to 1$일 때 $t \to 0+$

이고, $f(0) = 0$이므로
$$\lim_{x \to 1} \frac{f((x-1)^2)}{(x-1)^2} = \lim_{t \to 0+} \frac{f(t) - f(0)}{t} = \alpha$$

이때 $t = x$로 놓으면 $\lim_{x \to 0+} \dfrac{f(x) - f(0)}{x} = \alpha$ ······ ㉠

함수 $f(x)$가 $x=0$에서 미분가능하려면 $\lim_{x \to 0-} \dfrac{f(x) - f(0)}{x}$의 값이
존재하고 이 값이 α와 같아야 한다.

$\lim_{x \to 0-} \dfrac{f(x) - f(0)}{x}$에서 $x = -t$라 하면 $x \to 0-$일 때 $t \to 0+$이
므로
$$\lim_{x \to 0-} \frac{f(x) - f(0)}{x} = \lim_{t \to 0+} \frac{f(-t) - f(0)}{-t} \quad \to f(0) = 0$$
$$= \lim_{t \to 0+} \frac{f(-t)}{-t}$$

이때 $t = x$로 놓으면 $\lim_{x \to 0+} \dfrac{f(-x)}{-x}$ ······ ㉡

step 2 좌극한과 우극한을 확인하여 미분가능을 확인한다.

ㄱ. $f(-x) = f(x)$이므로 ㉡에서
$$\lim_{x \to 0+} \frac{f(-x)}{-x} = \lim_{x \to 0+} \frac{f(x)}{-x} = -\alpha \quad ······ ㉢$$
이때 $\alpha = 0$이므로 ㉠과 ㉢의 값이 같다.
그러므로 함수 $f(x)$는 $x=0$에서 미분가능하다. (참)

ㄴ. $\alpha \neq 0$이면 ㉠과 ㉢의 값이 다르다. → $x=0$에서 미분계수의 좌, 우극한이 일치한다.
그러므로 함수 $f(x)$는 $x=0$에서 미분가능하지 않다. (거짓)

ㄷ. $f(-x) = -f(x)$이므로 ㉡에서 → $\alpha \neq 0$일 때 $\alpha \neq -\alpha$이므로 $x=0$에서 미분계수의 좌, 우극한이 일치하지 않는다.

$$\lim_{x \to 0+} \frac{f(-x)}{-x} = \lim_{x \to 0+} \frac{-f(x)}{-x} = a \quad \cdots\cdots ㉣$$

이때 ㉠과 ㉣의 값이 같으므로 함수 $f(x)$는 $x=0$에서 미분가능하다. (참)

따라서 옳은 것은 ㄱ, ㄷ이다.

답 ③

53

삼차함수 $f(x)=x^3+ax^2+bx$와 두 실수 p, q $(p<q)$에 대하여

$$A=\frac{f'(p)+f'(q)}{2}, \quad B=f'\left(\frac{p+q}{2}\right), \quad C=\frac{f(q)-f(p)}{q-p}$$

라 할 때, A, B, C의 대소 관계를 바르게 나타낸 것은?

(단, a, b는 상수이다.)

① $A>B>C$　　✓② $A>C>B$　　③ $B>C>A$

④ $C>A>B$　　⑤ $C>B>A$

풀이전략

함수 $f(x)$의 도함수를 구한 후 $A-C$, $C-B$의 값의 부호를 확인한다.

문제풀이

step 1 A, B, C의 값을 구한다.

$f(x)=x^3+ax^2+bx$에서 $f'(x)=3x^2+2ax+b$이므로

$$A=\frac{f'(p)+f'(q)}{2}$$
$$=\frac{(3p^2+2ap+b)+(3q^2+2aq+b)}{2}$$
$$=\frac{3}{2}(p^2+q^2)+a(p+q)+b$$

$$B=f'\left(\frac{p+q}{2}\right)=3\left(\frac{p+q}{2}\right)^2+2a\left(\frac{p+q}{2}\right)+b$$
$$=\frac{3}{4}(p+q)^2+a(p+q)+b$$

$$C=\frac{f(q)-f(p)}{q-p}=\frac{(q^3+aq^2+bq)-(p^3+ap^2+bp)}{q-p}$$
$$=\frac{(q^3-p^3)+a(q^2-p^2)+b(q-p)}{q-p}$$
$$=(q^2+qp+p^2)+a(p+q)+b$$

step 2 $A-C$, $C-B$의 값의 부호를 확인한다.

$A-C=\frac{1}{2}p^2-pq+\frac{1}{2}q^2=\frac{1}{2}(p-q)^2>0$이므로

$\underline{A>C}$ → $A-C>0$이면 $A>C$ $\quad \cdots\cdots ㉠$

$C-B=\frac{1}{4}p^2-\frac{1}{2}pq+\frac{1}{4}q^2=\frac{1}{4}(p-q)^2>0$이므로

$C>B$ $\quad \cdots\cdots ㉡$

㉠, ㉡에 의하여 $A>C>B$

답 ②

54

→ 다항식의 나눗셈에 의해
$f(x)=(x-1)^2Q_1(x)+2x+1$은 x에 대한 항등식이다.

두 다항함수 $f(x)$, $g(x)$가 다음 조건을 만족시킨다.

(가) $f(x)$를 $(x-1)^2$으로 나누었을 때의 나머지는 $2x+1$이다.
(나) $xf(x)+g(x)$는 $(x-1)^3$으로 나누어떨어진다.

$g(x)$를 $(x-1)^2$으로 나누었을 때의 나머지를 $h(x)$라 할 때, $h(3)$의 값은? → 이차식으로 나누었을 때의 나머지는 일차식 또는 상수이다.

① -11　　✓② -13　　③ -15
④ -17　　⑤ -19

풀이전략

→ 다항식의 나눗셈에 의해 $xf(x)+g(x)=(x-1)^3Q_2(x)$는 x에 대한 항등식이다.

다항식의 나눗셈을 이용하여 $f(x)$, $g(x)$를 구한다.

문제풀이

step 1 다항식의 나눗셈과 곱의 미분법을 이용하여 $f'(1)$의 값을 구한다.

$f(x)$를 $(x-1)^2$으로 나누었을 때의 몫을 $Q_1(x)$라 하면
조건 (가)에서 $f(x)=(x-1)^2Q_1(x)+2x+1$로 놓을 수 있으므로
$x=1$을 대입하면 $f(1)=3$ → x에 대한 항등식 $\quad \cdots\cdots ㉠$
$f(x)=(x-1)^2Q_1(x)+2x+1$의 양변을 x에 대하여 미분하면
$f'(x)=2(x-1)Q_1(x)+(x-1)^2Q_1'(x)+2$
$x=1$을 대입하면 $f'(1)=2$ → x에 대한 항등식 $\quad \cdots\cdots ㉡$

step 2 다항식의 나눗셈과 곱의 미분법을 이용하여 $f(1)+f'(1)+g'(1)$의 값을 구한다.

$xf(x)+g(x)$를 $(x-1)^3$으로 나누었을 때의 몫을 $Q_2(x)$라 하면
조건 (나)에서 $xf(x)+g(x)=(x-1)^3Q_2(x)$로 놓을 수 있으므로
$x=1$을 대입하면 → x에 대한 항등식
$f(1)+g(1)=0$ $\quad \cdots\cdots ㉢$
$xf(x)+g(x)=(x-1)^3Q_2(x)$의 양변을 x에 대하여 미분하면 → 곱의 미분법
$f(x)+xf'(x)+g'(x)=3(x-1)^2Q_2(x)+(x-1)^3Q_2'(x)$
$x=1$을 대입하면 → x에 대한 항등식
$f(1)+f'(1)+g'(1)=0$ $\quad \cdots\cdots ㉣$
㉠, ㉢에서 $g(1)=-3$
㉠, ㉡, ㉣에서 $g'(1)=-5$

step 3 다항식의 나눗셈과 곱의 미분법을 이용하여 $g'(1)$의 값을 구한 후 $h(3)$의 값을 구한다.

$g(x)$를 $(x-1)^2$으로 나누었을 때의 몫을 $Q_3(x)$, 나머지를 $h(x)=ax+b$ (a, b는 상수)라 하면
$g(x)=(x-1)^2Q_3(x)+ax+b$
이므로 $x=1$을 대입하면 → x에 대한 항등식
$g(1)=a+b=-3$ $\quad \cdots\cdots ㉤$
$g(x)=(x-1)^2Q_3(x)+ax+b$의 양변을 x에 대하여 미분하면
$g'(x)=2(x-1)Q_3(x)+(x-1)^2Q_3'(x)+a$ → 곱의 미분법
$x=1$을 대입하면 → x에 대한 항등식
$g'(1)=a=-5$
$a=-5$를 ㉤에 대입하면

$b=2$

따라서 $h(x)=-5x+2$이므로

$h(3)=-13$

답 ②

내신 상위 4% of 4%

본문 47쪽

55

함수 $f(x)=x^3+3x^2-9x+3$에 대하여 함수 $g(x)$를 다음과 같이 정의한다.

$y=f(x)$의 그래프를 원점에 대하여 대칭이동한 후 x축의 방향으로 a만큼, y축의 방향으로 b만큼 평행이동한 것이다.

$$g(x)=\begin{cases} f(x) & (x \le 2) \\ -f(-x+a)+b & (x>2) \end{cases}$$

$g(x)$가 실수 전체의 집합에서 미분가능할 때, 상수 a, b에 대하여 $a+b$의 값을 구하시오. (단, $a \ne 4$) 26

함수 $g(x)$가 $x=2$에서 미분가능할 때 실수 전체의 집합에서 미분가능하다.

문항 파헤치기

곡선 $y=f(x)$를 원점에 대하여 대칭이동한 곡선과 미분계수가 같도록 평행이동한 곡선 구하기

실수 point 찾기

대칭이동 후 평행이동했을 때 미분계수는 그 점에서의 접선의 기울기이므로 평행이동 후에도 변하지 않음을 이용하여 미분계수가 같은 점을 구한다.

풀이전략

대칭이동, 평행이동을 이용하여 미분계수가 같은 점을 찾는다.

문제풀이

step 1 $x=2$에서의 미분가능을 이용하여 $f'(2)$의 값을 구한다.

함수 $g(x)$가 실수 전체의 집합에서 미분가능하려면 $x=2$에서 미분가능하면 된다. 즉, $g'(2)$가 존재해야 하므로

$\lim\limits_{x \to 2-} g'(x) = \lim\limits_{x \to 2+} g'(x)$

$\lim\limits_{x \to 2-} \dfrac{g(x)-g(2)}{x-2} = \lim\limits_{x \to 2+} \dfrac{g(x)-g(2)}{x-2}$

$f(x)=x^3+3x^2-9x+3$에서

$f'(x)=3x^2+6x-9$이므로

$f'(2)=15$

step 2 $y=f(x)$의 그래프의 대칭이동과 평행이동을 이용하여 $y=-f(-x)$를 구한다.

$-y=f(-x)$

$y=-f(-x+a)+b$의 그래프는 $y=f(x)$의 그래프를 원점에 대하여 대칭이동한 후 x축의 방향으로 a만큼, y축의 방향으로 b만큼 평행이동한 것이다.

$-(y-b)=f(-(x-a))$, 즉 $y=-f(-x+a)+b$

곡선 $y=f(x)$를 원점에 대하여 대칭이동한 곡선은 $y=-f(-x)$이므로

$h(x)=-f(-x)=x^3-3x^2-9x-3$이라 하면

$h'(x)=3x^2-6x-9$

이때 $h'(x)=15$에서

$3x^2-6x-9=15$

$x^2-2x-8=0$

$(x-4)(x+2)=0$

$x=4$ 또는 $x=-2$

step 3 함수 $f(x)$의 $x=2$에서의 미분계수와 함수 $h(x)$의 $x=4$ 또는 $x=-2$에서의 미분계수가 같음을 이용하여 a의 값을 구한다.

따라서 $x=2$에서 함수 $f(x)$의 미분계수와 $x=4$ 또는 $x=-2$에서의 함수 $h(x)$의 미분계수가 같으므로

$a=-2$ 또는 $a=4$

이때 $a \ne 4$이므로 $a=-2$

한편, $g(x)$가 $x=2$에서 연속이므로

$f(2)=-f(-2-2)+b$에서

$5=-23+b$, $b=28$

따라서 $a+b=-2+28=26$

답 26

04 도함수의 활용 (1)

내신 기출 우수 문항   본문 50~53쪽

01 ②	02 ③	03 ①	04 ⑤	05 ②
06 ④	07 ④	08 ③	09 ④	10 ⑤
11 ④	12 ④	13 ⑤	14 ①	15 ②
16 ⑤	17 ④	18 ④	19 ③	20 ①
21 ③	22 $-\dfrac{8}{3}$	23 1		

01 삼차함수 $f(x)=x^3+x^2-4x-1$의 그래프 위의 점 $(-2, 3)$에서의 접선의 방정식은

$y-3=f'(-2)(x+2)$ ...... ㉠

이때 $f'(x)=3x^2+2x-4$이므로

$f'(-2)=4$

이것을 ㉠에 대입하여 정리하면

$y=4x+11$

따라서 $a=4$, $b=11$이므로

$a+b=15$

답 ②

02 $y=x^3+x^2-3x+5$에서 $y'=3x^2+2x-3$

구하는 접선의 기울기를 m이라 하면 두 점 A, B의 x좌표는 이차방정식 $3x^2+2x-3=m$, 즉 $3x^2+2x-3-m=0$의 두 근이므로 근과 계수의 관계에 의하여

$\dfrac{-3-m}{3}=-2$, $-3-m=-6$

따라서 $m=3$

답 ③

03 $y=x^3-3x^2+2$에서 $y'=3x^2-6x$

접점의 x좌표를 t라 하면 $3t^2-6t=m$

$3t^2-6t-m=0$

접선이 오직 하나이려면 t의 값도 오직 하나이어야 한다.

따라서 이차방정식 $3t^2-6t-m=0$의 판별식을 D라 하면

$\dfrac{D}{4}=(-3)^2-3\times(-m)=0$

$m=-3$

답 ①

04 $f(x)=x^2-3x+2$로 놓으면 $f'(x)=2x-3$이므로 점 $(3, 2)$에서의 접선의 기울기는

$f'(3)=2\times3-3=3$

따라서 곡선 $y=f(x)$ 위의 점 $(3, 2)$에서의 접선의 방정식은

$y-2=3(x-3)$, $y=3x-7$

직선 $y=3x-7$과 곡선 $y=x^3+ax+9$의 접점의 x좌표를 t라 하면

$y'=3x^2+a$에서 곡선 $y=x^3+ax+9$ 위의 점 (t, t^3+at+9)에서의 접선의 기울기는 $3t^2+a$이므로

$3t^2+a=3$ ...... ㉠

기울기가 3이고 점 (t, t^3+at+9)를 지나는 직선의 방정식은

$y-(t^3+at+9)=3(x-t)$

$y=3x+t^3+(a-3)t+9$

이 직선이 $y=3x-7$과 일치하므로

$t^3+(a-3)t+9=-7$ ...... ㉡

㉠에서 $a-3=-3t^2$을 ㉡에 대입하면

$t^3+(-3t^2)\times t+9=-7$

$-2t^3=-16$, $t^3=8$

$t=2$

㉠에서 $3\times2^2+a=3$이므로

$a=3-12=-9$

답 ⑤

05 $f(x)=x^2+ax+b$ (a, b는 상수)라 하면

두 곡선 $y=x^3+x^2+3$, $y=f(x)$는 x좌표가 1인 점 P에서 만나므로

$1^3+1^2+3=f(1)$, $f(1)=5$

$1+a+b=5$

$a+b=4$ ...... ㉠

$y=x^3+x^2+3$에서 $y'=3x^2+2x$이고 점 P에서의 접선이 서로 일치하므로

$3\times1^2+2=f'(1)$, $f'(1)=5$

$f'(x)=2x+a$이므로

$f'(1)=2+a=5$, $a=3$

$a=3$을 ㉠에 대입하면 $b=1$

따라서 $f(x)=x^2+3x+1$이므로

$f(2)=2^2+3\times2+1=11$

답 ②

다른풀이

$x^3+x^2+3-f(x)=(x-1)^2(x-a)$ (a는 상수)에서 좌변의 이차항의 계수는 0이고 우변의 이차항의 계수는 $-(2+a)$이므로

$0=-(2+a)$, $a=-2$

$x^3+x^2+3-f(x)=(x-1)^2(x+2)$ ...... ㉠

㉠의 양변에 $x=2$를 대입하면

$8+4+3-f(2)=4$

$f(2)=11$

06 $f(x)=x^3-3x^2+kx-1$에서 $f'(x)=3x^2-6x+k$

평행한 두 접선의 기울기를 m이라 하면 방정식 $3x^2-6x+k=m$의 두 근이 $x=p$ 또는 $x=q$이다.

따라서 이차방정식의 근과 계수의 관계에서

$p+q=2$

답 ④

07 $f(x)=-x^3+3x^2+9x$에서

$f'(x)=-3x^2+6x+9$

이므로 원점 O에서의 접선의 기울기는 $f'(0)=9$이다.

삼각형 OAP의 넓이가 최대가 되려면 점 P에서의 접선의 기울기가 9이어야 한다.

점 P의 x좌표를 t $(t\neq0)$라 하면

$f'(t)=-3t^2+6t+9=9$

$3t^2-6t=0,\ 3t(t-2)=0$

$t=2$

따라서 점 P의 좌표는 $(2,\ 22)$이므로

$a+b=2+22=24$

답 ④

08 $f(x)f'(x)<0$에서

$f(x)>0,\ f'(x)<0$ 또는 $f(x)<0,\ f'(x)>0$

(ⅰ) $f(x)>0,\ f'(x)<0$일 때

함숫값은 양수이고 접선의 기울기가 음수이므로 구하는 정수 x는 2, 3, 9이다.

(ⅱ) $f(x)<0,\ f'(x)>0$일 때

함숫값은 음수이고 접선의 기울기는 양수이므로 구하는 정수 x는 없다.

(ⅰ), (ⅱ)에서 모든 정수 x의 값의 합은 $2+3+9=14$

답 ③

09 $f(x)=-x^3-5x^2+3$에서

$f'(x)=-3x^2-10x$이므로

$f(2)-f(-1)=3f'(c)$에서

$(-8-20+3)-(1-5+3)=3(-3c^2-10c)$

$-8=-3c^2-10c,\ 3c^2+10c-8=0$

$(3c-2)(c+4)=0$

$-1<c<2$이므로 $c=\dfrac{2}{3}$

답 ④

10 ㄱ. $f(-x)=-f(x)$에서 $x=0$을 대입하면

$f(0)=-f(0),\ f(0)=0$ (참)

ㄴ. 다항함수 $f(x)$는 닫힌구간 $[0,\ 3]$에서 연속이고 열린구간 $(0,\ 3)$에서 미분가능하며 $f(0)=f(3)=0$이므로 롤의 정리에 의하여 $f'(c)=0$을 만족시키는 실수 c가 열린구간 $(0,\ 3)$에 적어도 하나 존재한다. 즉, 방정식 $f'(x)=0$은 열린구간 $(0,\ 3)$에서 적어도 하나의 실근을 갖는다. (참)

ㄷ. $f(1)=2$이므로 $f(-1)=-f(1)=-2$

함수 $f(x)$는 닫힌구간 $[0,\ 1]$에서 연속이고, 열린구간 $(0,\ 1)$에서 미분가능하므로 평균값 정리에 의하여 $\dfrac{f(1)-f(0)}{1-0}=f'(c_1)$, 즉 $f'(c_1)=2$인 실수 c_1이 열린구간 $(0,\ 1)$에 적어도 하나 존재한다.

또한 함수 $f(x)$는 닫힌구간 $[-1,\ 0]$에서 연속이고, 열린구간 $(-1,\ 0)$에서 미분가능하므로 평균값 정리에 의하여

$\dfrac{f(0)-f(-1)}{0-(-1)}=f'(c_2)$, 즉 $f'(c_2)=2$인 실수 c_2가 열린구간 $(-1,\ 0)$에 적어도 하나 존재한다. 즉, 방정식 $f'(x)=2$는 적어도 두 개의 실근을 갖는다. (참)

따라서 옳은 것은 ㄱ, ㄴ, ㄷ이다.

답 ⑤

11 삼차함수 $f(x)=-x^3+3ax^2-9ax+1$의 역함수가 존재하려면 함수 $f(x)$가 구간 $(-\infty,\ \infty)$에서 감소해야 하므로 모든 실수 x에 대하여 $f'(x)\leq0$이어야 한다.

$f(x)=-x^3+3ax^2-9ax+1$에서 $f'(x)=-3x^2+6ax-9a$이므로 모든 실수 x에 대하여

$-3x^2+6ax-9a\leq0,\ x^2-2ax+3a\geq0$

이차방정식 $x^2-2ax+3a=0$의 판별식을 D라 하면

$\dfrac{D}{4}=a^2-3a\leq0,\ a(a-3)\leq0$

$0\leq a\leq3$

따라서 정수 a는 0, 1, 2, 3의 4개이다.

답 ④

12 함수 $f(x)=x^3-x^2-5x+4$가 열린구간 $(-1,\ a)$에서 감소하려면 열린구간 $(-1,\ a)$의 모든 실수 x에 대하여 $f'(x)\leq0$이어야 한다.

$f(x)=x^3-x^2-5x+4$에서

$f'(x)=3x^2-2x-5$

$f'(x)\leq0$에서 $3x^2-2x-5\leq0$

$(x+1)(3x-5)\leq0$

$-1\leq x\leq\dfrac{5}{3}$

따라서 실수 a의 최댓값은 $\dfrac{5}{3}$이다.

답 ④

13 $f(x)=\dfrac{1}{3}x^3-x^2+ax+5$에서

$f'(x)=x^2-2x+a$

함수 $f(x)$가 열린구간 $(a,\ 2)$에서 감소하므로 열린구간 $(a,\ 2)$의 모든 실수 x에 대하여 $f'(x)=x^2-2x+a\leq0$이다.

따라서 $f'(a)\leq0,\ f'(2)\leq0$

$f'(a)=a^2-2a+a\leq0$에서

$a^2-a\leq0,\ a(a-1)\leq0$

$0\leq a\leq1$ ······ ㉠

$f'(2)=4-4+a\leq0$에서

$a\leq0$ ······ ㉡

㉠, ㉡에서 $a=0$이므로

$f(x)=\dfrac{1}{3}x^3-x^2+5$

$f(3)=\dfrac{1}{3}\times3^3-3^2+5=5$

답 ⑤

14 $f(x)=\begin{cases} x^3+k(x-2) & (x\geq 2) \\ x^3-k(x-2) & (x<2) \end{cases}$ 이므로

$f'(x)=\begin{cases} 3x^2+k & (x>2) \\ 3x^2-k & (x<2) \end{cases}$

(i) $x>2$일 때, $f'(x)=3x^2+k\geq 0$이어야 하므로

　$f'(2)=12+k\geq 0$, $k\geq -12$

(ii) $x<2$일 때, $f'(x)=3x^2-k\geq 0$이어야 하므로

　$f'(0)=-k\geq 0$, $k\leq 0$

(i), (ii)에서 $-12\leq k\leq 0$

따라서 실수 k의 최댓값은 0, 최솟값은 -12이므로 그 합은

$0+(-12)=-12$

답 ①

15 ㄱ. $f(x)=x^3+ax-a-1$에서 $f'(x)=3x^2+a$

　a가 음이 아닌 실수이므로 $f'(x)\geq 0$

　따라서 함수 $f(x)$는 구간 $(-\infty, \infty)$에서 증가한다. (참)

ㄴ. $f(x)$는 구간 $(-\infty, \infty)$에서 증가하고, $g(x)$는 구간 $(-\infty, \infty)$

　에서 감소하므로 임의의 두 실수 x_1, x_2에 대하여 $x_1<x_2$이면

　$f(x_1)<f(x_2)$, $g(x_1)>g(x_2)$

　즉, 두 부등식 $f(x_1)<f(x_2)$, $-g(x_1)<-g(x_2)$를 변끼리 더하면

　$f(x_1)-g(x_1)<f(x_2)-g(x_2)$

　따라서 함수 $f(x)-g(x)$는 구간 $(-\infty, \infty)$에서 증가한다. (참)

ㄷ. [반례] $h(x)=x$라 하면 $h'(x)=1>0$이므로 함수 $h(x)$는 구간

　$(-\infty, \infty)$에서 증가한다.

　$F(x)=f(x)h(x)$라 하면 $F(x)=x^4+ax^2-(a+1)x$이므로

　$F'(x)=4x^3+2ax-a-1$

　그런데 $x<0$에서 $F'(x)<0$이므로 함수 $F(x)$는 구간 $(-\infty, 0)$

　에서 감소한다. (거짓)

따라서 옳은 것은 ㄱ, ㄴ이다.

답 ②

16 $f(x)=x^3+(a-2)x^2-\dfrac{1}{3}(ab-4)^2x+1$에서

$f'(x)=3x^2+2(a-2)x-\dfrac{1}{3}(ab-4)^2$

함수 $f(x)$가 극값을 갖지 않으므로 모든 실수 x에 대하여 $f'(x)\geq 0$이

성립해야 한다.

이차방정식 $3x^2+2(a-2)x-\dfrac{1}{3}(ab-4)^2=0$의 판별식을 D라 하면

$\dfrac{D}{4}=(a-2)^2+3\times\dfrac{1}{3}(ab-4)^2\leq 0$

$(a-2)^2+(ab-4)^2\leq 0$

따라서 $a=b=2$이므로 $a+b=4$

답 ⑤

17 $f(x)=3x^4-4x^3-12x^2+a$에서

$f'(x)=12x^3-12x^2-24x=12x(x-2)(x+1)$

$f'(x)=0$에서 $x=-1$ 또는 $x=0$ 또는 $x=2$

함수 $f(x)$의 증가와 감소를 표로 나타내면 다음과 같다.

x	$\cdots$	-1	$\cdots$	0	$\cdots$	2	$\cdots$
$f'(x)$	$-$	0	$+$	0	$-$	0	$+$
$f(x)$	↘	극소	↗	극대	↘	극소	↗

이때 함수 $f(x)$의 극댓값이 10이므로

$f(0)=a=10$

함수 $f(x)$의 극솟값은

$f(-1)=3\times(-1)^4-4\times(-1)^3-12\times(-1)^2+10=5$

$f(2)=3\times 2^4-4\times 2^3-12\times 2^2+10=-22$

따라서 모든 극솟값의 합은

$5+(-22)=-17$

답 ④

18 $f(x)=x^3-kx-1$이 $x=\alpha$, $x=\beta$에서 극값을 갖는다고 하면

$f'(x)=3x^2-k=0$의 두 근이 α, β이므로 근과 계수의 관계에 의하여

$\alpha+\beta=0$, $\alpha\beta=-\dfrac{k}{3}$

$\beta=-\alpha$, $\alpha\beta=-\alpha^2=-\dfrac{k}{3}$에서 $k=3\alpha^2$

한편, 두 극값의 차가 108이므로

$\begin{aligned}|f(\beta)-f(\alpha)| &= |(\beta^3-k\beta-1)-(\alpha^3-k\alpha-1)| \\ &= |(-\alpha)^3-k\times(-\alpha)-1-(\alpha^3-k\alpha-1)| \\ &= |-2\alpha^3+2k\alpha| \\ &= |-2\alpha^3+6\alpha^3| \\ &= |4\alpha^3| \\ &= 108 \end{aligned}$

$|\alpha|=3$

따라서 $k=3\alpha^2=27$

답 ④

19 $f(x)=x^3-3x^2+4$에서

$f'(x)=3x^2-6x=3x(x-2)$

$f'(x)=0$에서 $x=0$ 또는 $x=2$

함수 $f(x)$의 증가와 감소를 표로 나타내면 다음과 같다.

x	$\cdots$	0	$\cdots$	2	$\cdots$
$f'(x)$	$+$	0	$-$	0	$+$
$f(x)$	↗	4	↘	0	↗

따라서 함수 $f(x)$는 $x=0$에서 극대이므로 점 A의 좌표는 $(0, 4)$이다.

접점의 좌표를 (t, t^3-3t^2+4)라 하면 접선의 방정식은

$y-(t^3-3t^2+4)=(3t^2-6t)(x-t)$ ······ ㉠

㉠은 점 $A(0, 4)$를 지나므로

$4-(t^3-3t^2+4)=(3t^2-6t)(-t)$

$2t^3-3t^2=0$, $t^2(2t-3)=0$

$t=0$ 또는 $t=\dfrac{3}{2}$

$t=0$일 때, 접점은 $A(0, 4)$이고 접선의 방정식은 $y=4$이다.

따라서 $t=\dfrac{3}{2}$일 때, 접선의 기울기는

$$f'\left(\dfrac{3}{2}\right)=3\times\left(\dfrac{3}{2}\right)^2-6\times\dfrac{3}{2}=-\dfrac{9}{4}$$

답 ③

20 $g(x)=x^2f(x)$가 다항함수이고 $x=3$에서 극솟값 27을 가지므로
$g(3)=9f(3)=27$, $f(3)=3$
$g'(x)=2xf(x)+x^2f'(x)$이므로
$g'(3)=6f(3)+9f'(3)=18+9f'(3)=0$
따라서 $f'(3)=-2$

답 ①

21 $f(x)=x^4+ax^2+b$에서
$f'(x)=4x^3+2ax=2x(2x^2+a)$
함수 $f(x)$가 단 한 개의 극값만을 가져야 하므로 이차방정식
$2x^2+a=0$이 $x=0$을 중근으로 갖거나 허근을 갖는다.
따라서 $a\geq0$
또한 $f(x)$가 $x=0$에서 극솟값을 가지므로
$f(0)=b=6$
$a+b\geq6$
따라서 $a+b$의 최솟값은 6이다.

답 ③

22 $y=x^2+4x$에서 $y'=2x+4$이므로 곡선 C_1 위의 점 $(t,\ t^2+4t)$에서의 접선의 방정식은
$y-(t^2+4t)=(2t+4)(x-t)$
$y=(2t+4)x-t^2$

.... (가)

이 직선이 곡선 $C_2:y=\dfrac{1}{4}x^2$에 접하므로 $\dfrac{1}{4}x^2=(2t+4)x-t^2$에서

이차방정식 $\dfrac{1}{4}x^2-(2t+4)x+t^2=0$의 판별식을 D라 하면

$$\dfrac{D}{4}=(t+2)^2-\dfrac{1}{4}t^2=0$$

$3t^2+16t+16=0$
$(3t+4)(t+4)=0$

$$t=-\dfrac{4}{3} \text{ 또는 } t=-4$$

.... (나)

따라서 두 접선의 방정식은

$$y=\dfrac{4}{3}x-\dfrac{16}{9},\ y=-4x-16$$

$$m_1+m_2=\dfrac{4}{3}+(-4)=-\dfrac{8}{3}$$

.... (다)

답 $-\dfrac{8}{3}$

단계	채점 기준	비율
(가)	접선의 방정식을 구한 경우	30 %
(나)	접점의 x좌표를 구한 경우	40 %
(다)	m_1+m_2의 값을 구한 경우	30 %

다른풀이

$y=x^2+4x$에서 $y'=2x+4$이므로 곡선 C_1 위의 점 $(t,\ t^2+4t)$에서의 접선의 방정식은
$y-(t^2+4t)=(2t+4)(x-t)$
$y=(2t+4)x-t^2$

...... ㉠

한편, $y=\dfrac{1}{4}x^2$에서 $y'=\dfrac{1}{2}x$이므로 곡선 C_2 위의 점 $\left(s,\ \dfrac{1}{4}s^2\right)$에서의 접선의 방정식은

$$y-\dfrac{1}{4}s^2=\dfrac{1}{2}s(x-s)$$

$$y=\dfrac{1}{2}sx-\dfrac{1}{4}s^2$$

...... ㉡

㉠, ㉡에서 $2t+4=\dfrac{1}{2}s$, $t^2=\dfrac{1}{4}s^2$이므로 $t^2=(2t+4)^2$
$3t^2+16t+16=0$, $(3t+4)(t+4)=0$

$$t=-\dfrac{4}{3} \text{ 또는 } t=-4$$

따라서 두 접선의 방정식은

$$y=\dfrac{4}{3}x-\dfrac{16}{9},\ y=-4x-16$$

$$m_1+m_2=\dfrac{4}{3}+(-4)=-\dfrac{8}{3}$$

23 $f(x)=\begin{cases}x^3+3ax^2-1 & (x<1)\\ -a(x-4) & (x\geq1)\end{cases}$에서

$$f'(x)=\begin{cases}3x(x+2a) & (x<1)\\ -a & (x>1)\end{cases}$$

$f'(x)=0$에서 $x=0$ 또는 $x=-2a$

.... (가)

$a>0$이므로 함수 $f(x)$의 증가와 감소를 표로 나타내면 다음과 같다.

x	$\cdots$	$-2a$	$\cdots$	0	$\cdots$	1	$\cdots$
$f'(x)$	$+$	0	$-$	0	$+$		$-$
$f(x)$	↗	극대	↘	극소	↗	극대	↘

.... (나)

$f(-2a)=(-2a)^3+3a\times(-2a)^2-1=4a^3-1$
$f(0)=-1$
$f(1)=-a(1-4)=3a$
이때 모든 극값의 합이 5이므로
$(4a^3-1)+(-1)+3a=5$, $4a^3+3a-7=0$
$(a-1)(4a^2+4a+7)=0$
따라서 $a=1$

.... (다)

답 1

단계	채점 기준	비율
(가)	$f'(x)=0$인 x의 값을 구한 경우	20 %
(나)	$f(x)$의 증가와 감소를 표로 나타낸 경우	40 %
(다)	a의 값을 구한 경우	40 %

내신 상위 7% 고득점 문항   본문 54~58쪽

24 ①	**25** ③	**26** ②	**27** ②	**28** ③
29 ②	**30** ③	**31** ②	**32** ①	**33** ④
34 ③	**35** ③	**36** ②	**37** ②	**38** ⑤
39 ⑤	**40** ④	**41** ③	**42** ①	**43** ②
44 ④	**45** ⑤	**46** ③	**47** ⑤	**48** ③
49 ⑤	**50** $\dfrac{13}{6}$	**51** $\dfrac{58}{3}$		

24

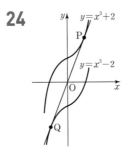

$y=x^3+2$에서 $y'=3x^2$이므로 곡선 $y=x^3+2$ 위의 점 P에서의 접선의 방정식은
$$y-(a^3+2)=3a^2(x-a)$$
$$y=3a^2x-2a^3+2 \qquad \cdots\cdots \text{㉠}$$
$y=x^3-2$에서 $y'=3x^2$이므로 곡선 $y=x^3-2$ 위의 점 Q에서의 접선의 방정식은
$$y-(c^3-2)=3c^2(x-c)$$
$$y=3c^2x-2c^3-2 \qquad \cdots\cdots \text{㉡}$$
㉠, ㉡은 같은 직선이므로
$$3a^2=3c^2 \qquad \cdots\cdots \text{㉢}$$
$$-2a^3+2=-2c^3-2 \qquad \cdots\cdots \text{㉣}$$
㉢에서 $a>0$, $c<0$이므로 $a=-c$ $\cdots\cdots$ ㉤
㉤을 ㉣에 대입하여 정리하면 $4a^3=4$, $4c^3=-4$
$a=1$, $c=-1$
이때 $b=a^3+2=3$, $d=c^3-2=-3$이므로
$$a^2+b^2+c^2+d^2=1^2+3^2+(-1)^2+(-3)^2=20$$
답 ①

25 $\dfrac{f(2)-f(-1)}{3}=\dfrac{f(2)-f(-1)}{2-(-1)}$ 은 함수 $f(x)$에 대하여 x의
값이 -1에서 2까지 변할 때의 평균변화율이므로 두 점
$(-1, f(-1))$, $(2, f(2))$를 지나는 직선의 기울기와 같다.

또한 $f'(2)$는 $x=2$인 점에서의 접선의 기울기와 같다.

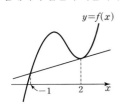

따라서 주어진 조건에 의해 두 점 $(-1, f(-1))$, $(2, f(2))$를 지나는 직선은 $x=2$인 점에서의 접선과 같다.
이때 방정식 $f(x)=f'(2)(x-2)+f(2)$의 실근은 곡선 $y=f(x)$와 곡선 $y=f(x)$ 위의 $x=2$인 점에서의 접선의 교점의 x좌표와 같으므로 서로 다른 실근은 $x=-1$ 또는 $x=2$이다.
따라서 구하는 두 실근의 합은
$$(-1)+2=1$$
답 ③

26 $\lim\limits_{x\to 0}\dfrac{f(x)-3}{x}=-1$에서 $x\to 0$일 때 극한값이 존재하고
(분모)$\to 0$이므로 (분자)$\to 0$이어야 한다.
즉, $\lim\limits_{x\to 0}\{f(x)-3\}=0$에서 $\lim\limits_{x\to 0}f(x)=3$
이때 함수 $f(x)$가 미분가능한 함수이므로 $f(x)$는 연속함수이다.
$$f(0)=\lim\limits_{x\to 0}f(x)=3$$
$$f'(0)=\lim\limits_{x\to 0}\dfrac{f(x)-f(0)}{x}=\lim\limits_{x\to 0}\dfrac{f(x)-3}{x}=-1$$
$F(x)=(x^2-3x+1)f(x)$로 놓으면
$F(0)=1\times f(0)=1\times 3=3$이고
$$F'(x)=(2x-3)f(x)+(x^2-3x+1)f'(x)$$
이므로 $x=0$인 점에서의 접선의 기울기는
$$F'(0)=(-3)\times f(0)+1\times f'(0)=(-3)\times 3+1\times(-1)=-10$$
따라서 구하는 접선은 점 $(0, 3)$을 지나고 기울기가 -10이므로
$$y-3=-10(x-0),\ y=-10x+3$$
즉, $a=-10$, $b=3$이므로
$$a+b=-10+3=-7$$
답 ②

27 $\dfrac{b}{a}=\dfrac{b-0}{a-0}$이므로 $\dfrac{b}{a}$는 두 점 $(0, 0)$, (a, b)를 지나는 직선의 기울기를 의미한다.

따라서 제1사분면 위의 점 (a, b)에 대하여 $\dfrac{b}{a}$가 최소가 될 때는 원점과 점 (a, b)를 지나는 직선이 점 (a, b)에서 곡선 $y=x^3-3x^2+27$에 접할 때이다.

$y'=3x^2-6x$이므로 곡선 위의 점 (a, b)에서의 접선의 방정식은
$$y-b=(3a^2-6a)(x-a) \qquad \cdots\cdots \text{㉠}$$
㉠은 원점을 지나고 $b=a^3-3a^2+27$이므로
$$-a^3+3a^2-27=-3a^3+6a^2$$
$$2a^3-3a^2-27=0$$
$$(a-3)(2a^2+3a+9)=0$$

$a=3$이므로 $b=27$

따라서 $a+b=3+27=30$

답 ②

28 그림과 같이 점 Q에서의 접선의 기울기와 직선 AB의 기울기가 같을 때, 선분 PQ의 길이가 최대이다.

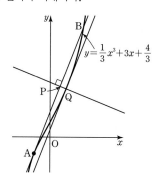

$y=\dfrac{1}{3}x^3+3x+\dfrac{4}{3}$에서 $y'=x^2+3$이므로 직선 AB의 기울기는

$(-1)^2+3=4$

점 Q의 x좌표를 q라 하면 점 Q에서의 접선의 기울기는

$q^2+3=4$, $(q-1)(q+1)=0$

이때 $q\neq-1$이므로 $q=1$

직선 AB의 방정식은 $y=4(x+1)-2$, 즉 $4x-y+2=0$이고,

점 Q의 좌표는 $\left(1,\dfrac{14}{3}\right)$이다.

따라서 선분 PQ의 길이의 최댓값은

$$\dfrac{\left|4\times1-\dfrac{14}{3}+2\right|}{\sqrt{4^2+(-1)^2}}=\dfrac{\dfrac{4}{3}}{\sqrt{17}}=\dfrac{4\sqrt{17}}{51}$$

답 ③

29 $f(x)=x^3-3x+2$에서

$f'(x)=3x^2-3$

$P(m, f(m))$에서의 접선의 기울기는 $f'(m)=3m^2-3$이므로 구하는 접선의 방정식은

$y-(m^3-3m+2)=(3m^2-3)(x-m)$

$y=(3m^2-3)x-2m^3+2$

이 직선과 함수 $f(x)=x^3-3x+2$의 그래프의 교점의 x좌표는 방정식

$x^3-3x+2=(3m^2-3)x-2m^3+2$의 실근과 같다.

$x^3-3m^2x+2m^3=0$에서

$(x-m)^2(x+2m)=0$

$x=m$ 또는 $x=-2m$

따라서 $n=-2m$이므로

$\dfrac{f(m)-f(n)}{m-n}=\dfrac{f(m)-f(-2m)}{m-(-2m)}=3m^2-3=1$

$m^2=\dfrac{4}{3}$, $n^2=\dfrac{16}{3}$

$m^2+n^2=\dfrac{4}{3}+\dfrac{16}{3}=\dfrac{20}{3}$

답 ②

30 삼차함수 $f(x)$가 모든 실수 x에 대하여 $f(-x)=-f(x)$이므로 $f(x)=ax^3+bx$ (a, b는 상수, $a\neq0$)로 놓을 수 있다.

조건 (나)에서 $f(2)=0$이므로

$8a+2b=0$ ⋯⋯ ㉠

또한 $f'(2)=-8$이므로 $f'(x)=3ax^2+b$에서

$12a+b=-8$ ⋯⋯ ㉡

㉠, ㉡을 연립하여 풀면

$a=-1$, $b=4$

$f(x)=-x^3+4x$, $f'(x)=-3x^2+4$이므로

$f(1)=3$, $f'(1)=1$

따라서 곡선 $y=f(x)$ 위의 점 $(1, 3)$에서의 접선의 방정식은

$y=(x-1)+3$, 즉 $y=x+2$이므로

$m=1$, $n=2$

$m^2+n^2=1^2+2^2=5$

답 ③

31 $f(x)=x^3-3x$에서

$f'(x)=3x^2-3=3(x-1)(x+1)$

이때 $f'(0)=-3$이므로 접선 l의 방정식은 $y=-3x$

따라서 원점을 지나고 직선 l에 수직인 직선의 방정식은 $y=\dfrac{1}{3}x$이다.

곡선 $y=x^3-3x$와 직선 $y=\dfrac{1}{3}x$의 교점을 A라 하면 점 A의 x좌표는

$x^3-3x=\dfrac{1}{3}x$에서

$3x^3-10x=0$, $x(3x^2-10)=0$

따라서 $x=0$ 또는 $x=\pm\dfrac{\sqrt{30}}{3}$

즉, 원점을 지나는 원의 중심의 좌표는

$\left(\dfrac{\sqrt{30}}{3},\dfrac{\sqrt{30}}{9}\right)$ 또는 $\left(-\dfrac{\sqrt{30}}{3},-\dfrac{\sqrt{30}}{9}\right)$

따라서 원의 반지름의 길이는 $\overline{\text{OA}}$이므로

$\overline{\text{OA}}=\sqrt{\dfrac{30}{9}+\dfrac{30}{81}}=\dfrac{10\sqrt{3}}{9}$

답 ②

32 $y=x^3-ax$에서 $y'=3x^2-a$

점 P의 좌표를 (t, t^3-at)라 하면 점 P에서의 접선 l_1의 방정식은

$y-(t^3-at)=(3t^2-a)(x-t)$

$y=(3t^2-a)x-2t^3$

곡선 $y=x^3-ax$와 직선 l_1의 교점의 x좌표는

$x^3-ax=(3t^2-a)x-2t^3$에서

$x^3-3t^2x+2t^3=0$

$(x-t)^2(x+2t)=0$

$x=t$ 또는 $x=-2t$

따라서 점 Q의 x좌표는 $-2t$이다.

점 P, Q에서의 접선 l_1, l_2의 기울기는 각각 $3t^2-a$, $12t^2-a$이므로

$(3t^2-a)\times(12t^2-a)=-1$

$3t^2=X$라 하면 $(X-a)(4X-a)=-1$

$4X^2-5aX+(a^2+1)=0$

두 직선 l_1, l_2가 서로 수직이 되는 점 P의 개수가 4이므로 방정식

$4X^2-5aX+(a^2+1)=0$은 서로 다른 두 개의 양의 근을 갖는다.

이차방정식 $4X^2-5aX+(a^2+1)=0$의 판별식을 D라 하면

$D=25a^2-16(a^2+1)=9a^2-16>0$이므로 $a<-\dfrac{4}{3}$ 또는 $a>\dfrac{4}{3}$

(두 근의 합)$=\dfrac{5a}{4}>0$이므로 $a>0$

(두 근의 곱)$=\dfrac{a^2+1}{4}>0$

따라서 $a>\dfrac{4}{3}$이므로 자연수 a의 최솟값은 2이다.

답 ①

---

33 $1<t<3$인 실수 t에 대하여 함수 $f(x)$가 닫힌구간 $[1, t]$에서 연속이고 열린구간 $(1, t)$에서 미분가능하므로 평균값 정리에 의하여

$\dfrac{f(t)-f(1)}{t-1}=f'(c_1)$ $(1<c_1<t)$인 c_1이 존재한다.

조건 (나)에 의하여 $f'(c_1)\leq4$이므로

$\dfrac{f(t)-f(1)}{t-1}\leq4$, $f(t)-f(1)\leq4(t-1)$

$f(t)-5\leq4t-4$

따라서 $f(t)\leq4t+1$ ...... ㉠

또한 함수 $f(x)$가 닫힌구간 $[t, 3]$에서 연속이고 열린구간 $(t, 3)$에서 미분가능하므로 평균값 정리에 의하여

$\dfrac{f(3)-f(t)}{3-t}=f'(c_2)$ $(t<c_2<3)$인 c_2가 존재한다.

조건 (나)에 의하여 $f'(c_2)\leq4$이므로

$\dfrac{f(3)-f(t)}{3-t}\leq4$, $f(3)-f(t)\leq4(3-t)$

$13-f(t)\leq12-4t$

따라서 $f(t)\geq4t+1$ ...... ㉡

㉠, ㉡에서 $f(t)=4t+1$ $(1<t<3)$이므로

$f\left(\dfrac{3}{2}\right)=4\times\dfrac{3}{2}+1=7$

답 ④

---

34 함수 $f(x)$가 실수 전체의 집합에서 미분가능하므로 $x=2$에서 미분가능하다.

조건 (가)에서 $x\leq2$일 때, $f(x)=ax^2+bx$이므로

$f'(2)=\lim\limits_{x\to2-}\dfrac{f(x)-f(2)}{x-2}$

$=\lim\limits_{x\to2-}\dfrac{ax^2+bx-4a-2b}{x-2}$

$=\lim\limits_{x\to2-}\dfrac{a(x-2)(x+2)+b(x-2)}{x-2}$

$=\lim\limits_{x\to2-}\{a(x+2)+b\}$

$=4a+b$

평균값 정리에 의하여 $\dfrac{f(x_2)-f(x_1)}{x_2-x_1}=f'(c)$를 만족시키는 c가 열린 구간 (x_1, x_2)에 적어도 하나 존재한다. 즉, $f'(c)\leq10$

x_1, x_2가 2 이상의 임의의 서로 다른 두 실수이므로 $x>2$에서 $f'(x)\leq10$이다.

따라서 $4a+b\leq10$

이때 a, b는 자연수이므로 순서쌍 (a, b)는

$(2, 1)$, $(2, 2)$, $(1, 6)$, $(1, 5)$, $(1, 4)$, $(1, 3)$, $(1, 2)$, $(1, 1)$

의 8개이다.

답 ③

---

35 $f(x)=x^3+ax^2+bx+c$ (a, b, c는 상수)라 하면

$f'(x)=3x^2+2ax+b$

조건 (가)에서 $f(x)$가 구간 $(-\infty, \infty)$에서 증가하므로 모든 실수 x에 대하여 $f'(x)\geq0$이어야 한다.

이차방정식 $3x^2+2ax+b=0$의 판별식을 D라 하면

$\dfrac{D}{4}=a^2-3b\leq0$ ...... ㉠

조건 (나)에서 $f(1)=1+a+b+c=3$이므로

$a+b+c=2$ ...... ㉡

또한 $f'(1)=3+2a+b=3$이므로

$2a+b=0$ ...... ㉢

㉠, ㉢에서 $a^2+6a\leq0$, $a(a+6)\leq0$

$-6\leq a\leq0$ ...... ㉣

㉡, ㉢에서 $c=a+2$

따라서 $f(x)=x^3+ax^2-2ax+a+2$이므로

$f(2)=8+4a-4a+a+2=a+10$

㉣에서 $4\leq a+10\leq10$, 즉 $4\leq f(2)\leq10$

따라서 $f(2)$의 최댓값은 10, 최솟값은 4이므로 그 합은

$10+4=14$

답 ③

---

36 $f(x)=x^3+ax^2+bx+3$에서

$f'(x)=3x^2+2ax+b$

조건 (가), (나)에서 함수 $f(x)$가 구간 $(-\infty, -2]$, $[3, \infty)$에서 증가하고 닫힌구간 $[-2, 3]$에서 감소하므로 부등식 $f'(x)<0$의 해는 $-2<x<3$이다.

즉, $3x^2+2ax+b<0$에서

$3(x+2)(x-3)<0$, $3x^2-3x-18<0$

따라서 $2a=-3$, $b=-18$이므로

$a=-\dfrac{3}{2}$, $b=-18$

즉, $f(x)=x^3-\dfrac{3}{2}x^2-18x+3$이므로

$f(2)=8-6-36+3=-31$

답 ②

---

37 함수 $f(x)$가 주어진 조건을 만족시키려면 $f(x)$는 구간 $(-\infty, \infty)$에서 증가 또는 감소해야 한다.

(i) $f(x)$가 구간 $(-\infty, \infty)$에서 증가할 때

모든 실수 x에 대하여 $f'(x)=3ax^2+2bx+4\geq0$이므로

이차방정식 $f'(x)=0$의 판별식을 D라 하면

$a>0$, $\dfrac{D}{4}=b^2-12a\leq0$이어야 한다.

(ii) $f(x)$가 구간 $(-\infty, \infty)$에서 감소할 때

모든 실수 x에 대하여 $f'(x)=3ax^2+2bx+4\leq0$이므로

이차방정식 $f'(x)=0$의 판별식을 D라 하면

$a<0$, $\dfrac{D}{4}=b^2-12a\leq0$이어야 한다.

그런데 $a<0$, $b^2\geq0$이므로 $b^2-12a>0$이 되어 $b^2-12a\leq0$을 만족

시키지 않는다.

(i), (ii)에 의하여 $a>0$이고 $b^2\leq12a$이므로

$a=1$일 때, $b=0$, ±1, ±2, ±3의 7개

$a=2$일 때, $b=0$, ±1, ±2, $\cdots$, ±4의 9개

$a=3$일 때, $b=0$, ±1, ±2, $\cdots$, ±6의 13개

$a=4$일 때, $b=0$, ±1, ±2, $\cdots$, ±6의 13개

$a=5$일 때, $b=0$, ±1, ±2, $\cdots$, ±7의 15개

$a=6$일 때, $b=0$, ±1, ±2, $\cdots$, ±8의 17개

$a=7$, 8, 9일 때, $b=0$, ±1, ±2, $\cdots$, ±9의 19개

따라서 구하는 모든 순서쌍 (a, b)의 개수는

$7+9+13\times2+15+17+19\times3=131$

답 ②

38 조건 (가)에 의하여 함수 $f(x)$는 역함수 $g(x)$를 가지므로

모든 실수 x에 대하여 $f'(x)=3x^2+2ax+(12-a^2)\geq0$이어야 한다.

이차방정식 $3x^2+2ax+(12-a^2)=0$의 판별식을 D라 하면

$\dfrac{D}{4}=a^2-3(12-a^2)\leq0$

$4a^2-36\leq0$

$4(a+3)(a-3)\leq0$

$-3\leq a\leq3$ ...... ㉠

또한 조건 (나)에서 $g(3)=1$이므로 $f(1)=3$

$1+a+(12-a^2)+2=3$

$a^2-a-12=0$, $(a-4)(a+3)=0$

㉠에 의하여 $a=-3$

따라서 $f'(x)=3x^2-6x+3$이므로

$f'(2)=12-12+3=3$

답 ⑤

39 $f(x)=x^3-3ax^2+6$에서

$f'(x)=3x^2-6ax=3x(x-2a)$

$f'(x)=0$에서 $x=0$ 또는 $x=2a$

함수 $f(x)$의 증가와 감소를 표로 나타내면 다음과 같다.

x	$\cdots$	0	$\cdots$	$2a$	$\cdots$
$f'(x)$	+	0	−	0	+
$f(x)$	↗	6	↘	$-4a^3+6$	↗

정사각형 OABC의 둘레 및 내부를 T라 하면 곡선 $y=f(x)$의 일부가 T를 지나고, T를 지나는 구간 $[0, 4]$에서 감소하려면

(i) [그림 1]과 같이 $2a\geq4$, 즉 $a\geq2$인 경우

$f(4)=64-48a+6\leq4$, $a\geq\dfrac{11}{8}$

따라서 $a\geq2$

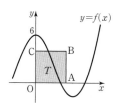

[그림 1]

(ii) [그림 2]와 같이 $0<2a<4$, 즉 $0<a<2$인 경우

$f(4)=64-48a+6\leq0$, $a\geq\dfrac{35}{24}$

그런데 $0<a<2$이므로 $\dfrac{35}{24}\leq a<2$

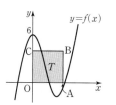

[그림 2]

(i), (ii)에서 $a\geq\dfrac{35}{24}$이므로 양수 a의 최솟값은 $\dfrac{35}{24}$이다.

답 ⑤

40 $g(x)=\{f(x)\}^2$이라 하면

$g'(x)=f'(x)f(x)+f(x)f'(x)=2f(x)f'(x)$

$g'(x)=0$에서 $f(x)=0$ 또는 $f'(x)=0$

방정식 $f'(x)=0$의 한 실근이 1이므로 함수 $g(x)$의 증가와 감소를 표로 나타내면 다음과 같다.

x	$\cdots$	-1	$\cdots$	1	$\cdots$	3	$\cdots$
$f'(x)$	−	−	−	0	+	+	+
$f(x)$	+	0	−	−	−	0	+
$g'(x)$	−	0	+	0	−	0	+
$g(x)$	↘	극소	↗	극대	↘	극소	↗

따라서 구하는 실수 k는 -1, 3이므로 그 합은

$-1+3=2$

답 ④

41 $f(x)=x^3-3x^2+2x+2$에서 $f'(x)=3x^2-6x+2$이므로

점 $\mathrm{P}(t, f(t))$에서의 접선의 방정식은

$y-(t^3-3t^2+2t+2)=(3t^2-6t+2)(x-t)$

$y=(3t^2-6t+2)x-2t^3+3t^2+2$

따라서 $g(t)=-2t^3+3t^2+2$이므로

$g'(t)=-6t^2+6t=-6t(t-1)$

$g'(t)=0$에서 $t=0$ 또는 $t=1$

함수 $g(t)$의 증가와 감소를 표로 나타내면 다음과 같다.

t	$\cdots$	0	$\cdots$	1	$\cdots$
$g'(t)$	$-$	0	$+$	0	$-$
$g(t)$	$\searrow$	2	$\nearrow$	3	$\searrow$

따라서 함수 $g(t)$는 $t=0$에서 극솟값 2를 갖고, $t=1$에서 극댓값 3을 가지므로 극댓값과 극솟값의 합은

$3+2=5$

답 ③

42 조건 (가), (나)에서 함수 $y=f(x)$의 그래프는 그림과 같다.

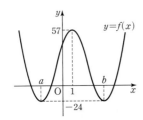

$x=a$, $x=b$ $(a<b)$에서 극솟값을 갖는다고 하면

$f(x)+24=(x-a)^2(x-b)^2$으로 놓을 수 있다.

$f(x)=(x-a)^2(x-b)^2-24$에서

$f'(x)=2(x-a)(x-b)^2+2(x-a)^2(x-b)$

$\qquad=2(x-a)(x-b)(2x-a-b)$

$f'(x)=0$에서 $x=a$ 또는 $x=b$ 또는 $x=\dfrac{a+b}{2}$

$\dfrac{a+b}{2}=1$이므로 $a+b=2$ $\qquad\qquad\cdots\cdots$ ㉠

$f(1)=57$에서 $(1-a)^2(1-b)^2-24=57$

$(1-a)^2(1-b)^2=81$ $\qquad\qquad\cdots\cdots$ ㉡

㉠에서 $b=-a+2$이므로 ㉡에 대입하면

$(1-a)^2(-1+a)^2=81$

$(a-1)^4=81$

$a-1=-3$ 또는 $a-1=3$

$a=-2$ 또는 $a=4$

$a<b$이므로 ㉠에서 $a=-2$, $b=4$

따라서 $f(x)=(x+2)^2(x-4)^2-24$이므로

$f(5)=7^2\times(5-4)^2-24=25$

답 ①

43 $f'(-3)f'(-2)<0$에서 사잇값의 정리에 의하여 $f'(x)=0$을 만족시키는 x의 값이 $-3<x<-2$에 적어도 하나 존재하고 그때 적어도 하나의 극값을 갖는다.

또한 $f'(0)f'(1)<0$, $f'(2)f'(3)<0$에서도 각각 같은 방법으로 $f'(x)=0$을 만족시키는 x의 값이 $0<x<1$, $2<x<3$에 적어도 하나 존재하고 그때 적어도 하나의 극값을 갖는다.

따라서 주어진 집합의 원소의 개수의 최솟값은 3이다.

답 ②

44 $f(x)=-x^3+px^2+qx+r$ (p, q, r는 상수)라 하면

$f'(x)=-3x^2+2px+q$

함수 $f(x)$가 $x=a$, $x=b$에서 극값을 가지므로 a, b는 이차방정식 $-3x^2+2px+q=0$의 두 근이다.

따라서 근과 계수의 관계에 의하여

$a+b=\dfrac{2p}{3}$, $ab=-\dfrac{q}{3}$ $\qquad\qquad\cdots\cdots$ ㉠

두 점 $(a, f(a))$, $(b, f(b))$가 모두 직선 $y=4x$ 위에 있으므로

$-a^3+pa^2+qa+r=4a$, $-b^3+pb^2+qb+r=4b$

두 식을 변끼리 빼면

$-a^3+pa^2+qa+r-(-b^3+pb^2+qb+r)=4a-4b$

$-(a-b)(a^2+ab+b^2)+p(a-b)(a+b)+q(a-b)=4(a-b)$

$-(a^2+ab+b^2)+p(a+b)+q=4$

㉠에서 $p=\dfrac{3}{2}(a+b)$, $q=-3ab$이므로

$-a^2-ab-b^2+\dfrac{3}{2}(a+b)^2-3ab=4$

$(a-b)^2=8$

$a<b$이므로 $b-a=2\sqrt{2}$

따라서 함수 $f(x)$의 극댓값과 극솟값의 차는

$f(b)-f(a)=4(b-a)=4\times2\sqrt{2}$

$\qquad\qquad\qquad=8\sqrt{2}$

답 ④

45 $F(x)=f(x)-g(x)$라 하면 $g(x)=-f(x)+b$이므로

$F(x)=2f(x)-b$

$F'(x)=2f'(x)=2(3x^2+2ax+a+6)$

삼차함수 $F(x)$가 극값을 가지려면 이차방정식 $F'(x)=0$이 서로 다른 두 실근을 가져야 한다.

이차방정식 $3x^2+2ax+a+6=0$의 판별식을 D라 하면

$\dfrac{D}{4}=a^2-3(a+6)>0$

$a^2-3a-18>0$, $(a+3)(a-6)>0$

$a<-3$ 또는 $a>6$

따라서 자연수 a의 최솟값은 7이다.

답 ⑤

46 함수 $f(x)$는 $x=1$에서 연속이므로

$\lim\limits_{x\to1-}f(x)=\lim\limits_{x\to1+}f(x)=f(1)$에서

$a+b+3=1$

$a+b=-2$ $\qquad\qquad\cdots\cdots$ ㉠

또한 함수 $f(x)$는 $x=-1$에서 연속이므로

$\lim\limits_{x\to-1-}f(x)=\lim\limits_{x\to-1+}f(x)=f(-1)$에서

$a-b+3=-1$

$a-b=-4$ $\qquad\qquad\cdots\cdots$ ㉡

㉠, ㉡을 연립하여 풀면
$a=-3, b=1$

따라서 $f(x)=\begin{cases} x & (|x| \ge 1) \\ -3x^2+x+3 & (|x|<1) \end{cases}$ 이고 함수 $y=f(x)$의 그래프는 그림과 같다.

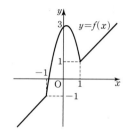

이때 $-1<x<1$에서 $f'(x)=-6x+1$이므로
$f'(x)=0$에서 $x=\dfrac{1}{6}$

함수 $f(x)$의 증가와 감소를 표로 나타내면 다음과 같다.

x	$\cdots$	-1	$\cdots$	$\dfrac{1}{6}$	$\cdots$	1	$\cdots$
$f'(x)$	$+$		$+$	0	$-$		$+$
$f(x)$	↗	-1	↗	$\dfrac{37}{12}$	↘	1	↗

따라서 극댓값 $M=\dfrac{37}{12}$, 극솟값 $m=1$이므로

$M+m=\dfrac{37}{12}+1=\dfrac{49}{12}$

답 ③

47 $f(x)=x(x-p)(x+2p)$에서 함수 $y=f(x)$의 그래프는 그림과 같이 x축과 서로 다른 세 점에서 만난다.

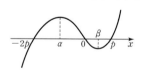 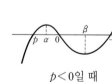

$p>0$일 때 $p<0$일 때

ㄱ. $\alpha<0$, $\beta>0$이므로 $\alpha\beta<0$이다. (참)

ㄴ. $f(x)=x(x-p)(x+2p)=x^3+px^2-2p^2x$이므로
$f'(x)=3x^2+2px-2p^2$

$f'(x)=0$에서 $x=\dfrac{-p\pm\sqrt{7p^2}}{3}$

이때 $p>0$이면 $\alpha=\dfrac{-p-p\sqrt{7}}{3}$, $\beta=\dfrac{-p+p\sqrt{7}}{3}$

$p<0$이면 $\alpha=\dfrac{-p+p\sqrt{7}}{3}$, $\beta=\dfrac{-p-p\sqrt{7}}{3}$

따라서 p가 유리수이면 α, β는 모두 무리수이다. (참)

ㄷ. α, β는 방정식 $f'(x)=0$의 두 근이므로 이차방정식의 근과 계수의 관계에 의하여

$\alpha+\beta=-\dfrac{2}{3}p$

$f(\alpha+\beta)=f\left(-\dfrac{2}{3}p\right)=\left(-\dfrac{2}{3}p\right)\times\left(-\dfrac{5}{3}p\right)\times\dfrac{4}{3}p$

$=\dfrac{40}{27}p^3$

$p\times f(\alpha+\beta)=p\times\dfrac{40}{27}p^3=\dfrac{40}{27}p^4>0$ (참)

따라서 옳은 것은 ㄱ, ㄴ, ㄷ이다.

답 ⑤

48 $f(x)=x^3+kx^2+(k+3)x+2$에서
$f'(x)=3x^2+2kx+k+3$

이차방정식 $f'(x)=0$의 두 실근이 α, β $(\alpha<\beta)$이고 $0<\alpha<1$, $\beta>1$이므로 다음 그림에서 $f'(0)>0$, $f'(1)<0$이다.

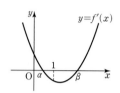

$f'(0)=k+3>0$에서 $k>-3$
$f'(1)=3k+6<0$에서 $k<-2$
위의 두 부등식을 동시에 만족시키는 k의 값의 범위는
$-3<k<-2$
따라서 $p=-3$, $q=-2$이므로
$p+q=(-3)+(-2)=-5$

답 ③

49 $f(x)=x^3-\dfrac{3}{2}x^2-6x+k$에서
$f'(x)=3x^2-3x-6=3(x+1)(x-2)$
$f'(x)=0$에서 $x=-1$ 또는 $x=2$

함수 $f(x)$의 증가와 감소를 표로 나타내면 다음과 같다.

x	$\cdots$	-1	$\cdots$	2	$\cdots$
$f'(x)$	$+$	0	$-$	0	$+$
$f(x)$	↗	$k+\dfrac{7}{2}$	↘	$k-10$	↗

따라서 함수 $f(x)$는 $x=-1$에서 극댓값 $f(-1)=k+\dfrac{7}{2}$, $x=2$에서 극솟값 $f(2)=k-10$을 갖는다.

함수 $g(x)=|f(x)|$가 $x=\alpha$, $x=\beta$ $(\alpha<\beta)$에서 극댓값을 가지려면
$k+\dfrac{7}{2}>0$, $k-10<0$이어야 하므로
$-\dfrac{7}{2}<k<10$ ……㉠

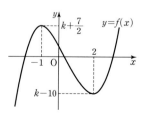

(i) $k+\dfrac{7}{2}>-(k-10)$일 때

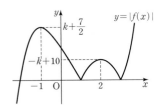

(ii) $k+\dfrac{7}{2}<-(k-10)$일 때

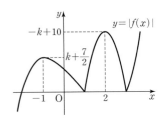

$g(\alpha)=f(-1)=k+\dfrac{7}{2}$, $g(\beta)=-f(2)=-k+10$이므로

$|g(\alpha)-g(\beta)|=\left|k+\dfrac{7}{2}+k-10\right|=\left|2k-\dfrac{13}{2}\right|>\dfrac{7}{2}$

(i) $2k-\dfrac{13}{2}>\dfrac{7}{2}$에서 $k>5$이므로 ㉠과 공통 범위는

$5<k<10$

따라서 정수 k는 6, 7, 8, 9이다.

(ii) $2k-\dfrac{13}{2}<-\dfrac{7}{2}$에서 $k<\dfrac{3}{2}$이므로 ㉠과 공통 범위는

$-\dfrac{7}{2}<k<\dfrac{3}{2}$

따라서 정수 k는 -3, -2, -1, 0, 1이다.

(i), (ii)에서 정수 k의 개수는

$4+5=9$

답 ⑤

50 $y=2x^3$에서 $y'=6x^2$이므로 곡선 $y=2x^3$ 위의 점 $(a,\ 2a^3)$에서의 접선의 방정식은

$y-2a^3=6a^2(x-a)$

·· (가)

이 직선이 x축과 만나는 점의 좌표는 $\left(\dfrac{2}{3}a,\ 0\right)$이므로

$b=\dfrac{2}{3}a$, 즉 $\dfrac{a}{b}=\dfrac{3}{2}$

·· (나)

마찬가지로 곡선 $y=2x^3$ 위의 점 $(b,\ 2b^3)$에서의 접선의 방정식은

$y-2b^3=6b^2(x-b)$

·· (다)

이 직선이 x축과 만나는 점의 좌표는 $\left(\dfrac{2}{3}b,\ 0\right)$이므로

$c=\dfrac{2}{3}b$, 즉 $\dfrac{c}{b}=\dfrac{2}{3}$

·· (라)

따라서 $\dfrac{a+c}{b}=\dfrac{a}{b}+\dfrac{c}{b}=\dfrac{3}{2}+\dfrac{2}{3}=\dfrac{13}{6}$

·· (마)

답 $\dfrac{13}{6}$

단계	채점 기준	비율
(가)	점 $(a,\ 2a^3)$에서의 접선의 방정식을 구한 경우	20 %
(나)	$\dfrac{a}{b}$의 값을 구한 경우	20 %
(다)	점 $(b,\ 2b^3)$에서의 접선의 방정식을 구한 경우	20 %
(라)	$\dfrac{c}{b}$의 값을 구한 경우	20 %
(마)	$\dfrac{a+c}{b}$의 값을 구한 경우	20 %

51 주어진 조건에 의해 두 함수 $y=f(x)$, $y=g(x)$의 그래프의 개형을 그림과 같이 나타낼 수 있다.

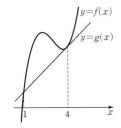

따라서 $f(x)-g(x)=(x-1)(x-4)^2=(x-1)(x^2-8x+16)$으로 놓을 수 있다.

·· (가)

양변을 x에 대하여 미분하면

$f'(x)-g'(x)=3x^2-18x+24$

그런데 $g'(x)=1$이므로

$f'(x)-1=3x^2-18x+24$

$f'(x)=3x^2-18x+24+1=3x^2-18x+25$

·· (나)

따라서 방정식 $3x^2-18x+25=0$의 두 실근이 α, β이므로 이차방정식의 근과 계수의 관계에서

$\alpha+\beta=6$, $\alpha\beta=\dfrac{25}{3}$

·· (다)

$\alpha^2+\beta^2=(\alpha+\beta)^2-2\alpha\beta=6^2-2\times\dfrac{25}{3}=\dfrac{58}{3}$

·· (라)

답 $\dfrac{58}{3}$

단계	채점 기준	비율
(가)	$f(x)-g(x)$를 구한 경우	30 %
(나)	$f'(x)$를 구한 경우	20 %
(다)	$\alpha+\beta$, $\alpha\beta$의 값을 구한 경우	30 %
(라)	$\alpha^2+\beta^2$의 값을 구한 경우	20 %

52

최고차항의 계수가 1인 삼차함수 $f(x)$에 대하여 함수 $g(x)$를

$$g(x) = \begin{cases} -f(x) & (x < 1) \\ f(x) & (x \geq 1) \end{cases}$$

→ 두 함수 $y=f(x)$, $y=-f(x)$의 그래프는 x축에 대하여 대칭이다.

이라 하자. 함수 $g(x)$가 다음 조건을 만족시킬 때, $f(2)$의 값은?

→ $x=1$에서 미분가능해야 한다.

(가) 함수 $g(x)$는 실수 전체의 집합에서 미분가능하다.
(나) 함수 $g(x)$는 $x=-2$에서 극값을 갖는다.

① 5   ✓② $\dfrac{11}{2}$ ③ 6

④ $\dfrac{13}{2}$ ⑤ 7

풀이전략

최고차항의 계수가 1인 삼차함수 $f(x)$의 그래프의 성질을 파악하고, 함수 $y=f(x)$의 그래프를 x축에 대하여 대칭이동한 함수 $y=-f(x)$의 그래프를 그린다.

문제풀이

step 1 함수 $g(x)$의 $x=1$에서의 연속, 미분가능을 이용하여 $f(1)$, $f'(1)$의 값을 구한다.

→ $x=1$에서 연속이고 미분계수의 좌, 우극한이 일치한다.

조건 (가)에서 함수 $g(x)$는 $x=1$에서 미분가능하다.

(i) 함수 $g(x)$가 $x=1$에서 연속이므로 $\lim\limits_{x \to 1} g(x) = g(1)$에서

$$\lim\limits_{x \to 1-} g(x) = \lim\limits_{x \to 1+} g(x) = g(1)$$

$$\lim\limits_{x \to 1-} \{-f(x)\} = \lim\limits_{x \to 1+} f(x) = f(1)$$

$-f(1) = f(1)$, $2f(1) = 0$이므로

$f(1) = 0$ ...... ㉠

(ii) 함수 $g(x)$가 $x=1$에서 미분가능하므로

$g'(1) = \lim\limits_{x \to 1} \dfrac{g(x) - g(1)}{x-1}$의 값이 존재한다.

$$\lim\limits_{x \to 1+} \dfrac{g(x) - g(1)}{x-1} = \lim\limits_{x \to 1+} \dfrac{f(x) - f(1)}{x-1} = f'(1)$$

$$\lim\limits_{x \to 1-} \dfrac{g(x) - g(1)}{x-1} = \lim\limits_{x \to 1-} \dfrac{-f(x) - f(1)}{x-1}$$

$$= -\lim\limits_{x \to 1-} \dfrac{f(x) - f(1)}{x-1} \text{ (㉠에 의해)}$$

$$= -f'(1)$$

$f'(1) = -f'(1)$에서 $2f'(1) = 0$이므로

$f'(1) = 0$ → $y=f(x)$의 그래프는 $x=1$에서 x축에 접한다. ...... ㉡

step 2 함수 $y=f(x)$의 그래프에 따른 함수 $y=g(x)$의 그래프의 개형을 그린다.

㉠, ㉡에 의하여 함수 $y=f(x)$의 그래프는 [그림 1], [그림 2], [그림

3] 중 하나이다.

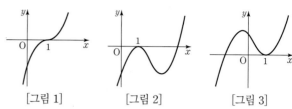

[그림 1]   [그림 2]   [그림 3]

[그림 1], [그림 2], [그림 3]의 각 경우에 대하여 함수 $y=g(x)$의 그래프는 그림과 같다.

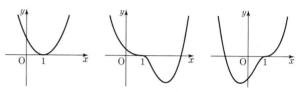

step 3 함수 $g(x)$가 $x=-2$에서 극값을 갖는 조건을 이용하여 함수 $f(x)$를 구한다.

조건 (나)에서 함수 $g(x)$가 $x=-2$에서 극값을 가지므로 함수 $y=f(x)$의 그래프는 그림과 같다.

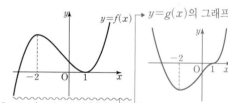

$f(x) = x^3 + ax^2 + bx + c$ (a, b, c는 상수)라 하면

$f'(x) = 3x^2 + 2ax + b$이므로

$f'(x) = 3(x-1)(x+2) = 3x^2 + 3x - 6$에서

$a = \dfrac{3}{2}$, $b = -6$

즉, $f(x) = x^3 + \dfrac{3}{2}x^2 - 6x + c$이므로

$f(1) = 1 + \dfrac{3}{2} - 6 + c = 0$, $c = \dfrac{7}{2}$

따라서 $f(x) = x^3 + \dfrac{3}{2}x^2 - 6x + \dfrac{7}{2}$이므로

$f(2) = 8 + 6 - 12 + \dfrac{7}{2} = \dfrac{11}{2}$

답 ②

53

함수 $f(x)=x^2$에 대하여 다음과 같이 단계별로 함수를 만들어 나간다.

[단계 1] 함수 $y=f(x)$의 그래프를 y축의 방향으로 -1만큼 평행이동시킨 다음, $y\geq0$인 부분은 그대로 두고 $y<0$인 부분은 x축에 대하여 대칭이동시킨다. → $y=|x^2-1|$

[단계 2] [단계 1]에서 얻은 함수의 그래프를 y축의 방향으로 -2만큼 평행이동시킨 다음, $y\geq0$인 부분은 그대로 두고 $y<0$인 부분은 x축에 대하여 대칭이동시킨다. → $y=||x^2-1|-2|$

⋮

[단계 n] [단계 $(n-1)$]에서 얻은 함수의 그래프를 y축의 방향으로 $-n$만큼 평행이동시킨 다음, $y\geq0$인 부분은 그대로 두고 $y<0$인 부분은 x축에 대하여 대칭이동시킨다. ($n=2,3,4,\cdots$)

예를 들어 오른쪽 그림은 [단계 2]에서 얻어진 함수의 그래프를 나타낸 것이다. [단계 n]에서 얻어진 함수에서 모든 극댓값의 합을 $g(n)$이라 할 때, $g(10)-g(9)$의 값은?

① 10 　　✓② 15 　　③ 20
④ 25 　　⑤ 30

단계별 그래프를 그린 후 극댓값을 구한다.

각 단계별로 함수의 그래프를 그려 보면서 극대인 점의 개수와 극댓값을 살펴본다.

step 1 [단계 1]을 이용하여 그래프를 그린다.

[단계 1]

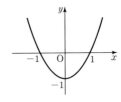 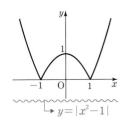

→ $y=|x^2-1|$

$g(1)=1\times1$

step 2 [단계 2]를 이용하여 그래프를 그린다.

[단계 2]

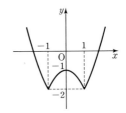 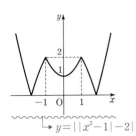

→ $y=||x^2-1|-2|$

$g(2)=2\times2$

step 3 [단계 3]을 이용하여 그래프를 그린다.

[단계 3]

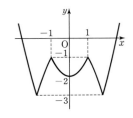 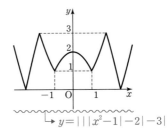

→ $y=|||x^2-1|-2|-3|$

$g(3)=3\times2+2\times1$

step 4 [단계 4]를 이용하여 $g(4)$를 구하고 $g(5)$, $g(6)$, $g(7)$, $\cdots$의 값을 추론한다.

[단계 4]에서는 $g(4)=4\times2+3\times2$
[단계 5]에서는 $g(5)=5\times2+4\times2+3\times1$
[단계 6]에서는 $g(6)=6\times2+5\times2+4\times2$
[단계 7]에서는 $g(7)=7\times2+6\times2+5\times2+4\times1$
[단계 8]에서는 $g(8)=8\times2+7\times2+6\times2+5\times2$
⋮

step 5 step 4에 의해 추론한 $g(9)$, $g(10)$의 값을 이용하여 값을 구한다.

따라서 $g(9)=9\times2+8\times2+7\times2+6\times2+5\times1$,
$g(10)=10\times2+9\times2+8\times2+7\times2+6\times2$이므로
$g(10)-g(9)=10\times2+9\times2+8\times2+7\times2+6\times2$
$\qquad\qquad\qquad -(9\times2+8\times2+7\times2+6\times2+5\times1)$
$\qquad\qquad=15$

답 ②

참고 [단계 n]에서 극대인 점의 개수는 n, 극소인 점의 개수는 $n+1$이다. 자연수 k에 대하여
$n=2k-1$일 때,
$g(n)=n\times2+(n-1)\times2+\cdots+(k+1)\times2+k\times1$
$n=2k$일 때,
$g(n)=n\times2+(n-1)\times2+(n-2)\times2+\cdots+(k+1)\times2$

54

0을 제외한 실수 전체의 집합에서 미분가능한 두 함수 $f(x)$, $g(x)$와 자연수 k에 대하여 $f(x)=\dfrac{g(x)}{x^k}$일 때 두 함수 $f(x)$, $g(x)$가 다음 조건을 만족시킨다. → $g(x)=x^k f(x)$

(가) $g(1)\neq0$, $g(3)\neq0$, $g'(3)=0$
(나) 함수 $y=f(x)$의 그래프 위의 점 $(3, f(3))$에서의 접선의 x절편이 $\dfrac{10}{3}$이다.

$\dfrac{g'(1)}{g(1)}-\dfrac{f'(1)}{f(1)}$의 값은?

① 6 　　　　　② 7 　　　　　③ 8
✓④ 9 　　　　　⑤ 10

$g'(3)=0$을 이용하여 곡선 $y=f(x)$ 위의 점 $(3, f(3))$에서의 접선의 방정식을 구한다.

문제풀이

step 1 곱의 미분법을 이용하여 $g'(3)$의 값을 구한다.

$g(x)=x^k f(x)$이므로 $g'(x)=kx^{k-1}f(x)+x^k f'(x)$

문제의 조건으로부터 $g'(3)=0$이고 $g(3)\neq0$이므로 → 곱의 미분법

$g'(3)=k\times3^{k-1}f(3)+3^k f'(3)=0$이고 $f(3)\neq0$이다.

따라서 $f'(3)\neq0$이고 $\dfrac{f(3)}{f'(3)}=-\dfrac{3}{k}$ → $3^{k-1}>0$, $3^k>0$ ...... ㉠

step 2 곡선 $y=f(x)$ 위의 점 $(3, f(3))$에서의 접선을 이용하여 k의 값을 구한다.

한편, 함수 $y=f(x)$의 그래프 위의 점 $(3, f(3))$에서의 접선의 방정식은 $y-f(3)=f'(3)(x-3)$

이 접선이 점 $\left(\dfrac{10}{3}, 0\right)$을 지나므로

$\dfrac{f(3)}{f'(3)}=-\dfrac{1}{3}$ → $0-f(3)=f'(3)\left(\dfrac{10}{3}-3\right)$ ...... ㉡

㉠, ㉡에서 $-\dfrac{3}{k}=-\dfrac{1}{3}$, $k=9$

step 3 $g'(1)$의 값을 이용하여 $\dfrac{g'(1)}{g(1)}$의 값을 구한다.

이때 $g'(1)=9f(1)+f'(1)$이고 $g(1)=f(1)$이므로

$\dfrac{g'(1)}{g(1)}-\dfrac{f'(1)}{f(1)}=\dfrac{g'(1)-f'(1)}{f(1)}=\dfrac{9f(1)}{f(1)}=9$

답 ④

55

그림과 같이 양수 a에 대하여 함수 $y=x^3-3a^2x$의 극대, 극소인 점을 각각 A, B라 하고 두 점 A, B를 지나고 y축에 수직인 직선을 각각 l_1, l_2라 하자. 두 직선 l_1, l_2가 이 곡선과 만나는 점 중에서 A, B가 아닌 점을 각각 C, D라 하고, 두 점 C, D를 지나고 x축에 수직인 직선이 두 직선 l_2, l_1과 만나는 점을 각각 E, F라 하자. 선분 OB를 대각선으로 하는 직사각형(어두운 부분)의 넓이가 6일 때, 사각형 FDEC의 넓이는? (단, O는 원점이다.)

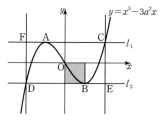

① 24　　　　② 36　　　　√③ 48

④ 60　　　　⑤ 72

풀이전략

l_1, l_2를 구한 후 두 점 C, D의 좌표를 구한다.

문제풀이

step 1 네 점 A, B, C, D의 좌표를 구한다.

$y=x^3-3a^2x$에서 $y'=3x^2-3a^2=3(x+a)(x-a)$

$y'=0$에서 $x=-a$ 또는 $x=a$이므로

$A(-a, 2a^3)$, $B(a, -2a^3)$ → 두 점 A, B는 곡선 $y=x^3-3a^2x$ 위에 있다.

따라서 두 직선 l_1, l_2의 방정식은 각각 $y=2a^3$, $y=-2a^3$이다.

곡선 $y=x^3-3a^2x$와 직선 l_1의 교점의 x좌표는

$x^3-3a^2x=2a^3$에서

$x^3-3a^2x-2a^3=0$, $(x+a)^2(x-2a)=0$

$x=-a$ 또는 $x=2a$

따라서 점 C의 좌표는 $(2a, 2a^3)$이다. → 두 점 C, D도 곡선

같은 방법으로 점 D의 좌표는 $(-2a, -2a^3)$이다. → $y=x^3-3a^2x$ 위에 있다.

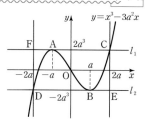

step 2 사각형 FDEC의 넓이를 구한다.

선분 OB를 대각선으로 하는 직사각형의 넓이는

$a\times2a^3=2a^4=6$, $a^4=3$

따라서 구하는 사각형 FDEC의 넓이는

$4a\times4a^3=16a^4=16\times3=48$

답 ③

56

그림과 같이 미분가능한 두 함수 $f(x)$, $g(x)$의 도함수 $y=f'(x)$, $y=g'(x)$의 그래프가 모두 y축에 대하여 대칭이고, x좌표가 -2, 0, 2인 세 점에서만 만난다. 함수 $h(x)=f(x)-g(x)$라 할 때, 〈보기〉에서 옳은 것만을 있는 대로 고른 것은? → $f'(-x)=f'(x)$ $g'(-x)=g'(x)$

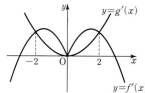

┤ 보기 ├

ㄱ. $-2\leq x\leq2$에서 함수 $h(x)$는 증가한다. → $h'(x)\geq0$

ㄴ. 함수 $h(x)$의 극댓값과 극솟값의 합은 0이다.

ㄷ. $h(-2)h(2)>0$이면 방정식 $h(x)=0$은 오직 하나의 실근을 갖는다.

① ㄱ　　　　② ㄴ　　　　③ ㄷ

④ ㄱ, ㄴ　　√⑤ ㄱ, ㄷ

$h'(x)$를 이용하여 함수 $y=h(x)$의 그래프를 그린다.

문제풀이

step 1 $h(x)=f(x)-g(x)$의 도함수의 그래프를 그린다.

함수 $h(x)=f(x)-g(x)$의 도함수 $h'(x)=f'(x)-g'(x)$의 그래프는 그림과 같고, y축에 대하여 대칭이다. $\rightarrow f'(-2)=g'(-2)$,
$f'(0)=g'(0)=0$,
$f'(2)=g'(2)$이므로
$h'(-2)=h'(0)=h'(2)=0$

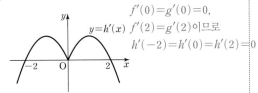

ㄱ. $-2 \le x \le 2$에서 $h'(x) \ge 0$이므로 함수 $h(x)$는 증가한다. (참)

step 2 함수 $y=f(x)-g(x)$의 그래프의 개형을 그린다.

ㄴ. $h(0) \neq 0$이면 함수 $y=h(x)$의 그래프는 그림과 같으므로 극댓값과 극솟값의 합은 0이 될 수 없다. (거짓) $\rightarrow y=h'(x)$의 그래프가 y축에 대하여 대칭이므로 $y=h(x)$의 그래프는 $h(0)=0$일 때 원점에 대하여 대칭이다.

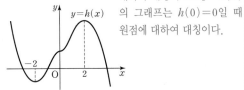

step 3 $h(-2)h(2)>0$일 때, 함수 $y=f(x)-g(x)$의 그래프의 개형을 그린다.

ㄷ. $h(-2)h(2)>0$, 즉 $h(-2)>0$, $h(2)>0$ 또는 $h(-2)<0$, $h(2)<0$일 때, 함수 $y=h(x)$의 그래프는 각각 [그림 1], [그림 2]와 같다.

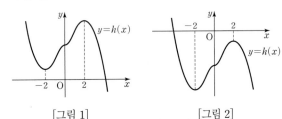

[그림 1]   [그림 2]

그러므로 방정식 $h(x)=0$은 오직 하나의 실근을 갖는다. (참)
따라서 옳은 것은 ㄱ, ㄷ이다.

답 ⑤

57

최고차항의 계수가 1인 사차함수 $f(x)$에 대하여 함수 $g(x)$를

$$g(x)=\begin{cases} f(x) & (x \ge 0) \\ f(-x) & (x<0) \end{cases}$$

라 하자. 함수 $g(x)$가 다음 조건을 만족시킬 때, $f(2)$의 값을 구하시오.   24

(가) $g(0)=g'(0)=0$ $\rightarrow$ 함수 $g(x)$는 $x=0$에서 미분가능하고 그래프는 원점을 지난다.
(나) 함수 $|g(x)-27|$은 실수 전체의 집합에서 미분가능하다.
$\rightarrow x$축에 대하여 대칭이 되도록 그래프를 그릴 때 꺾여 올라가는 점에서 미분가능하다.

문항 파헤치기

사차함수의 그래프의 미분가능한 구간에서의 곡선의 변화를 조사하기

실수 point 찾기

꺾인 점에서 미분가능할 때 곡선의 모양을 파악한다.

사차함수의 그래프의 대칭이동한 부분과 평행이동한 후 다시 x축에 대하여 대칭인 그래프에서 미분가능한 경우를 찾는다.

문제풀이

step 1 함수 $y=g(x)-27$의 그래프와 x축과의 교점을 확인한다.

함수 $y=g(x)$의 그래프는 $x \ge 0$일 때 함수 $y=f(x)$의 그래프와 같고, $x<0$일 때 함수 $y=f(x)$의 그래프의 $x>0$인 부분을 y축에 대하여 대칭이동한 것이다. $\rightarrow g(0)=f(0)=0$이고 $f(x)$가 극값을 갖지 않으면 $g'(0)$이 존재하지 않는다.

함수 $y=g(x)$의 그래프가 원점을 지나고 $x=0$에서 미분가능하며 $g'(0)=0$이므로 사차함수 $f(x)$는 $x=0$에서 극값 0을 갖는다.

함수 $y=f(x)$의 그래프가 원점을 지나고 최고차항의 계수가 1이므로 함수 $y=g(x)-27$의 그래프는 x축과 적어도 두 점에서 만난다.

step 2 함수 $y=|g(x)-27|$의 그래프의 개형을 그린다. $\rightarrow y=g(x)$의 그래프는 x축과 접한다.

함수 $y=|g(x)-27|$이 실수 전체의 집합에서 미분가능하려면 함수 $y=g(x)-27$의 그래프는 [그림 1]과 같아야 한다.
$\rightarrow$ 함수 $y=|g(x)-27|$이 $x=\alpha$, $x=-\alpha$에서 미분가능하므로

따라서 함수 $y=f(x)$의 그래프는 [그림 2]와 같다.

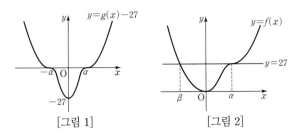

[그림 1]   [그림 2]

step 3 함수 $y=f(x)-27$의 그래프의 개형을 이용하여 $f(x)$와 $f'(x)$를 구한 후 $f(2)$의 값을 구한다.

$f(x)-27=(x-\alpha)^3(x-\beta)$ $(\alpha>0, \beta<0)$라 하면

$f(x)-27=(x^3-3\alpha x^2+3\alpha^2 x-\alpha^3)(x-\beta)$

위의 식의 양변에 $x=0$을 대입하면

$f(0)-27=\alpha^3\beta$

$\alpha^3\beta=-27$ ...... ㉠

또한 $f'(x)=(3x^2-6\alpha x+3\alpha^2)(x-\beta)+(x^3-3\alpha x^2+3\alpha^2 x-\alpha^3)$이

므로 $x=0$을 대입하면   → 곱의 미분법에 의해

$f'(0)=-3\alpha^2\beta-\alpha^3$

$0=-3\alpha^2\beta-\alpha^3$

$\alpha=-3\beta$ ...... ㉡

㉡에서 $\beta=-\dfrac{\alpha}{3}$이므로 ㉠에 대입하면

$\alpha^3\times\left(-\dfrac{\alpha}{3}\right)=-27$, $\alpha^4=81$

$\alpha=3$, $\beta=-1$ → $\alpha>0$, $\beta<1$

따라서 $f(x)=(x-3)^3(x+1)+27$이므로

$f(2)=(2-3)^3\times3+27=24$

답 24

내신 기출 우수 문항

본문 64~67쪽

01 ②	**02** ③	**03** ④	**04** ①	**05** ②
06 ⑤	**07** ①	**08** ①	**09** ⑤	**10** ①
11 ③	**12** ③	**13** ②	**14** ①	**15** ④
16 ③	**17** ①	**18** ①	**19** ⑤	**20** ④
21 ④	**22** 5	**23** 5		

01 $f(x)=2x^3-9x^2+12x$에서

$f'(x)=6x^2-18x+12$

$\qquad=6(x-1)(x-2)$

$f'(x)=0$에서 $x=1$ 또는 $x=2$

닫힌구간 $[-1,3]$에서 함수 $f(x)$의 증가와 감소를 표로 나타내면 다음과 같다.

x	-1	$\cdots$	1	$\cdots$	2	$\cdots$	3
$f'(x)$	$+$	$+$	0	$-$	0	$+$	$+$
$f(x)$	-23	↗	5	↘	4	↗	9

따라서 닫힌구간 $[-1,3]$에서 함수 $f(x)$는 $x=3$에서 최댓값 9,

$x=-1$에서 최솟값 -23을 가지므로

$M=9$, $m=-23$

따라서 $M-m=9-(-23)=32$

답 ②

02 (ⅰ) $x>0$일 때

$\quad f(x)=x^3-12x+2$이므로

$\quad f'(x)=3x^2-12=3(x+2)(x-2)$

$\quad f'(x)=0$에서 $x>0$이므로 $x=2$

(ⅱ) $x<0$일 때

$\quad f(x)=x^3+12x+2$이므로

$\quad f'(x)=3x^2+12>0$

(ⅲ) $x=0$일 때

$\quad f(0)=2$

(ⅰ), (ⅱ), (ⅲ)에 의하여 닫힌구간 $[-1,3]$에서 함수 $f(x)$의 증가와 감소를 표로 나타내면 다음과 같다.

x	-1	$\cdots$	0	$\cdots$	2	$\cdots$	3
$f'(x)$	$+$	$+$		$-$	0	$+$	$+$
$f(x)$	-11	↗	2	↘	-14	↗	-7

따라서 닫힌구간 $[-1,3]$에서 함수 $f(x)$는 $x=0$에서 최댓값 2, $x=2$에서 최솟값 -14를 가지므로 최댓값과 최솟값의 차는

$2-(-14)=16$

답 ③

참고 닫힌구간 $[-1, 3]$에서 함수 $f(x)=x^3-12|x|+2$의 그래프는 다음과 같다.

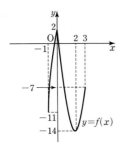

03 $f(x)=x^3-6x^2+9x+a$에서
$$f'(x)=3x^2-12x+9$$
$$=3(x-1)(x-3)$$
$f'(x)=0$에서 $x=1$ 또는 $x=3$
닫힌구간 $[-1, 3]$에서 함수 $f(x)$의 증가와 감소를 표로 나타내면 다음과 같다.

x	-1	$\cdots$	1	$\cdots$	3
$f'(x)$	$+$	$+$	0	$-$	0
$f(x)$	$a-16$	↗	$a+4$	↘	a

따라서 닫힌구간 $[-1, 3]$에서 함수 $f(x)$는 $x=1$에서 최댓값 $a+4$, $x=-1$에서 최솟값 $a-16$을 가지므로
$$(a+4)+(a-16)=0, \ 2a-12=0$$
$$a=6$$

답 ④

04 $f(x)=2x^3-6x+a$에서
$$f'(x)=6x^2-6$$
$$=6(x+1)(x-1)$$
$f'(x)=0$에서 $x=-1$ 또는 $x=1$
닫힌구간 $[-1, 3]$에서 함수 $f(x)$의 증가와 감소를 표로 나타내면 다음과 같다.

x	-1	$\cdots$	1	$\cdots$	3
$f'(x)$	0	$-$	0	$+$	$+$
$f(x)$	$a+4$	↘	$a-4$	↗	$a+36$

따라서 닫힌구간 $[-1, 3]$에서 함수 $f(x)$는 $x=3$에서 최댓값 $M=a+36$, $x=1$에서 최솟값 $m=a-4$를 가지므로
$$M \times m=(a+36)(a-4)=84$$
$$a^2+32a-228=0$$
$$(a+38)(a-6)=0$$
a는 양수이므로 $a=6$

답 ①

05 $x^2+y=10$이므로
$$y=10-x^2 \ (0<x<\sqrt{10})$$
직육면체의 부피를 $V(x)$라 하면

$$V(x)=x^2y$$
$$=x^2(10-x^2)$$
$$=10x^2-x^4$$
$$V'(x)=20x-4x^3$$
$$=-4x(x+\sqrt{5})(x-\sqrt{5})$$
$V'(x)=0$에서 $0<x<\sqrt{10}$이므로 $x=\sqrt{5}$
함수 $V(x)$의 증가와 감소를 표로 나타내면 다음과 같다.

x	(0)	$\cdots$	$\sqrt{5}$	$\cdots$	$(\sqrt{10})$
$V'(x)$		$+$	0	$-$	
$V(x)$		↗	25	↘	

이때 $V(x)$는 $x=\sqrt{5}$에서 최댓값 25를 갖는다.
따라서 직육면체의 부피의 최댓값은 25이다.

답 ②

06 삼각형 AQP의 밑변의 길이는 $2a$이고, 높이는 $36-a^2$이므로 삼각형 AQP의 넓이를 $f(a)$라 하면
$$f(a)=\frac{1}{2}\times 2a \times (36-a^2)$$
$$=36a-a^3$$
$$f'(a)=36-3a^2$$
$$=-3(a+2\sqrt{3})(a-2\sqrt{3})$$
$f'(a)=0$에서 $0<a<6$이므로 $a=2\sqrt{3}$
함수 $f(a)$의 증가와 감소를 표로 나타내면 다음과 같다.

a	(0)	$\cdots$	$2\sqrt{3}$	$\cdots$	(6)
$f'(a)$		$+$	0	$-$	
$f(a)$		↗	$48\sqrt{3}$	↘	

이때 $f(a)$는 $a=2\sqrt{3}$에서 최댓값 $48\sqrt{3}$을 갖는다.
따라서 삼각형 AQP의 넓이의 최댓값은 $48\sqrt{3}$이다.

답 ⑤

07 $f(x)=2x^3+3x^2-12x+k$라 하면
$$f'(x)=6x^2+6x-12=6(x+2)(x-1)$$
$f'(x)=0$에서 $x=-2$ 또는 $x=1$
함수 $f(x)$의 증가와 감소를 표로 나타내면 다음과 같다.

x	$\cdots$	-2	$\cdots$	1	$\cdots$
$f'(x)$	$+$	0	$-$	0	$+$
$f(x)$	↗	$k+20$	↘	$k-7$	↗

삼차방정식 $f(x)=0$이 서로 다른 세 실근을 가지려면
$$f(-2)\times f(1)<0$$
즉, $(k+20)(k-7)<0$이므로
$$-20<k<7$$
따라서 정수 k는 $-19, -18, \cdots, 6$의 26개이다.

답 ①

08 $f(x)=x^3-3x^2-9x+k$라 하면

$f'(x)=3x^2-6x-9$
$\qquad =3(x+1)(x-3)$
$f'(x)=0$에서 $x=-1$ 또는 $x=3$
함수 $f(x)$의 증가와 감소를 표로 나타내면 다음과 같다.

x	$\cdots$	-1	$\cdots$	3	$\cdots$
$f'(x)$	$+$	0	$-$	0	$+$
$f(x)$	$\nearrow$	$k+5$	$\searrow$	$k-27$	$\nearrow$

따라서 함수 $f(x)$는 $x=-1$에서 극댓값 $k+5$, $x=3$에서 극솟값
$k-27$을 갖는다.
방정식 $f(x)=0$이 한 개의 양의 실근과 서로 다른 두 개의 음의 실근을
갖기 위해서는 $f(-1)>0$, $f(0)<0$이어야 한다.
$f(-1)=k+5>0$이므로
$k>-5$ $\qquad\qquad\qquad\qquad\qquad$ …… ㉠
$f(0)=k<0$이므로
$k<0$ $\qquad\qquad\qquad\qquad\qquad$ …… ㉡
㉠, ㉡에서 $-5<k<0$
따라서 모든 정수 k의 값의 합은
$(-4)+(-3)+(-2)+(-1)=-10$

답 ①

09 $f(x)=x^3-6x^2+9x-3$에서
$f'(x)=3x^2-12x+9$
$\qquad =3(x-1)(x-3)$
$f'(x)=0$에서 $x=1$ 또는 $x=3$
함수 $f(x)$의 증가와 감소를 표로 나타내면 다음과 같다.

x	$\cdots$	1	$\cdots$	3	$\cdots$
$f'(x)$	$+$	0	$-$	0	$+$
$f(x)$	$\nearrow$	1	$\searrow$	-3	$\nearrow$

따라서 함수 $y=f(x)$와 $y=|f(x)|$의 그래프는 그림과 같다.

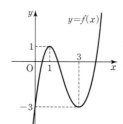 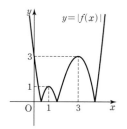

x에 대한 방정식 $|f(x)|=k$의 서로 다른 실근의 개수는 함수
$y=|f(x)|$의 그래프와 직선 $y=k$가 만나는 서로 다른 점의 개수와 같다.
따라서 $A(1)=5$, $A(2)=4$, $A(3)=3$이므로
$A(1)+A(2)+A(3)=12$

답 ⑤

10 두 곡선이 서로 다른 세 점에서 만나려면 방정식
$3x^4-6x^2-k=8x^3-24x$, 즉 $3x^4-8x^3-6x^2+24x=k$가 서로 다른 세
실근을 가져야 한다.
$f(x)=3x^4-8x^3-6x^2+24x$라 하면

$f'(x)=12x^3-24x^2-12x+24$
$\qquad =12(x+1)(x-1)(x-2)$
$f'(x)=0$에서 $x=-1$ 또는 $x=1$ 또는 $x=2$
함수 $f(x)$의 증가와 감소를 표로 나타내면 다음과 같다.

x	$\cdots$	-1	$\cdots$	1	$\cdots$	2	$\cdots$
$f'(x)$	$-$	0	$+$	0	$-$	0	$+$
$f(x)$	$\searrow$	-19	$\nearrow$	13	$\searrow$	8	$\nearrow$

따라서 함수 $y=f(x)$의 그래프는 그림과 같다.

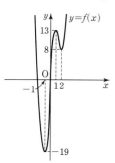

방정식 $f(x)=k$가 서로 다른 세 실근을 가지려면 함수 $y=f(x)$의 그래
프와 직선 $y=k$가 서로 다른 세 점에서 만나야 하므로
$k=8$ 또는 $k=13$
따라서 모든 실수 k의 값의 합은 $8+13=21$

답 ①

11 도함수 $y=f'(x)$의 그래프와 x축이 만나는 점의 x좌표가 $x=0$
또는 $x=3$이므로 함수 $f(x)$의 증가와 감소를 표로 나타내면 다음과 같다.

x	$\cdots$	0	$\cdots$	3	$\cdots$
$f'(x)$	$-$	0	$-$	0	$+$
$f(x)$	$\searrow$		$\searrow$	극소	$\nearrow$

따라서 $f(0)>f(3)$이고 $f(0)\times f(3)<0$이므로
$f(0)>0$, $f(3)<0$
함수 $y=f(x)$의 그래프는 그림과 같다.

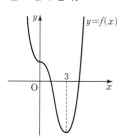

따라서 방정식 $f(x)=0$의 서로 다른 실근의 개수는 2이다.

답 ③

12 함수 $f(x)$의 증가와 감소를 표로 나타내면 다음과 같다.

x	$\cdots$	0	$\cdots$	2	$\cdots$
$f'(x)$	$+$	0	$-$	0	$+$
$f(x)$	$\nearrow$	극대	$\searrow$	극소	$\nearrow$

ㄱ. 함수 $f(x)$는 $x=2$에서 극솟값을 갖는다. (참)

ㄴ. [반례] 함수 $y=f(x)$의 그래프가 그림과 같은 경우

$f(2)>0$ (거짓)

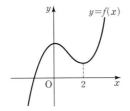

ㄷ. $f(0)>0$이므로 $f(2)<0$

따라서 함수 $y=f(x)$의 그래프는 그림과 같다.

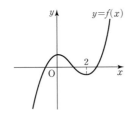

함수 $y=f(x)$의 그래프가 x축과 서로 다른 세 점에서 만나므로 방정식 $f(x)=0$은 서로 다른 세 실근을 갖는다. (참)

따라서 옳은 것은 ㄱ, ㄷ이다.

目 ③

13 $f(x)=x^3-6x^2+k$라 하면

$f'(x)=3x^2-12x$

$=3x(x-4)$

$f'(x)=0$에서 $x=0$ 또는 $x=4$

$x>0$에서 함수 $f(x)$의 증가와 감소를 표로 나타내면 다음과 같다.

x	(0)	$\cdots$	4	$\cdots$
$f'(x)$		$-$	0	$+$
$f(x)$		$\searrow$	$k-32$	$\nearrow$

함수 $f(x)$는 $x=4$에서 최솟값 $k-32$를 가지므로 $x>0$인 모든 실수 x에 대하여 $f(x)>0$이려면 $k-32>0$, $k>32$

따라서 정수 k의 최솟값은 33이다.

目 ②

14 $f(x)=2x^3-3x^2-12x-7$이라 하면

$f'(x)=6x^2-6x-12$

$=6(x+1)(x-2)$

$f'(x)=0$에서 $x=-1$ 또는 $x=2$

함수 $f(x)$의 증가와 감소를 표로 나타내면 다음과 같다.

x	$\cdots$	-1	$\cdots$	2	$\cdots$
$f'(x)$	$+$	0	$-$	0	$+$
$f(x)$	$\nearrow$	0	$\searrow$	-27	$\nearrow$

함수 $f(x)$는 $x=-1$에서 극댓값 0을 가지므로 $x<k$인 모든 실수 x에 대하여 $f(x)<0$이려면 $k\leq-1$이어야 한다.

따라서 정수 k의 최댓값은 -1이다.

目 ①

15 $f(x)=-x^3+3x+n$이라 하면

$f'(x)=-3x^2+3$

$=-3(x+1)(x-1)$

$f'(x)=0$에서 $x=-1$ 또는 $x=1$

닫힌구간 $[0, 3]$에서 함수 $f(x)$의 증가와 감소를 표로 나타내면 다음과 같다.

x	0	$\cdots$	1	$\cdots$	3
$f'(x)$	$+$	$+$	0	$-$	$-$
$f(x)$	n	$\nearrow$	$n+2$	$\searrow$	$n-18$

따라서 닫힌구간 $[0, 3]$에서 함수 $f(x)$는 $x=1$에서 최댓값 $n+2$, $x=3$에서 최솟값 $n-18$을 가지므로

$n-18\leq-x^3+3x+n\leq n+2$

한편, $|-x^3+3x+n|<15$에서 $-15<-x^3+3x+n<15$이므로

$-15<n-18$이고 $n+2<15$

따라서 $3<n<13$이므로 자연수 n의 개수는 9이다.

目 ④

16 점 P의 위치를 $x(t)=t^3-6t^2+9$라 하면 점 P의 속도는

$v(t)=x'(t)=3t^2-12t=3t(t-4)$

이고 점 P의 가속도는

$a(t)=v'(t)=6t-12$

속도와 가속도의 곱을 표로 나타내면 다음과 같다.

t	0	$\cdots$	2	$\cdots$	4	$\cdots$
$v(t)$	0	$-$	-12	$-$	0	$+$
$a(t)$	-12	$-$	0	$+$	12	$+$
$v(t)\times a(t)$	0	$+$	0	$-$	0	$+$

따라서 구하는 t의 값의 범위는 $2<t<4$

目 ③

17 $f(0)=4$, $g(0)=0$이므로 $t=0$일 때, 두 점 P, Q는 서로 다른 위치에 있다.

두 점 P, Q가 만나는 시각 t는 방정식 $t^3+4=3t^2$의 해와 같다.

즉, $t^3-3t^2+4=0$에서 $(t+1)(t-2)^2=0$

$t>0$이므로 $t=2$일 때 두 점 P, Q가 만난다.

점 P의 속도를 $v_1(t)$라 하면 $v_1(t)=f'(t)=3t^2$이고,

가속도는 $v_1'(t)=6t$이다.

점 Q의 속도를 $v_2(t)$라 하면 $v_2(t)=g'(t)=6t$이고,

가속도는 $v_2'(t)=6$이다.

따라서 $t=2$에서의 점 P의 가속도 $a_1=12$, 점 Q의 가속도 $a_2=6$이므로

$a_1-a_2=12-6=6$

目 ①

18 선분 PQ를 2 : 1로 내분하는 점 R의 시각 t에서의 위치를 $h(t)$라 하면

$$h(t)=\frac{2g(t)+f(t)}{2+1}$$
$$=\frac{2(t^3-5t^2-10t)+(t^3+t^2-7t)}{3}$$
$$=t^3-3t^2-9t$$
$$h'(t)=3t^2-6t-9$$
$$=3(t+1)(t-3)$$

$h'(t)=0$에서 $t=-1$ 또는 $t=3$

$t>0$이므로 $t=3$에서 점 R의 운동 방향이 바뀐다.

$t=3$일 때 점 P의 위치는 $f(3)=27+9-21=15$이고,

점 Q의 위치는 $g(3)=27-45-30=-48$이다.

따라서 두 점 P, Q 사이의 거리는

$15-(-48)=63$

답 ①

19 그림과 같이 정육각형의 넓이는 정삼각형 6개의 넓이의 합과 같다.

정육각형의 t초 후의 넓이를 $S(t)$라 하면 t초 후의 정육각형의 한 변의 길이는 $3+t$이므로

$$S(t)=6\times\frac{\sqrt{3}}{4}\times(3+t)^2$$
$$=\frac{3\sqrt{3}}{2}(t^2+6t+9)$$
$$S'(t)=\frac{3\sqrt{3}}{2}(2t+6)$$
$$=3\sqrt{3}(t+3)$$

한 변의 길이가 10이려면 $3+t=10$, 즉 $t=7$일 때이므로

$S'(7)=30\sqrt{3}$

답 ⑤

20 t초 후의 밑면의 한 변의 길이는 $t+2$이고, 높이는 $t+4$이므로 직육면체의 부피를 $V(t)$라 하면

$$V(t)=(t+2)^2(t+4)$$
$$=t^3+8t^2+20t+16$$
$$V'(t)=3t^2+16t+20$$

따라서 $t=5$일 때의 부피의 변화율은

$V'(5)=75+80+20=175$

답 ④

21 t초 후의 그림자의 길이를 x m라 하면 가로등과 사람의 위치, 그림자의 길이는 그림과 같다.

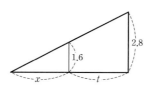

그림에서 두 삼각형은 서로 닮음이므로

$$x:(x+t)=1.6:2.8$$
$$2.8x=1.6x+1.6t$$
$$1.2x=1.6t$$
$$x=\frac{4}{3}t$$

가로등 바로 밑에서 그림자 끝까지의 거리를 $f(t)$라 하면

$$f(t)=\frac{4}{3}t+t=\frac{7}{3}t$$

따라서 그림자 끝이 움직이는 속도는 $f'(t)=\frac{7}{3}$

답 ④

22 $3x^4-4x^3-12x^2+k=0$에서

$$3x^4-4x^3-12x^2=-k$$

$f(x)=3x^4-4x^3-12x^2$이라 하면

$$f'(x)=12x^3-12x^2-24x$$
$$=12x(x+1)(x-2)$$

·· (가)

$f'(x)=0$에서 $x=-1$ 또는 $x=0$ 또는 $x=2$

함수 $f(x)$의 증가와 감소를 표로 나타내면 다음과 같다.

x	$\cdots$	-1	$\cdots$	0	$\cdots$	2	$\cdots$
$f'(x)$	$-$	0	$+$	0	$-$	0	$+$
$f(x)$	$\searrow$	-5	$\nearrow$	0	$\searrow$	-32	$\nearrow$

따라서 함수 $y=f(x)$의 그래프는 그림과 같다.

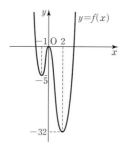

·· (나)

주어진 사차방정식이 서로 다른 세 실근을 가지려면 함수 $y=f(x)$의 그래프와 직선 $y=-k$가 서로 다른 세 점에서 만나야 하므로

$k=0$ 또는 $k=5$

따라서 모든 실수 k의 값의 합은 5이다.

·· (다)

답 5

단계	채점 기준	비율
(가)	$f(x)$를 설정하고 $f(x)$의 도함수를 옳게 구한 경우	30 %
(나)	$f(x)$의 증가와 감소를 표로 나타내고 그래프를 그린 경우	40 %
(다)	실수 k의 값의 합을 구한 경우	30 %

23 $f(x)=x^4-4a^3x+48$이라 하면

$f'(x)=4x^3-4a^3$

$\qquad =4(x-a)(x^2+ax+a^2)$

.... (가)

이차방정식 $x^2+ax+a^2=0$의 판별식을 D라 하면 $D=-3a^2\le0$이므로

$f'(x)=0$에서 $x=a$

함수 $f(x)$의 증가와 감소를 표로 나타내면 다음과 같다.

x	$\cdots$	a	$\cdots$
$f'(x)$	$-$	0	$+$
$f(x)$	$\searrow$	$48-3a^4$	$\nearrow$

모든 실수 x에 대하여 부등식 $f(x)\ge0$이 성립하려면

$f(a)=48-3a^4\ge0$이어야 하므로

$3a^4-48\le0,\ 3(a^2+4)(a+2)(a-2)\le0$

.... (나)

$a^2+4>0$이므로 $-2\le a\le2$

따라서 구하는 정수 a의 개수는 5이다.

.... (다)

답 5

단계	채점 기준	비율
(가)	$f(x)$를 설정하고 $f(x)$의 도함수를 옳게 구한 경우	30 %
(나)	$f(x)$의 증가와 감소를 표로 나타내고 부등식을 제시한 경우	40 %
(다)	부등식을 풀어 정수 a의 개수를 구한 경우	30 %

내신 상위 7% 고득점 문항

본문 68~71쪽

24 ③	**25** ③	**26** ⑤	**27** ⑤	**28** $\frac{5}{16}\pi$
29 $\frac{3\sqrt{3}}{2}$	**30** ⑤	**31** ②	**32** ①	**33** 52
34 ③	**35** ③	**36** ①	**37** ④	**38** ③
39 ③	**40** ②	**41** ③	**42** ②	**43** $\frac{1}{2}$
44 120π	**45** 64	**46** -4		

24 $g(x)=x^2-2x-1$

$\qquad =(x-1)^2-2$

이므로 $g(x)=t$라 하면 임의의 실수 x에 대하여 $t\ge-2$

$f(x)=-x^3+12x$에서

$(f\circ g)(x)=f(g(x))$

$\qquad\qquad =f(t)=-t^3+12t$

$f'(t)=-3t^2+12$

$\qquad =-3(t+2)(t-2)$

$f'(t)=0$에서 $t=-2$ 또는 $t=2$

$t\ge-2$에서 함수 $f(t)$의 증가와 감소를 표로 나타내면 다음과 같다.

t	-2	$\cdots$	2	$\cdots$
$f'(t)$	0	$+$	0	$-$
$f(t)$	-16	$\nearrow$	16	$\searrow$

$t\ge-2$에서 함수 $f(t)$는 $t=2$에서 극대이면서 최대이므로 함수 $f(t)$의 최댓값은 $f(2)=16$

따라서 함수 $(f\circ g)(x)$의 최댓값은 16이다.

답 ③

25 $f(x)=-x^4+6x^2$에서

$f'(x)=-4x^3+12x$

$\qquad =-4x(x+\sqrt{3})(x-\sqrt{3})$

$f'(x)=0$에서 $x=-\sqrt{3}$ 또는 $x=0$ 또는 $x=\sqrt{3}$

함수 $f(x)$의 증가와 감소를 표로 나타내면 다음과 같다.

x	$\cdots$	$-\sqrt{3}$	$\cdots$	0	$\cdots$	$\sqrt{3}$	$\cdots$
$f'(x)$	$+$	0	$-$	0	$+$	0	$-$
$f(x)$	$\nearrow$	9	$\searrow$	0	$\nearrow$	9	$\searrow$

따라서 함수 $y=f(x)$의 그래프는 그림과 같다.

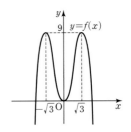

따라서 $M(1)=f(1)=5$, $M(2)=M(3)=f(\sqrt{3})=9$이므로

$M(1)+M(2)+M(3)=5+9+9=23$

답 ③

26 $f(x)=x^3+ax^2+bx+c\ (a,\ b,\ c$는 상수$)$라 하면

$f'(x)=3x^2+2ax+b$

$\qquad =3(x+2)(x-1)$

$\qquad =3x^2+3x-6$

이므로 $a=\dfrac{3}{2}$, $b=-6$

따라서 $f(x)=x^3+\dfrac{3}{2}x^2-6x+c$

닫힌구간 $[0,\ 3]$에서 함수 $f(x)$의 증가와 감소를 표로 나타내면 다음과 같다.

x	0	$\cdots$	1	$\cdots$	3
$f'(x)$	$-$	$-$	0	$+$	$+$
$f(x)$	c	$\searrow$	$c-\dfrac{7}{2}$	$\nearrow$	$c+\dfrac{45}{2}$

닫힌구간 $[0,\ 3]$에서 함수 $f(x)$는 $x=1$에서 최솟값 $c-\dfrac{7}{2}$을 가지므로

$c - \dfrac{7}{2} = 2$, $c = \dfrac{11}{2}$

따라서 닫힌구간 $[0, 3]$에서 함수 $f(x)$의 최댓값은

$f(3) = \dfrac{11}{2} + \dfrac{45}{2} = 28$

답 ⑤

27 선분 OP의 길이를 x $(0 < x < 1)$라 하자.

$\overline{\text{PQ}} : \overline{\text{QO}} = 1 : 4$이므로 $\overline{\text{QO}} = \dfrac{4}{5}x$

$\overline{\text{QH}}^2 = 1 - \overline{\text{QO}}^2$에서 $\overline{\text{QH}}^2 = 1 - \left(\dfrac{4}{5}x\right)^2$

사각형 OIPH의 넓이를 $S(x)$라 하면

$S(x) = \dfrac{1}{2} \times \overline{\text{HI}} \times \overline{\text{PO}}$

$\qquad = \dfrac{1}{2} \times 2 \times \sqrt{1 - \left(\dfrac{4}{5}x\right)^2} \times x$

$\qquad = x\sqrt{1 - \left(\dfrac{4}{5}x\right)^2}$

이때 $\{S(x)\}^2 = f(x)$라 하면 $f(x)$가 최댓값을 가질 때 $S(x)$도 최댓값을 가진다.

$f(x) = x^2 - \dfrac{16}{25}x^4$이므로

$f'(x) = 2x - \dfrac{64}{25}x^3 = 2x\left(1 - \dfrac{32}{25}x^2\right)$

$f'(x) = 0$에서 $x = 0$ 또는 $x = \dfrac{5\sqrt{2}}{8}$

함수 $f(x)$의 증가와 감소를 표로 나타내면 다음과 같다.

x	(0)	$\cdots$	$\dfrac{5\sqrt{2}}{8}$	$\cdots$	(1)
$f'(x)$		$+$	0	$-$	
$f(x)$		↗	극대	↘	

함수 $f(x)$는 $x = \dfrac{5\sqrt{2}}{8}$에서 극대이면서 최대이므로 $S(x)$도 $x = \dfrac{5\sqrt{2}}{8}$에서 최대이다.

따라서 사각형 OIPH의 넓이가 최대가 되도록 하는 선분 OP의 길이는 $\dfrac{5\sqrt{2}}{8}$이다.

답 ⑤

28 점 P의 좌표를 $(t, t^2 + t - 1)$이라 하고 원 C의 반지름의 길이를 r라 하면

$r^2 = t^2 + (t^2 + t - 1)^2$

$\quad = t^4 + 2t^3 - 2t + 1$

$f(t) = t^4 + 2t^3 - 2t + 1$이라 하면

$f'(t) = 4t^3 + 6t^2 - 2$

$\qquad = 2(2t^3 + 3t^2 - 1)$

$\qquad = 2(t+1)^2(2t-1)$

$f'(t) = 0$에서 $t = -1$ 또는 $t = \dfrac{1}{2}$

함수 $f(t)$의 증가와 감소를 표로 나타내면 다음과 같다.

t	$\cdots$	-1	$\cdots$	$\dfrac{1}{2}$	$\cdots$
$f'(t)$	$-$	0	$-$	0	$+$
$f(t)$	↘		↘	$\dfrac{5}{16}$	↗

따라서 함수 $f(t)$는 $t = \dfrac{1}{2}$에서 극소이면서 최소이므로 원의 넓이의 최솟값은

$\pi r^2 = \pi \times f\left(\dfrac{1}{2}\right) = \dfrac{5}{16}\pi$

답 $\dfrac{5}{16}\pi$

29 직선 $y = m(x+1)$이 함수 $f(x)$의 그래프와 제1사분면에서 서로 다른 두 점에서 만나려면 $m > 0$

$f(x) = -(x^2 - 3x - 4)(x-1)$

$\qquad = -(x+1)(x-1)(x-4)$

에서 $-(x+1)(x-1)(x-4) = m(x+1)$이라 하면

$x \neq -1$일 때 $-(x-1)(x-4) = m$

방정식 $x^2 - 5x + 4 + m = 0$의 판별식을 D라 하면

$D = (-5)^2 - 4(4+m) > 0$이어야 하므로

$0 < m < \dfrac{9}{4}$

직선 $y = m(x+1)$과 함수 $y = f(x)$의 그래프가 모두 점 $(-1, 0)$을 지나므로 점 $(-1, 0)$을 D라 하면 삼각형 ABC의 넓이는 삼각형 DAC의 넓이에서 삼각형 DAB의 넓이를 뺀 것과 같다.

두 점 B, C의 x좌표를 각각 α, β $(\alpha < \beta)$라 하면

(삼각형 DAC의 넓이) $= \dfrac{1}{2} \times 2 \times f(\beta) = m(\beta + 1)$

(삼각형 DAB의 넓이) $= \dfrac{1}{2} \times 2 \times f(\alpha) = m(\alpha + 1)$

따라서 삼각형 ABC의 넓이는

$m(\beta+1) - m(\alpha+1) = m(\beta - \alpha)$

또한 α, β는 방정식 $x^2 - 5x + 4 + m = 0$의 두 근이므로

$\alpha + \beta = 5$, $\alpha\beta = 4 + m$

$\beta - \alpha = \sqrt{(\alpha+\beta)^2 - 4\alpha\beta}$

$\qquad = \sqrt{25 - 16 - 4m}$

$\qquad = \sqrt{9 - 4m}$

삼각형 ABC의 넓이를 $S(m)$이라 하면

$S(m) = m(\beta - \alpha) = m\sqrt{9 - 4m}$

이때 $m > 0$, $9 - 4m > 0$이므로 $g(m) = \{S(m)\}^2$이라 하면 $g(m)$이 최댓값을 가질 때 $S(m)$도 최댓값을 갖는다.

$g(m) = m^2(9 - 4m)$이므로

$g'(m) = -6m(2m - 3)$

$g'(m) = 0$에서 $m = 0$ 또는 $m = \dfrac{3}{2}$

$0<m<\dfrac{9}{4}$에서 함수 $g(m)$의 증가와 감소를 표로 나타내면 다음과 같다.

m	(0)	$\cdots$	$\dfrac{3}{2}$	$\cdots$	$\left(\dfrac{9}{4}\right)$
$g'(m)$		$+$	0	$-$	
$g(m)$		$\nearrow$	$\dfrac{27}{4}$	$\searrow$	

따라서 함수 $g(m)$은 $m=\dfrac{3}{2}$일 때 최댓값을 가지므로 $S(m)$의 최댓값은
$$S\left(\dfrac{3}{2}\right)=\dfrac{3\sqrt{3}}{2}$$

답 $\dfrac{3\sqrt{3}}{2}$

30 $f(x)=x^3-3x^2$이라 하면
$f'(x)=3x^2-6x$
접점의 좌표를 $(t,\ t^3-3t^2)$이라 하면 접선의 방정식은
$y-(t^3-3t^2)=(3t^2-6t)(x-t)$
이 직선이 점 $(-1,\ k)$를 지나므로
$k-(t^3-3t^2)=(3t^2-6t)(-1-t)$
$2t^3-6t+k=0$
점 $(-1,\ k)$에서 주어진 곡선에 서로 다른 세 개의 접선을 그을 수 있으려면 방정식 $2t^3-6t+k=0$이 서로 다른 세 실근을 가져야 한다.
$g(t)=2t^3-6t+k$라 하면
$g'(t)=6t^2-6=6(t+1)(t-1)$
$g'(t)=0$에서 $t=-1$ 또는 $t=1$
함수 $g(t)$의 증가와 감소를 표로 나타내면 다음과 같다.

t	$\cdots$	-1	$\cdots$	1	$\cdots$
$g'(t)$	$+$	0	$-$	0	$+$
$g(t)$	$\nearrow$	$k+4$	$\searrow$	$k-4$	$\nearrow$

삼차방정식 $g(t)=0$이 서로 다른 세 실근을 가지려면
$g(-1)\times g(1)=(k+4)(k-4)<0$
$-4<k<4$
따라서 구하는 정수 k의 개수는 7이다.

답 ⑤

31 두 점 $\mathrm{A}(-1,\ -3)$, $\mathrm{B}(2,\ 3)$을 지나는 직선의 방정식은
$y=2x-1$
삼차함수 $y=x^3+3x^2-7x+k$의 그래프와 선분 AB가 서로 다른 두 점에서 만나려면 방정식 $x^3+3x^2-7x+k=2x-1$이 $-1\le x\le2$에서 서로 다른 두 실근을 가지면 된다.
즉, $x^3+3x^2-9x+1=-k$에서 $f(x)=x^3+3x^2-9x+1$이라 하면
함수 $y=f(x)$의 그래프와 직선 $y=-k$가 $-1\le x\le2$에서 서로 다른 두 점에서 만나면 된다.
$f'(x)=3x^2+6x-9=3(x+3)(x-1)$이므로
$f'(x)=0$에서
$x=-3$ 또는 $x=1$

$-1\le x\le2$에서 함수 $f(x)$의 증가와 감소를 표로 나타내면 다음과 같다.

x	-1	$\cdots$	1	$\cdots$	2
$f'(x)$	$-$	$-$	0	$+$	$+$
$f(x)$	12	$\searrow$	-4	$\nearrow$	3

따라서 함수 $f(x)$는 $x=1$일 때 극솟값 -4를 가지므로 $-1\le x\le2$에서 함수 $y=f(x)$의 그래프는 그림과 같다.

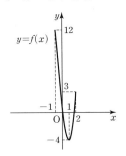

함수 $y=f(x)$의 그래프와 직선 $y=-k$는 $-4<-k\le3$일 때 서로 다른 두 점에서 만나므로
$-3\le k<4$
따라서 모든 정수 k의 값의 합은
$(-3)+(-2)+(-1)+0+1+2+3=0$

답 ②

32 $x^3-kx+2k-8=0$에서 $x^3-8=k(x-2)$
방정식 $x^3-8=k(x-2)$가 서로 다른 두 실근을 가지려면
함수 $f(x)=x^3-8$의 그래프와 직선 $g(x)=k(x-2)$가 한 점에서 접하고 다른 한 점에서 만나야 한다.
직선 $y=k(x-2)$는 k의 값에 관계없이 항상 점 $(2,\ 0)$을 지나고, 곡선 $y=x^3-8$도 점 $(2,\ 0)$을 지난다.
(i) 점 $(2,\ 0)$에서 접하는 경우
　　$f(x)=x^3-8$에서 $f'(x)=3x^2$이므로 $f'(2)=12$
　　따라서 $k=12$
(ii) 점 $(2,\ 0)$이 아닌 점에서 접하는 경우
　　$x=t\ (t\ne2)$에서 직선 $y=g(x)$가 곡선 $y=f(x)$와 접한다고 하면
　　$f(t)=g(t)$, $f'(t)=g'(t)$를 만족해야 하므로
　　$f(t)=g(t)$에서
　　$t^3-8=k(t-2)$, $(t-2)(t^2+2t+4)=k(t-2)$
　　$k=t^2+2t+4$ ...... ㉠
　　$f'(t)=g'(t)$에서
　　$3t^2=k$ ...... ㉡
㉠, ㉡에서 $t=-1\ (t\ne2)$, $k=3$
(i), (ii)에서 모든 실수 k의 값의 합은
$12+3=15$

답 ①

33 조건 (가)에서 모든 실수 x에 대하여 $f(-x)=-f(x)$이므로
$f(x)=ax^3+bx\ (a,\ b$는 실수, $a\ne0)$라 하자.

$f'(x)=3ax^2+b$이므로 $f'(x)$가 $x=0$에서 최솟값 -3을 가지려면 $a>0$, $b=-3$이어야 한다.

$f'(x)=0$에서 $3ax^2-3=0$

$x=\pm\sqrt{\dfrac{1}{a}}$

방정식 $|f(x)|=2$가 서로 다른 네 실근을 가지므로 $y=f(x)$의 그래프와 직선 $y=2$, $y=-2$의 위치 관계는 그림과 같다.

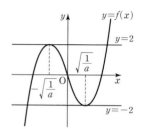

즉, 함수 $f(x)$의 극댓값이 2, 극솟값이 -2이어야 하므로

$f\left(\sqrt{\dfrac{1}{a}}\right)=-2$

$a\times\left(\sqrt{\dfrac{1}{a}}\right)^3-3\sqrt{\dfrac{1}{a}}=-2$

$\sqrt{\dfrac{1}{a}}=1$, $a=1$

따라서 $f(x)=x^3-3x$이므로

$f(4)=64-12=52$

답 52

34 방정식 $2x^4-4x^2+2=t$의 서로 다른 실근의 개수는 사차함수 $y=2x^4-4x^2+2$의 그래프와 직선 $y=t$가 만나는 서로 다른 점의 개수와 같다.

$g(x)=2x^4-4x^2+2$라 하면

$g'(x)=8x^3-8x$

$\qquad=8x(x+1)(x-1)$

$g'(x)=0$에서 $x=-1$ 또는 $x=0$ 또는 $x=1$

함수 $g(x)$의 증가와 감소를 표로 나타내면 다음과 같다.

x	$\cdots$	-1	$\cdots$	0	$\cdots$	1	$\cdots$
$g'(x)$	$-$	0	$+$	0	$-$	0	$+$
$g(x)$	$\searrow$	0	$\nearrow$	2	$\searrow$	0	$\nearrow$

따라서 $y=g(x)$의 그래프와 직선 $y=t$의 위치 관계는 그림과 같다.

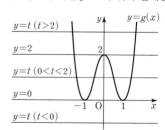

(i) $t<0$일 때

방정식 $2x^4-4x^2+2=t$의 서로 다른 실근의 개수는 0

(ii) $t=0$, $t>2$일 때

방정식 $2x^4-4x^2+2=t$의 서로 다른 실근의 개수는 2

(iii) $0<t<2$일 때

방정식 $2x^4-4x^2+2=t$의 서로 다른 실근의 개수는 4

(iv) $t=2$일 때

방정식 $2x^4-4x^2+2=t$의 서로 다른 실근의 개수는 3

(i)~(iv)에 의하여 함수 $y=f(t)$의 그래프는 그림과 같다.

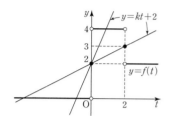

실수 t에 대한 방정식 $f(t)=kt+2$의 서로 다른 실근의 개수가 3이 되려면 함수 $y=f(t)$의 그래프와 직선 $y=kt+2$는 서로 다른 세 점에서 만나야 한다.

이때 $y=kt+2$는 k의 값에 관계없이 점 $(0, 2)$를 지나는 직선이므로 서로 다른 세 점에서 만나려면

$k=\dfrac{1}{2}$ 또는 $k>1$

따라서 정수 k의 최솟값은 2이다.

답 ③

35 ㄱ. $f'(x)=4x^3-12x+8$이므로

$f'(1)=4-12+8=0$ (참)

ㄴ. $f'(x)=4(x^3-3x+2)$

$\qquad=4(x+2)(x-1)^2$

$f'(x)=0$에서 $x=-2$ 또는 $x=1$

함수 $f(x)$의 증가와 감소를 표로 나타내면 다음과 같다.

x	$\cdots$	-2	$\cdots$	1	$\cdots$
$f'(x)$	$-$	0	$+$	0	$+$
$f(x)$	$\searrow$	-24	$\nearrow$	3	$\nearrow$

따라서 함수 $y=f(x)$의 그래프는 그림과 같다.

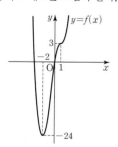

$k=-12$이면 $g(x)=\begin{cases} f(x) & (f(x)\geq -12) \\ -24-f(x) & (f(x)<-12) \end{cases}$이고

함수 $y=g(x)$의 그래프는 $f(x)\geq -12$일 때 함수 $y=f(x)$의 그래프와 같고, $f(x)<-12$일 때 함수 $y=f(x)$의 그래프를 x축에 대하여 대칭이동한 후 y축의 방향으로 -24만큼 평행이동한 그래프와

같으므로 그림과 같다.

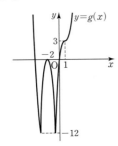

따라서 방정식 $g(x)=-1$은 서로 다른 네 실근을 갖는다. (거짓)

ㄷ. $g(x)=\begin{cases} f(x) & (f(x) \geq k) \\ 2k-f(x) & (f(x) < k) \end{cases}$ 에서

함수 $y=g(x)$의 그래프는 $f(x) \geq k$일 때 함수 $y=f(x)$의 그래프와 같고, $f(x) < k$일 때 함수 $y=f(x)$의 그래프를 x축에 대하여 대칭이동한 후, y축의 방향으로 $2k$만큼 평행이동한 그래프와 같다.

방정식 $g(x)=30$이 서로 다른 세 실근을 가지려면 $g(-2)=30$이어야 하므로

$2k-f(-2)=30$

$2k=30+f(-2)=30-24=6$

따라서 $k=3$

또한

$f(x)-3=x^4-6x^2+8x-3$
$\qquad = (x-1)^3(x+3)$

이므로 함수 $y=g(x)$의 그래프는 그림과 같다.

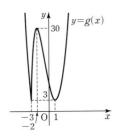

따라서 함수 $g(x)$는 $x=-3$에서 미분가능하지 않다. (참)

따라서 옳은 것은 ㄱ, ㄷ이다.

답 ③

36 $g(x)-k \leq f(x) \leq g(x)+k$에서

$-k \leq f(x)-g(x) \leq k$

$h(x)=f(x)-g(x)=x^3+3x^2-9x-6$이라 하면

$h'(x)=3x^2+6x-9$
$\qquad = 3(x+3)(x-1)$

$h'(x)=0$에서 $x=-3$ 또는 $x=1$

닫힌구간 $[-3, 2]$에서 함수 $h(x)$의 증가와 감소를 표로 나타내면 다음과 같다.

x	-3	$\cdots$	1	$\cdots$	2
$h'(x)$	0	$-$	0	$+$	$+$
$h(x)$	21	$\searrow$	-11	$\nearrow$	-4

따라서 함수 $y=h(x)$의 그래프는 그림과 같다.

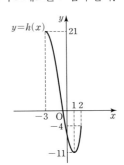

$-3 \leq x \leq 2$에서 $-k \leq h(x) \leq k$를 만족시키려면 $k \geq 21$이어야 하므로 k의 최솟값은 21이다.

답 ①

37 $f(x)=x^{n+1}-(n+1)x+2$라 하면

$f'(x)=(n+1)x^n-(n+1)$
$\qquad = (n+1)(x^n-1)$

$f'(x)=0$에서 $x \geq 0$이므로 $x=1$

$x \geq 0$에서 함수 $f(x)$의 증가와 감소를 표로 나타내면 다음과 같다.

x	0	$\cdots$	1	$\cdots$
$f'(x)$	$-$	$-$	0	$+$
$f(x)$	2	$\searrow$	$-n+2$	$\nearrow$

따라서 함수 $f(x)$는 $x=1$에서 최솟값 $-n+2$를 갖는다.

$x^{n+1}-(n+1)x+2 \geq k$에서 k의 최댓값이 -10이므로

$-n+2=-10$, $n=12$

답 ④

38 $x+\dfrac{1}{x}=t$라 하면 $x>0$이므로

$t=x+\dfrac{1}{x} \geq 2\sqrt{x \times \dfrac{1}{x}}=2$

이때

$x^3+\dfrac{1}{x^3}=\left(x+\dfrac{1}{x}\right)^3-3 \times x \times \dfrac{1}{x} \times \left(x+\dfrac{1}{x}\right)$
$\qquad = t^3-3t$

이므로 $f(x)=x^3+\dfrac{1}{x^3}-24\left(x+\dfrac{1}{x}\right)+60$이라 하면

$f(x)=(t^3-3t)-24t+60$
$\qquad = t^3-27t+60 \ (t \geq 2)$

$g(t)=t^3-27t+60$이라 하면

$g'(t)=3t^2-27$
$\qquad = 3(t+3)(t-3)$

$g'(t)=0$에서 $t=-3$ 또는 $t=3$

$t \geq 2$에서 함수 $g(t)$의 증가와 감소를 표로 나타내면 다음과 같다.

t	2	$\cdots$	3	$\cdots$
$g'(t)$	$-$	$-$	0	$+$
$g(t)$	14	$\searrow$	6	$\nearrow$

따라서 함수 $g(t)$는 $t=3$에서 극소이면서 최솟값 6을 갖는다.

즉, $x>0$인 모든 실수 x에 대하여 $f(x) \geq 6$이므로 부등식

$$x^3 + \frac{1}{x^3} - 24\left(x + \frac{1}{x}\right) + 60 > n$$

을 만족시키는 자연수 n은 1, 2, 3, 4, 5의 5개이다.

답 ③

39 시각 t에서의 점 P와 원점 사이의 거리를 $f(t)$라 하면

$$f(t) = |2t^3 - 15t^2 + 24t|$$

$g(t) = 2t^3 - 15t^2 + 24t$라 하면

$$g'(t) = 6t^2 - 30t + 24$$
$$= 6(t-1)(t-4)$$

$g'(t) = 0$에서 $t=1$ 또는 $t=4$

닫힌구간 $[0, 5]$에서 함수 $g(t)$의 증가와 감소를 표로 나타내면 다음과 같다.

t	0	$\cdots$	1	$\cdots$	4	$\cdots$	5
$g'(t)$	+	+	0	−	0	+	+
$g(t)$	0	↗	11	↘	−16	↗	−5

따라서 함수 $y = |g(t)|$, 즉 $y = f(t)$의 그래프는 그림과 같다.

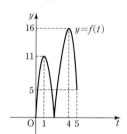

따라서 $t=4$일 때 점 P가 원점으로부터 가장 멀리 떨어져 있으므로 구하는 거리는 16이다.

답 ③

40 점 P의 시각 t에서의 속도를 $v(t)$라 하면

$$v(t) = x'(t) = 3t^2 - 2nt + (n+6)$$

점 P가 출발 후 운동 방향을 두 번 바꾸려면 방정식 $v(t) = 0$이 서로 다른 두 양의 실근을 가져야 한다.

방정식 $3t^2 - 2nt + (n+6) = 0$의 서로 다른 두 실근을 α, β라 하면

$$\alpha + \beta = \frac{2}{3}n, \quad \alpha\beta = \frac{n+6}{3}$$

이므로 α, β는 모두 양수이다.

방정식 $3t^2 - 2nt + (n+6) = 0$의 판별식을 D라 하면

$$\frac{D}{4} = n^2 - 3(n+6) > 0$$

$$n^2 - 3n - 18 > 0, \quad (n+3)(n-6) > 0$$

$$n < -3 \ 또는 \ n > 6$$

따라서 자연수 n의 최솟값은 7이다.

답 ②

41 t초 후의 두 점 P, Q가 움직인 거리의 차를 $f(t)$라 하면

$$f(t) = |2t^3 + 2t^2 - (6t^2 + 8t)|$$
$$= |2t^3 - 4t^2 - 8t|$$

정사각형의 둘레의 길이가 20이므로 두 점이 움직인 거리의 차가 20의 배수일 때 두 점은 만난다.

$g(t) = 2t^3 - 4t^2 - 8t$라 하면

$$g'(t) = 6t^2 - 8t - 8$$
$$= 2(3t+2)(t-2)$$

$g'(t) = 0$에서 $t = -\frac{2}{3}$ 또는 $t=2$

$0 < t \leq 5$에서 함수 $g(t)$의 증가와 감소를 표로 나타내면 다음과 같다.

t	(0)	$\cdots$	2	$\cdots$	5
$g'(t)$		−	0	+	+
$g(t)$		↘	−16	↗	110

따라서 두 점이 움직인 거리의 차가 0, 20, 40, 60, 80, 100일 때 만나므로 6번 만난다.

답 ③

42 t초 후의 선분 AB의 길이는 $(2+2t)$ cm, 선분 BC의 길이는 $(2+3t)$ cm이다.

t초 후의 삼각형 ABC의 넓이를 $S(t)$ cm²라 하면

$$S(t) = \frac{1}{2}(2+2t)(2+3t) = 3t^2 + 5t + 2$$이므로

$$S'(t) = 6t + 5$$

또한 $3t^2 + 5t + 2 = 70$에서

$$3t^2 + 5t - 68 = 0, \quad (3t+17)(t-4) = 0$$

따라서 $t=4$일 때, 삼각형 ABC의 넓이가 70 cm²이므로

$$S'(4) = 29$$

답 ②

43 t초 후 점 P의 좌표는 $(3t, 0)$이므로 두 점 O, P를 지나고 이차항의 계수가 -1인 이차함수는

$$y = -x(x - 3t)$$

두 점 A, B의 좌표는 각각 A$(t, 0)$, B$(2t, 0)$이고, 점 C의 좌표는 C$\left(\frac{3}{2}t, \frac{9}{4}t^2\right)$이므로 삼각형 ABC의 넓이를 $S(t)$라 하면

$$S(t) = \frac{1}{2} \times t \times \frac{9}{4}t^2 = \frac{9}{8}t^3$$

$$S'(t) = \frac{27}{8}t^2$$

삼각형 ABC가 정삼각형이려면

$$\frac{\sqrt{3}}{2}t = \frac{9}{4}t^2$$에서 $t = \frac{2\sqrt{3}}{9}$

따라서

$$S'\left(\frac{2\sqrt{3}}{9}\right) = \frac{27}{8} \times \left(\frac{2\sqrt{3}}{9}\right)^2 = \frac{1}{2}$$

답 $\frac{1}{2}$

44 그림과 같이 수면의 반지름의 길이를 r cm, 수면까지의 높이를 h cm라 하면

$r:h=3:5$, $h=\dfrac{5}{3}r$

물의 부피를 V cm³라 하면

$V=\dfrac{1}{3}\pi r^2h=\dfrac{1}{3}\pi r^2\times\dfrac{5}{3}r=\dfrac{5}{9}\pi r^3$ ...... ㉠

또한 수면의 반지름의 길이가 매초 2 cm씩 늘어나므로

$r=2t$ ...... ㉡

㉡을 ㉠에 대입하면 $V=\dfrac{40}{9}\pi t^3$

양변을 t에 대하여 미분하면

$\dfrac{dV}{dt}=\dfrac{40}{3}\pi t^2$

$r=6$일 때 $t=3$이므로 $t=3$에서 물의 부피의 변화율은

$\dfrac{40}{3}\pi\times9=120\pi$ (cm³/초)

따라서 $a=120\pi$

🔲 120π

45 $y=x^2-12x+36$이므로 $y'=2x-12$

곡선 $y=x^2-12x+36$ 위의 점 (a, b)에서의 접선의 방정식은

$y-(a^2-12a+36)=(2a-12)(x-a)$

$y=2(a-6)x-a^2+36$

.... (가)

이 직선이 x축, y축과 만나는 점을 각각 A, B라 하면

$\overline{OA}=\dfrac{a+6}{2}$, $\overline{OB}=-a^2+36$

.... (나)

삼각형 OAB의 넓이를 $S(a)$라 하면

$S(a)=\dfrac{1}{4}(a+6)(-a^2+36)$

$=\dfrac{1}{4}(-a^3-6a^2+36a+216)$

$S'(a)=\dfrac{1}{4}(-3a^2-12a+36)$

$=-\dfrac{3}{4}(a+6)(a-2)$

.... (다)

$S'(a)=0$에서 $a=-6$ 또는 $a=2$

$0<a<6$에서 함수 $S(a)$의 증가와 감소를 표로 나타내면 다음과 같다.

a	(0)	$\cdots$	2	$\cdots$	(6)
$S'(a)$		$+$	0	$-$	
$S(a)$		↗	64	↘	

따라서 $S(a)$는 $a=2$에서 극대이면서 최대이고 최댓값은 64이다.

.... (라)

🔲 64

단계	채점 기준	비율
(가)	점 (a, b)에서의 접선의 방정식을 구한 경우	20 %
(나)	$\overline{OA}$, $\overline{OB}$의 길이를 구한 경우	30 %
(다)	넓이 $S(a)$의 도함수 $S'(a)$를 구한 경우	30 %
(라)	$S(a)$의 최댓값을 구한 경우	20 %

46 $f(x)=x^3+ax^2+bx+c$에서

$f'(x)=3x^2+2ax+b$

조건 (가)에서 $f'(1)=3+2a+b=0$, $f'(3)=27+6a+b=0$이므로

두 식을 연립하여 풀면

$a=-6$, $b=9$

.... (가)

따라서 $f(x)=x^3-6x^2+9x+c$이므로

$f(1)=c+4$, $f(3)=c$

함수 $|f(x)|$가 $x=1$, $x=3$에서 극댓값을 갖기 위해서는

$c+4>0$이고 $c<0$이어야 한다.

즉, $-4<c<0$

.... (나)

함수 $f(x)$는 $x=1$에서 극댓값 $c+4$, $x=3$에서 극솟값 c를 갖는다.

또한 함수 $|f(x)|$는 $x=1$에서 극댓값 $c+4$, $x=3$에서 극댓값 $-c$를 갖는다.

조건 (나)에서 방정식 $|f(x)|=3$은 서로 다른 세 실근을 가지므로

$c=-1$ 또는 $c=-3$

.... (다)

(ⅰ) $c=-1$일 때
  $f(x)=x^3-6x^2+9x-1$이므로
  $f(3)=-1$

(ⅱ) $c=-3$일 때
  $f(x)=x^3-6x^2+9x-3$이므로
  $f(3)=-3$

(ⅰ), (ⅱ)에 의하여 모든 $f(3)$의 값의 합은

$-1+(-3)=-4$

.... (라)

🔲 -4

단계	채점 기준	비율
(가)	a, b의 값을 구한 경우	20 %
(나)	c의 범위를 구한 경우	30 %
(다)	c의 값을 구한 경우	30 %
(라)	$f(3)$의 값의 합을 구한 경우	20 %

내신 상위 4% 변별력 문항				본문 72~74쪽
47 10	**48** 25	**49** -6	**50** $-\dfrac{1}{4}$	**51** $\dfrac{11+\sqrt{5}}{2}$
52 1	**53** $-\dfrac{14}{9}$	**54** 128	**55** $-\dfrac{1}{4}$	**56** ④
57 36	**58** 15			

47

$1 \le t \le 3$인 실수 t에 대하여 함수 $f(x)=(x^2-3x+2)(x-t)$라 하자. 방정식 $f'(x)=0$의 서로 다른 두 실근을 α, β $(\alpha<\beta)$라 할 때, $1 \le t \le 3$에서 함수 $g(t)=(|t-\alpha|+|t-\beta|)^2$의 최솟값은 m 이다. $30m$의 값을 구하시오. ↳ 근과 계수의 관계를 이용한다. 10

풀이전략

함수의 그래프를 이용하여 최솟값을 구한다.

문제풀이

step 1 근과 계수의 관계를 이용하여 $\alpha+\beta$, $\alpha\beta$의 값을 계산한다.

$f(x)=x^3-(t+3)x^2+(3t+2)x-2t$에서

$f'(x)=3x^2-2(t+3)x+3t+2$

방정식 $f'(x)=0$의 두 근이 α, β $(\alpha<\beta)$이므로 근과 계수의 관계에 의하여

$\alpha+\beta=\dfrac{2(t+3)}{3}$, $\alpha\beta=\dfrac{3t+2}{3}$ ↳ 이차방정식 $ax^2+bx+c=0$에서 $\alpha+\beta=-\dfrac{b}{a}$, $\alpha\beta=\dfrac{c}{a}$

step 2 t의 범위를 나눈 후 $g(t)$의 최솟값을 구한다.

$f(x)=(x^2-3x+2)(x-t)$
$\qquad =(x-1)(x-2)(x-t)$

이므로

(i) $1 \le t < 2$일 때

$g(t)=(|t-\alpha|+|t-\beta|)^2$
$\qquad =(\beta-\alpha)^2=(\alpha+\beta)^2-4\alpha\beta$
$\qquad =\dfrac{4}{9}(t^2-3t+3)$
$\qquad =\dfrac{4}{9}\left(t-\dfrac{3}{2}\right)^2+\dfrac{1}{3}$

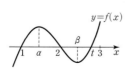

따라서 $t=\dfrac{3}{2}$일 때 최솟값 $\dfrac{1}{3}$을 갖는다.

(ii) $2 \le t \le 3$일 때

$g(t)=(|t-\alpha|+|t-\beta|)^2$
$\qquad =\{2t-(\alpha+\beta)\}^2$
$\qquad =\left(\dfrac{4}{3}t-2\right)^2$
$\qquad =\dfrac{16}{9}\left(t-\dfrac{3}{2}\right)^2$

따라서 $t=2$일 때 최솟값 $\dfrac{4}{9}$를 갖는다. ↳ $t=\dfrac{3}{2}$은 $2 \le t \le 3$이 아니므로 $t=2$와 $t=3$에서의 $g(t)$의 값을 조사한다.

(i), (ii)에서 함수 $g(t)$는 $t=\dfrac{3}{2}$일 때 최솟값 $\dfrac{1}{3}$을 가지므로

$m=\dfrac{1}{3}$

따라서 $30m=10$

참고 $g(t)=(|t-\alpha|+|t-\beta|)^2$의 그래프는 다음과 같다.

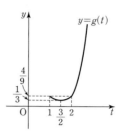

48

그림과 같이 열린구간 $(0, 3)$에서 정의된 함수 $f(x)=x^2$에 대하여 곡선 $y=f(x)$ 위의 점 P와 곡선 $y=f(x)$ 위에 있지 않은 점 $A(6, 9)$ 가 있다. 점 P에서 x축에 내린 수선의 발을 Q, 점 A에서 x축에 내린 수선의 발을 B라 할 때, 사각형 PQBA의 넓이의 최솟값을 구하시오. ↳ 곡선 위의 점이므로 $P(t, t^2)$이다. 25

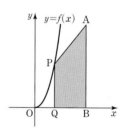

풀이전략

함수의 증가와 감소를 표로 나타내어 최솟값을 구한다.

문제풀이

step 1 사각형 PQBA의 넓이를 구한다.

점 P의 좌표를 (t, t^2) $(0<t<3)$이라 하면

$\overline{PQ}=t^2$, $\overline{AB}=9$, $\overline{QB}=6-t$

사각형 PQBA의 넓이를 $g(t)$라 하면

$g(t)=\dfrac{1}{2}(6-t)(t^2+9)$
$\qquad =-\dfrac{1}{2}(t^3-6t^2+9t-54)$

step 2 함수의 증가와 감소를 표로 나타내어 함수 $g(t)$의 최솟값을 구한다.

$g'(t)=-\dfrac{1}{2}(3t^2-12t+9)$
$\qquad =-\dfrac{3}{2}(t^2-4t+3)$
$\qquad =-\dfrac{3}{2}(t-1)(t-3)$

$g'(t)=0$에서 $t=1$ 또는 $t=3$

$0<t<3$에서 함수 $g(t)$의 증가와 감소를 표로 나타내면 다음과 같다. ↳ 열린구간이므로 양 끝점의 함숫값은 고려하지 않는다.

t	(0)	$\cdots$	1	$\cdots$	(3)
$g'(t)$		$-$	0	$+$	
$g(t)$		$\searrow$	25	$\nearrow$	

따라서 함수 $g(t)$는 $t=1$일 때 극소이면서 최소이므로 최솟값은
$g(1)=25$

답 25

49

함수 $f(x)=x^4+ax^2+ax$에 대하여 곡선 $y=f(x)$ 위의
점 $(t, f(t))$에서의 접선의 y절편을 $g(t)$라 하자. 함수 $g(t)$가 모
든 실수 t에 대하여 $g(t)\leq3$을 <u>만족시킬 때</u>, 실수 a의 최솟값을 구
하시오. → 접선의 방정식은 -6
                   $y-f(t)=f'(t)(x-t)$

풀이전략

a의 값의 범위를 나눈 후 함수의 증가와 감소를 표로 나타내어 최솟값을 구한다.

문제풀이

step 1 접선의 방정식을 활용하여 $g(t)$를 구한다.

$f(x)=x^4+ax^2+ax$에서
$f'(x)=4x^3+2ax+a$
점 $(t, f(t))$에서의 접선의 방정식은
$y-(t^4+at^2+at)=(4t^3+2at+a)(x-t)$
즉, $y=(4t^3+2at+a)x-3t^4-at^2$이므로
$g(t)=-3t^4-at^2$

step 2 a의 값의 범위를 나눈 후 a의 최솟값을 구한다.

$g'(t)=-12t^3-2at=-2t(6t^2+a)$에서

(i) $a\geq0$일 때

$g'(t)=0$에서 $t=0$
함수 $g(t)$의 증가와 감소를 표로 나타내면 다음과 같다.

t	$\cdots$	0	$\cdots$
$g'(t)$	$+$	0	$-$
$g(t)$	$\nearrow$	0	$\searrow$

따라서 함수 $g(t)$는 $t=0$에서 극대이면서 최대이고 최댓값은 0이다.

(ii) $a<0$일 때 → $a<0$이면 $6t^2+a=0$은 서로 다른 두 실근을 갖는다.

$g'(t)=0$에서 <u>$t=0$ 또는 $t=\pm\sqrt{-\dfrac{a}{6}}$</u>

함수 $g(t)$의 증가와 감소를 표로 나타내면 다음과 같다.

t	$\cdots$	$-\sqrt{-\dfrac{a}{6}}$	$\cdots$	0	$\cdots$	$\sqrt{-\dfrac{a}{6}}$	$\cdots$
$g'(t)$	$+$	0	$-$	0	$+$	0	$-$
$g(t)$	$\nearrow$	$\dfrac{a^2}{12}$	$\searrow$	0	$\nearrow$	$\dfrac{a^2}{12}$	$\searrow$

따라서 함수 $g(t)$는 $t=\pm\sqrt{-\dfrac{a}{6}}$일 때 극대이면서 최대이고 최댓

값은 $\dfrac{a^2}{12}$이다.

$\dfrac{a^2}{12}\leq3$에서 $-6\leq a<0$

(i), (ii)에 의하여 $g(t)\leq3$을 만족시키는 실수 a의 값의 범위는 $a\geq-6$
이므로 a의 최솟값은 -6이다.

답 -6

50

실수 k에 대하여 닫힌구간 $[-1, 1]$에서 정의된 함수
$f(x)=x^3-3k^2x$의 최댓값을 $M(k)$라 하자. 함수 $M(k)$가
$k=\alpha$, $k=\beta$에서 미분가능하지 않을 때, $\alpha\beta$의 값을 구하시오. $-\dfrac{1}{4}$

풀이전략

양 끝점과 극댓값을 비교하여 최댓값을 구한다.

문제풀이

step 1 $k=0$일 때 $M(k)$를 구한다.

(i) $k=0$이면 $f(x)=x^3$이므로 닫힌구간 $[-1, 1]$에서 최댓값은
$f(1)=1$이다.
따라서 $M(0)=1$

step 2 $k>0$일 때 $M(k)$를 구한다.

$f'(x)=3(x^2-k^2)=3(x-k)(x+k)$

(ii) $k>0$이면 $x=-k$에서 극댓값을 가지므로 $f(-k)$와 구간의 양 끝
점에서의 함숫값 $f(-1)$, $f(1)$의 값을 비교하자.
$f(-k)=2k^3$, $f(-1)=3k^2-1$, $f(1)=1-3k^2$이고
$f(-k)-f(-1)=2k^3-3k^2+1=(k-1)^2(2k+1)$
이므로 $k>0$일 때, $f(-k)-f(-1)=(k-1)^2(2k+1)\geq0$
즉, $f(-k)\geq f(-1)$
또한 $f(-k)$와 $f(1)$의 관계는
① $f(-k)-f(1)\geq0$이면 $(k+1)^2(2k-1)\geq0$이므로

  $k>0$에서 $\dfrac{1}{2}\leq k\leq1$일 때, $M(k)=2k^3$
                            → $x=-k$에서 극값을 가지므로
② $f(1)-f(-k)>0$이면 $-1\leq k\leq1$
  $(k+1)^2(2k-1)<0$이므로

  $k>0$에서 $0<k<\dfrac{1}{2}$일 때, $M(k)=1-3k^2$

step 3 $k<0$일 때 $M(k)$를 구한다.

(iii) $k<0$이면 $x=k$에서 극댓값을 가지므로 $f(k)$와 구간의 양 끝점에서
의 함숫값 $f(-1)$, $f(1)$의 값을 비교하자.
$f(k)=-2k^3$, $f(-1)=3k^2-1$, $f(1)=1-3k^2$이고
$f(k)-f(-1)=-2k^3-3k^2+1=-(k+1)^2(2k-1)$
이므로 $k<0$일 때, $f(k)-f(-1)=-(k+1)^2(2k-1)\geq0$
즉, $f(k)\geq f(-1)$
또한 $f(k)$와 $f(1)$의 관계는
① $f(k)-f(1)\geq0$이면 $-(k-1)^2(2k+1)\geq0$이므로

  $k<0$에서 $-1\leq k\leq-\dfrac{1}{2}$일 때, $M(k)=-2k^3$
              → $x=k$에서 극값을 가지므로 $-1\leq k\leq1$

② $f(1)-f(k)>0$이면 $(k-1)^2(2k+1)>0$이므로

$k<0$에서 $-\dfrac{1}{2}<k<0$일 때, $M(k)=1-3k^2$

step 4 그래프를 그리고 미분가능하지 않은 점을 구한다.

(i), (ii), (iii)에 의하여

$-1\le k\le-\dfrac{1}{2}$일 때, $M(k)=-2k^3$

$-\dfrac{1}{2}<k<\dfrac{1}{2}$일 때, $M(k)=1-3k^2$

↳ $M(0)=1-3\times0^2=1$이므로 (i)의 범위를 포함한다.

$\dfrac{1}{2}\le k\le1$일 때, $M(k)=2k^3$

또한 $|k|>1$일 때, $f(-1)$의 값이 최대이므로

↳ k의 추가 범위를 조사한다.

$M(k)=3k^2-1$

따라서 함수 $y=M(k)$의 그래프는 다음과 같다.

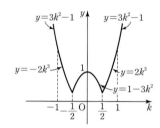

따라서 함수 $M(k)$는 $k=-1$, $k=1$에서 미분가능하고

$k=-\dfrac{1}{2}$, $k=\dfrac{1}{2}$에서 미분가능하지 않으므로

$\alpha\beta=-\dfrac{1}{2}\times\dfrac{1}{2}=-\dfrac{1}{4}$

↳ $k=-1$, $k=1$에서의 미분계수를 구하여 비교한다.

답 $-\dfrac{1}{4}$

51

함수 $f(x)=2ax^3-3(a+1)x^2+6x$에 대하여 함수 $|f(x)|$가 다음 조건을 만족시킬 때, 모든 양수 a의 값의 합을 구하시오.

> 닫힌구간 $[0,\ 1]$에서 함수 $|f(x)|$의 최댓값은 1이다.

$\dfrac{11+\sqrt5}{2}$

풀이전략

a의 값의 범위를 나눈 후 절댓값 그래프의 성질을 활용한다.

문제풀이

step 1 $f(x)$의 도함수를 구한다.

$f(x)=2ax^3-3(a+1)x^2+6x$에서

$f'(x)=6ax^2-6(a+1)x+6$

$\quad\ \ =6(ax-1)(x-1)$

step 2 a의 값의 범위를 나눈 후 $|f(x)|$의 최댓값을 조사한다.

(i) $a=1$일 때, 함수 $f(x)$는 실수 전체의 집합에서 증가한다.

↳ $f'(x)=6(x-1)^2\ge0$

$f(0)=0$, $f(1)=2-6+6=2$이므로

함수 $|f(x)|$의 최댓값은 2이다. (모순)

(ii) $a\ne1$일 때

① $\dfrac{1}{a}>1$, 즉 $0<a<1$이면

$f'(x)=6(ax-1)(x-1)$이므로 함수 $f(x)$는 $x=1$에서 극댓값, $x=\dfrac{1}{a}$에서 극솟값을 갖는다.

함수 $f(x)$의 증가와 감소를 표로 나타내면 다음과 같다.

x	0	$\cdots$	1	$\cdots$	$\dfrac{1}{a}$	$\cdots$
$f'(x)$		$+$	0	$-$	0	$+$
$f(x)$	0	$\nearrow$	$-a+3$	$\searrow$	$\dfrac{3a-1}{a^2}$	$\nearrow$

닫힌구간 $[0,\ 1]$에서 $f(x)=2ax^3-3(a+1)x^2+6x\ge0$이므로

함수 $|f(x)|$의 최댓값은 함수 $f(x)$의 최댓값과 같다.

따라서 $-a+3=1$에서 $a=2$ (모순)

② $\dfrac{1}{a}<1$, 즉 $a>1$이면

$f'(x)=6(ax-1)(x-1)$이므로 함수 $f(x)$는 $x=\dfrac{1}{a}$에서 극댓값, $x=1$에서 극솟값을 갖는다.

함수 $f(x)$의 증가와 감소를 표로 나타내면 다음과 같다.

x	0	$\cdots$	$\dfrac{1}{a}$	$\cdots$	1	$\cdots$
$f'(x)$		$+$	0	$-$	0	$+$
$f(x)$	0	$\nearrow$	$\dfrac{3a-1}{a^2}$	$\searrow$	$-a+3$	$\nearrow$

따라서 닫힌구간 $[0,\ 1]$에서 함수 $|f(x)|$의 최댓값이 1이기 위해서는

↳ 절댓값이 있으므로 함수 $f(x)$의 값이 음수인 부분도 고려해야 한다.

$\left|f\left(\dfrac{1}{a}\right)\right|=1$이고 $|f(1)|\le1$ 또는

$\left|f\left(\dfrac{1}{a}\right)\right|\le1$이고 $|f(1)|=1$이어야 한다.

㉠ $\left|f\left(\dfrac{1}{a}\right)\right|=1$이고 $|f(1)|\le1$인 경우

$\left|f\left(\dfrac{1}{a}\right)\right|=f\left(\dfrac{1}{a}\right)=1$에서

$a^2=3a-1$, $a^2-3a+1=0$

$a=\dfrac{3+\sqrt5}{2}$ $(a>1)$

또한 $|f(1)|=|-a+3|=\left|\dfrac{3-\sqrt5}{2}\right|\le1$이므로

$a=\dfrac{3+\sqrt5}{2}$

㉡ $\left|f\left(\dfrac{1}{a}\right)\right|\le1$이고 $|f(1)|=1$인 경우

$|f(1)|=|-a+3|=1$에서

$a=2$ 또는 $a=4$

$a=2$이면 $\left|f\left(\dfrac{1}{2}\right)\right|=\dfrac{5}{4}$이므로 모순이다.

↳ $\left|f\left(\dfrac{1}{a}\right)\right|\le1$이어야 한다.

$a=4$이면 $\left|f\left(\dfrac{1}{4}\right)\right|=\dfrac{11}{16}\leq 1$이므로 성립한다.

(i), (ii)에서 $a=\dfrac{3+\sqrt{5}}{2}$ 또는 $a=4$

따라서 모든 a의 값의 합은

$\dfrac{3+\sqrt{5}}{2}+4=\dfrac{11+\sqrt{5}}{2}$

답 $\dfrac{11+\sqrt{5}}{2}$

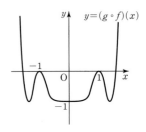

답 1

52

두 함수 $f(x)=x^4-2x^2$, $g(x)=x^2-k$에 대하여 x에 대한 방정식 $(g\circ f)(x)=0$의 서로 다른 실근의 개수가 4일 때, 양수 k의 값을 구하시오. → 함수 $(g\circ f)(x)$의 그래프와 x축이 서로 다른 네 점에서 만난다. 1

풀이전략

두 그래프의 교점을 이용하여 실근의 개수를 구한다.

문제풀이

step 1 합성함수의 성질을 활용하여 그래프를 해석한다.

$f(x)=t$라 하면 방정식 $(g\circ f)(x)=0$에서 $g(t)=0$을 만족시키는 t의 값은 $t^2-k=0$에서 → $g(f(x))=g(t)=0$

$t=\pm\sqrt{k}$

즉, $x^4-2x^2=\sqrt{k}$ 또는 $x^4-2x^2=-\sqrt{k}$를 만족시키는 x의 개수가 4이어야 한다.

step 2 함수의 증가와 감소를 표로 나타내어 그래프의 개형을 그린 후 함수 $y=f(x)$의 그래프와 직선 $y=\sqrt{k}$, 직선 $y=-\sqrt{k}$의 교점을 확인한다.

$f(x)=x^4-2x^2$에서

$f'(x)=4x^3-4x$

$\qquad=4x(x+1)(x-1)$

$f'(x)=0$에서 $x=-1$ 또는 $x=0$ 또는 $x=1$

함수 $f(x)$의 증가와 감소를 표로 나타내면 다음과 같다.

x	$\cdots$	-1	$\cdots$	0	$\cdots$	1	$\cdots$
$f'(x)$	$-$	0	$+$	0	$-$	0	$+$
$f(x)$	$\searrow$	-1	$\nearrow$	0	$\searrow$	-1	$\nearrow$

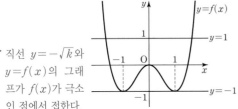

→ 직선 $y=-\sqrt{k}$와 $y=f(x)$의 그래프가 $f(x)$가 극소인 점에서 접한다.

따라서 방정식 $x^4-2x^2=\sqrt{k}$ 또는 $x^4-2x^2=-\sqrt{k}$를 만족시키는 x의 개수가 4가 되도록 하는 양수 k의 값은

$k=1$

참고 $f(x)=x^4-2x^2$, $g(x)=x^2-1$일 때, 함수 $y=(g\circ f)(x)$의 그래프는 그림과 같다.

53

곡선 $y=3x^3-12x^2+11x+a$와 두 점 $A(2, 0)$, $B(0, 2)$를 이은 선분이 한 점에서 만날 때, 실수 a의 값을 구하시오. $-\dfrac{14}{9}$

풀이전략

주어진 구간에서 삼차함수의 그래프와 선분 AB가 만나는 서로 다른 점의 개수를 구한다.

문제풀이

step 1 두 점 A, B를 지나는 직선의 방정식을 구한다.

두 점 $A(2, 0)$, $B(0, 2)$를 지나는 직선의 방정식은

$y=-x+2$ → $y=\dfrac{0-2}{2-0}(x-2)$

step 2 선분 AB와 곡선 $y=3x^3-12x^2+11x+a$가 만나는 점의 개수를 구한다.

곡선 $y=3x^3-12x^2+11x+a$가 선분 AB와 만나는 점의 개수는 곡선 $y=3x^3-12x^2+11x+a$가 직선 $y=-x+2$와 $0\leq x\leq 2$에서 만나는 점의 개수와 같다.

따라서 $3x^3-12x^2+11x+a=-x+2$라 하면

방정식 $-3x^3+12x^2-12x+2=a$ ($0\leq x\leq 2$)의 실근의 개수가 1이어야 한다.

$f(x)=-3x^3+12x^2-12x+2$라 하면

$f'(x)=-9x^2+24x-12=-3(x-2)(3x-2)$

$f'(x)=0$에서 $x=\dfrac{2}{3}$ 또는 $x=2$

$0\leq x\leq 2$에서 함수 $f(x)$의 증가와 감소를 표로 나타내면 다음과 같다.

x	0	$\cdots$	$\dfrac{2}{3}$	$\cdots$	2
$f'(x)$		$-$	0	$+$	0
$f(x)$	2	$\searrow$	$-\dfrac{14}{9}$	$\nearrow$	2

$0\leq x\leq 2$에서 함수 $y=f(x)$의 그래프는 그림과 같다.

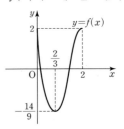

따라서 $0 \le x \le 2$에서 방정식 $3x^3 - 12x^2 + 11x + a = -x + 2$의 실근이 1개이려면

$$a = -\frac{14}{9}$$

📋 $-\dfrac{14}{9}$

54

→ ($f(x)$의 최댓값)≤($g(x)$의 최솟값)

두 함수 $f(x) = -x^4 - 4x^3 + 8x^2$, $g(x) = x^2 + a$가 있다. 임의의 두 실수 x_1, x_2에 대하여 $f(x_1) \le g(x_2)$가 성립하도록 하는 실수 a의 최솟값을 구하시오. 128

풀이전략

$f(x)$의 최댓값과 $g(x)$의 최솟값을 비교한다.

문제풀이

step 1 $f(x)$의 최댓값을 구한다.

$f(x) = -x^4 - 4x^3 + 8x^2$에서

$$f'(x) = -4x^3 - 12x^2 + 16x$$
$$= -4x(x^2 + 3x - 4)$$
$$= -4x(x-1)(x+4)$$

$f'(x) = 0$에서 $x = -4$ 또는 $x = 0$ 또는 $x = 1$

함수 $f(x)$의 증가와 감소를 표로 나타내면 다음과 같다.

x	$\cdots$	-4	$\cdots$	0	$\cdots$	1	$\cdots$
$f'(x)$	$+$	0	$-$	0	$+$	0	$-$
$f(x)$	↗	128	↘	0	↗	3	↘

함수 $f(x)$는 $x = -4$일 때 극대이면서 최대이므로 함수 $f(x)$의 최댓값은

$$f(-4) = 128$$

step 2 $g(x)$의 최솟값을 구한다.

한편, $g(x) = x^2 + a$에서 함수 $g(x)$는 $x = 0$에서 최솟값 a를 갖는다. → 꼭짓점이 $(0, a)$인 이차함수

step 3 $f(x)$의 최댓값과 $g(x)$의 최솟값을 비교한다.

임의의 두 실수 x_1, x_2에 대하여 $f(x_1) \le g(x_2)$가 성립하기 위해서는 ($f(x)$의 최댓값)≤($g(x)$의 최솟값)이어야 하므로

$$128 \le a$$

따라서 실수 a의 최솟값은 128이다.

📋 128

55

$x \ge k$인 모든 실수 x에 대하여 부등식 $x^3 + 3kx^2 + 1 \ge 0$이 항상 성립할 때, 실수 k에 대하여 k^3의 최솟값을 구하시오. $-\dfrac{1}{4}$

풀이전략

미분과 함수의 그래프를 활용하여 부등식을 해결한다.

문제풀이

step 1 $k > 0$일 때, 함수 $f(x) = x^3 + 3kx^2 + 1$의 그래프의 개형을 추론하여 문제를 해결한다.

$f(x) = x^3 + 3kx^2 + 1$이라 하면

$$f'(x) = 3x^2 + 6kx$$
$$= 3x(x + 2k)$$

(ⅰ) $k > 0$일 때

함수 $f(x)$는 $x = -2k$에서 극댓값, $x = 0$에서 극솟값을 가지므로 $f(x)$의 증가와 감소를 표로 나타내면 다음과 같다.

x	$\cdots$	$-2k$	$\cdots$	0	$\cdots$
$f'(x)$	$+$	0	$-$	0	$+$
$f(x)$	↗	$4k^3+1$	↘	1	↗

$0 < k \le x$인 모든 실수 x에 대하여 $f(x) \ge 0$ → $1 = f(0) < f(k)$
따라서 $x \ge k$에서 $x^3 + 3kx^2 + 1 \ge 0$은 항상 성립한다.

step 2 $k = 0$일 때, 함수 $f(x) = x^3 + 1$의 그래프의 개형을 추론하여 문제를 해결한다.

(ⅱ) $k = 0$일 때

$f'(x) = 3x^2$이므로 $f(x)$는 증가함수이고 $f(0) = 1$
따라서 $x \ge 0$에서 $x^3 + 3kx^2 + 1 \ge 0$은 항상 성립한다.

step 3 $k < 0$일 때, 함수 $f(x) = x^3 + 3kx^2 + 1$의 그래프의 개형을 추론하여 문제를 해결한다.

(ⅲ) $k < 0$일 때

함수 $f(x)$는 $x = 0$에서 극댓값, $x = -2k$에서 극솟값을 가지므로 $f(x)$의 증가와 감소를 표로 나타내면 다음과 같다.

x	k	$\cdots$	0	$\cdots$	$-2k$	$\cdots$
$f'(x)$		$+$	0	$-$	0	$+$
$f(x)$	$4k^3+1$	↗	1	↘	$4k^3+1$	↗

$f(k) = f(-2k) = 4k^3 + 1$에서 $x \ge k$인 모든 실수 x에 대하여 $x^3 + 3kx^2 + k \ge 0$이려면 $4k^3 + 1 \ge 0$이어야 한다.

즉, $k^3 \ge -\dfrac{1}{4}$

(ⅰ), (ⅱ), (ⅲ)에서 k^3의 최솟값은 $-\dfrac{1}{4}$이다.

📋 $-\dfrac{1}{4}$

56

원점을 출발하여 수직선 위를 움직이는 점 P의 시각 t에서의 속도를 $v(t)$라 할 때, 함수 $y=v(t)$의 그래프는 그림과 같다.
$0<t<t_4$일 때, 〈보기〉에서 옳은 것만을 있는 대로 고른 것은?

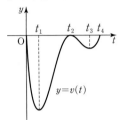

| 보기 |

ㄱ. 점 P는 운동 방향을 1번 바꾼다.
ㄴ. $t=t_1$일 때 점 P의 속력은 $t=t_3$일 때의 점 P의 속력보다 크다.
ㄷ. 점 P의 가속도의 부호는 3번 바뀐다.

① ㄴ   ② ㄷ   ③ ㄱ, ㄷ
✓④ ㄴ, ㄷ   ⑤ ㄱ, ㄴ, ㄷ

풀이전략

속력과 속도, 가속도의 관계를 이해하고 그래프를 해석한다.

문제풀이

step 1 속도 함수의 그래프에서 운동 방향을 해석한다.

ㄱ. $0<t<t_4$인 t에 대하여 $v(t)\leq0$이므로 운동 방향은 바뀌지 않는다. (거짓)

step 2 속력과 속도의 관계를 파악한다.

ㄴ. $|v(t_1)|>|v(t_3)|$ (참)
→ 속력은 속도에 절댓값을 취한 값이다.

step 3 속도 함수를 미분하여 가속도의 부호를 결정한다.

ㄷ. 함수 $v(t)$의 그래프의 접선의 기울기가 가속도 $a(t)$이므로 접선의 기울기의 부호가 바뀌는 때는 $t=t_1$, $t=t_2$, $t=t_3$의 좌우에서의 3번이다. (참) → $v'(t)=a(t)$

따라서 옳은 것은 ㄴ, ㄷ이다.

🄐 ④

57

원점에서 동시에 출발하여 수직선 위를 움직이는 두 점 P, Q의 시각 t ($0\leq t\leq6$)에서의 위치는 각각 $P(t)=t^3-12t^2+36t$, $Q(t)=t^2-4t$이다. 두 점 P, Q 사이의 거리의 최댓값을 구하시오.   36
→ 거리를 $f(t)$라 하고 $f(t)=|P(t)-Q(t)|$의 최댓값을 구한다.

풀이전략

두 점 P, Q의 위치의 차가 거리임을 알고 그래프를 그린다.

문제풀이

step 1 두 점 사이의 거리를 함수로 표현한다.

두 점 P, Q 사이의 거리를 $f(t)$라 하면
$$f(t)=|t^3-12t^2+36t-(t^2-4t)|$$
$$=|t^3-13t^2+40t|=|t(t-5)(t-8)|$$

step 2 그래프의 개형을 그려 최댓값을 구한다.

$g(t)=t^3-13t^2+40t$라 하면
$$g'(t)=3t^2-26t+40$$
$$=(t-2)(3t-20)$$

$g'(t)=0$에서 $t=2$ 또는 $t=\dfrac{20}{3}$

$0\leq t\leq6$에서 함수 $g(t)$의 증가와 감소를 표로 나타내면 다음과 같다.

t	0	$\cdots$	2	$\cdots$	6
$g'(t)$	+	+	0	−	−
$g(t)$	0	↗	36	↘	−12

$0\leq t\leq6$에서 $y=g(t)$의 그래프는 다음과 같다

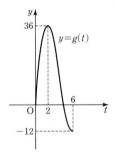

따라서 $y=f(t)$의 그래프는 다음과 같다.
→ $y=g(t)$의 그래프에서 $y<0$인 부분은 t축에 대하여 대칭이동시킨다.

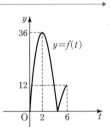

따라서 두 점 P, Q 사이의 거리의 최댓값은 36이다.

🄐 36

58

수직선 위를 움직이는 점 P가 다음 조건을 만족시킨다.

(가) 시각 t에서의 점 P의 위치는 at^3+bt^2+ct+4이다.
(나) 점 P는 $t=1$과 $t=4$일 때 운동 방향을 바꾼다.
(다) $t>0$에서 점 P의 위치의 최솟값은 -12이다.

$0<t\leq4$에서 원점과 점 P 사이의 거리의 최댓값을 구하시오.   15
→ 점 P의 좌표가 양수일 (단, a, b, c는 상수이다.) 때와 음수일 때 모두를 생각한다.

풀이전략

위치를 미분하면 속도임을 이해하고 삼차함수의 그래프의 개형을 추론한다.

문제풀이

step 1 점 P의 위치를 $f(t)$라 하고 미분하여 운동 방향이 바뀌는 지점을 찾는다.

$f(t)=at^3+bt^2+ct+4$라 하면

$f'(t)=3at^2+2bt+c$ ······ ㉠

조건 (나)에서 $f'(1)=f'(4)=0$이므로

$f'(t)=3a(t-1)(t-4)$
$\quad=3a(t^2-5t+4)$
$\quad=3at^2-15at+12a$ ······ ㉡

step 2 미정계수를 결정한다.

㉠, ㉡에서 $2b=-15a$, $c=12a$

$f(t)=at^3-\dfrac{15a}{2}t^2+12at+4$

step 3 위치의 최솟값이 존재하므로 그래프의 개형을 추론할 수 있다.

조건 (다)에서 $t>0$에서 점 P의 위치의 최솟값이 존재하므로
함수 $y=f(t)$의 그래프의 개형은 그림과 같다.

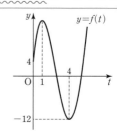

위치의 최솟값이 $t>0$에서 존재하므로 함수 $f(t)$의 극솟값이 $t>0$에서 존재하고 함수 $f(t)$의 극솟값이 최솟값이어야 한다.

즉, 함수 $f(t)$는 $t=4$에서 최솟값 -12를 가지므로

$f(4)=64a-120a+48a+4=-12$

$-8a+4=-12$, $a=2$

따라서 $f(t)=2t^3-15t^2+24t+4$

이때 $f(1)=15$이므로 $0<t\le 4$에서 원점과 점 P 사이의 거리의 최댓값은 15이다. $|f(1)|>|f(4)|$이므로 거리의 최댓값은 $f(1)$이다. ↵

답 15

59

세 정수 a, b, c에 대하여 함수 $f(x)=x^3+ax^2+bx+c$가 다음 조건을 만족시킨다.

> (가) $f(-1)=f(1)=0$ → $f(x)$에 $x=-1$, $x=1$을 대입하여 정리하면 미지수의 값을 구할 수 있다.
>
> (나) $|x|\le 1$일 때, $f(x)\ge 1-|x|$
> → $-1\le x\le 1$에서 함수 $y=f(x)$의 그래프가 함수 $y=1-|x|$의 그래프와 만나거나 위에 있다.

$a^2+b^2+c^2$의 최솟값은?

① 1   ② 3   ③ 5
④ 7   √⑤ 9

문항 파헤치기

조건 (가), (나)에 해당되는 삼차함수 $f(x)$의 그래프와 함수 $y=1-|x|$의 그래프의 위치 관계를 판단하기

실수 point 찾기

조건에 해당되는 함수의 그래프가 하나가 아닌 여러 개 나올 수 있음을 생각하고, 방정식 $f(x)=1-|x|$가 서로 다른 세 실근을 가짐에 유의하여 문제를 해결한다.

풀이전략

조건에 값을 대입하여 미정계수를 결정한다.

문제풀이

step 1 미정계수를 결정하기 위하여 주어진 값을 대입한다.

조건 (가)에서

$f(-1)=-1+a-b+c=0$

$f(1)=1+a+b+c=0$

이므로

$c=-a$이고 $b=-1$ → 위의 두 식을 연립하여 미정계수를 결정한다.

$f(x)=x^3+ax^2-x-a$
$\quad=(x^2-1)(x+a)$
$\quad=(x-1)(x+1)(x+a)$

$f'(x)=3x^2+2ax-1$

step 2 함수 $y=f(x)$와 $y=1-|x|$의 그래프의 위치 관계를 추측한다.

조건 (나)에서 $f(0)=-a\ge 1$이고, $f(-1)=f(1)=0$이므로
조건을 만족하려면 함수 $f(x)$의 그래프가 그림과 같아야 한다.

→ $-1\le x\le 1$에서 함수 $y=f(x)$의 그래프가 함수 $y=1-|x|$의 그래프와 만나거나 위에 있다.

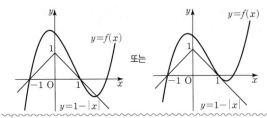

또는

↳ $f(x)=x^3+ax^2-x-a=(x-1)(x+1)(x+a)$에서
함수 $y=f(x)$의 그래프가 x축과 만나는 점의 x좌표는
1, -1, $-a$이다. 이때 a의 값을 알 수 없으므로 함수
$f(x)$의 최고차항의 계수가 1임을 파악하여 위와 같이 두 가지
형태의 그래프를 추측해야 한다.

step 3 함수 $y=f(x)$와 $y=1-|x|$의 그래프의 위치 관계를 결정한다.

즉, $f'(-1)=2-2a\geq1$, $f'(1)=2+2a\leq-1$이어야 하므로
↳ $x=-1$과 $x=1$에서의 $y=f(x)$의 접선의 기울기로
$y=1-|x|$의 그래프와의 위치 관계를 파악한다.

$a\leq-\dfrac{3}{2}$

a가 정수이므로 $a\leq-2$이고 함수 $y=f(x)$의 그래프는 그림과 같다.

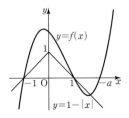

즉, $f'(1)=2+2a<-1$이어야 하므로 두 함수 $y=f(x)$, $y=1-|x|$
의 그래프는 $x=1$에서 접하지 않는다. ↳ 접선의 기울기로 그래프의 위치
관계를 결정한다.

따라서 $a\leq-2$이므로 $a^2+b^2+c^2$의 최솟값은

$(-2)^2+(-1)^2+2^2=9$

답 ⑤

---

06 부정적분과 정적분

내신 기출 우수 문항

본문 78~81쪽

01 ④	**02** ③	**03** ②	**04** ②	**05** ①
06 ⑤	**07** ⑤	**08** ②	**09** ③	**10** ④
11 ④	**12** ④	**13** ③	**14** $\dfrac{3}{2}$	**15** ①
16 ②	**17** ③	**18** ②	**19** ⑤	**20** ②
21 ②	**22** -4	**23** 14		

01 $f(x)g(x)$는 $h(x)$의 부정적분이므로

$h(x)=\dfrac{d}{dx}\{f(x)g(x)\}$

$\quad\quad=f'(x)g(x)+f(x)g'(x)$

또한 $f(x)=x^2+2x$, $g(x)=2x^2-3$에서

$f'(x)=2x+2$, $g'(x)=4x$

이때 $f(2)=8$, $f'(2)=6$, $g(2)=5$, $g'(2)=8$이므로

$h(2)=f'(2)g(2)+f(2)g'(2)$

$\quad\quad=30+64$

$\quad\quad=94$

답 ④

02 $\dfrac{d}{dx}\displaystyle\int f(x)dx=f(x)$이므로

$f(x)=x^2-2x-3$

$f(x+3)=3f(x)$에서

$(x+3)^2-2(x+3)-3=3(x^2-2x-3)$

$x^2+4x=3x^2-6x-9$

$2x^2-10x-9=0$

방정식 $2x^2-10x-9=0$의 판별식을 D라 하면

$\dfrac{D}{4}=(-5)^2-2\times(-9)=43>0$

이므로 방정식 $2x^2-10x-9=0$은 서로 다른 두 실근을 갖는다.

따라서 방정식 $2x^2-10x-9=0$을 만족시키는 모든 실수 x의 값의 합은 이차방정식의 근과 계수의 관계에 의하여 5이다.

답 ③

03 $f(x)=\displaystyle\int\left\{\dfrac{d}{dx}(3x^2-6x)\right\}dx$

$\quad\quad\quad=3x^2-6x+C$ (C는 적분상수)

$f(2)=12-12+C=2$이므로 $C=2$

따라서 $f(x)=3x^2-6x+2$

방정식 $f(x)=0$의 판별식을 D라 하면

$\dfrac{D}{4}=9-3\times2=3>0$

이므로 방정식 $3x^2-6x+2=0$은 서로 다른 두 실근을 갖는다.

따라서 방정식 $3x^2-6x+2=0$을 만족시키는 모든 실수 x의 값의 곱은
이차방정식의 근과 계수의 관계에 의하여 $\dfrac{2}{3}$이다.

답 ②

04 $f'(x)=\begin{cases} 2x-3 & (x<1) \\ x^2-x+k & (x>1) \end{cases}$ 이므로

$f(x)=\begin{cases} x^2-3x+C_1 & (x<1) \\ \dfrac{1}{3}x^3-\dfrac{1}{2}x^2+kx+C_2 & (x>1) \end{cases}$ (C_1, C_2는 적분상수)

함수 $f(x)$가 $x=1$에서 미분가능하므로

$\displaystyle\lim_{x\to1+}f'(x)=\lim_{x\to1-}f'(x)$에서

$\displaystyle\lim_{x\to1+}(x^2-x+k)=\lim_{x\to1-}(2x-3)$

$1-1+k=2-3$이므로 $k=-1$

$f(0)=2$에서 $f(0)=C_1=2$

또한 함수 $f(x)$가 $x=1$에서 연속이므로

$\displaystyle\lim_{x\to1+}f(x)=\lim_{x\to1-}f(x)$에서

$\displaystyle\lim_{x\to1+}\left(\dfrac{1}{3}x^3-\dfrac{1}{2}x^2-x+C_2\right)=\lim_{x\to1-}(x^2-3x+2)$

$\dfrac{1}{3}-\dfrac{1}{2}-1+C_2=1-3+2$이므로

$C_2=\dfrac{7}{6}$

따라서 $f(x)=\begin{cases} x^2-3x+2 & (x<1) \\ \dfrac{1}{3}x^3-\dfrac{1}{2}x^2-x+\dfrac{7}{6} & (x\geq1) \end{cases}$ 이므로

$f(2)=\dfrac{8}{3}-2-2+\dfrac{7}{6}=-\dfrac{1}{6}$

답 ②

05 $f'(x)=\begin{cases} 2x+3 & (x<1) \\ 3x^2-4x & (x>1) \end{cases}$ 이므로

$f(x)=\begin{cases} x^2+3x+C_1 & (x<1) \\ x^3-2x^2+C_2 & (x>1) \end{cases}$ (C_1, C_2는 적분상수)

함수 $y=f(x)$의 그래프가 점 $(0,-1)$을 지나므로
$f(0)=C_1=-1$
또한 함수 $f(x)$가 $x=1$에서 연속이므로

$\displaystyle\lim_{x\to1+}f(x)=\lim_{x\to1-}f(x)=f(1)$에서

$\displaystyle\lim_{x\to1+}(x^3-2x^2+C_2)=\lim_{x\to1-}(x^2+3x-1)$

$C_2-1=3$이므로 $C_2=4$

따라서 $f(x)=\begin{cases} x^2+3x-1 & (x<1) \\ x^3-2x^2+4 & (x\geq1) \end{cases}$ 이므로

$f(-2)=4-6-1=-3$, $f(2)=8-8+4=4$이고
$f(-2)+f(2)=1$

답 ①

06 $f(x+y)=f(x)+f(y)+4xy+2$에 $x=0$, $y=0$을 대입하면

$f(0)=2f(0)+2$, $f(0)=-2$
함수 $f(x)$가 미분가능하므로

$\begin{aligned} f'(x) &=\lim_{h\to0}\dfrac{f(x+h)-f(x)}{h} \\ &=\lim_{h\to0}\dfrac{f(x)+f(h)+4xh+2-f(x)}{h} \\ &=\lim_{h\to0}\left\{\dfrac{f(h)+2}{h}+4x\right\} \\ &=\lim_{h\to0}\left\{\dfrac{f(0+h)-f(0)}{h}+4x\right\}\ (f(0)=-2) \\ &=f'(0)+4x \\ &=4x+3 \end{aligned}$

$\begin{aligned} f(x) &=\int(4x+3)dx \\ &=2x^2+3x+C \ (C\text{는 적분상수}) \end{aligned}$

$f(0)=-2$에서 $C=-2$
따라서 $f(x)=2x^2+3x-2$이므로
$f(5)=50+15-2=63$

답 ⑤

07 함수 $f(x)$가 미분가능하므로

$\begin{aligned} &\lim_{h\to0}\dfrac{f(x+h)-f(x-2h)}{h} \\ &=\lim_{h\to0}\dfrac{f(x+h)-f(x)}{h}+2\lim_{h\to0}\dfrac{f(x-2h)-f(x)}{-2h} \\ &=3f'(x) \end{aligned}$

에서 $3f'(x)=9x^2-6x+3$
$f'(x)=3x^2-2x+1$

$\begin{aligned} f(x) &=\int f'(x)dx \\ &=\int(3x^2-2x+1)dx \\ &=x^3-x^2+x+C \ (C\text{는 적분상수}) \end{aligned}$

$f(-2)=-8-4-2+C=0$이므로
$C=14$
따라서 $f(x)=x^3-x^2+x+14$이므로
$f(2)=8-4+2+14=20$

답 ⑤

08 주어진 도함수 $y=f'(x)$의 그래프에서

$f'(x)=\begin{cases} x+4 & (x<-2) \\ 2 & (-2\leq x<2) \\ -x+4 & (x\geq2) \end{cases}$

이므로

$f(x)=\begin{cases} \dfrac{1}{2}x^2+4x+C_1 & (x<-2) \\ 2x+C_2 & (-2\leq x<2) \\ -\dfrac{1}{2}x^2+4x+C_3 & (x\geq2) \end{cases}$ (C_1, C_2, C_3은 적분상수)

함수 $y=f(x)$의 그래프가 원점을 지나므로

$f(0)=C_2=0$

또한 함수 $f(x)$가 실수 전체의 집합에서 연속이므로

$f(-2)=2-8+C_1=-4$에서 $C_1=2$

$f(2)=-2+8+C_3=4$에서 $C_3=-2$

$$f(x)=\begin{cases}\dfrac{1}{2}x^2+4x+2 & (x<-2)\\ 2x & (-2\leq x<2)\\ -\dfrac{1}{2}x^2+4x-2 & (x\geq 2)\end{cases}$$

따라서

$$f(-3)+f(1)+f(5)=\left(\frac{9}{2}-12+2\right)+2+\left(-\frac{25}{2}+20-2\right)$$
$$=\left(-\frac{11}{2}\right)+2+\frac{11}{2}$$
$$=2$$

답 ②

09 $f'(x)=6x^2-6x+k$에서

$f(x)=\displaystyle\int(6x^2-6x+k)dx=2x^3-3x^2+kx+C$ (C는 적분상수)

$f(x)$가 x^2-1, 즉 $(x+1)(x-1)$로 나누어떨어지므로

$f(-1)=-2-3-k+C=0$ ⋯⋯ ㉠

$f(1)=2-3+k+C=0$ ⋯⋯ ㉡

㉠, ㉡을 연립하여 풀면

$k=-2$, $C=3$

따라서 $f(x)=2x^3-3x^2-2x+3$이므로

$f(2)=16-12-4+3=3$

답 ③

10 $\dfrac{d}{dx}\{f(x)+g(x)\}=4x-2$에서

$f(x)+g(x)=2x^2-2x+C_1$ (C_1은 적분상수)

$f(0)=1$, $g(0)=0$이므로 위의 식에 $x=0$을 대입하면

$C_1=1$

$f(x)+g(x)=2x^2-2x+1$ ⋯⋯ ㉠

$\dfrac{d}{dx}\{f(x)g(x)\}=4x^3-6x^2+2x-2$에서

$f(x)g(x)=x^4-2x^3+x^2-2x+C_2$ (C_2는 적분상수)

$f(0)=1$, $g(0)=0$이므로 위의 식에 $x=0$을 대입하면

$C_2=0$

$f(x)g(x)=x^4-2x^3+x^2-2x$ ⋯⋯ ㉡

㉠, ㉡에서 $f(x)$, $g(x)$의 최고차항의 차수는 2이다.

$f(x)g(x)=x^4-2x^3+x^2-2x$
$\qquad\qquad=(x^2+1)(x^2-2x)$

$f(x)+g(x)=2x^2-2x+1$
$\qquad\qquad=(x^2+1)+(x^2-2x)$

이고 $f(0)=1$, $g(0)=0$이므로

$f(x)=x^2+1$, $g(x)=x^2-2x$

따라서 $f(3)-g(3)=10-3=7$

답 ④

11 $\dfrac{d}{dx}\displaystyle\int_{-1}^{x}f(t)dt=f(x)$이고

$\displaystyle\int_{-1}^{x}\left\{\frac{d}{dt}f(t)\right\}dt=\Big[f(t)\Big]_{-1}^{x}$
$\qquad\qquad\qquad\qquad=f(x)-f(-1)$

이므로

$\dfrac{d}{dx}\displaystyle\int_{-1}^{x}f(t)dt-\int_{-1}^{x}\left\{\frac{d}{dt}f(t)\right\}dt=f(x)-\{f(x)-f(-1)\}$
$\qquad\qquad\qquad\qquad\qquad\qquad=f(-1)$
$\qquad\qquad\qquad\qquad\qquad\qquad=27$

답 ④

12 $\displaystyle\int_{a}^{x}f(t)dt=x^3-4ax+7a-6$

위의 식의 양변에 $x=a$를 대입하면

$\displaystyle\int_{a}^{a}f(t)dt=a^3-4a^2+7a-6$

$0=(a-2)(a^2-2a+3)$

방정식 $a^2-2a+3=0$의 판별식을 D라 하면

$\dfrac{D}{4}=1-1\times3<0$

이므로 방정식 $a^2-2a+3=0$의 실근은 존재하지 않는다.

따라서 $a=2$

$\displaystyle\int_{2}^{x}f(t)dt=x^3-8x+8$의 양변을 x에 대하여 미분하면

$f(x)=3x^2-8$이므로

$f(2)=12-8=4$

답 ④

13 $3f(x)=3x^2-4x+\displaystyle\int_{0}^{x}f'(t)dt$의 양변에 $x=0$을 대입하면

$3f(0)=0$, $f(0)=0$

$3f(x)=3x^2-4x+\displaystyle\int_{0}^{x}f'(t)dt$의 양변을 x에 대하여 미분하면

$3f'(x)=6x-4+f'(x)$

$2f'(x)=6x-4$

따라서 $f'(x)=3x-2$

$f(x)=\displaystyle\int f'(x)dx=\int(3x-2)dx$
$\qquad=\dfrac{3}{2}x^2-2x+C$ (C는 적분상수)

$f(0)=0$이므로 $C=0$

따라서 $f(x)=\dfrac{3}{2}x^2-2x$이므로

$f(4)=24-8=16$

답 ③

14 $\int_2^{a+2}(2x+a)dx=\Big[x^2+ax\Big]_2^{a+2}$

$\qquad\qquad =(a+2)^2+a(a+2)-(4+2a)$

$\qquad\qquad =2a^2+4a=a+9$

$2a^2+3a-9=0,\ (2a-3)(a+3)=0$

$a>0$이므로 $a=\dfrac{3}{2}$

답 $\dfrac{3}{2}$

15 $\int_{-1}^{0}(x^3+2x^2+3x+4)dx+\int_{0}^{1}(x^3+2x^2+3x+4)dx$

$\qquad =\int_{-1}^{1}(x^3+2x^2+3x+4)dx$

$\qquad =2\int_{0}^{1}(2x^2+4)dx$

$\qquad =2\Big[\dfrac{2}{3}x^3+4x\Big]_0^1$

$\qquad =2\Big(\dfrac{2}{3}+4\Big)$

$\qquad =\dfrac{28}{3}$

답 ①

16 $\dfrac{d}{dx}\{(x^3+x)f(x)\}=(3x^2+1)f(x)+(x^3+x)f'(x)$이므로

$\int_{-1}^{3}(3x^2+1)f(x)dx+\int_{-1}^{3}(x^3+x)f'(x)dx$

$=\int_{-1}^{3}\{(3x^2+1)f(x)+(x^3+x)f'(x)\}dx$

$=\int_{-1}^{3}\dfrac{d}{dx}\{(x^3+x)f(x)\}dx$

$=\Big[(x^3+x)f(x)\Big]_{-1}^{3}$

$=30f(3)-(-2)f(-1)=64$

이때 $f(-1)=2$이므로

$30f(3)+4=64,\ 30f(3)=60$

따라서 $f(3)=2$

답 ②

17 $g(-1)=\int_{-1}^{-1}f(t)dt=0$이고,

$\int_{-1}^{1}f(x)dx=\int_{1}^{2}f(x)dx=\int_{2}^{6}f(x)dx=0$이므로

$g(1)=\int_{-1}^{1}f(t)dt=0$

$g(2)=\int_{-1}^{2}f(t)dt=\int_{-1}^{1}f(t)dt+\int_{1}^{2}f(t)dt$

$\qquad =0+0=0$

$g(6)=\int_{-1}^{6}f(t)dt=\int_{-1}^{2}f(t)dt+\int_{2}^{6}f(t)dt$

$\qquad =0+0=0$

이때 $g(x)=\displaystyle\int_{-1}^{x}f(t)dt$에서 $g(x)$는 사차함수이므로 $x=-1$, $x=1$, $x=2$, $x=6$은 방정식 $g(x)=0$의 모든 실근이다.

따라서 사차방정식 $g(x)=0$의 모든 실근의 합은

$(-1)+1+2+6=8$

답 ③

18 $|x^2-2x|=\begin{cases}x^2-2x & (x<0)\\ -x^2+2x & (0\le x<2)\\ x^2-2x & (x\ge 2)\end{cases}$이므로

$\int_{0}^{4}|x^2-2x|dx=\int_{0}^{2}(-x^2+2x)dx+\int_{2}^{4}(x^2-2x)dx$

$\qquad =\Big[-\dfrac{1}{3}x^3+x^2\Big]_0^2+\Big[\dfrac{1}{3}x^3-x^2\Big]_2^4$

$\qquad =\Big(-\dfrac{8}{3}+4\Big)+\Big(\dfrac{64}{3}-16\Big)-\Big(\dfrac{8}{3}-4\Big)$

$\qquad =8$

답 ②

19 $f(x)=(|x|+1)^3$이라 하면

$f(x)=|x|^3+3x^2+3|x|+1$이고,

$f(-x)=|-x|^3+3(-x)^2+3|-x|+1$

$\qquad =|x|^3+3x^2+3|x|+1$

$\qquad =f(x)$

이므로

$\int_{-2}^{2}(|x|+1)^3dx=2\int_{0}^{2}(|x|+1)^3dx$

$\qquad =2\int_{0}^{2}(x^3+3x^2+3x+1)dx$

$\qquad =2\Big[\dfrac{1}{4}x^4+x^3+\dfrac{3}{2}x^2+x\Big]_0^2$

$\qquad =2(4+8+6+2)=40$

답 ⑤

20 모든 실수 x에 대하여 $f(-x)=-f(x)$이므로

$\int_{-a}^{a}f(x)dx=0$

$\int_{-3}^{2}f(x)dx=\int_{-3}^{-2}f(x)dx+\int_{-2}^{2}f(x)dx$

$\qquad =\int_{-3}^{-2}f(x)dx$

$\qquad =-5$

따라서

$\int_{-3}^{5}f(x)dx=\int_{-3}^{-2}f(x)dx+\int_{-2}^{5}f(x)dx$

$\qquad =(-5)+12=7$

답 ②

21 $\int(4x^3+2x-3)dx=F(x)+C$ (C는 적분상수)라 하면

$F'(x)=4x^3+2x-3$

$\displaystyle\int_{1-2h}^{1+3h}(4x^3+2x-3)dx=\Big[F(x)\Big]_{1-2h}^{1+3h}$

$=F(1+3h)-F(1-2h)$

$\displaystyle\lim_{h\to0}\frac{1}{h}\int_{1-2h}^{1+3h}(4x^3+2x-3)dx$

$\displaystyle=\lim_{h\to0}\frac{F(1+3h)-F(1-2h)}{h}$

$\displaystyle=\lim_{h\to0}\frac{F(1+3h)-F(1)+F(1)-F(1-2h)}{h}$

$\displaystyle=\lim_{h\to0}\frac{F(1+3h)-F(1)}{h}-\lim_{h\to0}\frac{F(1-2h)-F(1)}{h}$

$\displaystyle=3\times\lim_{h\to0}\frac{F(1+3h)-F(1)}{3h}+2\times\lim_{h\to0}\frac{F(1-2h)-F(1)}{-2h}$

$=3F'(1)+2F'(1)$

$=5F'(1)$

$=5(4+2-3)$

$=15$

답 ②

22 곡선 $y=f(x)$가 원점을 지나므로 $f(0)=0$이고
$f'(x)=3x^2-6x+a$이므로

$f(x)=\displaystyle\int f'(x)dx$

$\displaystyle=\int(3x^2-6x+a)dx$

$=x^3-3x^2+ax+C$ (C는 적분상수)

─────────────────────── (가)

$f(0)=C=0$이므로

$f(x)=x^3-3x^2+ax$

방정식 $f'(x)=0$, 즉 $3x^2-6x+a=0$의 두 근을 α, β라 하면 근과 계수의 관계에 의하여

$\alpha+\beta=2$, $\alpha\beta=\dfrac{a}{3}$

함수 $f(x)$의 극댓값과 극솟값의 합이 -12이므로

$f(\alpha)+f(\beta)=-12$

이때 $\alpha^3+\beta^3=(\alpha+\beta)^3-3\alpha\beta(\alpha+\beta)=8-2a$,

$\alpha^2+\beta^2=(\alpha+\beta)^2-2\alpha\beta=4-\dfrac{2}{3}a$이므로

─────────────────────── (나)

$f(\alpha)+f(\beta)=(\alpha^3+\beta^3)-3(\alpha^2+\beta^2)+a(\alpha+\beta)$

$=(8-2a)-3\Big(4-\dfrac{2}{3}a\Big)+2a$

$=2a-4$

$=-12$

따라서 $a=-4$

─────────────────────── (다)

답 -4

단계	채점 기준	비율
(가)	함수 $f(x)$를 구한 경우	30 %
(나)	근과 계수의 관계를 이용하여 $\alpha^3+\beta^3$, $\alpha^2+\beta^2$의 값을 구한 경우	40 %
(다)	a의 값을 구한 경우	30 %

23 $\displaystyle\int_2^x xf(t)dt=\int_2^x tf(t)dt+ax^3-2x^2-4x+8$의 양변에 $x=2$를 대입하면

$0=0+8a-8-8+8$에서 $a=1$

─────────────────────── (가)

$\displaystyle\int_2^x xf(t)dt=\int_2^x tf(t)dt+x^3-2x^2-4x+8$에서

$x\displaystyle\int_2^x f(t)dt=\int_2^x tf(t)dt+x^3-2x^2-4x+8$

이므로 양변을 x에 대하여 미분하면

$\displaystyle\int_2^x f(t)dt+xf(x)=xf(x)+3x^2-4x-4$

$\displaystyle\int_2^x f(t)dt=3x^2-4x-4$

─────────────────────── (나)

위의 식의 양변을 x에 대하여 미분하면

$f(x)=6x-4$

따라서 $f(3)=14$

─────────────────────── (다)

답 14

단계	채점 기준	비율
(가)	a의 값을 구한 경우	30 %
(나)	$\displaystyle\int_2^x f(t)dt=3x^2-4x-4$임을 보인 경우	40 %
(다)	$f(3)$의 값을 구한 경우	30 %

24 ③	25 ②	26 ①	27 ③	28 ④
29 ⑤	30 $-\dfrac{2}{3}$	31 ③	32 4	33 ①
34 235	35 ②	36 ①	37 ⑤	38 ①
39 ③	40 ②	41 ⑤	42 ③	43 ④
44 ③	45 -4	46 14		

24 $\displaystyle\int \{f'(x)\}^2 dx = 4f(x)+k$의 양변을 x에 대하여 미분하면

$\{f'(x)\}^2 = 4f'(x)$

$f'(x)\{f'(x)-4\}=0$

$f'(x)=0$ 또는 $f'(x)=4$

함수 $f(x)$가 상수함수가 아니므로 $f'(x)=4$

따라서 $f(x)=\displaystyle\int 4dx = 4x+C$ (C는 적분상수)

조건 (나)에서

$\displaystyle\int_1^3 (4x+C)dx = 3\int_0^2 (4x+C)dx$

$\Big[2x^2+Cx\Big]_1^3 = 3\Big[2x^2+Cx\Big]_0^2$

$(18+3C)-(2+C)=3(8+2C)$

$16+2C=24+6C,\ C=-2$

따라서 $f(x)=4x-2$이므로

$f(5)=18$

답 ③

25 다항함수 $f(x)$의 차수를 n (n은 자연수)이라 하면 함수 $xf(x)$의 차수는 $n+1$이고, 함수 $g(x)=\displaystyle\int xf(x)dx$의 차수는 $n+2$이다.

함수 $f(x)g(x)$의 차수가 4이므로

$n+(n+2)=4,\ n=1$

즉, $f(x)$는 일차함수이므로 $f(x)=ax+b$ ($a,\ b$는 상수, $a\ne 0$)라 하면

$f(0)>0$에서 $b>0$

$g(x)=\displaystyle\int xf(x)dx$

$\quad =\displaystyle\int (ax^2+bx)dx$

$\quad =\dfrac{a}{3}x^3+\dfrac{b}{2}x^2+C$ (C는 적분상수)

$f(x)g(x)=(ax+b)\Big(\dfrac{a}{3}x^3+\dfrac{b}{2}x^2+C\Big)$

$\quad =\dfrac{a^2}{3}x^4+\Big(\dfrac{ab}{2}+\dfrac{ab}{3}\Big)x^3+\dfrac{b^2}{2}x^2+aCx+bC$

$\quad =3x^4+10x^3+8x^2$

에서 $\dfrac{a^2}{3}=3,\ \dfrac{5ab}{6}=10,\ \dfrac{b^2}{2}=8,\ aC=0,\ bC=0$

$a\ne 0,\ b>0$이므로 $C=0$이고 $a=3,\ b=4$

따라서 $g(x)=x^3+2x^2$이므로 $g(3)=27+18=45$

답 ②

26 함수 $f(x)$의 한 부정적분이 $F(x)$이므로 $F'(x)=f(x)$이고, $4F(0)=0$에서 $F(0)=0$

$4F(x)=x\{f(x)+12\}$의 양변을 x에 대하여 미분하면

$4F'(x)=\{f(x)+12\}+xf'(x)$

$4f(x)=f(x)+12+xf'(x)$

$3f(x)=xf'(x)+12$ ⋯⋯ ㉠

함수 $f(x)$의 차수를 n (n은 자연수)이라 하면 함수 $xf'(x)+12$의 차수도 n이다.

함수 $f(x)$의 최고차항의 계수가 1이므로 $3f(x)$의 최고차항의 계수는 3이고, $xf'(x)+12$의 최고차항의 계수는 n이므로 $n=3$

즉, $f(x)$는 삼차함수이다.

$f(x)=x^3+ax^2+bx+c$ ($a,\ b,\ c$는 상수) ⋯⋯ ㉡

라 하면 $f'(x)=3x^2+2ax+b$ ⋯⋯ ㉢

㉡, ㉢을 ㉠에 대입하여 정리하면

$3x^3+3ax^2+3bx+3c=3x^3+2ax^2+bx+12$

$a=0,\ b=0,\ c=4$

즉, $f(x)=x^3+4$이므로

$F(x)=\displaystyle\int f(x)dx$

$\quad =\displaystyle\int (x^3+4)dx$

$\quad =\dfrac{1}{4}x^4+4x+C$ (C는 적분상수)

$F(0)=0$에서 $C=0$

따라서 $F(x)=\dfrac{1}{4}x^4+4x$이므로

$F(2)=4+8=12$

답 ①

27 $f(x)=x^5+x^4+3x$에서 $f'(x)=5x^4+4x^3+3$

$\displaystyle\lim_{x\to 0}\dfrac{1}{x}\int_0^x (x+t+2)f'(t)dt$

$=\displaystyle\lim_{x\to 0}\dfrac{1}{x}\Big\{\int_0^x xf'(t)dt+\int_0^x (t+2)f'(t)dt\Big\}$

$=\displaystyle\lim_{x\to 0}\dfrac{1}{x}\Big\{x\int_0^x f'(t)dt+\int_0^x (t+2)f'(t)dt\Big\}$

$=\displaystyle\lim_{x\to 0}\int_0^x f'(t)dt+\lim_{x\to 0}\dfrac{1}{x}\int_0^x (t+2)f'(t)dt$

$=\displaystyle\lim_{x\to 0}\{f(x)-f(0)\}+\lim_{x\to 0}\dfrac{1}{x}\int_0^x (t+2)f'(t)dt$

$=\displaystyle\lim_{x\to 0}\dfrac{1}{x}\int_0^x (t+2)f'(t)dt$

함수 $(t+2)f'(t)$의 부정적분 중 하나를 $F(t)$라 하면

$F'(t)=(t+2)f'(t)$이므로

$\displaystyle\lim_{x\to 0}\dfrac{1}{x}\int_0^x (t+2)f'(t)dt=\lim_{x\to 0}\dfrac{F(x)-F(0)}{x}$

$$=F'(0)=2f'(0)$$

따라서 $\lim_{x \to 0} \frac{1}{x}\int_0^x (x+t+2)f'(t)dt=2f'(0)=2\times3=6$

답 ③

28 직선 $y=4$와 함수 $y=f(x)$의 그래프가 접하고, 직선 $y=4$의 기울기가 0이므로 함수 $y=f(x)$의 그래프와 직선 $y=4$는 $f'(a)=0$을 만족시키는 함수 $y=f(x)$의 그래프 위의 $x=a$인 점에서 접한다.

즉, $f'(x)=12(x+1)^2(x-1)$이므로 함수 $y=f(x)$의 그래프 위의 $x=-1$ 또는 $x=1$인 점에서 직선 $y=4$와 접한다.

따라서 $f(-1)=4$ 또는 $f(1)=4$이다.

$$f(x)=\int \{12(x+1)^2(x-1)\}dx$$
$$=\int (12x^3+12x^2-12x-12)dx$$
$$=3x^4+4x^3-6x^2-12x+C \ (C는 적분상수)$$

$f(0)>0$이므로 $C>0$

(i) $f(-1)=4$인 경우

$\quad f(-1)=3-4-6+12+C=4$에서 $C=-1$

(ii) $f(1)=4$인 경우

$\quad f(1)=3+4-6-12+C=4$에서 $C=15$

(i), (ii)에서 $f(x)=3x^4+4x^3-6x^2-12x+15$이므로

$f(2)=48+32-24-24+15=47$

답 ④

29 함수 $y=f'(x)$의 그래프와 x축과의 교점의 x좌표가 $-2, 2, 3$이므로

$$f'(x)=a(x+2)(x-2)(x-3) \ (a>0)$$
$$=a(x^3-3x^2-4x+12)$$

$$f(x)=\int f'(x)dx$$
$$=a\int (x^3-3x^2-4x+12)dx$$
$$=a\left(\frac{1}{4}x^4-x^3-2x^2+12x\right)+C \ (C는 적분상수)$$

또한

$$f(-2)=a(4+8-8-24)+C$$
$$=-20a+C=-64 \qquad \cdots\cdots \ \ominus$$

$$f(3)=a\left(\frac{81}{4}-27-18+36\right)+C$$
$$=\frac{45}{4}a+C=61 \qquad \cdots\cdots \ \olessthan$$

$\ominus$, $\olessthan$을 연립하여 풀면 $a=4$, $C=16$이므로

$$f(x)=x^4-4x^3-8x^2+48x+16$$

함수 $f(x)$의 증가와 감소를 표로 나타내면 다음과 같다.

x	$\cdots$	-2	$\cdots$	2	$\cdots$	3	$\cdots$
$f'(x)$	$-$	0	$+$	0	$-$	0	$+$
$f(x)$	$\searrow$	-64	$\nearrow$	64	$\searrow$	61	$\nearrow$

따라서 함수 $y=f(x)$의 그래프와 함수 $y=|f(x)|$의 그래프는 그림과 같다.

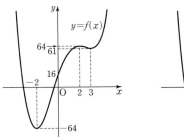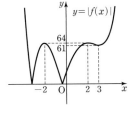

따라서 방정식 $|f(x)|=k$가 서로 다른 6개의 실근을 갖도록 하는 정수 k는 62, 63이므로 그 합은 $62+63=125$

답 ⑤

30 $\int_0^2 f(x)dx=\int_0^a f(x)dx+\int_a^2 f(x)dx$이므로

$\int_0^2 f(x)dx=\int_a^2 f(x)dx$에서 $\int_0^a f(x)dx=0$

$$\int_0^a f(x)dx=\int_0^a (x^3+2x^2-ax)dx$$
$$=\left[\frac{1}{4}x^4+\frac{2}{3}x^3-\frac{a}{2}x^2\right]_0^a$$
$$=\frac{1}{4}a^4+\frac{2}{3}a^3-\frac{1}{2}a^3$$
$$=\frac{1}{4}a^4+\frac{1}{6}a^3$$
$$=\frac{1}{4}a^3\left(a+\frac{2}{3}\right)=0$$

따라서 0이 아닌 실수 a의 값은 $-\frac{2}{3}$이다.

답 $-\dfrac{2}{3}$

31 이차함수 $f(x)$의 그래프에 의하여

$f(x)=a(x-1)(x-3) \ (a>0)$이라 하면

$f(0)=3a=6$, $a=2$

따라서 $f(x)=2(x-1)(x-3)$

한편,

$$G'(x)=\frac{d}{dx}\left\{\int_{-1}^x f(t)dt\right\}$$
$$=f(x)=2(x-1)(x-3)$$

$G'(x)=0$에서 $x=1$ 또는 $x=3$

함수 $G(x)$의 증가와 감소를 표로 나타내면 다음과 같다.

x	$\cdots$	1	$\cdots$	3	$\cdots$
$G'(x)$	$+$	0	$-$	0	$+$
$G(x)$	$\nearrow$	극대	$\searrow$	극소	$\nearrow$

따라서 $G(x)$의 극솟값은

$$G(3)=\int_{-1}^3 f(t)dt$$

$$=\int_{-1}^{3} 2(t-1)(t-3)dt$$

$$=\int_{-1}^{3} (2t^2-8t+6)dt$$

$$=\left[\frac{2}{3}t^3-4t^2+6t\right]_{-1}^{3}$$

$$=(18-36+18)-\left(-\frac{2}{3}-4-6\right)$$

$$=\frac{32}{3}$$

答 ③

32 $h(x)=f(x)-g(x)$라 하면 모든 실수 x에 대하여
$f'(x)>g'(x)$
즉, $h'(x)=f'(x)-g'(x)>0$이므로 함수 $h(x)$는 실수 전체의 집합에서 증가한다.
또한 $f(0)=g(0)=0$이므로 $h(0)=0$
따라서 $x<0$일 때 $h(x)<0$, $x>0$일 때 $h(x)>0$이므로

$$\int_{-2}^{0} |f(x)-g(x)|dx=-\int_{-2}^{0} \{f(x)-g(x)\}dx=4$$

$$\int_{0}^{3} |f(x)-g(x)|dx=\int_{0}^{3} \{f(x)-g(x)\}dx=8$$

따라서

$$\int_{-2}^{3} \{f(x)-g(x)\}dx$$

$$=\int_{-2}^{0} \{f(x)-g(x)\}dx+\int_{0}^{3} \{f(x)-g(x)\}dx$$

$$=(-4)+8=4$$

答 4

33 (i) $0\leq \frac{x}{2}<2$일 때, $0\leq x<4$이고

$$f(x)=\int_{0}^{\frac{x}{2}} (x-2t)dt+\int_{\frac{x}{2}}^{2} (2t-x)dt$$

$$=\left[xt-t^2\right]_{0}^{\frac{x}{2}}+\left[t^2-xt\right]_{\frac{x}{2}}^{2}$$

$$=\left(\frac{1}{2}x^2-\frac{1}{4}x^2\right)+(4-2x)-\left(\frac{1}{4}x^2-\frac{1}{2}x^2\right)$$

$$=\frac{1}{2}x^2-2x+4$$

(ii) $\frac{x}{2}\geq 2$일 때, $x\geq 4$이고

$$f(x)=\int_{0}^{2} (x-2t)dt$$

$$=\left[xt-t^2\right]_{0}^{2}$$

$$=2x-4$$

(i), (ii)에 의하여

$$\int_{2}^{5} f(x)dx=\int_{2}^{4}\left(\frac{1}{2}x^2-2x+4\right)dx+\int_{4}^{5}(2x-4)dx$$

$$=\left[\frac{1}{6}x^3-x^2+4x\right]_{2}^{4}+\left[x^2-4x\right]_{4}^{5}$$

$$=\left(\frac{32}{3}-16+16\right)-\left(\frac{4}{3}-4+8\right)+(25-20)-(16-16)$$

$$=\frac{31}{3}$$

答 ①

34 $y'=2x$이므로 점 A에서 곡선 $y=x^2$에 접하는 직선의 기울기는 $2t$이다.
따라서 접선의 방정식은
$y-t^2=2t(x-t)$, $y=2tx-t^2$
이 직선의 x절편과 y절편은 각각 $\frac{t}{2}$, $-t^2$이므로

$$\overline{OP}=\frac{1}{2}|t|, \quad \overline{OQ}=t^2$$

$f(t)=\frac{1}{2}|t|$, $g(t)=t^2$이라 하면 방정식 $\frac{1}{2}|t|=t^2$의 해는
$t=\pm\frac{1}{2}$ $(t\neq 0)$이므로 $t\neq 0$에서 두 함수 $y=f(t)$, $y=g(t)$의 그래프는 그림과 같다.

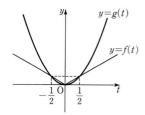

따라서 $h(t)=\begin{cases} f(t) & \left(|t|\geq \frac{1}{2}\right) \\ g(t) & \left(-\frac{1}{2}\leq t<0, 0<t\leq \frac{1}{2}\right) \end{cases}$ 이므로

$$\int_{-1}^{-\frac{1}{4}} h(t)dt=\int_{-1}^{-\frac{1}{2}} f(t)dt+\int_{-\frac{1}{2}}^{-\frac{1}{4}} g(t)dt$$

$$=\int_{-1}^{-\frac{1}{2}} \frac{1}{2}|t|dt+\int_{-\frac{1}{2}}^{-\frac{1}{4}} t^2dt$$

$$=-\left[\frac{1}{4}t^2\right]_{-1}^{-\frac{1}{2}}+\left[\frac{1}{3}t^3\right]_{-\frac{1}{2}}^{-\frac{1}{4}}$$

$$=-\left(\frac{1}{16}-\frac{1}{4}\right)+\frac{1}{3}\left(-\frac{1}{64}+\frac{1}{8}\right)$$

$$=\frac{3}{16}+\frac{7}{192}$$

$$=\frac{43}{192}$$

즉, $a=43$, $b=192$이므로
$a+b=235$

答 235

35 $f'(x)=\begin{cases} 2x-1 & (x<-1) \\ 4x+1 & (x\geq -1) \end{cases}$ 이므로

ㄱ. $\int_{-2}^{2} x^2f'(x)dx=\int_{-2}^{-1} (2x^3-x^2)dx+\int_{-1}^{2} (4x^3+x^2)dx$

$$=\left[\frac{1}{2}x^4-\frac{1}{3}x^3\right]_{-2}^{-1}+\left[x^4+\frac{1}{3}x^3\right]_{-1}^{2}$$

$$=\left(\frac{1}{2}+\frac{1}{3}\right)-\left(8+\frac{8}{3}\right)+\left(16+\frac{8}{3}\right)-\left(1-\frac{1}{3}\right)$$
$$=\frac{49}{6}\ (거짓)$$

ㄴ. $f'(x)=0$에서 $x=-\frac{1}{4}$이므로 함수 $f(x)$의 증가와 감소를 표로 나타내면 다음과 같다.

x	$\cdots$	-1	$\cdots$	$-\frac{1}{4}$	$\cdots$
$f'(x)$	$-$	$-$	$-$	0	$+$
$f(x)$	$\searrow$	4	$\searrow$	극소	$\nearrow$

따라서 함수 $f(x)$는 $x=-\frac{1}{4}$에서 극소이면서 최소이고, $x=-1$에서는 극솟값을 갖지 않는다. (거짓)

ㄷ. $f(x)=\begin{cases} x^2-x+C_1 & (x<-1) \\ 2x^2+x+C_2 & (x\geq-1) \end{cases}$ (C_1, C_2는 적분상수)

함수 $f(x)$가 $x=-1$에서 미분가능하므로 함수 $f(x)$는 $x=-1$에서 연속이다.

즉, $\lim\limits_{x\to-1-}f(x)=\lim\limits_{x\to-1+}f(x)=f(-1)$에서

$1+1+C_1=2-1+C_2=4$

$C_1=2$, $C_2=3$이므로

$$f(x)=\begin{cases} x^2-x+2 & (x<-1) \\ 2x^2+x+3 & (x\geq-1) \end{cases}$$

ㄴ에 의하여 함수 $f(x)$의 최솟값은 $f\left(-\frac{1}{4}\right)=\frac{23}{8}<3$이므로 방정식 $f(x)=3$은 서로 다른 두 실근을 갖는다. (참)

따라서 옳은 것은 ㄷ이다.

답 ②

36 조건 (가)에서 $F(x)=f(x)+f(-x)$라 하면
$F(-x)=f(-x)+f(x)=F(x)$
이므로 함수 $y=F(x)$의 그래프는 y축에 대하여 대칭이다.

따라서 $\int_{-2}^{2}\{f(x)+f(-x)\}dx=2\int_{0}^{2}\{f(x)+f(-x)\}dx=32$에서

$\int_{0}^{2}\{f(x)+f(-x)\}dx=16$ ...... ㉠

조건 (나)에서 $G(x)=f(x)-f(-x)$라 하면
$G(-x)=f(-x)-f(x)=-G(x)$
이므로 함수 $y=G(x)$의 그래프는 원점에 대하여 대칭이다.

따라서 $\int_{-2}^{0}\{f(x)-f(-x)\}dx=-8$에서

$\int_{0}^{2}\{f(x)-f(-x)\}dx=8$ ...... ㉡

㉠, ㉡에서 $\int_{0}^{2}2f(x)dx=24$이므로

$\int_{0}^{2}f(x)dx=12$

답 ①

37 모든 실수 x에 대하여 $f(x+2)-f(x)=4x+2$이므로
$f(x+4)-f(x+2)=4(x+2)+2=4x+10$
따라서 $f(x+4)-f(x)=8x+12$

$\int_{-2}^{4}f(x)dx$

$=\int_{-2}^{0}f(x)dx+\int_{0}^{2}f(x)dx+\int_{2}^{4}f(x)dx$

$=\int_{-2}^{0}f(x)dx+\int_{-2}^{0}f(x+2)dx+\int_{-2}^{0}f(x+4)dx$

$=\int_{-2}^{0}f(x)dx+\int_{-2}^{0}\{f(x)+4x+2\}dx+\int_{-2}^{0}\{f(x)+8x+12\}dx$

$=3\int_{-2}^{0}f(x)dx+\int_{-2}^{0}(12x+14)dx$

$=3\int_{-2}^{0}f(x)dx+\left[6x^2+14x\right]_{-2}^{0}$

$=3\int_{-2}^{0}f(x)dx+4$

$=24$

따라서 $\int_{-2}^{0}f(x)dx=\frac{20}{3}$

답 ⑤

38 조건 (나)에서 모든 실수 k에 대하여
$\int_{3-k}^{2}f(x)dx=\int_{2}^{k+1}f(x)dx$가 성립하므로 $k=1+t$라 하면

$\int_{3-(1+t)}^{2}f(x)dx=\int_{2}^{(1+t)+1}f(x)dx$

$\int_{2-t}^{2}f(x)dx=\int_{2}^{2+t}f(x)dx$

따라서 이차함수 $y=f(x)$의 그래프는 직선 $x=2$에 대하여 대칭이므로
축의 방정식은 $x=2$이다.
또한 조건 (가)에서 $f(2)=4$이므로
$f(x)=a(x-2)^2+4$ (a는 0이 아닌 상수)라 하면

$\int_{0}^{3}f(x)dx=\int_{0}^{3}\{ax^2-4ax+4(a+1)\}dx$

$=\left[\frac{a}{3}x^3-2ax^2+4(a+1)x\right]_{0}^{3}$

$=(9a-18a+12a+12)-0$

$=3a+12$

이므로 $3a+12=21$, $a=3$
따라서 $f(x)=3(x-2)^2+4$이므로 $f(5)=31$

답 ①

39 조건 (가)에서 함수 $y=f(x)$의 그래프는 원점에 대하여 대칭이므로 $f(x)$는 $x=-2$에서 극솟값 -5를 갖는다.
또한 $f'(-x)=f'(x)$이므로 함수 $y=f'(x)$의 그래프는 y축에 대하여 대칭이다.

$\int_{-2}^{2}(x+3)f'(x)dx=\int_{-2}^{2}xf'(x)dx+3\int_{-2}^{2}f'(x)dx$

$g(x)=xf'(x)$라 하면 $g(-x)=-g(x)$이므로 함수 $y=g(x)$의 그래프는 원점에 대하여 대칭이다.

$$\int_{-2}^{2}(x+3)f'(x)dx=3\int_{-2}^{2}f'(x)dx$$
$$=3\Big[f(x)\Big]_{-2}^{2}$$
$$=3\{f(2)-f(-2)\}$$
$$=3\{5-(-5)\}=30$$

답 ③

40 $f(-x)=-f(x)$, $g(-x)=g(x)$이므로
$f(-x)g(-x)=-f(x)g(x)$
따라서 함수 $y=f(x)g(x)$의 그래프는 원점에 대하여 대칭이므로
$$\int_{-a}^{a}f(x)g(x)dx=0$$
$$\int_{-2}^{1}f(x)g(x)dx=\int_{-2}^{2}f(x)g(x)dx-\int_{1}^{2}f(x)g(x)dx$$
$$=-\int_{1}^{2}f(x)g(x)dx=5$$
$$\int_{1}^{2}f(x)g(x)dx=-5 \qquad \cdots\cdots ㉠$$
또한
$$\int_{-1}^{4}f(x)g(x)dx=\int_{-1}^{1}f(x)g(x)dx+\int_{1}^{4}f(x)g(x)dx$$
$$=\int_{1}^{4}f(x)g(x)dx=8 \qquad \cdots\cdots ㉡$$
㉠, ㉡에서
$$\int_{2}^{4}f(x)g(x)dx=\int_{1}^{4}f(x)g(x)dx-\int_{1}^{2}f(x)g(x)dx$$
$$=8-(-5)=13$$

답 ②

41 함수 $y=f(x)$의 그래프와 함수 $y=f(4-x)$의 그래프는 직선 $x=2$에 대하여 대칭이므로
$$\int_{-1}^{5}f(x)dx=\int_{-1}^{5}f(4-x)dx$$
$f(x)=3x^2-12x+8-2f(4-x)$에서
$$\int_{-1}^{5}f(x)dx=\int_{-1}^{5}\{3x^2-12x+8-2f(4-x)\}dx$$
$$=\int_{-1}^{5}(3x^2-12x+8)dx-2\int_{-1}^{5}f(4-x)dx$$
$$=\int_{-1}^{5}(3x^2-12x+8)dx-2\int_{-1}^{5}f(x)dx$$
$$3\int_{-1}^{5}f(x)dx=\int_{-1}^{5}(3x^2-12x+8)dx$$
$$=\Big[x^3-6x^2+8x\Big]_{-1}^{5}$$
$$=(125-150+40)-(-1-6-8)$$
$$=15-(-15)$$
$$=30$$

따라서 $\int_{-1}^{5}f(x)dx=10$

답 ⑤

42 $\int_{1}^{x}(x+1)f(t)dt=x^4+x^2+\dfrac{1}{2}\int_{0}^{1}f(t)dt-3 \qquad \cdots\cdots ㉠$
㉠의 양변에 $x=0$을 대입하면
$$\int_{1}^{0}f(t)dt=\frac{1}{2}\int_{0}^{1}f(t)dt-3$$
$\int_{1}^{0}f(t)dt=-\int_{0}^{1}f(t)dt$이므로
$$-\int_{0}^{1}f(t)dt=\frac{1}{2}\int_{0}^{1}f(t)dt-3$$
$$\frac{3}{2}\int_{0}^{1}f(t)dt=3$$
$$\int_{0}^{1}f(t)dt=2 \qquad \cdots\cdots ㉡$$
㉠, ㉡에서
$$(x+1)\int_{1}^{x}f(t)dt=x^4+x^2-2$$
$$=(x+1)(x^3-x^2+2x-2)$$
이므로 $\int_{1}^{x}f(t)dt=x^3-x^2+2x-2$
양변을 x에 대하여 미분하면 $f(x)=3x^2-2x+2$이므로
$f(3)=27-6+2=23$

답 ③

43 $xf(x)=4x^3+x^2\int_{0}^{2}f'(t)dt+\int_{2}^{x}f(t)dt$의 양변을 x에 대하여 미분하면
$$f(x)+xf'(x)=12x^2+2x\int_{0}^{2}f'(t)dt+f(x)$$
$$xf'(x)=12x^2+2x\int_{0}^{2}f'(t)dt$$
$$f'(x)=12x+2\int_{0}^{2}f'(t)dt$$
이때 $\int_{0}^{2}f'(t)dt=a$ (a는 상수)라 하면
$$f'(x)=12x+2a$$
$$\int_{0}^{2}f'(t)dt=\int_{0}^{2}(12t+2a)dt$$
$$=\Big[6t^2+2at\Big]_{0}^{2}$$
$$=24+4a$$
$$=a$$
따라서 $\int_{0}^{2}f'(t)dt=a=-8$
$xf(x)=4x^3+x^2\int_{0}^{2}f'(t)dt+\int_{2}^{x}f(t)dt$의 양변에 $x=2$를 대입하면
$$2f(2)=32+4\int_{0}^{2}f'(t)dt+\int_{2}^{2}f(t)dt$$

$2f(2)=32-32=0$

따라서 $f(2)=0$

또한 $f'(x)=12x-16$에서

$f(x)=\int(12x-16)dx$

$=6x^2-16x+C$ (C는 적분상수)

$f(2)=0$에서 $24-32+C=0$, $C=8$

따라서 $f(x)=6x^2-16x+8$이므로

$f(3)=54-48+8=14$

답 ④

44 ㄱ. $g(x)=\int_{-1}^{x}f(t)dt$에서 $g'(x)=f(x)$이므로

$g'(a)=f(a)=0$ (참)

ㄴ. $g'(x)=f(x)$이고, $f(0)=f(a)=0$이므로 함수 $g(x)$의 증가와 감소를 표로 나타내면 다음과 같다.

x	$\cdots$	0	$\cdots$	a	$\cdots$
$g'(x)$	$+$	0	$-$	0	$+$
$g(x)$	↗	극대	↘	극소	↗

따라서 함수 $g(x)$의 극댓값은 $M=g(0)$이다.

이때 $g(x)=\int_{-1}^{x}f(t)dt$에서 $g(-1)=0$이고, $g(x)$는 $(-\infty, 0)$에서 증가하므로

$M=g(0)>g(-1)=0$ (참)

ㄷ. [반례] 그림과 같이 함수 $g(x)$의 극솟값이 0보다 큰 경우 방정식 $g(x)=0$은 서로 다른 세 실근을 갖지 않는다. (거짓)

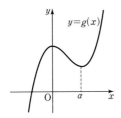

따라서 옳은 것은 ㄱ, ㄴ이다.

답 ③

45 $f'(x)=\begin{cases} 2x-4 & (x<1) \\ k & (x>1) \end{cases}$이므로

$f(x)=\begin{cases} x^2-4x+C_1 & (x<1) \\ kx+C_2 & (x>1) \end{cases}$ (C_1, C_2는 적분상수)

.... (가)

함수 $f(x)$가 $x=1$에서 미분가능하므로 $f(x)$는 $x=1$에서 연속이다.

즉, $1-4+C_1=k+C_2=0$이어야 하므로

$C_1=3$, $C_2=-k$이고

$f(x)=\begin{cases} x^2-4x+3 & (x<1) \\ kx-k & (x\geq 1) \end{cases}$

또한 함수 $f(x)$는 $x=1$에서 미분가능하므로 두 함수 $y=x^2-4x+3$, $y=kx-k$의 $x=1$에서의 미분계수가 서로 같아야 한다.

즉, $2\times 1-4=k$이어야 하므로 $k=-2$이고

.... (나)

$f(x)=\begin{cases} x^2-4x+3 & (x<1) \\ -2x+2 & (x\geq 1) \end{cases}$

따라서 $f(3)=-2\times 3+2=-4$

.... (다)

답 -4

단계	채점 기준	비율
(가)	함수 $f'(x)$를 적분하여 $f(x)$를 나타낸 경우	20 %
(나)	상수 k의 값을 구한 경우	50 %
(다)	$f(3)$의 값을 구한 경우	30 %

46 $F'(x)=f(x)$이므로

$xf(x)=F(x)-x^3(x-2)$의 양변을 x에 대하여 미분하면

$f(x)+xf'(x)=f(x)-4x^3+6x^2$

$xf'(x)=-4x^3+6x^2$

$f'(x)=-4x^2+6x$

$f(x)=\int f'(x)dx=\int(-4x^2+6x)dx$

$=-\dfrac{4}{3}x^3+3x^2+C$ (C는 적분상수)

.... (가)

$f(0)=3$이므로 $C=3$

따라서 $f(x)=-\dfrac{4}{3}x^3+3x^2+3$이므로 $f(1)=\dfrac{14}{3}$

.... (나)

$\displaystyle\lim_{x\to 1}\dfrac{1}{x-1}\int_{1}^{x^3}f(t)dt=\lim_{x\to 1}\dfrac{F(x^3)-F(1)}{x-1}$

$=\lim_{x\to 1}\left\{(x^2+x+1)\times\dfrac{F(x^3)-F(1)}{x^3-1}\right\}$

$=3F'(1)=3f(1)$

$=3\times\dfrac{14}{3}$

$=14$

.... (다)

답 14

단계	채점 기준	비율
(가)	$f(x)$를 구한 경우	40 %
(나)	$f(1)$의 값을 구한 경우	30 %
(다)	주어진 식의 값을 구한 경우	30 %

47 23	**48** 6	**49** $\frac{5}{2}$	**50** $\frac{4}{45}$	**51** 7
52 -16	**53** $\frac{10}{3}$	**54** 40	**55** ④	**56** $\frac{103}{3}$
57 $-\frac{3}{2}$				

47

다항함수 $f(x)$가 다음 조건을 만족시킬 때, $f(3)$의 값을 구하시오.

(가) $f(x)=\int(3x^2-3)dx$

(나) $0 \le x \le 2$에서 함수 $f(x)$의 최댓값과 최솟값의 합은 10이다.

23

풀이전략

적분과 미분의 관계를 이용하여 삼차함수의 최대, 최소를 구한다.

문제풀이

step 1 부정적분을 활용하여 $f(x)$를 구한다.

조건 (가)에서 $f'(x)=3x^2-3$이고

$f(x)=\int(3x^2-3)dx$

$\quad\quad=x^3-3x+C$ (C는 적분상수)

step 2 미분을 활용하여 최대, 최소를 구한다.

$f'(x)=0$에서 $3x^2-3=0$

$3(x+1)(x-1)=0$

$x=-1$ 또는 $x=1$

$0 \le x \le 2$에서 함수 $f(x)$의 증가와 감소를 표로 나타내면 다음과 같다.

x	0	$\cdots$	1	$\cdots$	2
$f'(x)$	$-$	$-$	0	$+$	$+$
$f(x)$	C	$\searrow$	$-2+C$	$\nearrow$	$2+C$

따라서 $0 \le x \le 2$에서 함수 $f(x)$의 최댓값은

$f(2)=2+C$ ┗→ $x=2$에서 최대

함수 $f(x)$의 최솟값은 $f(1)=-2+C$ ┗→ $x=1$에서 극소이면서 최소

$f(1)+f(2)=2C=10$이므로 $C=5$

따라서 $f(x)=x^3-3x+5$이므로

$f(3)=23$

답 23

48

다항함수 $f(x)$와 일차함수 $g(x)=x+a$가 모든 실수 x에 대하여 다음 조건을 만족시킬 때, $f(2)$의 값을 구하시오. (단, a는 상수이다.)

6

(가) $\int xf'(x)dx=\frac{2}{3}x^3+x^2$

┗→ $\dfrac{d}{dx}\displaystyle\int xf'(x)dx=xf'(x)$

(나) $\dfrac{d}{dx}\{f(x)g(x)\}=3x^2+6x$

┗→ $\dfrac{d}{dx}\{f(x)g(x)\}=f'(x)g(x)+f(x)g'(x)$

풀이전략

적분과 미분의 관계를 활용하여 문제를 해결한다.

문제풀이

step 1 미분을 활용하여 $f'(x)$를 구한다.

조건 (가)에서 주어진 등식의 양변을 x에 대하여 미분하면

$xf'(x)=2x^2+2x$이므로

$f'(x)=2x+2$

따라서 $f(x)=x^2+2x+C$ (C는 적분상수)

step 2 곱의 미분을 활용하여 $f(x)$와 $g(x)$를 구한다.

$g(x)=x+a$이므로 조건 (나)에서

$\dfrac{d}{dx}\{f(x)g(x)\}=f'(x)g(x)+f(x)g'(x)$

$\quad\quad\quad\quad\quad\quad=(2x+2)(x+a)+(x^2+2x+C)\times 1$

$\quad\quad\quad\quad\quad\quad=3x^2+(4+2a)x+2a+C$

$\quad\quad\quad\quad\quad\quad=3x^2+6x$

$4+2a=6$, $2a+C=0$에서 $a=1$, $C=-2$

따라서 $f(x)=x^2+2x-2$이므로 $f(2)=6$

답 6

49

두 다항함수 $f(x)$, $g(x)$에 대하여 $f'(x)=x^2-2$, $g'(x)=x$이고, 함수 $y=f(x)$와 $y=g(x)$의 그래프는 서로 다른 두 점 A, B에서 만난다. ┗→ 한 점에서는 접하고 다른 한 점에서는 접하지 않으면서 만난다.

두 점 A, B의 x좌표를 각각 a, b $(a<b)$라 할 때, $a+b$의 값을 구하시오. (단, $a+b>0$)

$\frac{5}{2}$

풀이전략

부정적분을 활용하여 그래프의 교점을 구한다.

문제풀이

step 1 부정적분을 활용하여 그래프를 추론한다.

부정적분을 활용하여 $f(x)$, $g(x)$를 구하면

$f(x)=\dfrac{1}{3}x^3-2x+C_1$, $g(x)=\dfrac{1}{2}x^2+C_2$ (C_1, C_2는 적분상수)

함수 $y=f(x)$와 $y=g(x)$의 그래프가 서로 다른 두 점에서 만나므로

방정식 $\dfrac{1}{3}x^3-2x+C_1=\dfrac{1}{2}x^2+C_2$는 서로 다른 두 실근을 갖는다.

$h(x)=\dfrac{1}{3}x^3-\dfrac{1}{2}x^2-2x+C_1-C_2$라 하면 함수 $y=h(x)$의 그래프는 x축과 서로 다른 두 점에서 만난다.

step 2 $h(x)$의 극댓값과 극솟값을 구하여 만나는 점의 x좌표를 비교한다.

$h'(x)=x^2-x-2$이므로 $h'(x)=0$에서

$(x+1)(x-2)=0$

$x=-1$ 또는 $x=2$

함수 $h(x)$의 증가와 감소를 표로 나타내면 다음과 같다.

x	$\cdots$	-1	$\cdots$	2	$\cdots$
$h'(x)$	$+$	0	$-$	0	$+$
$h(x)$	↗	극대	↘	극소	↗

따라서 함수 $h(x)$는 $x=-1$에서 극댓값, $x=2$에서 극솟값을 갖는다.

함수 $y=h(x)$의 그래프가 x축과 서로 다른 두 점에서 만나기 위해서는 극댓값 또는 극솟값이 0이어야 한다.

(ⅰ) 극댓값이 0인 경우

$h(-1)=\dfrac{7}{6}+C_1-C_2=0$이므로

$h(x)=\dfrac{1}{3}x^3-\dfrac{1}{2}x^2-2x-\dfrac{7}{6}$

이때 방정식 $h(x)=0$, 즉 $\dfrac{1}{3}x^3-\dfrac{1}{2}x^2-2x-\dfrac{7}{6}=0$에서

$2x^3-3x^2-12x-7=0$

$(x+1)^2(2x-7)=0$

따라서 $a=-1$, $b=\dfrac{7}{2}$이므로 $a+b=-1+\dfrac{7}{2}=\dfrac{5}{2}$

(ⅱ) 극솟값이 0인 경우

$h(2)=-\dfrac{10}{3}+C_1-C_2=0$이므로

$h(x)=\dfrac{1}{3}x^3-\dfrac{1}{2}x^2-2x+\dfrac{10}{3}$

이때 방정식 $h(x)=0$, 즉 $\dfrac{1}{3}x^3-\dfrac{1}{2}x^2-2x+\dfrac{10}{3}=0$에서

$2x^3-3x^2-12x+20=0$

$(x-2)^2(2x+5)=0$

따라서 $a=-\dfrac{5}{2}$, $b=2$이므로 $a+b=-\dfrac{5}{2}+2=-\dfrac{1}{2}$

    ↳ $a+b>0$에 모순

(ⅰ), (ⅱ)에서 $a+b=\dfrac{5}{2}$

답 $\dfrac{5}{2}$

50

두 실수 p, q에 대하여 $\dfrac{1}{2}\displaystyle\int_{-1}^{1}(x^2+px+q)^2dx$의 최솟값을 구하시오.　$\dfrac{4}{45}$

풀이전략 → $f(x)$의 그래프가 y축 대칭이면 $\displaystyle\int_{-1}^{1}f(x)dx=2\int_0^1 f(x)dx$이고, 그래프가 y축 대칭 또는 원점 대칭인 함수의 성질을 활용하여 최솟값을 구한다.

문제풀이 → $f(x)$의 그래프가 원점 대칭이면 $\displaystyle\int_{-1}^{1}f(x)dx=0$

step 1 주어진 함수를 적분한다.

$\dfrac{1}{2}\displaystyle\int_{-1}^{1}(x^2+px+q)^2dx$

$=\dfrac{1}{2}\displaystyle\int_{-1}^{1}(x^4+2px^3+p^2x^2+2qx^2+2pqx+q^2)dx$

$=\displaystyle\int_0^1(x^4+p^2x^2+2qx^2+q^2)dx$

$=\left[\dfrac{1}{5}x^5+\dfrac{1}{3}p^2x^3+\dfrac{2}{3}qx^3+q^2x\right]_0^1$

$=\dfrac{1}{3}p^2+q^2+\dfrac{2}{3}q+\dfrac{1}{5}$

$=\dfrac{1}{3}p^2+\left(q+\dfrac{1}{3}\right)^2+\dfrac{4}{45}$ → $q^2+\dfrac{2}{3}q=\left(q+\dfrac{1}{3}\right)^2-\dfrac{1}{9}$

step 2 이차식의 최대·최소의 조건을 이용하여 최솟값을 구한다.

따라서 $p=0$, $q=-\dfrac{1}{3}$일 때 최솟값 $\dfrac{4}{45}$를 갖는다.

답 $\dfrac{4}{45}$

51

상수함수가 아닌 다항함수 $f(x)$가 모든 실수 x에 대하여

$f(f(x)+x)=\displaystyle\int_0^x f(t)dt-x^2+3x+9$를 만족시킬 때, $f(2)$의 값을 구하시오.　7

풀이전략

$f(x)$의 차수를 결정하고 주어진 식의 양변을 미분한다.

문제풀이

step 1 $f(x)$의 차수를 구한다.

함수 $f(x)$의 차수를 n ($n\geq2$인 자연수)이라 하면 함수 $f(f(x)+x)$의 차수는 n^2이고, 함수 $\displaystyle\int_0^x f(t)dt-x^2+3x+9$의 차수는 $n+1$이다.

주어진 등식이 성립하기 위해서는 $n^2=n+1$이고 이를 만족하는 n ($n\geq2$)은 존재하지 않으므로 $f(x)$는 일차함수이다.

step 2 양변을 미분하여 $f(x)$를 구한다.

$f(x)=ax+b$ (a, b는 상수, $a\neq0$)라 하면

$a(ax+b+x)+b=\displaystyle\int_0^x(at+b)dt-x^2+3x+9$

위의 식의 양변을 x에 대하여 미분하면   ↳ $f(f(x)+x)$

$a^2+a=ax+b-2x+3$ $=a(f(x)+x)+b$

$(a-2)x-a^2-a+b+3=0$

모든 실수 x에 대하여 위의 식이 성립하므로

$a-2=0,\ -a^2-a+b+3=0$

두 식을 연립하여 풀면 $a=2,\ b=3$

따라서 $f(x)=2x+3$이므로

$f(2)=7$

📖 7

52

다항함수 $f(x)$가 모든 실수 x에 대하여

$$\int_1^x (t-x)f(t)dt = -x^3+x^2+ax+b$$를 만족시킬 때,

$\displaystyle\int_1^3 (t-3)f(t)dt$의 값을 구하시오. (단, a, b는 실수이다.) -16

풀이전략

적분변수가 t이므로 x는 상수 취급한다.

문제풀이

step 1 양변에 $x=1$을 대입한다.

$\displaystyle\int_1^x (t-x)f(t)dt = -x^3+x^2+ax+b$의 양변에 $x=1$을 대입하면

$0=a+b$ → 적분구간의 양끝이 같으면 정적분의 값은 0이다.

step 2 양변을 x에 대하여 미분한다.

$\displaystyle\int_1^x (t-x)f(t)dt = -x^3+x^2+ax+b$에서

$\displaystyle\int_1^x tf(t)dt - x\int_1^x f(t)dt = -x^3+x^2+ax+b$

위의 식의 양변을 x에 대하여 미분하면 → $x\displaystyle\int_1^x f(t)dt$의 미분은 곱의 미분법을 따른다.

$xf(x)-\displaystyle\int_1^x f(t)dt - xf(x) = -3x^2+2x+a$

$\displaystyle\int_1^x f(t)dt = 3x^2-2x-a$

위의 식의 양변에 $x=1$을 대입하면

$0=1-a,\ a=1$

$a+b=0$에서 $b=-1$

step 3 $x=3$을 대입하여 값을 구한다.

따라서 $\displaystyle\int_1^x (t-x)f(t)dt = -x^3+x^2+x-1$이므로 양변에 $x=3$을 대입하면

$\displaystyle\int_1^3 (t-3)f(t)dt = -27+9+3-1 = -16$

📖 -16

53

두 실수 a, b에 대하여 삼차함수 $f(x)=x^3+ax^2+bx$가 다음 조건을 만족시킨다.

> (가) $f(1)=16$
> (나) $x\geq 0$일 때 $f(x)\geq 0$

$\displaystyle\int_{-1}^1 f(x)dx$의 최댓값과 최솟값의 합을 구하시오. $\dfrac{10}{3}$

풀이전략

삼차방정식의 근의 위치를 고려하여 실수 a의 값의 범위를 결정한다.

문제풀이

step 1 a의 값의 범위를 구한다.

조건 (가)에서 $a+b=15$

$f(x)=x^3+ax^2+bx=x(x^2+ax+b)$이므로 조건 (나)에서

$x\geq 0$일 때 $x^2+ax+b\geq 0$

방정식 $x^2+ax+b=0$의 판별식을 D라 하면

(ⅰ) 방정식 $x^2+ax+b=0$이 허근 또는 중근을 가질 때

$D=a^2-4b\leq 0$이므로 $b=15-a$를 대입하면

$a^2+4a-60\leq 0$에서 $(a+10)(a-6)\leq 0$

$-10\leq a\leq 6$

(ⅱ) 방정식 $x^2+ax+b=0$의 두 실근이 모두 음수이거나 한 개의 음수 근과 0을 근으로 가질 때

이차함수 $y=x^2+ax+b$의 그래프의 꼭짓점의 x좌표가 음수이고 y절편이 0 이상이므로

$a>0,\ b\geq 0$이고 $D=a^2-4b>0$

$b=15-a$를 대입하면 $a^2+4a-60>0$에서

$(a+10)(a-6)>0$

$a<-10$ 또는 $a>6$ $\cdots\cdots$ ㉠

또한 $15-a\geq 0$이므로 $a\leq 15$ $\cdots\cdots$ ㉡

㉠, ㉡의 공통 범위는 $6<a\leq 15$

step 2 정적분을 활용하여 함숫값을 구한다.

(ⅰ), (ⅱ)에서 $-10\leq a\leq 15$이고

$\displaystyle\int_{-1}^1 f(x)dx = \int_{-1}^1 (x^3+ax^2+bx)dx = 2\int_0^1 ax^2 dx$

$\qquad = 2\left[\dfrac{a}{3}x^3\right]_0^1 = \dfrac{2}{3}a$

이므로 최댓값은 $a=15$일 때 10이고, 최솟값은 $a=-10$일 때 $-\dfrac{20}{3}$

→ 직선 $y=\dfrac{2}{3}a$는 실수 전체의 집합에서 증가하므로 $a=15$에서 최댓값, $a=-10$에서 최솟값을 갖는다.

따라서 최댓값과 최솟값의 합은

$10+\left(-\dfrac{20}{3}\right) = \dfrac{10}{3}$

📖 $\dfrac{10}{3}$

54

최고차항의 계수가 1인 삼차함수 $f(x)$가 다음 조건을 만족시킨다.

(가) $f'(0)=0$

(나) 양수 t와 실수 s에 대하여 함수 $y=f(x)$의 그래프와 직선 $y=x$는 서로 다른 세 점 $O(0, 0)$, $P(t, t)$, $Q(s, s)$에서 만난다. $\rightarrow f(x)-x=x(x-t)(x-s)$

$\displaystyle\int_0^t f(x)dx=0$일 때, $f(4)$의 값을 구하시오.   40

풀이전략

조건에서 함수 $y=f(x)$의 그래프와 직선 $y=x$의 위치 관계를 추론하여 관계식을 세운다.

문제풀이

step 1 도함수를 활용하여 $f(x)$를 구한다.

함수 $y=f(x)$의 그래프와 직선 $y=x$는 서로 다른 세 점 $O(0, 0)$, $P(t, t)$, $Q(s, s)$에서 만나므로

$f(x)-x=x(x-t)(x-s)$

$f(x)=x(x-t)(x-s)+x$

$f(x)=x^3-(t+s)x^2+(ts+1)x$

이때 $f'(x)=3x^2-2(t+s)x+ts+1$이므로

$f'(0)=0$에서 $s=-\dfrac{1}{t}$

따라서 $f(x)=x(x-t)\left(x+\dfrac{1}{t}\right)+x=x^3+\left(-t+\dfrac{1}{t}\right)x^2$

step 2 정적분을 활용하여 함숫값을 구한다.

$\displaystyle\int_0^t f(x)dx=\int_0^t\left\{x^3+\left(-t+\dfrac{1}{t}\right)x^2\right\}dx$

$=\left[\dfrac{1}{4}x^4+\dfrac{1}{3}\left(-t+\dfrac{1}{t}\right)x^3\right]_0^t$

$=\dfrac{1}{4}t^4-\dfrac{1}{3}t^4+\dfrac{1}{3}t^2$

$=-\dfrac{1}{12}t^4+\dfrac{1}{3}t^2$

이므로 $-\dfrac{1}{12}t^4+\dfrac{1}{3}t^2=0$에서

$-\dfrac{1}{12}t^2(t+2)(t-2)=0$

$t>0$이므로 $t=2$

따라서 $f(x)=x^3-\dfrac{3}{2}x^2$이므로

$f(4)=64-24=40$

目 40

55

최고차항의 계수가 1인 이차함수 $f(x)$에 대하여 함수 $g(x)$를 $g(x)=\displaystyle\int_0^x f(t)dt$라 하자. $f(0)>0$, $f'(0)<0$이고 방정식 $g(x)=0$이 서로 다른 두 실근을 가질 때, 〈보기〉에서 옳은 것만을 있는 대로 고른 것은?

┤ 보기 ├

ㄱ. 방정식 $g(x)=0$은 $x=0$을 중근으로 갖는다.

ㄴ. 방정식 $f(x)-g(x)=0$을 만족시키는 양수 x가 존재한다.

ㄷ. 방정식 $g(x)+f(x)=0$은 서로 다른 세 실근을 갖는다.

① ㄱ   ② ㄴ   ③ ㄱ, ㄷ

✓④ ㄴ, ㄷ   ⑤ ㄱ, ㄴ, ㄷ

풀이전략

삼차함수가 서로 다른 두 실근을 가질 조건은 극댓값 또는 극솟값이 0인 것이다.

문제풀이

step 1 삼차함수 $g(x)$의 개형을 이해한다.

$g(x)=\displaystyle\int_0^x f(t)dt$에서 $g'(x)=f(x)$이므로 $g(x)$는 최고차항의 계수가 $\dfrac{1}{3}$인 삼차함수이다.

$g(0)=\displaystyle\int_0^0 f(t)dt=0$이므로 $x=0$은 방정식 $g(x)=0$의 한 실근이고 방정식 $g(x)=0$이 서로 다른 두 실근을 가지므로 하나의 실근과 중근을 갖는다.

방정식 $g(x)=0$의 0이 아닌 실근을 α라 하면

$g(x)=\dfrac{1}{3}x^2(x-\alpha)$ 또는 $g(x)=\dfrac{1}{3}x(x-\alpha)^2$

(i) $g(x)=\dfrac{1}{3}x^2(x-\alpha)$일 때

$f(x)=x^2-\dfrac{2}{3}\alpha x$이므로

$f(0)=0$ (모순)

(ii) $g(x)=\dfrac{1}{3}x(x-\alpha)^2$일 때

$f(x)=x^2-\dfrac{4}{3}\alpha x+\dfrac{\alpha^2}{3}$이므로

$f(0)=\dfrac{\alpha^2}{3}>0$

(i), (ii)에서 $g(x)=\dfrac{1}{3}x(x-\alpha)^2$, $f(x)=x^2-\dfrac{4}{3}\alpha x+\dfrac{\alpha^2}{3}$

ㄱ. 방정식 $g(x)=0$, 즉 $\dfrac{1}{3}x(x-\alpha)^2=0$은 $x=\alpha\,(\alpha\neq0)$를 중근으로 갖는다. (거짓)

ㄴ. $f'(x)=2x-\dfrac{4}{3}\alpha$이고 $f'(0)=-\dfrac{4}{3}\alpha<0$이므로 $\alpha>0$

또한 방정식 $f(x)-g(x)=0$에 $x=\alpha$를 대입하면 $f(\alpha)=0$, $g(\alpha)=0$이므로

$f(\alpha)-g(\alpha)=0$ (참)

step 2 삼차방정식이 서로 다른 세 실근을 가질 조건을 구한다.

ㄷ. $g(x)+f(x)=\dfrac{1}{3}x(x-\alpha)^2+\left(x^2-\dfrac{4}{3}\alpha x+\dfrac{\alpha^2}{3}\right)$

$\qquad\qquad\quad =\dfrac{1}{3}x(x-\alpha)^2+(x-\alpha)\left(x-\dfrac{\alpha}{3}\right)$

$\qquad\qquad\quad =(x-\alpha)\left\{\dfrac{1}{3}x(x-\alpha)+\left(x-\dfrac{\alpha}{3}\right)\right\}$

$\qquad\qquad\quad =(x-\alpha)\left\{\dfrac{1}{3}x^2-\left(\dfrac{1}{3}\alpha-1\right)x-\dfrac{\alpha}{3}\right\}$

$\qquad\qquad\quad =\dfrac{1}{3}(x-\alpha)\{x^2-(\alpha-3)x-\alpha\}$

$h(x)=x^2-(\alpha-3)x-\alpha$라 하면

$h(\alpha)=\alpha^2-\alpha^2+3\alpha-\alpha=2\alpha\neq 0\ (\alpha>0)$

이므로 α는 방정식 $h(x)=0$의 근이 아니다.

또한 방정식 $h(x)=0$의 판별식을 D라 하면

$D=(\alpha-3)^2+4\alpha=\alpha^2-2\alpha+9=(\alpha-1)^2+8>0$

이므로 $h(x)=0$은 $x\neq\alpha$인 서로 다른 두 실근을 갖는다.

따라서 방정식 $g(x)+f(x)=0$은 서로 다른 세 실근을 갖는다.

$\qquad\qquad\qquad x=\alpha$와 $h(x)=0$을 만족하는 (참)

따라서 옳은 것은 ㄴ, ㄷ이다. α가 아닌 서로 다른 두 실근

🄰 ④

56

함수 $f(x)=|x|$와 양수 t에 대하여 닫힌구간 $[-4t, t^2]$에서 함수 $f(x)$의 최댓값을 $g(t)$라 할 때, $\displaystyle\int_3^5 g(t)dt$의 값을 구하시오. $\dfrac{103}{3}$

풀이전략

$x=-4t$, $x=t^2$일 때의 $f(x)$의 값을 비교하여 $g(t)$를 정의한다.

문제풀이

step 1 함수 $g(t)$를 정의한다.

$x=-4t$, $x=t^2$에서의 $f(x)$의 값은

$f(-4t)=|-4t|=4t\ (t>0)$

$f(t^2)=|t^2|=t^2$

따라서 닫힌구간 $[-4t, t^2]$에서 $f(x)$의 최댓값은

$4t$ 또는 t^2이다. ⟶ $x\geq 0$에서 $f(x)$는 증가하고,

(i) $t^2\geq 4t$, 즉 $t\geq 4$일 때 $x<0$에서 $f(x)$는 감소한다.

$\quad g(t)=t^2$

(ii) $t^2<4t$, 즉 $0<t<4$일 때

$\quad g(t)=4t$

step 2 구간을 나누어 정적분을 계산한다.

(i), (ii)에 의하여

$\displaystyle\int_3^5 g(t)dt=\int_3^4 g(t)dt+\int_4^5 g(t)dt$

$\qquad\qquad\quad =\displaystyle\int_3^4 4t\,dt+\int_4^5 t^2\,dt$

$\qquad\qquad\quad =\Big[2t^2\Big]_3^4+\Big[\dfrac{1}{3}t^3\Big]_4^5$

$\qquad\qquad\quad =(32-18)+\left(\dfrac{125}{3}-\dfrac{64}{3}\right)$

$\qquad\qquad\quad =14+\dfrac{61}{3}$

$\qquad\qquad\quad =\dfrac{103}{3}$

🄰 $\dfrac{103}{3}$

57

연속함수 $f(x)$의 도함수 $f'(x)$의 그래프가 그림과 같이 직선과, 대칭축의 방정식이 $x=1$인 이차함수의 그래프의 일부분으로 이루어져 있다. 함수 $f(x)$가 다음 조건을 만족시킬 때, $f(-1)+f(2)$의 값을 구하시오. $-\dfrac{3}{2}$

(가) $f(-2)=0$ → 함수를 구체적으로 결정할 때, 주어진 조건에 의하여 미정계수를 결정할 수 있다.

(나) $\displaystyle\lim_{x\to 1}\dfrac{f(x)}{x-1}=1$ → 함수 $f(x)$의 연속성을 이용하여 $f(1)$의 값을 알 수 있다.

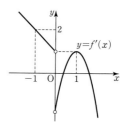

풀이전략

함수 $f(x)$가 미분가능하므로 함수 $f(x)$의 연속의 성질을 이용하여 극한값을 구한다.

문제풀이

step 1 함수의 미분가능성과 연속성을 이용하여 그래프가 지나는 점을 찾는다.

$\displaystyle\lim_{x\to 1}\dfrac{f(x)}{x-1}=1$에서 $\displaystyle\lim_{x\to 1}(x-1)=0$이므로

$\displaystyle\lim_{x\to 1}f(x)=0$

함수 $f(x)$가 $x=1$에서 연속이므로

$f(1)=\displaystyle\lim_{x\to 1}f(x)=0$

⟶ 함수 $f(x)$가 연속이므로 함숫값과 극한값이 같다

따라서 $\displaystyle\lim_{x\to 1}\dfrac{f(x)}{x-1}=\lim_{x\to 1}\dfrac{f(x)-f(1)}{x-1}=f'(1)=1$이므로

⟶ 함수 $f(x)$가 미분가능하므로 주어진 극한은 미분계수의 정의와 같다.

$f'(x)$의 그래프의 직선의 연장선은 두 점 $(-1, 2)$, $(0, 1)$을 지나고 이차함수의 부분은 점 $(1, 1)$을 꼭짓점으로 갖는다.

step 2 x의 값에 따라 함수가 다르므로 범위를 구분하여 함수를 결정한다.

(i) $x<0$일 때

$\quad f'(x)=-x+1$이므로

$$f(x)=\int f'(x)dx$$

$$=\int (-x+1)dx$$

$$=-\frac{1}{2}x^2+x+C_1 \ (C_1은 \ 적분상수)$$

$f(-2)=0$이므로 $-4+C_1=0$, $C_1=4$

따라서 $f(x)=-\frac{1}{2}x^2+x+4$

(ii) $x>0$일 때

$f'(x)=a(x-1)^2+1 \ (a<0)$이라 하면

↳ 이차함수의 축의 방정식이 $x=1$이므로 $f(1)=1$임을 고려하여 이차함수의 식을 세운다.

$$f(x)=\int f'(x)dx=\int \{a(x-1)^2+1\}dx$$

$$=\int (ax^2-2ax+a+1)dx$$

$$=\frac{a}{3}x^3-ax^2+(a+1)x+C_2 \ (C_2는 \ 적분상수)$$

$f(1)=0$이므로 $\frac{a}{3}-a+a+1+C_2=0$

$$C_2=-1-\frac{a}{3}$$

따라서 $f(x)=\frac{a}{3}x^3-ax^2+(a+1)x-1-\frac{a}{3}$

step 3 함수 $f(x)$가 연속임을 이용하여 미정계수를 결정한다.

함수 $f(x)$는 $x=0$에서 연속이므로

$$\lim_{x\to 0-}f(x)=\lim_{x\to 0-}\left(-\frac{1}{2}x^2+x+4\right)=4$$

$$\lim_{x\to 0+}f(x)=\lim_{x\to 0+}\left\{\frac{a}{3}x^3-ax^2+(a+1)x-1-\frac{a}{3}\right\}=-1-\frac{a}{3}$$

에서 $-1-\frac{a}{3}=4$, $a=-15$

↳ 함수 $f(x)$가 연속이므로 극한값이 존재하고 좌극한과 우극한이 같아야 한다.

따라서 $x>0$일 때 $f(x)=-5x^3+15x^2-14x+4$

즉, $f(x)=\begin{cases} -\frac{1}{2}x^2+x+4 & (x<0) \\ -5x^3+15x^2-14x+4 & (x\geq 0) \end{cases}$ 이므로

$f(-1)+f(2)=\frac{5}{2}-4=-\frac{3}{2}$

답 $-\frac{3}{2}$

내신 상위 4% of 4%　　　　본문 89쪽

58

닫힌구간 $[0, 10]$에서 연속인 함수 $f(x)$가 다음 조건을 만족시킨다.

> (가) $0\leq n\leq 10$인 정수 n에 대하여 함수 $f(x)$의 그래프는 점 (n, n^2)을 지난다.
>
> (나) $1\leq k\leq 10$인 자연수 k에 대하여 닫힌구간 $[k-1, k]$에서 함수 $f(x)$는 최고차항의 계수가 1 또는 -1인 이차함수의 일부이다. ↳ 최고차항의 계수가 달라짐에 따라 이차함수의 구간에서의 정적분 값의 변화를 추론한다.

$\int_0^9 f(x)dx=244$일 때, $\int_0^6 f(x)dx$의 최댓값은 M, 최솟값은 m이다. $M+m$의 값을 구하시오.．　145

문항 파헤치기

함수 $f(x)$가 이차함수의 일부로 주어지는 조건을 파악하고 구간에 따른 함수 $f(x)$를 결정하기

실수 point 찾기

닫힌구간 $[k-1, k]$에서 k의 값에 따라 함수 $f(x)$를 어떻게 결정할 수 있는지를 조사한다.

풀이전략

두 점을 지나는 이차함수의 그래프의 성질을 이용하여 정적분의 값을 구한다.

문제풀이

step 1 직선과 이차함수의 그래프가 만나는 점을 이용하여 이차함수의 식을 구한다.

$1\leq k\leq 10$인 자연수 k에 대하여 닫힌구간 $[k-1, k]$에서 두 점 $(k-1, (k-1)^2)$, (k, k^2)을 지나는 직선의 방정식은 $y=(2k-1)x-k^2+k$이므로 $\rightarrow y-k^2=\frac{k^2-(k-1)^2}{k-(k-1)}(x-k)$

(i) 최고차항의 계수가 1인 이차함수를 $g(x)$라 하면

$$g(x)-\{(2k-1)x-k^2+k\}=\{x-(k-1)\}(x-k)$$

↳ 함수 $y=g(x)$의 그래프와 직선의 교점의 x좌표는 $k-1$, k이다.

$$g(x)=\{x-(k-1)\}(x-k)+\{(2k-1)x-k^2+k\}$$

$$=x^2$$

따라서

$$\int_{k-1}^k x^2 dx=\left[\frac{1}{3}x^3\right]_{k-1}^k$$

$$=\frac{1}{3}\{k^3-(k-1)^3\}$$

$$=\frac{1}{3}(3k^2-3k+1)$$

$$=k^2-k+\frac{1}{3}$$

(ii) 최고차항의 계수가 -1인 이차함수를 $h(x)$라 하면

$$h(x)-\{(2k-1)x-k^2+k\}=-\{x-(k-1)\}(x-k)$$

$$h(x)=-\{x-(k-1)\}(x-k)+\{(2k-1)x-k^2+k\}$$
$$=-x^2+(4k-2)x-2k^2+2k$$

따라서

$$\int_{k-1}^{k}\{-x^2+(4k-2)x-2k^2+2k\}dx$$

$$=\left[-\frac{1}{3}x^3+(2k-1)x^2+(-2k^2+2k)x\right]_{k-1}^{k}$$

$$=-\frac{1}{3}k^3+(2k-1)k^2+(-2k^2+2k)k$$

$$\quad-\left\{-\frac{1}{3}(k-1)^3+(2k-1)(k-1)^2+(-2k^2+2k)(k-1)\right\}$$

$$=k^2-k+\frac{2}{3}$$

즉, 닫힌구간 $[k-1,\,k]$에서 최고차항의 계수가 -1인 이차함수를 선택하여 적분한 값은 최고차항의 계수가 1인 이차함수를 선택하여 적분한 값보다 $\frac{1}{3}$ 크다.

$$k^2-k+\frac{2}{3}-\left(k^2-k+\frac{1}{3}\right)=\frac{1}{3}$$

step 2 조건에 맞게 함수를 선택한다.

$\int_{0}^{9}x^2dx=\left[\frac{1}{3}x^3\right]_{0}^{9}=243$이므로 $\int_{0}^{9}f(x)dx=244$가 되려면 9개의 구간에서 최고차항의 계수가 1인 이차함수를 6개, 최고차항의 계수가 -1인 이차함수를 3개 선택해야 한다. → $\frac{1}{3}\times3=1$

따라서 $\int_{0}^{6}f(x)dx$의 값은 최고차항의 계수가 1인 이차함수를 3개, 최고차항의 계수가 -1인 이차함수를 3개 선택할 때 최대이고, 최고차항의 계수가 1인 이차함수를 6개 선택할 때 최소이다.

즉, $\int_{0}^{6}x^2dx\leq\int_{0}^{6}f(x)dx\leq\int_{0}^{6}x^2dx+\frac{1}{3}\times3$

이때 $\int_{0}^{6}x^2dx=\left[\frac{1}{3}x^3\right]_{0}^{6}=72$이므로

$$72\leq\int_{0}^{6}f(x)dx\leq73$$

따라서 $M+m=73+72=145$

답 145

내신 기출 우수 문항

본문 92~95쪽

01 ①	02 ②	03 ④	04 ③	05 ③
06 ④	07 ②	08 ③	09 ②	10 ①
11 ④	12 $\frac{8}{9}$	13 ①	14 6	15 ③
16 ⑤	17 ④	18 ③	19 ④	20 ①
21 ③	22 $\frac{37}{12}$	23 3		

01 $f(x)=x^3-x|x|$라 하면

$$f(x)=\begin{cases} x^3-x^2 & (x\geq0) \\ x^3+x^2 & (x<0) \end{cases}$$

이고, $f(-1)=f(0)=f(1)=0$이므로 함수 $y=f(x)$의 그래프는 그림과 같다.

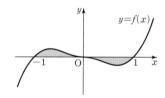

따라서 곡선 $y=x^3-x|x|$와 x축으로 둘러싸인 부분의 넓이는

$$\int_{-1}^{1}|f(x)|dx=\int_{-1}^{0}(x^3+x^2)dx+\int_{0}^{1}(-x^3+x^2)dx$$

$$=\left[\frac{1}{4}x^4+\frac{1}{3}x^3\right]_{-1}^{0}+\left[-\frac{1}{4}x^4+\frac{1}{3}x^3\right]_{0}^{1}$$

$$=0-\left(\frac{1}{4}-\frac{1}{3}\right)+\left(-\frac{1}{4}+\frac{1}{3}\right)-0$$

$$=\frac{1}{12}+\frac{1}{12}=\frac{1}{6}$$

답 ①

02 $f(x)=x(x-3)^2$이므로 함수 $y=f(x)$의 그래프는 그림과 같다.

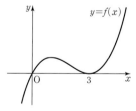

(i) $x\geq0$인 경우

$f(|x|)=f(x)$이므로 함수 $y=f(|x|)$의 그래프는 함수 $y=f(x)$의 그래프와 같다.

(ii) $x<0$인 경우

$f(|x|)=f(-x)$이므로 함수 $y=f(|x|)$의 그래프는 함수 $y=f(x)$의 그래프를 y축에 대하여 대칭이동한 그래프와 같다.

따라서 함수 $y=f(|x|)$의 그래프는 그림과 같다.

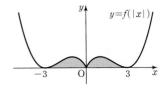

위의 그림에서 어두운 두 부분의 넓이가 같으므로 구하는 넓이를 S라 하면

$$S=2\int_0^3 (x^3-6x^2+9x)dx$$
$$=2\left[\frac{1}{4}x^4-2x^3+\frac{9}{2}x^2\right]_0^3$$
$$=2\left(\frac{81}{4}-54+\frac{81}{2}\right)$$
$$=\frac{27}{2}$$

달 ②

03 함수 $y=\sqrt{x+3}$의 그래프를 x축의 방향으로 3만큼 평행이동한 함수의 그래프는 함수 $y=\sqrt{x}$의 그래프와 같으므로 구하는 넓이를 S라 하면 S는 곡선 $y=\sqrt{x}$와 x축 및 직선 $x=9$로 둘러싸인 도형의 넓이와 같다.

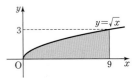

또한 $y=\sqrt{x}$에서 $x=y^2$이고 $\sqrt{9}=3$이므로 곡선 $x=y^2$과 y축 및 직선 $y=3$으로 둘러싸인 도형의 넓이를 S'이라 하면

$$S=27-S'=27-\int_0^3 y^2 dy$$
$$=27-\left[\frac{1}{3}y^3\right]_0^3$$
$$=27-9=18$$

달 ④

04 곡선 $y=x^2$과 직선 $y=x+2$의 교점의 x좌표는
$x^2=x+2$에서 $x^2-x-2=0$
$(x+1)(x-2)=0$
$x=-1$ 또는 $x=2$
따라서 곡선 $y=x^2$과 직선 $y=x+2$는 두 점 $(-1, 1)$, $(2, 4)$에서 만난다.

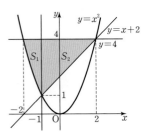

그림과 같이 곡선 $y=x^2$과 직선 $x=-1$, $y=4$로 둘러싸인 부분의 넓이를 S_1, 세 직선 $x=-1$, $y=4$, $y=x+2$로 둘러싸인 부분의 넓이를 S_2라 하고 구하는 부분의 넓이를 S라 하면

$$S=S_1+S_2$$
$$S_1=\int_{-2}^{-1}(4-x^2)dx=\left[4x-\frac{1}{3}x^3\right]_{-2}^{-1}$$
$$=\left(-4+\frac{1}{3}\right)-\left(-8+\frac{8}{3}\right)$$
$$=\frac{5}{3}$$
$$S_2=\frac{1}{2}\times3\times3=\frac{9}{2}$$

따라서 $S=\frac{5}{3}+\frac{9}{2}=\frac{37}{6}$

달 ③

05 곡선 $y=-x^2+4x$와 직선 $y=2x$의 교점의 x좌표는
$-x^2+4x=2x$에서 $x(x-2)=0$
$x=0$ 또는 $x=2$
따라서 구하는 두 부분의 넓이의 합을 S라 하면

$$S=\int_0^2\{(-x^2+4x)-2x\}dx+\int_2^4\{2x-(-x^2+4x)\}dx$$
$$=\int_0^2(-x^2+2x)dx+\int_2^4(x^2-2x)dx$$
$$=\left[-\frac{1}{3}x^3+x^2\right]_0^2+\left[\frac{1}{3}x^3-x^2\right]_2^4$$
$$=\left(-\frac{8}{3}+4\right)+\left(\frac{64}{3}-16\right)-\left(\frac{8}{3}-4\right)$$
$$=\frac{4}{3}+\frac{16}{3}+\frac{4}{3}$$
$$=8$$

달 ③

참고 그림에서 S_1의 넓이와 S_2의 넓이가 같으므로 구하는 넓이는
$$S=\frac{1}{2}\times8\times2=8$$

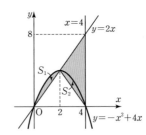

06 모든 실수 x에 대하여 $f(x)\geq g(x)$이므로 주어진 도형의 넓이는
$$\int_0^t\{f(x)-g(x)\}dx=t^3+2t^2+3t$$
위의 식의 양변에 $t=3$을 대입하면
$$\int_0^3\{f(x)-g(x)\}dx=27+18+9=54$$
즉, $\int_0^3 f(x)dx-\int_0^3 g(x)dx=54$
이때 $\int_0^3 f(x)dx=73$이므로 $\int_0^3 g(x)dx=19$
$g(x)\geq0$이므로 곡선 $y=g(x)$와 두 직선 $x=0$, $x=3$으로 둘러싸인

도형의 넓이는 19이다.

답 ④

07 $g(x)=f(x)+k$이고 구하는 넓이를 S라 하면 S는 두 곡선
$y=f(x)$, $y=g(x)$와 두 직선 $x=-1$, $x=5$로 둘러싸인 부분의 넓이
이므로
$$S=\int_{-1}^{5}\{g(x)-f(x)\}dx=\int_{-1}^{5}\{f(x)+k-f(x)\}dx$$
$$=\int_{-1}^{5}kdx=\Big[\,kx\,\Big]_{-1}^{5}$$
$$=5k-(-k)$$
$$=6k=27$$
따라서 $k=\dfrac{9}{2}$

답 ②

08 $f(x)=x^3+3x^2$에서
$f'(x)=3x^2+6x$
두 함수의 그래프의 교점의 x좌표는
$x^3+3x^2=3x^2+6x$에서
$x^3-6x=0$
$x(x-\sqrt{6})(x+\sqrt{6})=0$
$x=-\sqrt{6}$ 또는 $x=0$ 또는 $x=\sqrt{6}$
두 함수 $y=f(x)$, $y=f'(x)$의 그래프는 그림과 같다.

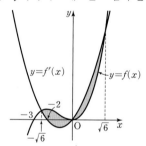

따라서 구하는 넓이는
$$\int_{-\sqrt{6}}^{\sqrt{6}}|(x^3+3x^2)-(3x^2+6x)|\,dx$$
$$=\int_{-\sqrt{6}}^{\sqrt{6}}|x^3-6x|\,dx$$
$$=\int_{-\sqrt{6}}^{0}(x^3-6x)dx+\int_{0}^{\sqrt{6}}(6x-x^3)dx$$
$$=\Big[\frac{1}{4}x^4-3x^2\Big]_{-\sqrt{6}}^{0}+\Big[3x^2-\frac{1}{4}x^4\Big]_{0}^{\sqrt{6}}$$
$$=0-(9-18)+(18-9)-0$$
$$=18$$

답 ③

09 $y=x^2-4x+5$에서 $y'=2x-4$이므로 점 $(3,2)$에서의 접선의 기
울기는 2이다.
따라서 곡선 $y=x^2-4x+5$ 위의 점 $(3,2)$에서의 접선의 방정식은
$y-2=2(x-3)$, $y=2x-4$

구하는 넓이를 S라 하면

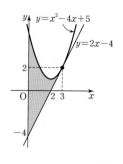

$$S=\int_{0}^{3}\{(x^2-4x+5)-(2x-4)\}dx$$
$$=\int_{0}^{3}(x^2-6x+9)dx$$
$$=\Big[\frac{1}{3}x^3-3x^2+9x\Big]_{0}^{3}$$
$$=(9-27+27)-0$$
$$=9$$

답 ②

10 접점의 x좌표를 a라 하면 접점의 좌표는 $(a,\ a^3-2a)$이다.
$f(x)=x^3-2x$라 하면 $f'(x)=3x^2-2$이므로
$x=a$에서의 접선의 기울기는 $f'(a)=3a^2-2$
곡선 $y=x^3-2x$ 위의 점 $(a,\ a^3-2a)$에서의 접선의 방정식은
$y-(a^3-2a)=(3a^2-2)(x-a)$
$y=(3a^2-2)x-2a^3$
이 직선이 점 $(0,\ 2)$를 지나므로
$2=-2a^3$, $a^3+1=0$
$(a+1)(a^2-a+1)=0$
이때 방정식 $a^2-a+1=0$의 판별식을 D라 하면 $D=1-4<0$이므로
$a=-1$
따라서 접선의 방정식은 $y=x+2$이다.
곡선과 접선이 만나는 점의 x좌표는 $x^3-2x=x+2$에서
$x^3-3x-2=0$, $(x+1)^2(x-2)=0$
$x=-1$ 또는 $x=2$
구하는 넓이를 S라 하면

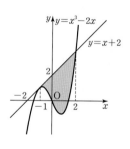

$$S=\int_{-1}^{2}\{(x+2)-(x^3-2x)\}dx$$
$$=\int_{-1}^{2}(-x^3+3x+2)dx$$
$$=\Big[-\frac{1}{4}x^4+\frac{3}{2}x^2+2x\Big]_{-1}^{2}$$
$$=(-4+6+4)-\Big(-\frac{1}{4}+\frac{3}{2}-2\Big)$$
$$=6-\Big(-\frac{3}{4}\Big)=\frac{27}{4}$$

답 ①

11 곡선 $y=(x-1)^2$과 곡선
$y=-ax(x-1)$로 둘러싸인 부분 A의
넓이와 곡선 $y=(x-1)^2$과 곡선
$y=-ax(x-1)$ 및 y축으로 둘러싸인 부
분 B의 넓이가 같으므로 두 곡선
$y=(x-1)^2$, $y=-ax(x-1)$과 x축으
로 둘러싸인 부분을 C라 하면

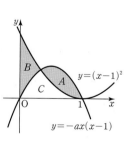

$(A$의 넓이$)+(C$의 넓이$)=(B$의 넓이$)+(C$의 넓이$)$
즉, $\displaystyle\int_{0}^{1}(x-1)^2dx=\int_{0}^{1}\{-ax(x-1)\}dx$이므로

$$\int_0^1 \{(x^2-2x+1)-(-ax^2+ax)\}dx$$

$$=\int_0^1 \{(a+1)x^2-(a+2)x+1\}dx$$

$$=\left[\frac{a+1}{3}x^3-\frac{a+2}{2}x^2+x\right]_0^1$$

$$=\frac{a+1}{3}-\frac{a+2}{2}+1$$

$$=-\frac{1}{6}a+\frac{1}{3}=0$$

따라서 $a=2$

답 ④

12 곡선 $y=3x^2-4x+a$는 직선 $x=\frac{2}{3}$에 대하여 대칭이므로 닫힌구간 $\left[0, \frac{2}{3}\right]$에서 그림과 같이 곡선 $y=3x^2-4x+a$와 x축 및 직선 $x=\frac{2}{3}$로 둘러싸인 부분의 넓이와 도형 A의 넓이는 같다.

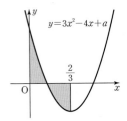

즉, $\int_0^{\frac{2}{3}} (3x^2-4x+a)dx=0$이므로

$$\left[x^3-2x^2+ax\right]_0^{\frac{2}{3}}=0$$

$$\frac{8}{27}-\frac{8}{9}+\frac{2}{3}a=0$$

따라서 $a=\frac{8}{9}$

답 $\frac{8}{9}$

13 그림에서 어두운 부분의 두 도형의 넓이가 서로 같으므로

$$\int_0^4 \{-(x-4)(x-a)\}dx=0$$

$$\int_0^4 \{-x^2+(a+4)x-4a\}dx$$

$$=\left[-\frac{1}{3}x^3+\frac{a+4}{2}x^2-4ax\right]_0^4$$

$$=-\frac{64}{3}+(8a+32)-16a=0$$

$$8a=\frac{32}{3}$$

따라서 $a=\frac{4}{3}$

답 ①

14 곡선 $y=|x^2-4x|$와 x축으로 둘러싸인 부분의 넓이는 함수 $y=x^2-4x$의 그래프와 x축으로 둘러싸인 부분의 넓이와 같다.

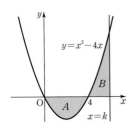

그림과 같이 어두운 두 부분을 각각 A, B라 하면 A, B의 넓이가 같으므로

$$\int_0^k (x^2-4x)dx=\left[\frac{1}{3}x^3-2x^2\right]_0^k$$

$$=\frac{1}{3}k^3-2k^2$$

$$=\frac{1}{3}k^2(k-6)=0$$

$k>4$이므로 $k=6$

답 6

15 구하는 넓이 S_1과 S_2는 그림과 같다.

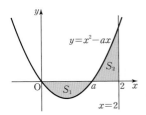

$$S_1=-\int_0^a (x^2-ax)dx=-\left[\frac{1}{3}x^3-\frac{a}{2}x^2\right]_0^a$$

$$=-\left(\frac{1}{3}a^3-\frac{1}{2}a^3\right)$$

$$=\frac{1}{6}a^3$$

$$S_2=\int_a^2 (x^2-ax)dx=\left[\frac{1}{3}x^3-\frac{a}{2}x^2\right]_a^2$$

$$=\left(\frac{8}{3}-2a\right)-\left(\frac{1}{3}a^3-\frac{1}{2}a^3\right)$$

$$=\frac{1}{6}a^3-2a+\frac{8}{3}$$

이므로 $S_1+S_2=\frac{1}{3}a^3-2a+\frac{8}{3}$

$S(a)=S_1+S_2$라 하면 $S'(a)=a^2-2$이고,

$S'(a)=0$에서 $a^2-2=0$

$a=-\sqrt{2}$ 또는 $a=\sqrt{2}$

$0<a<2$에서 함수 $S(a)$의 증가와 감소를 표로 나타내면 다음과 같다.

a	(0)	$\cdots$	$\sqrt{2}$	$\cdots$	(2)
$S'(a)$		$-$	0	$+$	
$S(a)$		$\searrow$	극소	$\nearrow$	

따라서 함수 $S(a)$는 $a=\sqrt{2}$에서 극소이면서 최소이므로 구하는 a의 값은 $\sqrt{2}$이다.

답 ③

16 함수 $y=f(x)$와 그 역함수 $y=g(x)$의 그래프는 직선 $y=x$에 대하여 대칭이므로 그림에서 $\int_{1}^{4}f(x)dx$는 A부분의 넓이와 같고, $\int_{1}^{8}g(x)dx$는 B부분의 넓이와 같다.

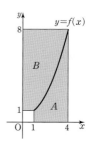

따라서 $\int_{1}^{4}f(x)dx+\int_{1}^{8}g(x)dx=4\times8-1\times1=31$

답 ⑤

17 $f(x)=x^3+2x-2$에서 $f(1)=1$, $f(2)=10$이고 $f'(x)=3x^2+2>0$이므로 함수 $y=f(x)$의 그래프의 개형은 그림과 같다.

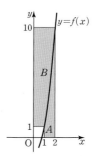

$\int_{1}^{2}f(x)dx$는 그림의 A부분의 넓이와 같고, $g(x)$가 $f(x)$의 역함수이므로 $\int_{1}^{10}g(x)dx$는 그림의 B부분의 넓이와 같다.

따라서 $\int_{1}^{2}f(x)dx+\int_{1}^{10}g(x)dx=2\times10-1\times1=19$

답 ④

18 점 P의 시각 t에서의 속도를 $v(t)$라 하면
$$v(t)=x'(t)=3t^2-6t-9$$
ㄱ. $v(3)=27-18-9=0$이므로 출발 후 3초 후의 속력은 0이다. (참)
ㄴ. $v(t)=3t^2-6t-9=3(t+1)(t-3)$에서 $v(t)=0$을 만족하는 양수 t의 값은 3이고, $t=3$의 좌우에서 $v(t)$의 부호가 변하므로 운동 방향이 바뀐다.
  즉, 점 P는 움직이는 동안 운동 방향을 한 번 바꾼다. (거짓)
ㄷ. 점 P가 출발 후 4초 동안 움직인 거리는
$$\int_{0}^{4}|v(t)|dt=\int_{0}^{4}|3t^2-6t-9|dt$$
$$=\int_{0}^{3}(-3t^2+6t+9)dt+\int_{3}^{4}(3t^2-6t-9)dt$$
$$=\left[-t^3+3t^2+9t\right]_{0}^{3}+\left[t^3-3t^2-9t\right]_{3}^{4}$$

$$=(-27+27+27)+(64-48-36)$$
$$-(27-27-27)$$
$$=27-20+27=34 \ (참)$$
따라서 옳은 것은 ㄱ, ㄷ이다.

답 ③

19 물체의 t초 후의 높이를 $h(t)$라 하면
$$h(t)=h(0)+\int_{0}^{t}(20-12t)dt$$
$$=20+\left[20t-6t^2\right]_{0}^{t}$$
$$=20+20t-6t^2$$
따라서 $h(4)=20+80-96=4$

답 ④

20 $t=0$에서 $t=6$까지 점 P가 움직인 거리는 $v(t)$의 그래프와 t축으로 둘러싸인 도형의 넓이와 같으므로 구하는 거리를 s라 하면
$$s=\frac{1}{2}\times(1+3)\times3+\frac{1}{2}\times3\times3$$
$$=\frac{21}{2}$$

답 ①

21 출발 후 $t=8$일 때의 점 P의 위치가 5이므로
$$\frac{1}{2}\times(1+3)\times k+\frac{1}{2}\times2\times k-\frac{1}{2}\times3\times2=5$$
$$3k-3=5$$
따라서 $k=\frac{8}{3}$

답 ③

22 $x=2$인 점에서의 접선의 기울기가 6이므로 $f'(2)=6$

.... (가)

$f(x)=x^3-x^2+ax$에서
$f'(x)=3x^2-2x+a$이므로
$f'(2)=12-4+a=6$
따라서 $a=-2$이고
$f(x)=x^3-x^2-2x=x(x+1)(x-2)$

.... (나)

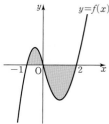

함수 $y=f(x)$의 그래프가 그림과 같으므로 구하는 넓이를 S라 하면

$$S=\int_{-1}^{0}(x^3-x^2-2x)dx+\int_{0}^{2}(-x^3+x^2+2x)dx$$

$$=\left[\frac{1}{4}x^4-\frac{1}{3}x^3-x^2\right]_{-1}^{0}+\left[-\frac{1}{4}x^4+\frac{1}{3}x^3+x^2\right]_{0}^{2}$$

$$=0-\left(\frac{1}{4}+\frac{1}{3}-1\right)+\left(-4+\frac{8}{3}+4\right)-0$$

$$=\frac{5}{12}+\frac{8}{3}$$

$$=\frac{37}{12}$$

·· (다)

답 $\dfrac{37}{12}$

단계	채점 기준	비율
(가)	접선의 기울기를 구한 경우	30 %
(나)	함수 $f(x)$의 식을 구한 경우	40 %
(다)	넓이를 옳게 구한 경우	30 %

23 $y=x^2$에서 $y'=2x$이므로 곡선 $y=x^2$ 위의 점 $(a,\,a^2)$에서의 접선의 방정식은

$$y-a^2=2a(x-a)$$

$$y=2ax-a^2$$

·· (가)

$a>0$이므로 곡선 $y=x^2$과 직선 l 및 y축으로 둘러싸인 도형의 넓이는

$$\int_{0}^{a}\{x^2-(2ax-a^2)\}dx$$

·· (나)

$$=\int_{0}^{a}(x^2-2ax+a^2)dx$$

$$=\left[\frac{1}{3}x^3-ax^2+a^2x\right]_{0}^{a}$$

$$=\frac{1}{3}a^3-a^3+a^3$$

$$=\frac{1}{3}a^3=9$$

따라서 $a=3$

·· (다)

답 3

단계	채점 기준	비율
(가)	접선의 방정식을 구한 경우	30 %
(나)	곡선 $y=x^2$과 직선 l 및 y축으로 둘러싸인 도형의 넓이를 식으로 나타낸 경우	40 %
(다)	a의 값을 구한 경우	30 %

24 ④	25 ②	26 ③	27 ⑤	28 ④
29 ①	30 ②	31 $\frac{3}{2}$	32 $\frac{2}{3}$	33 60
34 $\frac{4}{3}$	35 ①	36 ②	37 ③	38 ③
39 ③	40 62	41 ⑤	42 $\frac{49}{16}$	43 108

24 $f(x)=\int_{-x}^{x}g(t)dt$

$$=\int_{-x}^{x}(3-2|t|)dt$$

$$=2\int_{0}^{x}(3-2|t|)dt$$

(ⅰ) $x\geq0$일 때

$$f(x)=2\int_{0}^{x}(3-2t)dt$$

$$=2\left[3t-t^2\right]_{0}^{x}$$

$$=-2x^2+6x$$

(ⅱ) $x<0$일 때

$$f(x)=2\int_{0}^{x}(3+2t)dt$$

$$=2\left[3t+t^2\right]_{0}^{x}$$

$$=2x^2+6x$$

(ⅰ), (ⅱ)에 의하여 함수 $y=f(x)$의 그래프는 그림과 같다.

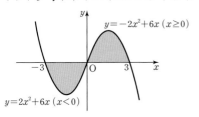

따라서 구하는 넓이를 S라 하면

$$S=-\int_{-3}^{0}(2x^2+6x)dx+\int_{0}^{3}(-2x^2+6x)dx$$

$$=-\left[\frac{2}{3}x^3+3x^2\right]_{-3}^{0}+\left[-\frac{2}{3}x^3+3x^2\right]_{0}^{3}$$

$$=(-18+27)+(-18+27)$$

$$=18$$

답 ④

25 $f(x)=\begin{cases}2x & (0\leq x\leq1)\\ 2 & (1\leq x\leq2)\end{cases}$ 이므로

$$g(x)=(f\circ f)(x)=f(f(x))$$

$$=\begin{cases}2f(x) & (0\leq f(x)\leq1)\\ 2 & (1\leq f(x)\leq2)\end{cases}$$

$$= \begin{cases} 4x & \left(0 \le x \le \dfrac{1}{2}\right) \\ 2 & \left(\dfrac{1}{2} \le x \le 2\right) \end{cases}$$

$0 \le x \le 2$에서 $g(x) \ge 0$이므로 구하는 넓이는

$$\int_0^2 |g(x)| \, dx = \int_0^2 g(x) \, dx$$

$$= \int_0^{\frac{1}{2}} 4x \, dx + \int_{\frac{1}{2}}^2 2 \, dx$$

$$= \left[2x^2 \right]_0^{\frac{1}{2}} + \left[2x \right]_{\frac{1}{2}}^2$$

$$= \frac{1}{2} + (4-1) = \frac{7}{2}$$

답 ②

26 조건 (가)에서 $f'(x) = 3(x+1)(x-3)$이므로

$$f(x) = \int f'(x) \, dx$$

$$= \int (3x^2 - 6x - 9) \, dx$$

$$= x^3 - 3x^2 - 9x + C \ (C는 \ 적분상수)$$

$f'(x) = 0$에서 $x = -1$ 또는 $x = 3$

함수 $f(x)$의 증가와 감소를 표로 나타내면 다음과 같다.

x	$\cdots$	-1	$\cdots$	3	$\cdots$
$f'(x)$		$+$	0	$-$	0	$+$
$f(x)$		↗	$C+5$	↘	$C-27$	↗

따라서 함수 $f(x)$는 $x=-1$에서 극댓값 $C+5$, $x=3$에서 극솟값 $C-27$을 가지므로

$$(C+5) + (C-27) = 32$$

$$2C - 22 = 32, \ C = 27$$

$f(x) = x^3 - 3x^2 - 9x + 27 = (x-3)^2(x+3)$이고 함수 $y=f(x)$의 그래프는 그림과 같다.

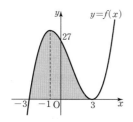

구하는 넓이를 S라 하면

$$S = \int_{-3}^3 (x^3 - 3x^2 - 9x + 27) \, dx$$

$$= 2 \int_0^3 (-3x^2 + 27) \, dx$$

$$= 2 \left[-x^3 + 27x \right]_0^3$$

$$= 2(-27 + 81) = 108$$

답 ③

27 접점의 x좌표를 a라 하면 접점의 좌표는 (a, a^2+1)이다.

$f(x) = x^2 + 1$이라 하면 $f'(x) = 2x$이므로

$x = a$에서의 접선의 기울기는 $f'(a) = 2a$

즉, 접점 (a, a^2+1)에서의 접선의 방정식은

$$y - (a^2+1) = 2a(x-a)$$

$$y = 2ax - a^2 + 1$$

이 직선이 점 $(1, -2)$를 지나므로

$$-2 = 2a - a^2 + 1$$

$$a^2 - 2a - 3 = 0, \ (a+1)(a-3) = 0$$

$$a = -1 \ 또는 \ a = 3$$

따라서 접선의 방정식은

$$y = -2x \ 또는 \ y = 6x - 8$$

이때 곡선 $y = x^2 + 1$과 직선 $y = -2x$가 만나는 점의 좌표는 $(-1, 2)$이고, 곡선 $y = x^2 + 1$과 직선 $y = 6x - 8$이 만나는 점의 좌표는 $(3, 10)$이다.

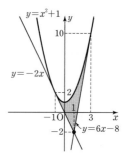

구하는 넓이를 S라 하면

$$S = \int_{-1}^1 \{(x^2+1) - (-2x)\} \, dx + \int_1^3 \{(x^2+1) - (6x-8)\} \, dx$$

$$= \int_{-1}^1 (x^2 + 2x + 1) \, dx + \int_1^3 (x^2 - 6x + 9) \, dx$$

$$= 2 \int_0^1 (x^2 + 1) \, dx + \int_1^3 (x^2 - 6x + 9) \, dx$$

$$= 2 \left[\frac{1}{3}x^3 + x \right]_0^1 + \left[\frac{1}{3}x^3 - 3x^2 + 9x \right]_1^3$$

$$= 2 \left(\frac{1}{3} + 1 \right) + (9 - 27 + 27) - \left(\frac{1}{3} - 3 + 9 \right)$$

$$= \frac{8}{3} + 9 - \frac{19}{3} = \frac{16}{3}$$

답 ⑤

28 $f(x) = ax^2 + bx + c \ (a, b, c는 \ 상수, a \ne 0)$라 하자.

함수 $f(x)$의 그래프가 세 점 O, A, B를 지나므로

$$f(0) = c = 0$$

$$f(1) = a + b = 1$$

$$f(2) = 4a + 2b = 2^n$$

따라서 $a = \boxed{2^{n-1}-1}$, $b = 2 - 2^{n-1}$, $c = 0$이고

$$f(x) = (2^{n-1}-1)x^2 + (2-2^{n-1})x$$

$$f'(x) = 2(2^{n-1}-1)x + (2-2^{n-1})$$

$g(x) = x^n$이라 하면 $g'(x) = nx^{n-1}$

$$f'(1) = \boxed{2^{n-1}}, \ g'(1) = n$$

$n > 2$이면 $f'(1) \ne g'(1)$이고 두 곡선 $y = f(x)$, $y = g(x)$가 $x = 0$,

$x=1$, $x=2$인 점에서 만나므로 열린구간 $(0, 1)$에서 $g(x)>f(x)$, 열린구간 $(1, 2)$에서 $f(x)>g(x)$이다. 즉, 매우 작은 양수 h에 대하여
$g(1-h)-f(1-h)>0$, $g(1+h)-f(1+h)<0$

따라서 $S_1=S_2$에서 $\int_0^2 (x^n-ax^2-bx)dx=0$이므로

$\left[\dfrac{x^{n+1}}{n+1} - \dfrac{a}{3}x^3 - \dfrac{b}{2}x^2 \right]_0^2 = 0$

$a=2^{n-1}-1$, $b=2-2^{n-1}$, $c=0$이므로

$\boxed{\dfrac{2^{n+1}}{n+1}} = \dfrac{2^n}{3} + \dfrac{4}{3}$

$\dfrac{4}{3}>0$이므로 $\dfrac{2^{n+1}}{n+1} > \dfrac{2^n}{3}$이고 $n<5$

$n=3$일 때 $\boxed{\dfrac{2^{n+1}}{n+1}} = \dfrac{2^n}{3} + \dfrac{4}{3}$를 만족시키므로 구하는 자연수 n의 값은 3이다.

따라서 $F(n)=2^{n-1}-1$, $G(n)=2^{n-1}$, $H(n)=\dfrac{2^{n+1}}{n+1}$이므로

$\{G(2)-F(2)\} \times H(3) = H(3) = 4$

답 ④

29 곡선 $y=2x^2-3x-2$와 직선 $y=\dfrac{4}{3}x+1$의 교점의 x좌표를

α, β $(\alpha<\beta)$라 하면 곡선 $y=2x^2-3x-2$와 직선 $y=\dfrac{4}{3}x+1$로 둘러싸인 부분의 넓이 S는

$S = \int_\alpha^\beta \left\{ \left(\dfrac{4}{3}x+1 \right) - (2x^2-3x-2) \right\}dx$

$= \int_\alpha^\beta \left(-2x^2 + \dfrac{13}{3}x + 3 \right)dx$

한편, $-2\alpha^2 + \dfrac{13}{3}\alpha + 3 = -2\beta^2 + \dfrac{13}{3}\beta + 3 = 0$이므로 S는 곡선

$y = -2x^2 + \dfrac{13}{3}x + 3$

$= -2\left(x - \dfrac{13}{12} \right)^2 + \dfrac{385}{72}$

와 x축으로 둘러싸인 부분의 넓이와 같고 그 넓이는 직선 $x=\dfrac{13}{12}$에 의하여 이등분된다.

따라서 $a=\dfrac{13}{12}$

답 ①

30 $x>0$일 때, $f(x)<0$이므로
조건 (나)의 도형의 넓이를 $S(t)$라 하면

$S(t) = \int_0^t |f(x)|dx = -\int_0^t f(x)dx$

$= 2t^3 + t + 1 - a$

$\lim\limits_{t \to 0+} S(t) = \lim\limits_{t \to 0+} (2t^3 + t + 1 - a) = 0$이어야 하므로

$1-a=0$, $a=1$

따라서 $\int_0^t f(x)dx = -2t^3 - t$

위의 식의 양변을 t에 대하여 미분하면
$f(t) = -6t^2 - 1$
따라서 $f(a)=f(1)=-7$

답 ②

31 $\int_0^2 \{f(x)-x\}dx=7$에서

$\int_0^2 \{f(x)-x\}dx = \int_0^2 f(x)dx - \left[\dfrac{1}{2}x^2 \right]_0^2$

$= \int_0^2 f(x)dx - 2 = 7$

이므로 $\int_0^2 f(x)dx = 9$

또한 $\int_2^5 \{x-f(x)\}dx=18$에서

$\int_2^5 \{x-f(x)\}dx = \left[\dfrac{1}{2}x^2 \right]_2^5 - \int_2^5 f(x)dx$

$= \dfrac{21}{2} - \int_2^5 f(x)dx = 18$

이므로 $\int_2^5 f(x)dx = -\dfrac{15}{2}$

따라서

$\int_0^5 f(x)dx = \int_0^2 f(x)dx + \int_2^5 f(x)dx$

$= 9 + \left(-\dfrac{15}{2} \right) = \dfrac{3}{2}$

답 $\dfrac{3}{2}$

32 곡선 $y=x^2$과 직선 $y=k^2$이 만나는 점의 x좌표는 $x^2=k^2$에서 $x=-k$ 또는 $x=k$이므로 양수 k에 대하여

$S_1 + S_2 = \int_{-k}^k (k^2-x^2)dx + \int_k^2 (x^2-k^2)dx$

$= 2\int_0^k (k^2-x^2)dx + \int_k^2 (x^2-k^2)dx$

$= 2\left[k^2x - \dfrac{1}{3}x^3 \right]_0^k + \left[\dfrac{1}{3}x^3 - k^2x \right]_k^2$

$= 2\left(k^3 - \dfrac{1}{3}k^3 \right) + \left(\dfrac{8}{3} - 2k^2 \right) - \left(\dfrac{1}{3}k^3 - k^3 \right)$

$= 2k^3 - 2k^2 + \dfrac{8}{3}$

$S(k)=S_1+S_2$라 하면
$S'(k) = 6k^2 - 4k = 2k(3k-2)$
$S'(k)=0$에서 $k=0$ 또는 $k=\dfrac{2}{3}$

$k>0$에서 함수 $S(k)$의 증가와 감소를 표로 나타내면 다음과 같다.

k	(0)	$\cdots$	$\dfrac{2}{3}$	$\cdots$
$S'(k)$		$-$	0	$+$
$S(k)$		$\searrow$	극소	$\nearrow$

따라서 함수 $S(k)$는 $k=\dfrac{2}{3}$에서 극소이면서 최소이므로 구하는 양수 k 의 값은 $\dfrac{2}{3}$이다.

目 $\dfrac{2}{3}$

33 $f(x)=\begin{cases} 2x+6 & (x\le 6) \\ -3x+36 & (x>6) \end{cases}$이고,

$0\le x\le 6$에서 $0\le g(x)\le 6$이므로

$0\le x\le 6$에서 $(f\circ g)(x)=f(g(x))=2g(x)+6$

닫힌구간 $[0,\,6]$에서 곡선 $y=g(x)$와 x축 및 y축으로 둘러싸인 도형의

넓이가 12이므로 $\displaystyle\int_0^6 g(x)dx=12$

따라서

$$\int_0^6 (f\circ g)(x)dx=\int_0^6 \{2g(x)+6\}dx$$

$$=2\int_0^6 g(x)dx+\int_0^6 6dx$$

$$=2\times 12+\Big[6x\Big]_0^6$$

$$=24+36=60$$

目 60

34 두 함수 $f(x)$, $g(x)$는 서로 역함수 관계에 있으므로 그림과 같이 두 함수 $y=f(x)$, $y=g(x)$의 그래프는 직선 $y=x$에 대하여 대칭이다.

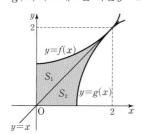

즉, 두 함수 $y=f(x)$, $y=g(x)$의 그래프가 만나는 점은 함수 $y=f(x)$ 의 그래프와 직선 $y=x$가 만나는 점과 같으므로 두 함수 $y=f(x)$, $y=g(x)$의 그래프가 만나는 점의 좌표는 $(2,\,2)$이고, 함수 $y=f(x)$ 의 그래프와 직선 $y=x$가 만나는 점의 좌표가 $(2,\,2)$이므로 함수 $y=f(x)$ 위의 점 $(2,\,2)$에서의 접선이 직선 $y=x$이다.

$f(x)=ax^2+b\ (x\ge 0)$에서 $f'(x)=2ax$이므로

$f(2)=4a+b=2$, $f'(2)=4a=1$

위의 두 식을 연립하여 풀면 $a=\dfrac{1}{4}$, $b=1$

따라서 $f(x)=\dfrac{1}{4}x^2+1\ (x\ge 0)$

한편, 위의 그림에서 함수 $y=f(x)$의 그래프와 직선 $y=x$ 및 y축으로 둘러싸인 부분의 넓이를 S_1, 함수 $y=g(x)$의 그래프와 직선 $y=x$ 및 x 축으로 둘러싸인 부분의 넓이를 S_2라 하면 $S_1=S_2$이고

$$S_1=\int_0^2 \Big\{\Big(\dfrac{1}{4}x^2+1\Big)-x\Big\}dx=\Big[\dfrac{1}{12}x^3-\dfrac{1}{2}x^2+x\Big]_0^2$$

$$=\dfrac{2}{3}-2+2=\dfrac{2}{3}$$

이므로 구하는 부분의 넓이는 $2S_1=\dfrac{4}{3}$이다.

目 $\dfrac{4}{3}$

35 조건 (가)에서 함수 $f(x)$는 실수 전체의 집합에서 감소하므로 그래프의 개형을 그림과 같이 나타낼 수 있다.

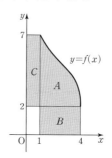

함수 $y=f(x)$의 그래프와 두 직선 $x=1$, $y=2$로 둘러싸인 도형의 넓이 를 A, 네 직선 $x=1$, $x=4$, $y=0$, $y=2$로 둘러싸인 직사각형의 넓이 를 B, 네 직선 $x=0$, $x=1$, $y=2$, $y=7$로 둘러싸인 직사각형의 넓이 를 C라 하면

$$\int_1^4 f(x)dx=17=A+B=A+6$$이므로

$A=11$

이때 $\displaystyle\int_2^7 g(x)dx$의 값은 $A+C$와 같으므로

$$\int_2^7 g(x)dx=11+5=16$$

目 ①

36 삼차함수 $f(x)=x^3+ax^2+2ax$가 역함수를 가져야 하므로 $f(x)$ 는 실수 전체의 집합에서 증가해야 한다.

$f'(x)=3x^2+2ax+2a$에서 $f'(x)\ge 0$이어야 하므로

방정식 $f'(x)=0$의 판별식을 D라 하면

$$\dfrac{D}{4}=a^2-6a\le 0$$

$a(a-6)\le 0$, $0\le a\le 6$

따라서 $f(x)$의 역함수가 존재하도록 하는 실수 a의 최댓값은 6이고

$f(x)=x^3+6x^2+12x$

함수 $f(x)$의 역함수를 $f^{-1}(x)$라 하면 두 함수 $y=f(x)$와 $y=f^{-1}(x)$ 의 그래프는 직선 $y=x$에 대하여 대칭이므로 두 함수의 그래프와 직선 $y=-x+20$으로 둘러싸인 부분은 그림과 같다.

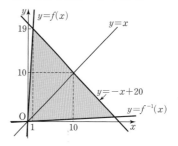

함수 $y=f(x)$의 그래프와 두 직선 $y=x$, $y=-x+20$으로 둘러싸인 부분의 넓이를 S_1, 함수 $y=f^{-1}(x)$의 그래프와 두 직선 $y=x$, $y=-x+20$으로 둘러싸인 부분의 넓이를 S_2라 하면 $S_1=S_2$이므로 구하는 넓이를 S라 하면

$S=S_1+S_2=2S_1$

한편, $x^3+6x^2+12x=-x+20$에서

$x^3+6x^2+13x-20=0$

$(x-1)(x^2+7x+20)=0$

이므로 $y=f(x)$의 그래프와 직선 $y=-x+20$은 점 $(1,\ 19)$에서 만난다.

또한 두 직선 $y=x$, $y=-x+20$은 점 $(10,\ 10)$에서 만난다.

함수 $y=f(x)$의 그래프와 두 직선 $y=x$, $x=1$로 둘러싸인 부분의 넓이를 S_3, 세 직선 $y=x$, $y=-x+20$, $x=1$로 둘러싸인 부분의 넓이를 S_4라 하면

$$S_3=\int_0^1 \{(x^3+6x^2+12x)-x\}\,dx$$

$$=\int_0^1 (x^3+6x^2+11x)\,dx$$

$$=\left[\frac{1}{4}x^4+2x^3+\frac{11}{2}x^2\right]_0^1$$

$$=\frac{1}{4}+2+\frac{11}{2}=\frac{31}{4}$$

$$S_4=\frac{1}{2}\times18\times9=81$$

따라서 $S_1=S_3+S_4=\frac{31}{4}+81=\frac{355}{4}$이므로

$$S=2S_1=\frac{355}{2}$$

답 ②

37 $t=6$일 때 점 P의 위치가 원점이므로 $\int_0^6 v(t)\,dt=0$이다.

$$\int_0^6 v(t)\,dt=\int_0^2 3t^2\,dt+\int_2^6 \{a(t-2)+12\}\,dt$$

$$=\left[t^3\right]_0^2+\left[\frac{1}{2}at^2-2at+12t\right]_2^6$$

$$=8+(18a-12a+72)-(2a-4a+24)$$

$$=8a+56=0$$

따라서 $a=-7$

답 ③

38 시각 t에서의 두 점 P, Q의 위치를 각각 $x_\text{P}(t)$, $x_\text{Q}(t)$라 하면

$$x_\text{P}(t)=\int_0^t (3t^2-10t)\,dt$$

$$=\left[t^3-5t^2\right]_0^t=t^3-5t^2$$

$$x_\text{Q}(t)=\int_0^t (12t-24)\,dt$$

$$=\left[6t^2-24t\right]_0^t=6t^2-24t$$

이므로 출발 후 두 번째로 다시 만나는 시각은

$t^3-5t^2=6t^2-24t$

$t^3-11t^2+24t=0$

$t(t-3)(t-8)=0$에서 $t=8$

또한 두 점 P, Q 사이의 거리를 d라 하면

$d=|t^3-11t^2+24t|$

$f(t)=t^3-11t^2+24t$라 하면

$f'(t)=3t^2-22t+24=(3t-4)(t-6)$

$f'(t)=0$에서 $t=\frac{4}{3}$ 또는 $t=6$

닫힌구간 $[0,\ 8]$에서 함수 $f(t)$의 증가와 감소를 표로 나타내면 다음과 같다.

t	0	$\cdots$	$\frac{4}{3}$	$\cdots$	6	$\cdots$	8
$f'(t)$		$+$	0	$-$	0	$+$	
$f(t)$	0	↗	$\frac{400}{27}$	↘	-36	↗	0

따라서 함수 $f(t)$는 $t=\frac{4}{3}$에서 극댓값 $\frac{400}{27}$, $t=6$에서 극솟값 -36을 가지므로 d의 최댓값은 36이다.

답 ③

39 점 P의 시각 t에서의 위치를 $x(t)$라 하면 $x(0)=-4$

$$x(t)=x(0)+\int_0^t v(t)\,dt$$

$$=-4+\int_0^t 3(t-1)(t-3)\,dt$$

$$=-4+\int_0^t (3t^2-12t+9)\,dt$$

$$=-4+\left[t^3-6t^2+9t\right]_0^t$$

$$=t^3-6t^2+9t-4$$

점 P가 원점을 지나려면 $x(t)=0$이므로

$t^3-6t^2+9t-4=0$

$(t-1)^2(t-4)=0$

$t=1$ 또는 $t=4$

따라서 점 P는 $t=1$일 때 처음으로 원점을 지나고 $t=4$일 때 두 번째로 원점을 지나므로 점 P가 원점을 처음 지날 때부터 두 번째 지날 때까지 움직인 거리는

$$\int_1^4 |3(t-1)(t-3)|\,dt$$

$$=\int_1^3 (-3t^2+12t-9)\,dt+\int_3^4 (3t^2-12t+9)\,dt$$

$$=\left[-t^3+6t^2-9t\right]_1^3+\left[t^3-6t^2+9t\right]_3^4$$

$$=(-27+54-27)-(-1+6-9)$$

$$\quad+(64-96+36)-(27-54+27)$$

$$=8$$

답 ③

40 점 P가 움직이기 시작하여 $t=2$일 때, 다시 원점으로 돌아오므로

$$\int_0^2 v(t)dt=0$$

$\int_0^2 v(t)dt=\int_0^1 v(t)dt+\int_1^2 v(t)dt$에서 $\int_1^2 v(t)dt=-4$이므로

$$\int_0^1 v(t)dt=4$$

또한 $t=6$일 때 다시 원점으로 돌아오므로 $\int_0^6 v(t)dt=0$

$\int_0^6 v(t)dt=\int_0^a v(t)dt+\int_a^6 v(t)dt$에서 $\int_0^a v(t)dt=16$이므로

$$\int_2^a v(t)dt=16, \quad \int_a^6 v(t)dt=-16$$

$\int_a^7 v(t)dt=6$이므로

$\int_a^7 v(t)dt=\int_a^6 v(t)dt+\int_6^7 v(t)dt$에서

$$6=-16+\int_6^7 v(t)dt$$

$$\int_6^7 v(t)dt=22$$

따라서 $t=0$에서 $t=7$까지 점 P가 실제로 움직인 거리는

$\int_0^7 |v(t)|dt$

$=\int_0^1 v(t)dt-\int_1^2 v(t)dt+\int_2^a v(t)dt-\int_a^6 v(t)dt+\int_6^7 v(t)dt$

$=4-(-4)+16-(-16)+22$

$=62$

답 62

41 $\int_0^a |v(t)|dt=S_1$, $\int_a^b |v(t)|dt=S_2$, $\int_b^c |v(t)|dt=S_3$이라 하면

$\int_0^b v(t)dt=\int_0^a v(t)dt+\int_a^b v(t)dt$

$\qquad\qquad =S_1-S_2<0$

이므로 $S_1<S_2$

$\left|\int_0^b v(t)dt\right|=\left|\int_0^a v(t)dt+\int_a^b v(t)dt\right|$

$\qquad\qquad =|S_1-S_2|$

$\qquad\qquad =S_2-S_1$

또한

$\int_a^c v(t)dt=\int_a^b v(t)dt+\int_b^c v(t)dt$

$\qquad\qquad =-S_2+S_3$

이므로 $\left|\int_0^b v(t)dt\right|=\int_a^c v(t)dt$에서

$S_2-S_1=S_3-S_2$

따라서 $2S_2=S_1+S_3$

ㄱ. $t=0$에서 $t=c$까지 점 P가 움직인 거리는 $S_1+S_2+S_3$이고, $2S_2=S_1+S_3$이므로

$$S_1+S_2+S_3=3S_2$$

이때 $\int_a^b |v(t)|dt=S_2$이므로 $t=0$에서 $t=c$까지 점 P가 움직인

거리는 $3\int_a^b |v(t)|dt$이다. (참)

ㄴ. 속도 $v(t)$의 그래프에서 점 P가 방향을 바꾸는 시각은 $t=a$, $t=b$일 때이다.

$\int_0^a v(t)dt=S_1>0$, $\int_0^b v(t)dt=S_1-S_2<0$,

$\int_0^c v(t)dt=S_2>0$

이므로 점 P는 $t=a$에서 $t=b$ 사이에 한 번, $t=b$에서 $t=c$ 사이에 한 번, 총 두 번 원점을 지난다. (참)

ㄷ. ㄴ에서 시각 $t=a$, $t=b$, $t=c$일 때의 점 P의 원점으로부터의 거리는 각각 S_1, S_2-S_1, S_2이다.

이때 $S_1<S_2$이므로 점 P는 $t=c$일 때, 원점에서 가장 멀리 떨어져 있다. (참)

따라서 옳은 것은 ㄱ, ㄴ, ㄷ이다.

답 ⑤

42 모든 실수 x에 대하여 $f(-x)=f(x)$이고, 최고차항의 계수가 1인 사차함수 $f(x)$가 $x=\alpha$, $x=\beta$에서 극솟값 0을 가지므로 $f(x)$를 $f(x)=(x-\alpha)^2(x-\beta)^2$이라 하자.

·········· (가)

조건 (가)에 의하여

$f(x)=(x-\alpha)^2(x-\beta)^2=(x+\alpha)^2(x+\beta)^2$

이므로 $\alpha+\beta=0$, 즉 $\beta=-\alpha$

$f(x)=(x-\alpha)^2(x+\alpha)^2=(x^2-\alpha^2)^2$

$\qquad =x^4-2\alpha^2 x^2+\alpha^4$

곡선 $y=f(x)$와 x축으로 둘러싸인 부분의 넓이가 $\dfrac{81}{10}$이므로

$\int_{-\alpha}^{\alpha}(x^4-2\alpha^2 x^2+\alpha^4)dx=2\int_0^{\alpha}(x^4-2\alpha^2 x^2+\alpha^4)dx$

$\qquad\qquad =2\left[\dfrac{1}{5}x^5-\dfrac{2\alpha^2}{3}x^3+\alpha^4 x\right]_0^{\alpha}$

$\qquad\qquad =\dfrac{16}{15}\alpha^5=\dfrac{81}{10}$

$\alpha^5=\dfrac{243}{32}$이므로 $\alpha=\dfrac{3}{2}$

·········· (나)

따라서 $f(x)=x^4-\dfrac{9}{2}x^2+\dfrac{81}{16}$이므로

$f(2)=16-18+\dfrac{81}{16}=\dfrac{49}{16}$

·········· (다)

답 $\dfrac{49}{16}$

단계	채점 기준	비율
(가)	함수 $f(x)$의 식을 세운 경우	30 %
(나)	a의 값을 구한 경우	40 %
(다)	$f(2)$의 값을 구한 경우	30 %

43 $f(x)=x^3-12x$에서

$f'(x)=3x^2-12=3(x+2)(x-2)$

$f'(x)=0$에서 $x=-2$ 또는 $x=2$

$x=-2$의 좌우에서 $f'(x)$의 부호가 양에서 음으로 바뀌므로 $x=-2$에서 극댓값을 갖는다.

따라서 $M=f(-2)=16$

⋯⋯⋯⋯⋯⋯⋯⋯⋯⋯⋯⋯⋯⋯⋯⋯⋯ (가)

곡선 $y=f(x)$와 직선 $y=M$의 교점의 x좌표는 방정식 $f(x)=M$에서

$x^3-12x=16$

$x^3-12x-16=0$

$(x+2)^2(x-4)=0$

$x=-2$ 또는 $x=4$

⋯⋯⋯⋯⋯⋯⋯⋯⋯⋯⋯⋯⋯⋯⋯⋯⋯ (나)

따라서 구하는 넓이는

$\int_{-2}^{4}\{16-(x^3-12x)\}dx$

$=\int_{-2}^{4}(-x^3+12x+16)dx$

$=\left[-\dfrac{1}{4}x^4+6x^2+16x\right]_{-2}^{4}$

$=(-64+96+64)-(-4+24-32)$

$=96-(-12)=108$

⋯⋯⋯⋯⋯⋯⋯⋯⋯⋯⋯⋯⋯⋯⋯⋯⋯ (다)

답 108

단계	채점 기준	비율
(가)	M의 값을 구한 경우	30 %
(나)	$x=-2$, $x=4$를 구한 경우	40 %
(다)	넓이를 옳게 구한 경우	30 %

참고 함수 $y=f(x)$의 그래프와 직선 $y=16$으로 둘러싸인 도형은 그림과 같다.

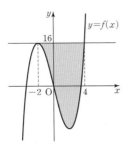

44 $\dfrac{225}{2}$	**45** $\dfrac{9}{2}$	**46** $\dfrac{11}{3}$	**47** $\dfrac{4}{3}$	**48** 9
49 $\dfrac{37}{6}$	**50** $\sqrt{2}$	**51** $\dfrac{37}{18}$	**52** $\dfrac{17}{2}$	**53** $\dfrac{512}{3}$
54 ⑤	**55** 3			

44

곡선 $y=|x^2-9x+18|$과 직선 $y=18$로 둘러싸인 도형의 넓이를 구하시오. $\dfrac{225}{2}$

풀이전략

절댓값이 있는 함수의 그래프를 그리고 넓이를 계산한다.

문제풀이

step 1 곡선 $y=|x^2-9x+18|$과 직선 $y=18$을 그린다.

$y=|x^2-9x+18|=|(x-3)(x-6)|$이므로

$y=|x^2-9x+18|=\begin{cases}(x-3)(x-6) & (x\le 3,\ x\ge 6)\\ -(x-3)(x-6) & (3<x<6)\end{cases}$

곡선 $y=|x^2-9x+18|$과 직선 $y=18$이 만나는 점의 x좌표는

$x^2-9x+18=18$에서 → 곡선 $y=-x^2+9x-18\ (3<x<6)$과 직선 $y=18$은 만나지 않는다.

$x^2-9x=0$

$x=0$ 또는 $x=9$

곡선 $y=|x^2-9x+18|$과 직선 $y=18$은 그림과 같다.

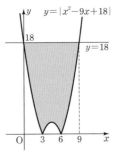

step 2 곡선 $y=|x^2-9x+18|$과 직선 $y=18$로 둘러싸인 도형의 넓이를 구한다.

구하는 넓이를 S라 하면

$S=\int_{0}^{9}(18-|x^2-9x+18|)dx$

$=\int_{0}^{9}(-x^2+9x)dx+2\int_{3}^{6}(x^2-9x+18)dx$

$=\left[-\dfrac{1}{3}x^3+\dfrac{9}{2}x^2\right]_{0}^{9}+2\left[\dfrac{1}{3}x^3-\dfrac{9}{2}x^2+18x\right]_{3}^{6}$

$=\dfrac{243}{2}+2\times\left(-\dfrac{9}{2}\right)=\dfrac{225}{2}$

곡선 $y=x^2-9x+18$과 직선 $y=18$로 둘러싸인 넓이에서 곡선 $y=x^2-9x+18$과 x축으로 둘러싸인 넓이의 2배를 뺀다.

답 $\dfrac{225}{2}$

45

곡선 $y=-2x^2+6 \ (0 \le x \le \sqrt{3})$ 위의 점 P에서 x축에 내린 수선의 발을 Q, y축에 내린 수선의 발을 R라 하자. 사각형 OQPR가 정사각형일 때, 곡선 $y=-2x^2+6 \ (0 \le x \le \sqrt{3})$과 직선 PR 및 y축으로 둘러싸인 부분의 넓이를 구하시오. (단, O는 원점이다.) $\dfrac{9}{2}$

풀이전략

사각형 OQPR가 정사각형이 되도록 하는 점 P의 좌표를 구한 후, 정적분을 활용하여 넓이를 구한다.

문제풀이

step 1 사각형 OQPR가 정사각형이 되도록 하는 점 P의 좌표를 구한다.

점 P의 좌표를 $(t, -2t^2+6) \ (0 \le t \le \sqrt{3})$이라 하면 $\overline{PR}=\overline{PQ}$일 때 사각형 OQPR는 정사각형이다.

즉, $t=-2t^2+6$이어야 하므로
$2t^2+t-6=0$ ↳ 점 P의 x좌표와 y좌표가 같다.

$(t+2)(2t-3)=0$

$0 \le t \le \sqrt{3}$이므로 $t=\dfrac{3}{2}$

따라서 $P\left(\dfrac{3}{2}, \dfrac{3}{2}\right)$, $Q\left(\dfrac{3}{2}, 0\right)$, $R\left(0, \dfrac{3}{2}\right)$이다.

step 2 곡선 $y=-2x^2+6 \ (0 \le x \le \sqrt{3})$과 직선 PR 및 y축으로 둘러싸인 부분의 넓이를 구한다.

직선 PR의 방정식이 $y=\dfrac{3}{2}$이므로 곡선 $y=-2x^2+6 \ (0 \le x \le \sqrt{3})$

과 직선 $y=\dfrac{3}{2}$ 및 y축으로 둘러싸인 도형은 그림과 같다.

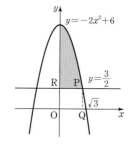

따라서 구하는 넓이는

$$\int_0^{\frac{3}{2}} \left\{(-2x^2+6)-\dfrac{3}{2}\right\}dx = \int_0^{\frac{3}{2}} \left(-2x^2+\dfrac{9}{2}\right)dx$$

$$= \left[-\dfrac{2}{3}x^3+\dfrac{9}{2}x\right]_0^{\frac{3}{2}}$$

$$= -\dfrac{9}{4}+\dfrac{27}{4}=\dfrac{9}{2}$$

답 $\dfrac{9}{2}$

46

좌표평면 위의 점 $P(-1, 1)$에서 함수 $f(x)=x^3-\dfrac{7}{2}x^2+x+2$의 그래프에 그은 두 접선의 접점을 각각 $Q(a, f(a))$, $R(b, f(b))$라 할 때, 두 선분 PQ, PR와 곡선 $y=f(x)$ $(a \le x \le b)$로 둘러싸인 부분의 넓이를 구하시오. (단, $0 \le a < b$) $\dfrac{11}{3}$

풀이전략

접점의 위치를 찾아 도형의 넓이를 구한다.

문제풀이

step 1 접점의 좌표를 구한다.

$f(x)=x^3-\dfrac{7}{2}x^2+x+2$에서

$f'(x)=3x^2-7x+1$

접점의 좌표를 $\left(t, t^3-\dfrac{7}{2}t^2+t+2\right)$라 하면 이 점에서의 접선의 방정식은

$$y-\left(t^3-\dfrac{7}{2}t^2+t+2\right)=(3t^2-7t+1)(x-t)$$

이 직선이 점 $P(-1, 1)$을 지나므로

$$1-\left(t^3-\dfrac{7}{2}t^2+t+2\right)=(3t^2-7t+1)(-1-t)$$

$4t^3-t^2-14t=0$

$t(t-2)(4t+7)=0$

$t=-\dfrac{7}{4}$ 또는 $t=0$ 또는 $t=2$

접점의 x좌표가 0보다 크거나 같은 점이 각각 $Q(a, f(a))$, $R(b, f(b)) \ (a<b)$이므로

$Q(0, 2)$, $R(2, -2)$ ⟶ $f(0)=2$, $f(2)=-2$

step 2 곡선 $y=f(x)$와 직선 PQ, 직선 PR를 그려 넓이를 구한다.

곡선 $y=f(x)$와 직선 PQ, 직선 PR는 그림과 같다.

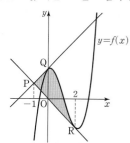

직선 PR는 원점을 지나므로 선분 PQ, 선분 PR와 곡선 $y=f(x) \ (0 \le x \le 2)$로 둘러싸인 부분의 넓이는 삼각형 OQP의 넓이와 선분 OR, 곡선 $y=f(x) \ (0 \le x \le 2)$와 y축으로 둘러싸인 넓이의 합과 같다.

따라서 구하는 넓이를 S라 하면

$$S=\dfrac{1}{2} \times 2 \times 1 + \int_0^2 \{f(x)-(-x)\}dx$$
↳ 직선 PR의 방정식은 $y=-x$

$$= \dfrac{1}{2} \times 2 \times 1 + \int_0^2 \left(x^3-\dfrac{7}{2}x^2+2x+2\right)dx$$

$$= 1 + \left[\frac{1}{4}x^4 - \frac{7}{6}x^3 + x^2 + 2x \right]_0^2$$

$$= 1 + \left(4 - \frac{28}{3} + 4 + 4 \right)$$

$$= \frac{11}{3}$$

답 $\frac{11}{3}$

47

그림과 같이 곡선 $C : y = (x-a)^2 + \frac{1}{2}$과 직선 $y = x$가 서로 다른

두 점 A, B에서 만난다. 점 A를 지나고 곡선 C에 접하는 직선과

직선 $y = x$가 서로 수직일 때, 곡선 C와 직선 $y = x$로 둘러싸인 도

↳ 두 직선의 기울기의 곱이 -1이다.

형의 넓이를 구하시오. (단, $a > 0$) $\frac{4}{3}$

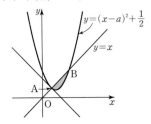

풀이전략

두 직선이 수직일 때 두 직선의 기울기의 곱이 -1임을 이용한다.

문제풀이

step 1 곡선 C와 직선 $y = x$의 교점의 x좌표를 구한다.

곡선 $C : y = (x-a)^2 + \frac{1}{2}$과 직선 $y = x$의 교점 A, B의 x좌표를 각

각 α, β $(\alpha < \beta)$라 하면

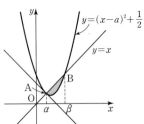

α, β는 이차방정식 $(x-a)^2 + \frac{1}{2} = x$의 해이므로

$(\alpha - a)^2 + \frac{1}{2} = \alpha$ ······ ㉠

↳ α가 방정식의 해이므로 대입하면 등식이 성립한다.

곡선 $C : y = (x-a)^2 + \frac{1}{2}$에서 $y' = 2x - 2a$이고 점 A에서의 접선이

직선 $y = x$에 수직이므로

$2(\alpha - a) = -1$ ······ ㉡

↳ 두 직선이 수직이고 기울기가 각각 $2(\alpha - a)$, 1이므로 그 곱은 -1이다.

㉠, ㉡에서 $a = \frac{3}{4}$, $a = \frac{5}{4}$

$\left(x - \frac{5}{4} \right)^2 + \frac{1}{2} = x$에서

$x^2 - \frac{7}{2}x + \frac{33}{16} = 0$

$\left(x - \frac{3}{4} \right)\left(x - \frac{11}{4} \right) = 0$이므로 $\beta = \frac{11}{4}$

step 2 곡선 C와 직선 $y = x$로 둘러싸인 도형의 넓이를 구한다.

따라서 구하는 넓이를 S라 하면

$$S = \int_{\frac{3}{4}}^{\frac{11}{4}} \left\{ x - \left(x - \frac{5}{4} \right)^2 - \frac{1}{2} \right\} dx$$

$$= \int_{\frac{3}{4}}^{\frac{11}{4}} \left(-x^2 + \frac{7}{2}x - \frac{33}{16} \right) dx$$

$$= \left[-\frac{1}{3}x^3 + \frac{7}{4}x^2 - \frac{33}{16}x \right]_{\frac{3}{4}}^{\frac{11}{4}}$$

$$= -\frac{1}{3} \times \frac{163}{8} + \frac{7}{4} \times 7 - \frac{33}{16} \times 2$$

↳ 세제곱의 인수분해를 이용하여 계산한다.

$$= \frac{4}{3}$$

답 $\frac{4}{3}$

48

그림과 같이 $0 < t < 3$인 실수 t에 대하여 함수 $f(x) = x^2 - 6x + 9$

의 그래프 위의 점 $P(t, t^2 - 6t + 9)$에서의 접선을 l이라 하자. 곡

선 $y = f(x)$와 직선 l 및 x축으로 둘러싸인 부분의 넓이를 S_1, 곡선

$y = f(x)$와 직선 l 및 y축으로 둘러싸인 부분의 넓이를 S_2라 할 때,

$S_1 + S_2$의 값이 자연수가 되도록 하는 실수 t의 개수를 구하시오.   9

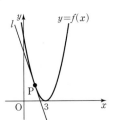

풀이전략

$S_1 + S_2$를 t에 대한 함수로 나타낸 후 함수의 그래프를 그린다.

문제풀이

step 1 접선과 x축, y축으로 둘러싸인 삼각형의 넓이를 구한다.

$f(x) = x^2 - 6x + 9$에서

$f'(x) = 2x - 6$

따라서 점 $P(t, t^2 - 6t + 9)$에서의 접선 l의 방정식은

$y - (t^2 - 6t + 9) = (2t - 6)(x - t)$ → $y - f(t) = f'(t)(x - t)$

$y = (2t - 6)x - t^2 + 9$

접선 l이 x축과 만나는 점을 Q라 하면

$Q\left(\frac{t+3}{2}, 0 \right)$ → 직선 l의 방정식에 $y = 0$을 대입한다.

접선 l이 y축과 만나는 점을 R라 하면
R$(0, -t^2+9)$ → 직선 l의 방정식에 $x=0$을 대입한다.
따라서 삼각형 OQR의 넓이는
$$\frac{1}{2} \times \frac{t+3}{2} \times (-t^2+9) = -\frac{1}{4}(t^3+3t^2-9t-27)$$

step 2 S_1+S_2의 넓이를 구한다.

$$S_1+S_2 = \int_0^3 f(x)dx - (\text{삼각형 OQR의 넓이})\text{이므로}$$

$$S_1+S_2 = \int_0^3 (x^2-6x+9)dx + \frac{1}{4}(t^3+3t^2-9t-27)$$

$$= \left[\frac{1}{3}x^3 - 3x^2 + 9x \right]_0^3 + \frac{1}{4}(t^3+3t^2-9t-27)$$

$$= \frac{1}{4}(t^3+3t^2-9t+9)$$

step 3 S_1+S_2의 그래프를 그리고 실수 t의 개수를 구한다.

$g(t) = \frac{1}{4}(t^3+3t^2-9t+9)$라 하면

$$g'(t) = \frac{1}{4}(3t^2+6t-9)$$

$$= \frac{3}{4}(t+3)(t-1)$$

이므로 $0<t<3$에서 함수 $g(t)$의 증가와 감소를 표로 나타내면 다음과 같다.

t	(0)	$\cdots$	1	$\cdots$	(3)
$g'(t)$		$-$	0	$+$	
$g(t)$		$\searrow$	1	$\nearrow$	

따라서 함수 $g(t)$의 그래프는 그림과 같다.

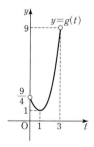

직선 $y=1$이 함수 $y=g(t)$의 그래프와 만나는 점의 개수는 1
직선 $y=2$가 함수 $y=g(t)$의 그래프와 만나는 점의 개수는 2
직선 $y=3$, $y=4$, $\cdots$, $y=8$이 함수 $y=g(t)$의 그래프와 만나는 점의 개수는 각각 1이므로 S_1+S_2의 값이 자연수가 되도록 하는 실수 t의 개수는
$1+2+6 \times 1 = 9$

답 9

49

다항함수 $f(x)$에 대하여 $g(x) = \int f(x)dx$라 하자. $g(0)=0$이고 모든 실수 x에 대하여 등식 $f(x)g(x) = g(x)+2x^3+2x^2$이 성립할 때, 다음은 함수 $y=g(x)$의 그래프와 x축으로 둘러싸인 도형의 넓이를 구하는 과정이다.

> $f(x)g(x) = g(x)+2x^3+2x^2$에서
> $\{f(x)-1\}g(x) = \boxed{\text{(가)}}$
> $f(x)$를 n차 함수라 하면 $g(x)$는 $(n+1)$차 함수이므로
> $f(x)$는 일차함수이고, $g(x)$는 이차함수이다.
> └→ $\{f(x)-1\}g(x)$는 $n+(n+1)$차 함수이다.
> $g(x)=ax^2+bx$ (a, b는 상수, $a \neq 0$)라 하면
> $\boxed{\text{(나)}} \times x^3 + (3ab-a)x^2 + b(b-1)x = 2x^3+2x^2$
> 위의 등식이 모든 실수 x에 대하여 성립하므로
> $\boxed{\text{(나)}} = 2$, $3ab-a=2$, $b(b-1)=0$
> 따라서 함수 $y=g(x)$의 그래프와 x축으로 둘러싸인 도형의 넓이는 $\boxed{\text{(다)}}$이다.

위의 과정에서 (가), (나)에 알맞은 식을 각각 $F(x)$, $G(a)$, (다)에 알맞은 수를 p라 할 때, $F(1)+G(1)+p$의 값을 구하시오. $\frac{37}{6}$

풀이전략

함수 $f(x)$와 $g(x)$의 차수를 파악하고 미정계수를 결정한다.

문제풀이

step 1 두 함수 $f(x)$, $g(x)$의 차수를 결정한다.

$f(x)g(x) = g(x)+2x^3+2x^2$에서

$\{f(x)-1\}g(x) = \boxed{2x^3+2x^2}$ $\quad\cdots\cdots$ ㉠

$f(x)$를 n (n은 자연수)차 함수라 하면 $g(x)$는 $(n+1)$차 함수이므로 $\{f(x)-1\}g(x)$는 $n+(n+1)$차 함수이다.

└→ $\{f(x)-1\}$은 n차 함수이고 $g(x)$는 $(n+1)$차 함수이므로 $\{f(x)-1\}g(x)$는 $(2n+1)$차 함수이다.

$n+(n+1)=3$에서 $n=1$

step 2 $f(x)=g'(x)$임을 이용하여 미정계수를 결정한다.

따라서 $g(x)$는 이차함수이고 $g(0)=0$이므로
$g(x)=ax^2+bx$ (a, b는 상수, $a \neq 0$)라 하면
$f(x)=g'(x)=2ax+b$
이것을 ㉠에 대입하면 $(2ax+b-1)(ax^2+bx) = 2x^3+2x^2$
$\boxed{2a^2} \times x^3 + (3ab-a)x^2 + b(b-1)x = 2x^3+2x^2$
위의 식이 모든 실수 x에 대하여 성립하므로
$\boxed{2a^2}=2$, $3ab-a=2$, $b(b-1)=0$에서 $a=b=1$
따라서 $g(x)=x^2+x$이므로 함수 $y=g(x)$의 그래프와 x축으로 둘러싸인 도형의 넓이는

$$-\int_{-1}^0 (x^2+x)dx = -\left[\frac{1}{3}x^3 + \frac{1}{2}x^2 \right]_{-1}^0$$

$$= -\left(\frac{1}{3} - \frac{1}{2} \right) = \boxed{\frac{1}{6}}$$

따라서 $F(x)=2x^3+2x^2$, $G(a)=2a^2$, $p=\dfrac{1}{6}$이므로

$F(1)+G(1)+p=4+2+\dfrac{1}{6}=\dfrac{37}{6}$

답 $\dfrac{37}{6}$

50

그림과 같이 두 함수 $f(x)=3x^2$, $g(x)=3(x-2a)^2$ $(a>0)$에 대하여 곡선 $y=g(x)$가 x축과 만나는 점을 P, 점 P를 지나고 x축에 평행한 직선이 제1사분면 위의 곡선 $y=f(x)$와 만나는 점을 Q라 하자. 두 곡선 $y=f(x)$, $y=g(x)$와 선분 PQ로 둘러싸인 부분의 넓이를 S_1, 두 곡선 $y=f(x)$, $y=g(x)$와 y축으로 둘러싸인 부분의 넓이를 S_2라 할 때, $S_1-S_2=8a$이다. 상수 a의 값을 구하시오. $\sqrt{2}$

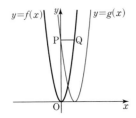

풀이전략
두 그래프 사이의 대칭성을 파악하고 문제 해결에 활용한다.

문제풀이

step 1 두 점 P, Q의 좌표를 구한다.

곡선 $y=g(x)$가 y축과 만나는 점은 $(0, 12a^2)$이므로
P$(0, 12a^2)$

점 P를 지나고 x축에 평행한 직선이 제1사분면 위의 곡선 $y=f(x)$와 만나는 점이 Q이므로 $3x^2=12a^2$에서

$x=2a$ $(x>0)$

따라서 Q$(2a, 12a^2)$

두 곡선 $y=f(x)$, $y=g(x)$가 만나는 점을 R라 하면

$3x^2=3(x-2a)^2$에서 $x=a$이므로

R$(a, 3a^2)$

step 2 S_1과 S_2의 값을 구한다.

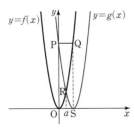

점 Q에서 x축에 내린 수선의 발을 S라 하면
S$(2a, 0)$

따라서 사각형 OSQP의 넓이는

$2a\times12a^2=24a^3$

두 곡선 $y=f(x)$, $y=g(x)$와 x축으로 둘러싸인 부분의 넓이를 S_3라 하면

$S_1+2S_2+S_3=24a^3$ → 두 곡선 $y=f(x)$, $y=g(x)$와 직선 $x=2a$로 둘러싸인 부분의 넓이는 S_2와 같다.

$S_1=2\displaystyle\int_a^{2a}(12a^2-3x^2)dx$ → S_1의 넓이는 직선 $x=a$에 의하여 이등분된다.

$=2\Big[12a^2x-x^3\Big]_a^{2a}$

$=2(24a^3-8a^3-12a^3+a^3)$

$=10a^3$

$S_3=2\displaystyle\int_0^a 3x^2dx=2\Big[x^3\Big]_0^a=2a^3$

이므로 $S_2=\dfrac{1}{2}\{24a^3-(10a^3+2a^3)\}=6a^3$

$S_1-S_2=8a$이므로

$10a^3-6a^3=8a$

$4a^3=8a$

따라서 $a=\sqrt{2}$

답 $\sqrt{2}$

51

정수 a에 대하여 삼차함수 $f(x)=\dfrac{1}{3}(x^3-4x^2+ax)$와 그 역함수 $f^{-1}(x)$가 있다. 두 곡선 $y=f(x)$, $y=f^{-1}(x)$가 서로 다른 세 점에서 만날 때, 두 곡선 $y=f(x)$, $y=f^{-1}(x)$로 둘러싸인 도형의 넓이를 구하시오. $\dfrac{37}{18}$

풀이전략
역함수의 성질을 이용하여 넓이를 구한다.

문제풀이

step 1 미분을 활용하여 a의 값의 범위를 구한다.

$f(x)$의 역함수가 존재하기 위해서는 $f(x)$의 도함수 $f'(x)$가 $f'(x)\geq0$이어야 한다. → 상수함수가 아닌 다항함수 $f(x)$가

$f(x)=\dfrac{1}{3}(x^3-4x^2+ax)$에서 $f'(x)\geq0$ 또는 $f'(x)\leq0$

$f'(x)=x^2-\dfrac{8}{3}x+\dfrac{a}{3}$ ⟺ 일대일대응
⟺ 역함수 존재

방정식 $f'(x)=0$의 판별식을 D라 하면 $f'(x)\geq0$이기 위해서는

$D=\dfrac{64}{9}-\dfrac{4}{3}a\leq0$

$\dfrac{4}{3}a\geq\dfrac{64}{9}$, $a\geq\dfrac{16}{3}$ ······ ㉠

step 2 역함수의 성질을 이용하여 a의 값을 구한다.

두 곡선 $y=f(x)$와 $y=f^{-1}(x)$가 서로 다른 세 점에서 만나면 곡선 $y=f(x)$와 직선 $y=x$도 세 점에서 만나므로

방정식 $\dfrac{1}{3}(x^3-4x^2+ax)=x$가 서로 다른 세 실근을 갖는다.
→ 두 곡선 $y=f(x)$와 $y=f^{-1}(x)$는 직선 $y=x$에 대칭이다.

$x^3-4x^2+ax=3x$에서

$x^3-4x^2+(a-3)x=0$

이때 $g(x)=x^3-4x^2+(a-3)x$라 하면 함수 $y=g(x)$의 그래프가 x축과 서로 다른 세 점에서 만나야 한다.

$g(x)=x^3-4x^2+(a-3)x=x\{x^2-4x+(a-3)\}$

에서 방정식 $x^2-4x+(a-3)=0$이 0이 아닌 서로 다른 두 실근을 가져야 하므로 방정식 $x^2-4x+(a-3)=0$의 판별식을 D'이라 하면

$D'=16-4(a-3)>0$, $a\neq 3$

$a<7$, $a\neq 3$ → $a=3$이면 $x^2-4x=0$이 되어   …… ㉡
                        $g(x)=0$은 $x=0$을 중근으로 갖는다.

㉠, ㉡에서 $\dfrac{16}{3}\leq a<7$이므로 $a=6$

따라서 $f(x)=\dfrac{1}{3}(x^3-4x^2+6x)$

step 3 함수의 그래프와 그 역함수의 그래프의 관계를 이용하여 넓이를 구한다.

두 곡선 $y=f(x)$, $y=f^{-1}(x)$로 둘러싸인 도형의 넓이는 곡선 $y=f(x)$와 직선 $y=x$로 둘러싸인 도형의 넓이의 두 배이다.

$\dfrac{1}{3}(x^3-4x^2+6x)=x$에서

$x^3-4x^2+6x=3x$

$x^3-4x^2+3x=0$

$x(x-1)(x-3)=0$

$x=0$ 또는 $x=1$ 또는 $x=3$

$h(x)=x^3-4x^2+3x$라 하면 $y=h(x)$의 그래프는 그림과 같다.

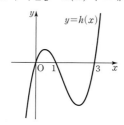

따라서 $y=h(x)$의 그래프와 x축으로 둘러싸인 도형의 넓이는

$\displaystyle\int_0^3 |h(x)|dx=\int_0^1 |h(x)|dx+\int_1^3 |h(x)|dx$

$\displaystyle =\int_0^1 (x^3-4x^2+3x)dx-\int_1^3 (x^3-4x^2+3x)dx$

$=\left[\dfrac{1}{4}x^4-\dfrac{4}{3}x^3+\dfrac{3}{2}x^2\right]_0^1-\left[\dfrac{1}{4}x^4-\dfrac{4}{3}x^3+\dfrac{3}{2}x^2\right]_1^3$

$=\dfrac{37}{12}$

이므로 두 곡선 $y=f(x)$, $y=f^{-1}(x)$로 둘러싸인 도형의 넓이는

$\dfrac{1}{3}\times 2\times\dfrac{37}{12}=\dfrac{37}{18}$

📑 $\dfrac{37}{18}$

참고 $a=6$일 때, 두 곡선 $y=f(x)$, $y=f^{-1}(x)$와 직선 $y=x$는 그림과 같다.

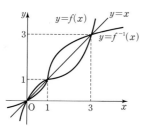

52

수직선 위를 움직이는 두 점 P, Q의 시각 t에서의 속도 v_P, v_Q가 각각 $v_P=2t-5$, $v_Q=3$이고, $t=0$일 때 두 점 P, Q의 위치는 각각 10, -10이다. 두 점 P, Q가 동시에 출발하여 두 점 사이의 거리가 최소가 될 때의 시각은 $t=a$이다. 점 P가 출발하여 $t=a$일 때까지 움직인 거리를 구하시오. $\dfrac{17}{2}$

풀이전략

위치와 적분, 거리와 적분의 관계를 이용하여 점 P가 움직인 거리를 구한다.

문제풀이

step 1 시각 t에 따른 두 점의 위치를 구한다.

시각 t에서의 두 점 P, Q의 위치는

$10+\displaystyle\int_0^t (2t-5)dt=t^2-5t+10$에서

P$(t^2-5t+10)$

또한 $-10+\displaystyle\int_0^t 3dt=3t-10$에서

Q$(3t-10)$

step 2 두 점 사이의 거리가 최소일 때의 t의 값을 구한다.

$t^2-5t+10=3t-10$에서 $t^2-8t+20=0$

방정식 $t^2-8t+20=0$의 판별식을 D라 하면

$\dfrac{D}{4}=16-20<0$이므로 $t^2-8t+20>0$

두 점 사이의 거리를 $f(t)$라 하면

$f(t)=|(t^2-5t+10)-(3t-10)|$

$\qquad =t^2-8t+20$ → 함수 $y=f(t)$의 그래프가 t축과 만나지 않는다.

$\qquad =(t-4)^2+4$

이므로 $f(t)$는 $t=4$일 때 최솟값을 가진다.

따라서 점 P가 출발하여 $t=4$일 때까지 움직인 거리는

$\displaystyle\int_0^4 |2t-5|dt=\int_0^{\frac{5}{2}} (-2t+5)dt+\int_{\frac{5}{2}}^4 (2t-5)dt$

$=\left[-t^2+5t\right]_0^{\frac{5}{2}}+\left[t^2-5t\right]_{\frac{5}{2}}^4$ → $t\geq\dfrac{5}{2}$이면 $2t-5\geq 0$

$=\left(-\dfrac{25}{4}+\dfrac{25}{2}\right)+\left(16-20-\dfrac{25}{4}+\dfrac{25}{2}\right)$

$=\dfrac{17}{2}$

📑 $\dfrac{17}{2}$

53

수직선 위를 움직이는 점 P의 시각 t에서의 속도 $f(t)$와 점 Q의 시각 t에서의 속도 $g(t)$는

$\qquad f(t)=4t(t-1)(t-3)$, $g(t)=12t$

이다. 두 점 P, Q가 원점을 동시에 출발한 후 $t=a$일 때 만난다. $t=a$일 때, 점 Q의 위치를 구하시오. (단, $a>0$) $\dfrac{512}{3}$

속도함수를 적분하여 위치를 계산한다.

문제풀이

step 1 시각 t에서의 두 점의 위치를 구한다.

시각 t에서의 점 P의 위치는

$$\int_0^t 4t(t-1)(t-3)\,dt = \int_0^t (4t^3-16t^2+12t)\,dt$$
$$= t^4 - \frac{16}{3}t^3 + 6t^2$$

에서 $\mathrm{P}\left(t^4 - \frac{16}{3}t^3 + 6t^2\right)$

점 Q의 위치는 $\int_0^t 12t\,dt = 6t^2$에서 $\mathrm{Q}(6t^2)$

step 2 두 점의 위치가 같을 때의 시각 t를 구한다.

두 점의 위치가 같을 때의 시각은 $t^4 - \frac{16}{3}t^3 + 6t^2 = 6t^2$에서

$t^4 - \frac{16}{3}t^3 = 0$, $t^3\left(t - \frac{16}{3}\right) = 0$

$t>0$이므로 $t = \frac{16}{3}$

따라서 $t = \frac{16}{3}$일 때, 점 Q의 위치는

$$6 \times \left(\frac{16}{3}\right)^2 = \frac{512}{3}$$

답 $\dfrac{512}{3}$

54

수직선 위를 움직이는 두 점 P, Q의 시각 t에서의 속도를 각각

$$v_{\mathrm{P}}(t) = -t^2 + 2t \quad (0 \le t \le 2),$$

$$v_{\mathrm{Q}}(t) = \begin{cases} t & (0 \le t \le 1) \\ 1 & (1 \le t \le 2) \end{cases}$$

라 할 때, 그림은 함수 $v_{\mathrm{P}}(t)$, $v_{\mathrm{Q}}(t)$의 그래프를 나타낸 것이다. 두 점 P, Q가 원점에서 동시에 출발할 때, 〈보기〉에서 옳은 것만을 있는 대로 고른 것은?

┤ 보기 ├
ㄱ. $t=1$일 때, 점 P는 점 Q보다 원점으로부터 더 멀리 떨어져 있다.
ㄴ. 두 점 P, Q의 위치가 같아지는 시각 c가 $1<c<2$에 존재한다.
ㄷ. 두 점 P, Q 사이의 거리의 최댓값은 $\frac{1}{6}$이다.

① ㄱ   ② ㄷ   ③ ㄱ, ㄴ
④ ㄴ, ㄷ   √⑤ ㄱ, ㄴ, ㄷ

사잇값의 정리를 활용한다.

문제풀이

step 1 두 점의 위치를 구한다.

시각 t에서의 점 P의 위치는

$$\int_0^t (-t^2 + 2t)\,dt = -\frac{1}{3}t^3 + t^2$$

시각 t에서의 점 Q의 위치는 → t의 값에 따라 속도가 다르므로 구간을 나누어서 생각한다.

(i) $0 \le t \le 1$일 때

$$\int_0^t t\,dt = \frac{1}{2}t^2$$

(ii) $1 \le t \le 2$일 때

$$\int_1^t 1\,dt + \frac{1}{2} = (t-1) + \frac{1}{2} = t - \frac{1}{2}$$

→ $t=1$일 때의 점 Q의 위치는 $\frac{1}{2}$이다.

step 2 사잇값의 정리를 이용하여 문제를 해결한다.

$0 \le t \le 2$에서 $v_{\mathrm{P}}(t) \ge 0$, $v_{\mathrm{Q}}(t) \ge 0$

ㄱ. $t=1$일 때, 두 점 P, Q의 위치는 각각

$$\int_0^1 (-t^2 + 2t)\,dt = \frac{2}{3}, \quad \int_0^1 t\,dt = \frac{1}{2}$$이므로

$$\int_0^1 (-t^2 + 2t)\,dt > \int_0^1 t\,dt \ (참)$$

ㄴ. $t=2$일 때, 두 점 P, Q의 위치는 각각

$$\int_0^2 (-t^2+2t)\,dt = \frac{4}{3}, \quad \int_1^2 1\,dt + \frac{1}{2} = \frac{3}{2}$$

시각 t에서 점 P의 위치를 $f(t)$, 점 Q의 위치를 $g(t)$, $h(t) = f(t) - g(t)$라 하면 $h(t)$는 닫힌구간 $[1, 2]$에서 연속이고

$$h(1) = f(1) - g(1) = \frac{2}{3} - \frac{1}{2} = \frac{1}{6}$$

$$h(2) = f(2) - g(2) = \frac{4}{3} - \frac{3}{2} = -\frac{1}{6}$$

이므로 사잇값의 정리에 의하여 열린구간 $(1, 2)$에 $h(c)=0$인 c가 적어도 하나 존재한다. (참)

ㄷ. (i) $0 \le t \le 1$일 때

$$h(t) = -\frac{1}{3}t^3 + t^2 - \frac{1}{2}t^2 = -\frac{1}{3}t^3 + \frac{1}{2}t^2$$이므로

$$h'(t) = -t^2 + t = -t(t-1)$$

$h'(t) = 0$에서 $t=0$ 또는 $t=1$

따라서 $t=1$일 때 $h(t)$는 최댓값을 가지므로 $h(1) = \frac{1}{6}$

(ii) $1 \le t \le 2$일 때

$$h(t) = -\frac{1}{3}t^3 + t^2 - t + \frac{1}{2}$$이므로

$$h'(t) = -t^2 + 2t - 1 = -(t-1)^2$$

$h'(t) = 0$에서 $t=1$

또한 $t=2$일 때 $h(2) = -\frac{1}{6}$

(i), (ii)에서 두 점 P, Q 사이의 거리 $|h(t)|$의 최댓값은 $\frac{1}{6}$이다.

(참)

따라서 옳은 것은 ㄱ, ㄴ, ㄷ이다.

답 ⑤

55

자연수 a에 대하여 수직선 위를 움직이는 점 P의 시각 t에서의 속도는 $v(t)=(t-a)(t-2a)$이고, $t=0$일 때 점 P의 위치는 -18이다. 점 P가 원점을 두 번 지날 때, a의 값을 구하시오. 　　3

점 P의 위치 $x(t)$의 극댓값 또는 극솟값이 0일 때, 원점을 두 번 지난다.

step 1 시각 t에 대한 점의 위치를 구한다.

시각 t에서의 점 P의 위치를 $x(t)$라 하면

$$x(t)=-18+\int_0^t (t-a)(t-2a)dt$$
$$=\frac{1}{3}t^3-\frac{3}{2}at^2+2a^2t-18$$

→ 시각 t에서의 위치는
$x(0)+\int_0^t v(t)dt$

step 2 함수 $x(t)$의 극댓값과 극솟값을 구하여 원점을 두 번 지날 때의 시각을 구한다.

함수 $x(t)=\frac{1}{3}t^3-\frac{3}{2}at^2+2a^2t-18$의 도함수는

$$v(t)=(t-a)(t-2a)$$

이므로 함수 $x(t)$는 $t=a$에서 극댓값, $t=2a$에서 극솟값을 갖는다.

또한 점 P가 원점을 두 번 지나려면 함수 $x(t)$의 극댓값 또는 극솟값이 0이어야 한다.

$x(t)=\frac{1}{3}t^3-\frac{3}{2}at^2+2a^2t-18\ (t\ge0)$에서

(ⅰ) $x(a)=0$인 경우

$$\frac{1}{3}a^3-\frac{3}{2}a^3+2a^3-18=0$$

$$\frac{5}{6}a^3-18=0$$

즉, $a^3=\frac{108}{5}$이므로 자연수 a는 존재하지 않는다.

(ⅱ) $x(2a)=0$인 경우

$$\frac{8}{3}a^3-6a^3+4a^3-18=0$$

$$\frac{2}{3}a^3-18=0$$

즉, $a^3=27$이므로 $a=3$

(ⅰ), (ⅱ)에 의하여 $a=3$

답 3

$a=3$일 때, $y=x(t)$의 그래프는 다음과 같다.

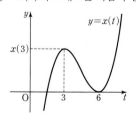

56

한 변의 길이가 3인 정사각형 ABCD의 둘레 및 내부의 점 P를 지나고 서로 수직인 두 직선 l, m이 다음 조건을 만족시킨다.

> (가) 직선 l은 변 DA와 점 E에서 만나고 직선 m은 변 BC와 점 F에서 만난다.
> (나) $\angle AEP=45°$

도형 EPF가 정사각형 ABCD의 넓이를 이등분하며 움직일 때, 선분 PE가 움직이는 부분의 넓이는?
→ 도형 EPF는 선분 EP와 선분 PF로 이루어진 꺾인 선이다.

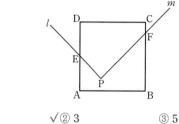

① 1　　　　✓② 3　　　　③ 5
④ 7　　　　⑤ 9

직선 l과 직선 m의 기울기가 각각 -1, 1임을 파악하고 도형 EPF가 정사각형 ABCD의 넓이를 이등분함을 이용하여 도형 EPF에 의하여 나누어지는 두 영역의 넓이를 식으로 나타내기

두 점 E, F가 각각 선분 AD, 선분 BC 위에 있으므로 점 E, F가 움직일 수 있는 범위가 제한된다. 이 점을 인지하고 두 점 E, F가 움직이는 영역을 부등식으로 제한하지 못하면 문제를 해결할 수 없음을 알아야 한다.

점 P가 조건을 만족시키며 움직이는 영역을 생각한다. 점 P를 사각형 내부의 여러 곳으로 이동시켜 봄으로써 직관적으로 두 직선 l, m의 움직임을 관찰한다.

step 1 정사각형을 포함하는 좌표평면을 설정하고 두 직선 l, m의 방정식을 구한다.

그림과 같이 선분 AB의 연장선을 x축, 선분 AD의 연장선을 y축으로 하는 좌표평면을 생각하자.

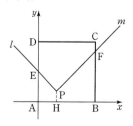

직선 l과 직선 m의 기울기는 각각 -1, 1이므로

$\mathrm{P}(a, b)$라 하면 $\quad\hookrightarrow$ 직선 l이 선분 AD와 이루는 각의 크기가 $45°$이고
$\qquad\qquad\qquad\qquad$ 두 직선 l, m은 수직으로 만난다.

$l : y-b=-(x-a)$ $\qquad\qquad\qquad\cdots\cdots$ ㉠

$m : y-b=x-a$ $\qquad\qquad\qquad\quad\cdots\cdots$ ㉡

㉠에 $x=0$을 대입하면 $y=a+b$

㉡에 $x=3$을 대입하면 $y=3-a+b$

따라서 $\mathrm{E}(0, a+b)$, $\mathrm{F}(3, 3-a+b)$

step 2 도형 EPF에 의하여 정사각형의 넓이가 이등분되도록 관계식을 만든다.

점 P에서 변 AB에 내린 수선의 발을 H라 하면

(오각형 ABFPE의 넓이)

$=$(사각형 AHPE의 넓이)$+$(사각형 HBFP의 넓이)

$=\dfrac{1}{2}a(a+b+b)+\dfrac{1}{2}(3-a)(b+3-a+b)$

또한 오각형 ABFPE의 넓이는 사각형 ABCD의 넓이의 $\dfrac{1}{2}$이므로

$\dfrac{1}{2}a(a+b+b)+\dfrac{1}{2}(3-a)(b+3-a+b)=\dfrac{9}{2}$

$a^2+ab+ab+a^2-6a-2ab+6b+9=9$

$a^2-3(a-b)=0$ $\qquad\qquad\qquad\qquad\cdots\cdots$ ㉢

두 점 E, F는 각각 변 DA, 변 BC 위에 있으므로

$0\le 3-a+b\le 3$, $0\le a+b\le 3$에서 $\rightarrow$ 정사각형의 한 변의 길이가 3이므

$-3\le -a+b\le 0$, $0\le a+b\le 3$ $\qquad$ 로 점 E와 점 F의 y좌표를 부등식
$\qquad\qquad\qquad\qquad\qquad\qquad\qquad$ 으로 나타낼 수 있다.

㉢에서 곡선 $b=-\dfrac{1}{3}a^2+a$ 위의 점 (a, b)가 $\rightarrow$ 위에서 정한 부등식의
$\qquad\qquad\qquad\qquad\qquad\qquad\qquad\qquad\qquad\quad$ 영역이 ㉢을 만족시키

$-3\le -a+b\le 0$, $0\le a+b\le 3$을 만족시키므로 는지 확인한다.

점 P는 곡선 $y=-\dfrac{1}{3}x^2+x$ 위를 움직인다.

step 3 점 P가 움직이는 도형을 구하고 답을 도출한다.

$f(x)=-\dfrac{1}{3}x^2+x$라 하면 $f'(x)=-\dfrac{2}{3}x+1$이므로

$f'(0)=1$이고 $f'(3)=-1$

즉, 곡선 $y=-\dfrac{1}{3}x^2+x$ 위의 점 $(0, 0)$과 $(3, 0)$에서의 접선의 기울기는 각각 1, -1이다.

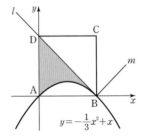

따라서 선분 PE가 움직이는 부분의 넓이는

$\dfrac{3^2}{2}-\displaystyle\int_0^3\left(-\dfrac{1}{3}x^2+x\right)dx=\dfrac{9}{2}+\left[\dfrac{1}{9}x^3-\dfrac{1}{2}x^2\right]_0^3$

$\qquad\qquad\qquad\qquad\qquad\qquad =\dfrac{9}{2}+3-\dfrac{9}{2}=3$

답 ②

MEMO

올림포스 고난도

수학 II

올림포스
고교 수학
커리큘럼

내신기본	올림포스
유형기본	올림포스 유형편
기출	올림포스 전국연합학력평가 기출문제집
심화	올림포스 고난도

정답과 풀이

오늘의 철학자가 이야기하는
고전을 둘러싼 지금 여기의 질문들

EBS X 한국철학사상연구회
오늘 읽는 클래식

"클래식 읽기는 스스로 묻고 사유하고 대답하는 소중한 열쇠가 된다.
고전을 통한 인문학적 지혜는
오늘을 살아가는 우리에게 삶의 이정표를 제시해준다."

- 한국철학사상연구회

한국철학사상연구회 기획 | 각 권 정가 13,000원

오늘 읽는 클래식을
원전 탐독 전, 후에 반드시 읽어야 할 이유

01/ 한국철학사상연구회 소속 오늘의 철학자와 함께 읽는 철학적 사유의 깊이와
현대적 의미를 파악하는 구성의 고전 탐독

02/ 혼자서는 이해하기 힘든 주요 개념의 친절한 정리와 다양한 시각 자료

03/ 철학적 계보를 엿볼 수 있는 추천 도서 정리

고1~2 내신 중점 로드맵

과목	고교 입문	→	기초	→	기본	→	특화	+	단기

국어

고등 예비 과정 / 내 등급은?
- 윤혜정의 개념의 나비효과 입문편/워크북
- 어휘가 독해다!

기본서: 올림포스

국어 특화: 국어 독해의 원리 | 국어 문법의 원리

영어

- 정승익의 수능 개념 잡는 대박구문

올림포스 전국연합 학력평가 기출문제집

영어 특화:
- Grammar POWER | Reading POWER
- Listening POWER | Voca POWER

유형서: 올림포스 유형편

고급: 올림포스 고난도

단기 특강

수학

기초: 50일 수학

매쓰 디렉터의 고1 수학 개념 끝장내기

수학 특화: 수학의 왕도

한국사 사회 / 과학

인공지능: 수학과 함께하는 고교 AI 입문 / 수학과 함께하는 AI 기초

기본서: 개념완성 / 개념완성 문항편

고등학생을 위한 多담은 한국사 연표

과목	시리즈명	특징	수준	권장 학년
전과목	고등예비과정	예비 고등학생을 위한 과목별 단기 완성	●	예비 고1
	내 등급은?	고1 첫 학력평가+반 배치고사 대비 모의고사	●	예비 고1
국/영/수	올림포스	내신과 수능 대비 EBS 대표 국어·수학·영어 기본서	●	고1~2
	올림포스 전국연합학력평가 기출문제집	전국연합학력평가 문제+개념 기본서	●	고1~2
	단기 특강	단기간에 끝내는 유형별 문항 연습	●	고1~2
한/사/과	개념완성 & 개념완성 문항편	개념 한 권+문항 한 권으로 끝내는 한국사·탐구 기본서	●	고1~2
국어	윤혜정의 개념의 나비효과 입문편/워크북	윤혜정 선생님과 함께 시작하는 국어 공부의 첫걸음	●	예비 고1~고2
	어휘가 독해다!	7개년 학평·모평·수능 출제 필수 어휘 학습	●	예비 고1~고2
	국어 독해의 원리	내신과 수능 대비 문학·독서(비문학) 특화서	●	고1~2
	국어 문법의 원리	필수 개념과 필수 문항의 언어(문법) 특화서	●	고1~2
영어	정승익의 수능 개념 잡는 대박구문	정승익 선생님과 CODE로 이해하는 영어 구문	●	예비 고1~고2
	Grammar POWER	구문 분석 트리로 이해하는 영어 문법 특화서	●	고1~2
	Reading POWER	수준과 학습 목적에 따라 선택하는 영어 독해 특화서	●	고1~2
	Listening POWER	수준별 수능형 영어듣기 모의고사	●	고1~2
	Voca POWER	영어 교육과정 필수 어휘와 어원별 어휘 학습	●	고1~2
수학	50일 수학	50일 만에 완성하는 중학~고교 수학의 맥	●	예비 고1~고2
	매쓰 디렉터의 고1 수학 개념 끝장내기	스타강사 강의, 손글씨 풀이와 함께 고1 수학 개념 정복	●	예비 고1~고1
	올림포스 유형편	유형별 반복 학습을 통해 실력 잡는 수학 유형서	●	고1~2
	올림포스 고난도	1등급을 위한 고난도 유형 집중 연습	●	고1~2
	수학의 왕도	직관적 개념 설명과 세분화된 문항 수록 수학 특화서	●	고1~2
한국사	고등학생을 위한 多담은 한국사 연표	연표로 흐름을 잡는 한국사 학습	●	예비 고1~고2
기타	수학과 함께하는 고교 AI 입문/AI 기초	파이선 프로그래밍, AI 알고리즘에 필요한 수학 개념 학습	●	예비 고1~고2